Anna Ficner-Ogonowska

Czas pokaże

Wydawnictwo Znak
Kraków 2015

Projekt okładki
Paweł Panczakiewicz
PANCZAKIEWICZ ART DESIGN www.panczakiewicz.pl

Fotografia na pierwszej stronie okładki
© Anna Mutwil/arcangel-images.com

Fotografia Autorki na czwartej stronie okładki
Anna Soroka

W powieści wykorzystano utwór pt. *Ballada o złym czarowniku*
autorstwa Wiery Badalskiej
© by Małgorzata Majewska-Woźniak

Opieka redakcyjna
Anna Rucińska-Barnaś

Redakcja
Monika Skowron

Korekta
Barbara Gąsiorowska

Opracowanie typograficzne
Daniel Malak

Łamanie
Ryszard Baster

ISBN 978-83-240-3492-5

znak

Książki z dobrej strony: www.znak.com.pl
Więcej o naszych autorach i książkach: www.wydawnictwoznak.pl
Społeczny Instytut Wydawniczy Znak, 30-105 Kraków, ul. Kościuszki 37
Dział sprzedaży: tel. (12) 61 99 569, e-mail: czytelnicy@znak.com.pl
Wydanie I, 2015. Printed in EU

Pani Ania pokazała, że nie ma sytuacji bez wyjścia. Kiedy sypie ci się świat, odchodzą najbliższe, ukochane osoby, nie wolno się zatracać w samotności i żałobie, trzeba żyć. Zawsze ma się dla kogo żyć, nawet jeśli się o tym nie wie. Pokazała sposób, w jaki można pomóc sobie, przeżyć porażki i najgorsze życiowe momenty. Zawsze trzeba wierzyć w „lepsze", zawsze trzeba wierzyć, że „mnie też spotka coś dobrego". Trzeba walczyć o każdą chwilę w życiu, tę dobrą, która daje szczęście, i tę gorszą, która hartuje osobowość i charakter.

Katarzyna Konopa

Co mi dało *Alibi na szczęście*? Wiarę, gdy ją straciłam. Nadzieję, gdy byłam pewna, że nic mnie dobrego nie czeka, a każdy poranek był karą. Uwierzyłam, że jeśli będę dobra, to świat może mi się odwdzięczyć – nie dziś, nie jutro, ale kiedyś na pewno. Dzięki *Alibi* przeżyłam. Nie tylko egzystowałam, biernie czekając na koniec. Ta książka jest dla mnie wszystkim.

Dominika Dobrowolska

Za każdym razem, gdy powracam do Pani książek, odnajduję nowe „złote myśli", których wcześniej nie potrafiłam zrozumieć, a to jeszcze bardziej pomaga uwierzyć, że historia opisana przez Panią, mogła wydarzyć się naprawdę. Ja dzięki Pani słowom wiele razy wychodziłam z życiowego „dołka", zbliżyłam się do Boga, uwierzyłam, że mogę wszystko, „bo jeśli Bóg z nami – któż przeciw nam?".

Magdalena Jackiewicz

Książki Pani Anny są mi wyjątkowo bliskie. Pozwalają uwolnić emocje, które skrzętnie chowam w strachu przed codziennością... Oswajają trudne chwile i dają nadzieję na lepsze jutro... Autorce zawdzięczam powrót do rzeczywistości i otwarcie się na miłość dobrych ludzi, którzy są wokół...

Nadia Ługiewicz

Pani Anna Ficner-Ogonowska jest dla mnie czarodziejką rzeczywistości.

Patrycja Słodownik

Autorka pokazała, że przez życie nie można iść w pojedynkę, zamykając się przed światem w czterech ścianach. Przyjaźń i miłość potrzebne są nam jak tlen. Przewracając kolejne strony książek Pani Anny, na nowo doceniłam, jak wiele szczęścia dało mi życie.

Agnieszka Kapałka

Pokochałam książki Pani Ani za magię, która przenosi mnie do zaczarowanego świata, gdzie przeplatają się różne uczucia: miłość, radość, błogość, smutek, żal, gorycz. Za wypełnienie słów wdziękiem i nasycenie wrażliwością. Oprawienie skrajnych przeżyć delikatnością. Otoczenie miłości zmysłowością i nastrojowością. Otulenie strapień czułością. Ukazanie szarości życia w odcieniach szczęścia.

Aneta Kasza

Czas...

Czas...

Czas...

Popędzała w myślach czas, ponieważ płynął niezwykle wolno, a tymczasem mróz chwytał bardzo szybko. Było przeraźliwie zimno. Zerknęła na zegarek ukryty pod mitynką z owczej wełny. Nie mogła uwierzyć, że odkąd wyszła z uczelni, nie minął nawet kwadrans. No, chyba że mróz uszkodził mechanizm zegarka. Czuła się tak, jakby tkwiła na tym lodowatym wygwizdowie już blisko godzinę. Obniżająca się wciąż temperatura sprawiała, że zaczynała się coraz bardziej denerwować. Nigdy nie mogła pojąć, z jakiego powodu Nela hołdowała idiotycznej zasadzie: „nie oddawaj kolokwium przed czasem", zawsze bowiem kończyła pisać jako pierwsza, a jej prace były zawsze bezbłędne, na maksa, czyli maksymalną liczbę punktów. Nela – najlepsza studentka na roku. Inna od wszystkich. Wyróżniała się czymś, co w pierwszej chwili bardzo trudno zdefiniować.

Gdy jeszcze jej nie znała, na początku pierwszego roku, uważała, że ta w jednej chwili piękna, a w drugiej całkowicie niepozorna dziewczyna po prostu zadziera nosa. Potrzebowała czasu, jakieś pół roku, by zrozumieć, iż to, co na początku znajomości wydawało się jej zarozumialstwem, w istocie rzeczy było oznaką zamknięcia w sobie, a także przejawem ogromnej skromności. Im dłużej znała Nelę, tym bardziej ją podziwiała. Nela była geniuszem na roku. Nie miała sobie równych. Biła wszystkich na głowę z każdego przedmiotu.

Doskonale zapamiętała moment, w którym zobaczyła Nelę po raz pierwszy. Zarówno wtedy, jak i dziś dziewczyna zwracała na siebie uwagę dwiema cechami: urodą i tuszą. Uroda Neli zapierała dech w piersiach, natomiast tusza pozwalała ten dech bez przeszkód odzyskać. Nela była pięknością. Puszystą pięknością. Jej bladą twarz otaczała burza ognistych loków, której płomień uspokajały i ochładzały zielone oczy. Owal twarzy doskonale komponował się z resztą postaci. Jednak Nela wcale nie sprawiała wrażenia osoby przysadzistej. Apetycznie okrągła, kojarzyła się raczej z pachnącym pączkiem.

Uśmiechnęła się na myśl o przyjaciółce i pociągnęła nosem, po czym dotknęła jego czubka, by sprawdzić, czy na pewno wciąż stanowi integralną część twarzy, gdyż przestawała go czuć. Niezbyt mądrze postąpiła, od razu wychodząc na zewnątrz. Chciała odetchnąć po kolokwium i poczekać tu spokojnie na Nelę. Zawsze na nią czekała. Wiosną i jesienią miało to mnóstwo uroku, a w miesiącach zimowych stawało się nie do zniesienia. Nela jednak, nie bacząc na porę roku, niezmiennie wyczekiwała słów: „dziękuję państwu, proszę odłożyć długopisy, czas się skończył". Była swoistym zbiorem różnych zasad, bardzo życiowych, a chwilami bardzo nieżyciowych, których niestety rygorystycznie przestrzegała. Nie tylko w zdrowiu, ale i w chorobie. Na szczęście z biegiem czasu, to znaczy, im lepiej poznawała Nelę, jej tolerancja wobec przyjaciółki stawała się coraz większa. Mimo to równie tak samo często zastanawiała się, dlaczego ta bardzo inteligentna dziewczyna czasami potrafi być tak oderwana od rzeczywistości, zupełnie nieprzystosowana do otaczającej ją współczesności.

Dziś jednak było jej zbyt zimno, by głowić się nad tym charakterystycznym dla przyjaciółki rozdwojeniem osobowości. Poza tym każde dziwactwo Neli z pewnością miało dobre wytłumaczenie. Suma wszystkich cech Neli czyniła z niej kogoś naprawdę wyjątkowego. Kogoś, kto nigdy nie przejmuje się tym, co ludzie sobie pomyślą, bo uważa, że najważniejsze jest to, co sami sądzimy. Właśnie tę zaletę ceniła w przyjaciółce najbardziej.

Z budynku uczelni wychodzili ludzie z roku, żegnając się zdawkowym, zamarzającym w styczniowym powietrzu „cześć", „pa" lub „do zobaczenia". Odprowadzała wszystkich beznamiętnym wzrokiem, myśląc o tym, że choć przed czasem, to jednak oddali niekompletne i pełne błędów prace. Zresztą pewnie tak jak ona. W jej odpowiedziach też zwykle czegoś brakowało albo traktowała podane na testach zadania zbyt ogólnie, niedokładnie.

– Julka, dlaczego czekasz na zewnątrz? – usłyszała zmartwiony głos przyjaciółki.

– Chciałam się przewietrzyć.

– Będę cię miała na sumieniu, jeśli się przeziębisz – podsumowała przerażona wizją choroby Nela.

– Nie martw się. Złego licho nie bierze – odparła szczerze, chociaż przemarzła do szpiku kości.

– Właśnie tego się obawiam – stwierdziła Nela z rozbrajającym uśmiechem, który czynił z niej bardzo piękną młodą kobietę.

Ona zawsze była dziewczyną, a Nela kobietą. Odkąd się poznały, nic się nie zmieniło w tej kwestii. Siła kobiecości Neli tkwiła w jej urodzie. Zerkała na twarz przyjaciółki otoczoną włosami o wielu odcieniach rudości. Nela przypominała złotą iskrę, w której skrzą się szmaragdy ogromnych oczu. Mały, kształtny nos ustępował miejsca pełnym, pięknie zarysowanym ustom, które zwykły uśmiechać się tylko trochę. Nie słyszała jeszcze głośnego śmiechu przyjaciółki, gdyż w radości i zadowoleniu z życia potrafiła zachować umiar i unikała przesady.

– Jak ci poszło? – spokojny ton Neli wyrażał szczere zainteresowanie.

– Na pewno gorzej niż tobie – odpowiedziała z przekonaniem, ale bez cienia złośliwości.

– Masz szczęście, że cię lubię. Wiesz, która godzina? Musimy ruszać! – dodała, zerkając na zegarek.

– Wiem. – I ruszyła za szybko idącą przyjaciółką, która nigdy nie marnowała czasu.

Każda sekunda życia Neli musiała być dobrze wykorzystana. Jeśli nie na działanie, to przynajmniej na konstruktywne myślenie lub planowanie dalszych kroków.

Piątkowe późne popołudnie niezauważalnie zaczęło przechodzić w wieczór. Gdy skończyła pisać kolokwium, było jeszcze widno. Teraz niebo robiło się coraz ciemniejsze, a miasto zaczynały rozświetlać zapalające się to tu, to tam uliczne latarnie. Po ulicach mknęły samochody, a ludzie pomimo zimna poruszali się jakby weselej. Zaczynały się przygotowania do weekendowego odpoczynku, podczas gdy one kierowały się pospiesznie ku przystankowi. Zwykle zatłoczony o tej porze tramwaj miał zawieźć je do pracy.

Za namową Neli już od pierwszego roku studiów zawsze gdzieś pracowała. Robiła to dla własnej satysfakcji, a przy okazji ku radości mamy, ponieważ w ich domu nigdy się nie przelewało. Nela z kolei pracowała od dziecka. Pochodziła z rodziny ubogiej, a do tego wielodzietnej. Była najstarsza z rodzeństwa i to na niej spoczywał obowiązek pomocy rodzicom, którzy żyli z produkcji mleka w małej mazurskiej wiosce. Jako mieszkanka dużego miasta musiała sama utrzymać się w miejskiej dżungli. Poza tym trochę uważała się za żywicielkę rodziny, może nie jedyną, ale z pewnością niezastąpioną. Regularnie wysyłała rodzeństwu niewielkie sumy na bieżące potrzeby.

Latem miały aż trzy miesiące wakacji, z czego jeden, a czasem i półtora poświęcały na pracę w restauracjach. Na początku zawsze na zmywaku, ale później szybko awansowały i roznosiły piwo w ogródkach letnich. Kiedyś zatrudniły się w firmie farmaceutycznej i ubrane w białe kitle, czepki na głowach i ochraniacze na nogach składały pudełka, do których pakowano jakieś medyczne cuda i aparaturę ratującą życie. Gdy zaczynał się rok akademicki, sytuacja się komplikowała. Jako studentki miały bardzo dużo nauki i mogły pracować tylko wtedy, gdy po pierwsze, nie kolidowało to z ich zajęciami, a po drugie, pasowało potencjalnym chlebodawcom. Krótko mówiąc, łatwo nie było. Ale pracowały zawsze. Wspierały się nawzajem, choć prawdę powiedziawszy, Nela tego wsparcia potrzebowała tylko wtedy, gdy podupadała na zdrowiu. Wtedy bez mrugnięcia okiem przejmowała jej obowiązki. Za to gdy sama chorowała lub nie mogła pojawić się w pracy z powodów rodzinnych, to Nela pracowała za dwie.

Całe szczęście nie musiały długo czekać na mrozie na tramwaj. Przyjechał po kilku minutach i chociaż był skrajnie zatłoczony, jakimś cudem udało im się do niego wbić. Wciśnięte w tłum jechały przed siebie, marząc, by na najbliższym przystanku ktoś wysiadł z wlokącego się jak żółw pojazdu, a nikt inny nie wyraził chęci podróżowania razem z nimi. Marzenia potrafią się spełniać. Choćby połowicznie. Na najbliższym przystanku co prawda nikt nie wysiadł, ale nowych podróżnych też nie przybyło.

Może zamarzli…? – pomyślała, patrząc na otaczających ją ludzi.

– Mam tylko nadzieję, że nie będzie tak jak ostatnio – jęknęła w stronę zamarzniętej szyby Nela.

– Cokolwiek tam zastaniemy, damy radę! – uśmiechnęła się gorzko na wspomnienie tego, co ostatnio zobaczyły w mieszkaniu, które sprzątały w każdy piątek po południu.

Duży i piękny apartament zyskiwał na urodzie zawsze wtedy, gdy z niego wychodziły, bo kiedy stawały w progu, przypominał... Zamyśliła się. Łatwiej już stwierdzić, czego nie przypominał w piątkowe późne popołudnia. Zatem z pewnością nie miejsca, w którym żyje nowoczesne i – co ważne – bezdzietne małżeństwo, a sądząc po jakości garderoby, bardzo dobrze sytuowane. Gdy wchodziła do pomieszczeń, gdzie przez cały boży tydzień nikt nie szanował ich pracy, chciało jej się wyć, a nawet potrząsnąć tą parą patentowanych brudasów, która, o dziwo, sama prezentowała się nieskazitelnie.

Nela oczywiście reagowała inaczej. Chlew nie robił na niej żadnego wrażenia. Wchodziła do mieszkania z uśmiechem, jakby już od progu ciesząc się, że trafili im się tacy pracodawcy, u których praca nigdy się nie skończy, ponieważ nie potrafią utrzymać porządku. Brudne naczynia zostawiali zawsze tam, gdzie kończyli jeść, czyli najrzadziej na stole, bo jadali wszędzie, tylko nie w jadalni. Ubrania rzucali tam, gdzie się rozebrali. Opatrzone markowymi metkami części garderoby zwisały w nieładzie z jadalnianych krzeseł, zaścielały podłogę w sypialni i w innych pomieszczeniach. Białe ręczniki, użyte z pewnością tylko raz, też leżały gdzie popadnie. Matka często ganiła ją za to, iż nie potrafi utrzymać porządku we własnym pokoju. Nie chciała uwierzyć, że w porównaniu ze swoimi pracodawcami córka była ucieleśnieniem pedanterii i aptekarskiej dokładności.

W gruncie rzeczy jednak lubiły z Nelą ludzi, których po cichu nazywała „burdelarzami", gdyż poza rozlicznymi wadami mieli jedną bardzo istotną zaletę: doskonale płacili. Nie szanowali ich pracy nic a nic, ale dwie stówy leżące w każdy piątek na stole w jadalni całkowicie zamykały jej usta. Tylko jej, ponieważ Nela i tak zawsze unikała wygłaszania komentarzy. Tym bardziej że dzięki owym „burdelarzom" mogły cieszyć się kolejnym dobrze płatnym zleceniem. W jedno wtorkowe popołudnie w miesiącu sprzątały w pewnej znanej w mieście kancelarii adwokackiej, w której na swoje życie ponad stan zarabiało kilku prawników.

Siedziały obok siebie sterane, zmachane i wykończone. Policzki Neli pokrywały plamy w kolorze buraczanym. Miały dla siebie piętnaście minut. Mieszkanie musiały opuścić kwadrans po dwudziestej pierwszej. Taką umowę miały z właścicielką. Jej męża do tej pory jeszcze nie spotkały. Znały go tylko ze zdjęcia, zresztą jedynego w tym dość surowo urządzonym mieszkaniu. Zerkała na wciąż posapującą Nelę, która wpatrywała się właśnie w tę fotografię.

– Ciekawe, czy to fotomontaż – powiedziała Nela jakby sama do siebie, odzyskując bardzo powoli normalny oddech, bowiem posprzątanie tego mieszkania wymagało od nich oprócz silnej woli i odporności na stres również doskonałego zarządzania czasem pracy: czyli tempa, tempa i jeszcze raz szybkiego tempa.

– Coś ty! – ofuknęła przyjaciółkę. – To najprawdziwszy ślub pod słońcem, tyle że w obrządku polinezyjskim.

– Co?! – Nela obdarzyła ją zszokowanym spojrzeniem.

– No mówię ci! To żaden fotomontaż. Tam morze naprawdę ma taki kolor, i kwiaty też, chociaż wyglądają jak żywcem wyjęte z reklamy – mówiąc to, wlepiła wzrok w zdjęcie, któremu przyglądała się już nieraz.

– Skąd to wiesz? – Nela powoli wracała do siebie.

– Oglądałam kiedyś jakiś program podróżniczy, pojawiała się w nim właśnie taka ślubna szopka. Zwijamy manatki? – zapytała, bo wiedziała, że jej mama dostanie palpitacji serca, jeśli pojawi się w domu po dwudziestej drugiej.

– Daj mi jeszcze chwilę – poprosiła Nela, wpatrując się w wysprzątaną na błysk kuchnię, którą miały przed sobą.

– Jak sobie życzysz – odpowiedziała przymilnie.

– Jak myślisz, wzięli też taki normalny ślub? – Nela znów zatopiła wzrok w błękitnej lagunie.

Może wzięli, może nie wzięli... Kto ich tam wie... – pomyślała, po czym głośno wypowiedziała swą myśl.

– Kto ich tam wie... – użyła sformułowania mamy.

Nigdy za nim nie przepadała, ponieważ w ustach mamy brzmiało zawsze prześmiewczo. Poza tym nie miała ochoty zastanawiać się nad kwestią, która jej nie obchodziła. Miała w nosie to, czy „burdelarze" wzięli także zwyczajny ślub. To nie była jej sprawa.

Nela nie odezwała się, tylko westchnęła ciężko i pesymistycznie.

– Co jest? – zapytała ją natychmiast przyjaciółka.

– Nic – odpowiedziała szybko Nela i westchnęła identycznie jak poprzednio.

– Mamy jeszcze trzy minuty, więc mów, o co chodzi – poprosiła dość stanowczym tonem.

Nela milczała jak zaklęta.

– No! Mów! Coś leży ci na wątrobie?

– Właśnie chodzi o to, co mi leży na wątrobie – to mówiąc, Nela spojrzała na siebie krytycznie i skrzywiła się z widocznym niesmakiem.

– Tyle razy już ci powtarzałam, że rozmiar jest nieważny – zażartowała.

Niestety jej słowa trafiły w próżnię, bo mina przyjaciółki nie zmieniła się ani trochę.

– A tam... – sapnęła Nela, chociaż już jakiś czas temu poradziła sobie z zadyszką. – Popatrz na nią – wskazała wzrokiem na zdjęcie. – I popatrz na siebie – tym razem spojrzała w jej kierunku. – A teraz na mnie.

Nela tym razem nie spojrzała na siebie i widać było, że nie znajduje żadnej przyjemności w oglądaniu swych kształtów.

Zamilkła. Zupełnie nie wiedziała, co powiedzieć.

– Przecież ja nie mam szans na żaden ślub. Nawet taki byle jaki – Nela wskazała głową w kierunku fotografii przedstawiającej polinezyjski raj na ziemi i dziwaczny ślub.

– A co ty tam wiesz – usiłowała zbagatelizować podły nastrój przyjaciółki.

– Pewnie wiem mało, ale jedno na pewno... – Nela nieoczekiwanie przerwała rozpoczętą kwestię.

– Jedno, czyli...? – powtórzyła, zachęcając ją do zwierzeń.

– Czyli to, że chciałabym mieć kiedyś ślub – Nela przyznała się do swych marzeń. – Taki piękny, prawdziwy, w kościele... Z kimś, dla kogo naprawdę nie będzie ważne, jaki rozmiar noszę... Chciałabym, gdy będę szła przez kościół, tak powoli, żeby rodzice byli ze mnie dumni... Żebym sama była z siebie w końcu zadowolona... Nie to co teraz...

Ale dół! – pomyślała z przestrachem. Dzięki Bogu, wiedziała, co robić. Musiała natychmiast wyciągnąć z niego Nelę.

– Wiesz co? – zerwała się z kanapy, przerywając tym samym użalanie się nad sobą przyjaciółki. – Zbieraj się, bo musimy się ewakuować. Poza tym nie wiem, czy zauważyłaś, ale ten Nowy z naszej grupy ciągle robi do ciebie maślane oczy.

– Fajny jest – skwitowała Nela bez entuzjazmu, zupełnie tak jakby serce miała już zajęte. – Ale jak to na wsi mówią: „nie dla psa kiełbasa".

– O, proszę! Właśnie to miałam mówić! Nowy patrzy na ciebie właśnie jak pies na kiełbasę. Tylko co z tego, skoro ty nawet nie raczysz na niego spojrzeć!

– Za to Aśka jest w niego wpatrzona jak w obrazek – powiedziała Nela, a wypowiedzenie imienia jedynej modelki na roku raczej nie sprawiło jej przyjemności. – Na pewno zwróciłaś na to uwagę.

– Nie masz już innych problemów, którymi mogłabyś się przejmować? Ona tak patrzy na wszystkich facetów. To wariatka. Nimfomanka to przy niej zakonnica – syknęła z odrazą w głosie. – Najlepiej będzie, jak w ogóle nie będziesz zwracać na nią uwagi. Za to od czasu do czasu zawieś oko na Nowym! A teraz musimy już naprawdę iść... – spojrzała na przyjaciółkę prosząco.

– Dobrze... Już, już... – Nela wstała bez ociągania.

Ruszyły do wyjścia. Wnętrza, które miały za chwilę opuścić, lśniły czystością i pachniały świeżo.

– Jula – odezwała się niespodziewanie Nela, właśnie kończąc zakładać buty. – A tobie podoba się ten Nowy?

– Mnie?! – zdziwiła się szczerze. – Czy ja wiem... – wzruszyła ramionami. – Chyba do tej pory nie rozpatrywałam go w miłosnych kategoriach. Raczej nic do niego nie czuję. Żaden grom z jasnego nieba mnie nie trafił, kiedy go pierwszy raz zobaczyłam. Zatem szans na romans brak – podsumowała w pośpiechu, zamykając mieszkanie.

– Ja jednak wczoraj coś zauważyłam... – zaczęła zagadkowo Nela.

– Co? – ponagliła ją, gdyż samo pytające spojrzenie okazało się niewystarczające.

– Kiedy wczoraj na ćwiczeniach zwróciłaś Larwie uwagę, że przetrzymuje twój skrypt, to Nowy spojrzał na ciebie z wielkim uznaniem.

Niechętnie przywołała w pamięci obraz Larwy, czyli Aśki, ponieważ nie lubiła marnować czasu na rozmyślania o osobach zapatrzonych w siebie, w dodatku nieżyczliwych. A taka właśnie była Larwa.

– Pewnie dlatego, że jestem jedną z niewielu osób na roku, które są w stanie powiedzieć jaśnie piękności, co o niej myślą – chciała uciąć temat.

– Nie wiem, czy tylko dlatego... – Nela kontynuowała wątek Nowego, gdy wychodziły z budynku na mróz, który podobnie jak Larwa nie wiedział, kiedy powiedzieć sobie dość.

– Posłuchaj! – postanowiła kategorycznie przerwać podchody przyjaciółki. – Chociaż Nowy niezaprzeczalnie jest przystojniakiem jakich mało na uniwerku, to mnie nie kręci, więc gdybyś była zainteresowana, mną możesz się zupełnie nie przejmować – mówiąc to, przyspieszyła kroku, za to Nela stanęła jak wryta.

– Dlaczego myślisz, że on, że ja... – przyjaciółka zacięła się na dobre.

– A dlaczegóż by nie?

Zatrzymała się, choć była pewna, że mróz atakuje wtedy ze zdwojoną siłą.

– Bo może podoba mi się ktoś całkiem inny... – zagadkowość Neli była intrygująca.

– Kto? – zapytała natychmiast.

– Nie powiem ci, bo mnie wyśmiejesz – szczerość Neli była godna podziwu, jak zwykle.

– Bez obaw, nic takiego się nie stanie. Mam zamarzniętą twarz.

– Rzeczywiście, powinnyśmy przyspieszyć.

Nela ruszyła przed siebie, zręcznie zmieniając temat swej tajemniczej miłosnej fascynacji.

– Ale powiesz mi kiedyś? – zapytała ostrożnie.

– Nigdy. Bo on jest z innego świata... – tajemniczość Neli rosła z każdym wypowiadanym zdaniem.

– Znam go? – zapytała, chyba zbyt nachalnie.

– Widujesz go, ale go nie znasz – Nela była bezlitosna, a to zdarzało się wyjątkowo rzadko.

Skoro nie miała szans dowiedzieć się niczego, postanowiła zamknąć temat faceta nie z tego świata.

– To co? Jedziemy do mnie? Mama skończyła dziś gotować bigos, pewnie palce lizać – zachęcała, jak umiała.

– Chyba lepiej będzie, jak pojadę dziś do siebie... – Nela ewidentnie po raz kolejny traciła dziś humor. – Nie jestem w nastroju... – nawet nie starała się udawać, że jest inaczej.

Nela nie potrafiła udawać. Była prawdomówna i obiektywna. I za to przyjaciółkę uwielbiała.

– Tym bardziej musisz ze mną jechać! Bigos w tej sytuacji może okazać się bardzo pomocny. Poza tym chyba zapomniałaś, że twoje kujonki z medycyny miały dziś pierwszą zerówkę w sesji i teraz pewnie zapijają fakt, że znów będą musiały zakuwać, albo piją, by zapomnieć wszystko, czego się nauczyły. Jedziesz do mnie! Bez gadania! Oferuję bigos i kieliszeczek wiśnióweczki ciotki Marianny – zachęcała. – Nawet łóżko rozłożę. Specjalnie dla ciebie – uśmiechnęła się. – Poleżymy sobie, a ja pomyślę, co tu zrobić, żebyś spojrzała na Nowego przychylnym okiem. A kiedy wasze spojrzenia się spotkają, to Larwa przepadnie z kretesem. Musisz zająć się facetem z tego świata, a nie nie wiadomo kim – wbiła wzrok w Nelę, która słuchała jej słów, i jak to Nela miała w zwyczaju, rozważała różne możliwości. – To co? – ponaglała. – Bigos? Czy zalane w trupa, bełkoczące na okołomedyczne tematy koleżanki z akademika? Nie daj się prosić! – już nie prosiła, tylko błagała przyjaciółkę, czując, że jeszcze chwila na tym mrozie, a nie będzie jej dane już nigdy skosztować bigosu własnej matki, która w kuchni nie miała sobie równych.

– Nie dam – Nela w końcu uległa, uśmiechając się spolegliwie. Ruszyły przed siebie. Brnęły przez siarczysty mróz, kłujący niemiłosiernie ich młode twarze. Od małego mieszkania w starym, zaniedbanym wieżowcu dzieliło je jakieś czterysta metrów.

Uwielbiała spacerować. Gdy tylko mogła, rezygnowała z komunikacji miejskiej. Energicznie stawiała kroki, obserwując uważnie mijających ją przechodniów. Lubiła ludzi. Lubiła zapamiętywać ich twarze. Zastanawiała się, jakie historie odmalował na nich czas, znamiona jakich uczuć nosiły, a czasem dostrzegała, że były poważnie okaleczone właśnie przez ich brak.

Spacery w towarzystwie Neli lubiła najbardziej. Z Nelą, choć bardzo spokojną, nie można było się nudzić. Różniła się od wszystkich innych dziewczyn, z którymi dawniej usiłowała się zaprzyjaźnić, oczywiście bezskutecznie. Nawet mama zaakceptowała Nelę bez szemrania, choć lubiła pomarudzić, gdy tylko miała ku temu sposobność. Twierdziła, że Nela to bardzo wartościowa dziewczyna, a miała nosa do ludzi. Wierzyła, że w słowach mamy: „pamiętaj, Julka, trzymaj się z Nelą, to może i ty na ludzi wyjdziesz" – kryła się szczera prawda. Mama taka była. Z łatwością dostrzegała dobre cechy u obcych ludzi i potrafiła doceniać to, co sobą reprezentowali. Tylko w stosunku do własnej córki zatracała tę umiejętność i wymagała od niej więcej niż od innych. Córka miała więc bardzo trudne zadanie. Musiała zawsze być tą lepszą, ładniejszą i mądrzejszą, a nawet najmądrzejszą... Te ciągłe wymagania męczyły ją okrutnie. Jednak nie miała siły, by się im przeciwstawiać. O ile w życiu od czasu do czasu potrafiła płynąć pod prąd, nie zważając nawet na to, czy taki kierunek jej się opłaca, o tyle w relacjach z mamą najczęściej pokornie schylała głowę. Wiedziała, że z mamą nie wygra. Dlatego wygodniej było po prostu potakiwać i zgadzać się z każdym stwierdzeniem rodzicielki, bo wstąpienie na wojenną ścieżkę nie popłacało. Z mamą w szranki mogła stawać tylko ciotka Klara. Ciotka była starszą siostrą mamy, tak wredną, że nie miała sobie równych.

Oczy jej się kleiły, ale nie potrafiła zasnąć. Nela leżała obok i już od pewnego czasu spokojnie spała. Na biurku przylegającym jednym bokiem do rozłożonego tapczanu, który czasy świetności miał już za sobą, książki i zeszyty leżały w totalnym chaosie. W przeciwieństwie do Neli nie była porządnicka. Największy problem miała z tym mama, która w każdym swoim dziecku pokładała wielkie nadzieje. Ale od niej, czyli najmłodszej pociechy, mama oczekiwała i wymagała samych cudów. Córka nie mogła tego pojąć, ale musiała się z tym pogodzić. Na to trudne do zniesienia matczyne zaangażowanie w proces ciągłego jej wychowywania i obdarzania rodzicielską troską zareagowała wyrobieniem w sobie określonego stosunku do ludzi. Kontakty międzyludzkie traktowała często z dystansem. Nie angażowała się zbytnio. Lubiła obserwować ludzi, ale do szczęścia nie potrzebowała wielu znajomości. Jeżeli tylko miała wybór, to wolała być obserwatorem zdarzeń, a nie ich uczestnikiem. Podobnie zachowywała się w relacjach z mamą. Dla świętego spokoju wolała poddaństwo niż kruszenie kopii. Zwłaszcza w imię czegoś, co nie miało większego znaczenia. Dlatego nawet wówczas, gdy była nastolatką i wkroczyła w tak zwany trudny wiek, kiedy należało się buntować ile sił, ona na przekór oczekiwaniom dorosłych wokół nie buntowała się wcale. Niestety ta postawa denerwowała mamę najbardziej.

Justyna była inna.

Uśmiechnęła się, przypomniawszy sobie dzień, w którym jej starsza siostra wyprowadziła się z domu, by zamieszkać z dopiero co poślubionym małżonkiem Krzychem. Ku wielkiej radości mamy zięć pochodził z zacnej i w dodatku zamożnej rodziny, słynącej z tego, że z dziada pradziada wszyscy mężczyźni w tej rodzinie zostawali lekarzami. Krzysiek był chirurgiem cieszącym się dobrą opinią nie tylko w mieście, ale też jego okolicach. Oczywiście swój zawód traktował ambicjonalnie i wciąż się dokształcał. Justyna poznała go w szpitalu, w którym pracowała jako instrumentariuszka. To było już dawno temu, bo teraz zajmowała się wychowywaniem dzieci. Dwóch chłopców ku uciesze babci urodziło się w odstępie roku. W dodatku starszy z nich przyszedł na świat dokładnie w pierwszą rocznicę ślubu swoich rodziców. Pierwszy miał teraz niemal trzy lata, a drugi prawie dwa. Starszy miał na imię Szymon, a młodszy Tymoteusz. Uważała, że jej siostrzeńcy byli chłopcami urodziwymi – po matce i trochę po ojcu. Za to mama uważała, że imiona mieli niewyjściowe. Ale na to wpływu nie miała, choć przecież uwielbiała mieć w życiu wpływ na wszystko. Cóż, jedna taka przypada na każdą, nawet najlepszą rodzinę…

Aktualnie ta wpływowa kobieta, choć było już bardzo późno, wciąż krzątała się w kuchni, zamiast położyć się i porządnie wyspać, by nazajutrz od samego rana nie ogłaszać całemu światu, że „umiera właśnie z niewyspania".

W mieszkaniu pachniało przepysznie bigosem, którego jednak nawet nie spróbowały, bo: „Kto to widział, żeby o tak późnej porze zajadać się bigosem, w dodatku na pusty żołądek?! Chyba zwariowałyście?!". Zatem na biurku obok papierzysk leżały dwa talerze. Już teraz były puste, ale jeszcze niedawno piętrzyły się na nich świeże bułki z jajkiem i szczypiorkiem, hodowanym przez mamę przez cały rok na wąskim kuchennym parapecie w niezwykle nieapetycznym naczyniu przypominającym korytko.

W ustach miała jeszcze smak kolacji.

Kto to widział zajadać szczypior przed snem?! – pomyślała cynicznie, bo przecież wolałaby, żeby zamiast szczypioru w ustach mieć teraz smak bigosu. Usłyszała dobrze znany odgłos, to mama pacnęła włącznik światła znajdujący się tuż obok kuchennych drzwi.

– Idźcie już spać! – mama wydała komendę cicho, ale zdecydowanie.

Wolałaby usłyszeć serdeczne „dobranoc". Zdążyła się już przyzwyczaić, że mama zwykle mówi nie to, co ona chciałaby usłyszeć. Tak już między nimi było. Łączyła je miłość głęboka, ale trudna, w gorszych chwilach nawet toksyczna. Dzięki Bogu, umiała czerpać z tej miłości. Gdy było dobrze, wyciskała z niej tyle dobrych emocji, ile się tylko dało. Gdy natomiast przychodził nieprzychylny czas, to kiwała posłusznie głową, zwykle za nic mając głoszone przez mamę mądrości. Albo po prostu udawała bardziej zajętą, niż była w rzeczywistości, dobrowolnie pryskając na cały dzień z domu i wracając tylko na noc. Wychodziła o świcie, a wracała po zmroku. Dzięki temu mama nie tylko nie mogła nią komenderować, ale też marudzić nad losem wiecznie zabieganej córki. Rodzicielce brakowało wtedy słuchacza, przed którym mogłaby podsumowywać wszystkie życiowe wybory swych starszych dzieci.

Odkąd pamiętała, zawsze było tak samo. Mamy należało słuchać. Nie wolno było jej się sprzeciwiać ani jej denerwować. To ona sprawowała rządy, dzierżyła władzę w tym domu nawet wtedy, gdy jeszcze żył tato. Córka zapamiętała go jako dobrego człowieka, pomocnego ojca i ustępliwego męża. Zawsze mogła na niego liczyć. Pamiętała jak przez mgłę czasy, gdy uczył ją pisać i czytać. Justyna zawsze z nią rysowała i malowała, a Janek – najstarszy brat – nauczył ją tabliczki mnożenia.

Janek chyba najbardziej przeżył śmierć taty. Niby wszyscy byli na nią przygotowani, lekarze odarli ich ze złudzeń, ale Janek do końca liczył na cud, lecz cud się nie zdarzył. Jej starszy brat w ciągu jednego dnia stracił ojca i największego przyjaciela. Janek był oczkiem w głowie taty. Byli ze sobą bardzo zżyci. Ze wszystkich dzieci miał tatę najdłużej i znał go najlepiej. Pewnie dlatego tak bardzo go przypominał, nie tylko wizualnie. Mieli te same pasje. Czytali te same książki. Obaj byli małomówni, ale ta cecha nie przeszkadzała im doskonale się dogadywać, po prostu nie potrzebowali zbyt wielu słów. Gdy taty zabrakło, to Janek najdłużej nie mógł pogodzić się z jego odejściem. Zamknął się w swym osieroceniu. Na swoje potrzeby stworzył świat, do którego nie wpuszczał nikogo, a zwłaszcza tego, kto usiłował wejść w rolę pocieszyciela.

Mama zaś do dziś borykała się z poważnym problemem, bo odkąd umarł jej mąż, powzięła decyzję, że zdoła być dla swych dzieci i matką, i ojcem jednocześnie. Niestety nie wzięła pod uwagę tego, że te są już w takim wieku, iż nie da się przed nimi niczego udawać. Doskonale wiedzą i rozumieją, jak bardzo zmienił się ich świat.

Czasami wyobrażała sobie, że tato wciąż żyje, czeka na nią w domu i pod dyktando mamy podlewa paprocie stojące na meblach w niezbyt dużym, choć największym pokoju. Zastanawiała się, jak wyglądałoby jej życie, gdyby tata wciąż był w nim obecny, gdyby trwał przy nich. Rozważała też, i to nawet często, czy decyzja Janka o tym, by po śpiewająco zdanej maturze skierować swe kroki właśnie do seminarium duchownego, nie była spowodowana tym, by znaleźć się bliżej ojca, a oddalić od chorobliwie nadopiekuńczej matki. Ta nadopiekuńczość, zwłaszcza wobec niego, potrafiła być naprawdę męcząca.

– Julka! Gaś już!

Jej przemyślenia na temat rodziny przerwał zdenerwowany głos mamy dochodzący z pokoju obok. Mieszkanie, w którym żyła od urodzenia, było co prawda czteropokojowe, ale tak małe i tak zagracone meblami pamiętającymi zamierzchłe czasy, że bywały dni, gdy myślała tylko o tym, by wyprowadzić się gdzieś daleko. Bardzo daleko, ku otwartym przestrzeniom. Pragnęła pozbyć się natłoku mebli, spraw, a także potoku matczynych słów.

Tylko dokąd i za co? – zastanawiała się nie pierwszy raz, by potem posłusznie wykonać polecenie mamy. Była grzeczną córką, przynajmniej starała się za taką uchodzić. W każdym wieku słuchała uważnie tego, co się do niej mówiło, a jej czujność wzmagała się wówczas, gdy mówiła do niej mama. Dostosowywała się do jej wytycznych, chociaż czasami czyniła to całkowicie wbrew sobie. Zastanawiała się, czy ma w sobie tak mało sił, że nie potrafi przeciwstawić się dyktaturze jednostki. A może wręcz przeciwnie, posiada ich tak wiele, by znosić wszystkie widzimisię z pokorą, czasami nawet z uśmiechem na ustach. Na pewno miała nawyk myślenia o tym, co powie mama. Podporządkowywała się jej do tego stopnia, że często zastanawiała się, jak mama podsumuje zaistniałą sytuację. Co więcej, potrafiła sobie nawet wyobrazić matczyną minę i spojrzenie. Bywało, że dopuszczała się zachowania w ocenie mamy niegodnego nie dlatego, że sprawiało jej przyjemność, tylko po to, by dowieść, że jest odrębnym bytem i potrafi myśleć samodzielnie. Pragnęła wówczas udowodnić przede wszystkim sobie, że potrafi żyć bez ciągłej uległości i kontroli.

Zaczerpnęła dość chłodnego powietrza. Stare okno w jej pokoju było nieszczelne. Latem wpuszczało do jej klitki upalny miejski smog, zimą szarość i chłód. Nela spała cicho. Bez ruchu. Jutro czekał je wolny dzień. To znaczy Nelę czekał wolny dzień, bo ona w każdą sobotę zobowiązana była posprzątać mieszkanie i uporać się ze stertą znienawidzonego prasowania, ponieważ rodzicielka pracowała też w soboty. Mama była bibliotekarką. Pracowała w bibliotece politechniki. W soboty nie było jej w domu, za to córka musiała tkwić na posterunku. Bez dyskusji! Nawet podczas sesji i dni wypełnionych ślęczeniem nad książkami nikt nie zwalniał jej z domowych obowiązków. Swoje musiała zrobić. Taryfa ulgowa w jej domu nie istniała. Była przyzwyczajona do swych sobotnich powinności. Bywały takie soboty, kiedy lubiła odrabianie tej domowej pańszczyzny, ponieważ mogła to robić w ciszy, nie wysłuchując często bezzasadnej krytyki. Poza tym tylko w soboty mogła wylegiwać się w łóżku tak długo, jak tylko chciała, by później latać po mieszkaniu jak rozpędzony pocisk i ogarniać je, by wyglądało na wystarczająco wypielęgnowane i dopieszczone. Wylegiwanie w łóżku do południa kończyło się zwykle tym, że sobotni wieczór spędzała w towarzystwie deski do prasowania i mamy wpatrzonej w ekran telewizora, co zupełnie nie przeszkadzało tej drugiej w komentowaniu zagnieceń na tkaninach, które jak na złość wydostawały się spod gorącej prasy żelazka.

Jak zwykle przed zaśnięciem obserwowała cienie tańczące na suficie jej bardzo małego pokoju. Usłyszała kliknięcie lampki w pokoju obok. W tak małym mieszkaniu niczego nie dało się ukryć. Skromny metraż nie pozwalał na tajemnice. Tu nawet najbliżsi sąsiedzi wiedzieli o sobie prawie wszystko, a co dopiero domownicy... Tak jak z tonącego statku ostatni schodzi kapitan, tak w ich mieszkaniu prawo do zgaszenia światła jako ostatnia miała mama. Nawet wtedy, gdy mieszkał z nimi jeszcze Janek – rodzinny mól książkowy numer dwa.

Uwielbiała to uzależnienie mamy od literatury pięknej, zarówno tej dobrej, jak i po prostu wciągającej. Odnosiła się do tego z należnym szacunkiem, gdyż często okazywało się pomocne w życiu, a nawet podczas pokonywania kolejnych schodków studenckiego wtajemniczenia. Krótko mówiąc, była córką mądrej kobiety o trudnym charakterze i niewiarygodnym oczytaniu, która całkowicie przeczyła powiedzeniu, że szewc bez butów chodzi. W domu i w pracy czytała zawsze, gdy tylko mogła, kiedy pozwalało jej na to nadmierne poczucie obowiązku. To pasja mamy powodowała, że mieszkanie, nie dosyć że małe i zagracone, to było jeszcze zawalone tonami książek. Gdy Janek wyprowadził się z domu, jego pokój stał się biblioteką, pęczniejącą z każdym dniem. Pokój Janka, zastawiony meblami, choć wielkością nie grzeszył, zyskał jeszcze dwa regały sosnowe, które dokupiły, by na nich ustawiać najukochańsze książki. Oczywiście miejsce na regałach skończyło się niespodziewanie szybko i tylko dzięki miłości do syna mama postanowiła jednak pozostawić w swej bibliotece rozklekotaną i wytartą amerykankę, pokrytą za czasów świetności pluszem o barwie jesiennych liści. Dobrze, że tak się stało, bo Janek od czasu do czasu przyjeżdżał do domu, by odwiedzić stare kąty. Odkąd wrócił z Rzymu, gdzie studiował, te odwiedziny nie zdarzały się często, ale kiedy już przyjeżdżał, w domu ożywała rodzinna atmosfera. Aktualnie Janek był wikariuszem w małej miejscowości i tego właśnie mama pojąć nie mogła. Nieraz powtarzała: „Co to za idiota tak doskonale wykształconego księdza wysyła w takie miejsce? Do takiego ciemnogrodu! Kto go tam doceni?!".

Nie znosiła, gdy rodzicielka pieklіła się co niemiara. W takich chwilach matczynej goryczy lubiła obserwować Janka. Wsłuchiwał się w słowa mamy, uśmiechał się tak, jak kiedyś robił to tato. Za to w spojrzeniu miał przekonanie, że akurat na drodze życiowej, jaką wybrał, najważniejsza była służba Bogu i ludziom, w tej właśnie kolejności, a lokalizacja tej posługi nie grała dla niego żadnej roli.

Tęskniła za bratem. Miewała takie dni, że niezwykle brakowało jej spokoju, który nosił w sobie. Bardzo kochała Janka. Miała starszego brata, o którym zawsze marzyła Nela – najstarsza z licznego rodzeństwa. Oprócz tego, że go kochała, to po prostu byli przyjaciółmi. Pewnie nie był typowym starszym bratem, ale potrafił ją wziąć w obronę tak jak kiedyś tato, który też rozkładał nad nią wielki parasol ochronny. Była pewna, że nigdy nie zapomni Jankowi tego, z jaką pewnością i determinacją opowiedział się za jej wyborem kierunku studiów. Tym samym bardzo skutecznie i kategorycznie podważył politykę mamy w tym zakresie. Miała dość zniechęcania słowami: „Czyś ty, dziewczyno, zwariowała? Kto w dzisiejszych czasach do psychologa chodzi?! Wszyscy są zabiegani, pieniędzy też brakuje! Dziecko! Pomyśl logicznie! Kiedyś na chleb będziesz musiała tak zarobić!". „Zarobi mamo, zarobi. Tylko pozwól jej w życiu robić to, co chce. Tak samo, jak mi pozwoliłaś" – dzięki tym słowom Janek stał się kowalem jej losu i wzorem do naśladowania w relacjach z mamą. Brat najlepiej z całej rodziny radził sobie z silną osobowością mamy. Miał w sobie spokojną mądrość, z którą mama nie potrafiła dyskutować. Był taki, jeszcze zanim został księdzem. Dlatego gdy okazało się, jaką drogę życiową dla siebie wybrał, jako jedyna z babskiej części rodziny nie skomentowała wyboru brata, ponieważ była przekonana, że taki wybór padł nieprzypadkowo. Natomiast na mamę i jej czcze gadanie była wściekła. Justyna wtedy też nie zabrała głosu w sprawie, bo była wówczas całkowicie skupiona na swoim życiu. Zakochana po uszy w przystojnym i skromnym chirurgu, czyli Krzychu, nie potrafiła pojąć, jak można skazywać się na brak miłości. Zupełnie do niej wtedy nie docierało, że Janek dokonuje takiego wyboru właśnie z miłości. Mamie na początku odebrało mowę. Szkoda, że tylko na początku.

Ale i tak najwięcej miała do powiedzenia ciotka Klara – najstarsza z dwóch sióstr mamy, które, jako osoby samotne i bezdzietne, żyły życiem ich rodziny. Druga siostra, też starsza, to ciotka Marianna. Chociaż mama była najmłodsza, to i tak usiłowała pretendować do roli najmądrzejszej. Przecież to jej udało się założyć rodzinę, podczas gdy ciotki z każdym dniem stawały się coraz bardziej starymi pannami. Określenie „stara panna" pasowało do ciotki Klary jak ulał. Była zgorzkniałą, zdziwaczałą, niemiłą, po prostu wredną babą, której mądrości życiowych najczęściej wysłuchiwał niebieski kot brytyjski, zwany przez ciotkę Panem Hrabią. Oczywiście mądrości ciotki Klary traktowała zawsze z przymrużeniem oka. Niestety mama wysłuchiwała ich z uwagą, co odbijało się na dzieciach, gdyż, jak się łatwo domyślić, w kwestii ich wychowania to ciotka Klara od lat była ekspertem. Nieraz miała ochotę zakneblować ciotkę, a jeszcze częściej po prostu palnąć ją w łeb za to, że musi wysłuchiwać plecionych przez nią bzdur i zmyślanych na poczekaniu herezji. Oczywiście droga od zamiarów do czynów jest bardzo daleka i nigdy, choć tego czasami bardzo chciała, nie wyrządziła żadnej krzywdy ciotce Klarze. Co więcej, korzystając ze swoich wciąż poprawiających się psychologicznych umiejętności, starała się być dla ciotki miła i usłużna. Oczywiście dla własnej wygody, a nie z innych powodów, których znaleźć nigdy jej się nie udało.

Ciotka Marianna natomiast była przeciwieństwem Klary. Zresztą z mamą też nie łączyło jej wiele. Była rozważna i małomówna. Jej postawa przywodziła na myśl szlachetność. Z oczu zaś biła mądrość, którą obdarzała świat co prawda niezbyt często i nachalnie, ale gdy już to robiła, to trafiała w samo sedno.

Starała się zatem zapamiętywać słowa ciotki, bo uczyły ją życia i świata. Tak po prostu. „Ksiądz w rodzinie to zaszczyt" – tak ciotka Marianna skwitowała, gdy Janek produkował odpowiedź na pytanie zadane przez mamę: „I co ty teraz, Jasiu, zamierzasz, skoro tak śpiewająco zdałeś maturę?". „Kto ma księdza w rodzinie, tego bieda ominie" – tak natomiast brzmiał cierpki komentarz ciotki Klary.

Od zawsze miała identyczny stosunek do sióstr mamy. Mijające lata nie zmieniały go ani trochę. Ciotkę Mariannę uwielbiała i kochała, niezwykle szanowała. Zawsze mogła z nią porozmawiać i wzbogacić się jej słowami. Natomiast ciotka Klara była w jej mniemaniu matroną przekonaną o własnej doskonałości i nieomylności. To właśnie dlatego dostawała gęsiej skórki, gdy musiała wysłuchiwać ciotki. Klara żyła w świecie, w którym dobrzy ludzie istnieli tylko na ołtarzach. A cała reszta według niej nie była warta funta kłaków. Nigdy nie dziwiło jej staropanieństwo ciotki Klary. Staruszka była bowiem dla niej koronnym dowodem na to, że żaden normalny facet nigdy, ale to przenigdy nie zainteresuje się niezbyt urodziwym, a w dodatku po prostu wrednym, wychudzonym do granic możliwości babiszonem. Chyba że nadarzyłby się jakiś typ mocno masochistyczny. Ale ciotce Klarze nikt taki się nie nadarzył. I bardzo dobrze, bo masochizm z pewnością też ma pewne granice. Jako że ciotka Klara w swym bezpośrednim otoczeniu nie miała nikogo (Pan Hrabia jako kot nie wchodził w rachubę), komu mogłaby z przyjemnością uprzykrzać życie, to jej głównym życiowym celem stało się uprzykrzanie życia rodzonym siostrom, a zwłaszcza tej najmłodszej. Ciotka Klara, mistrzyni czepialstwa, miała pewien problem z ciotką Marianną, tak zwaną siostrą środkową, ponieważ nawet wówczas, gdy ją atakowała, to ta nigdy nie dawała się sprowokować i milczała, a milczeć potrafiła z największą godnością. Ciotka Klara nękała ją perfidnymi przytykami, a ciotka Marianna reagowała na nie delikatnym uśmiechem. Uśmiechała się raczej nie do Klary, tylko prawdopodobnie do własnych myśli. Chociaż ciotka Marianna była samotna, w niczym nie przypominała Klary.

Bardzo lubiła odwiedzać ciotkę Mariannę. Jej mieszkanie było małe, ale przytulne, pełne pamiątek z przeszłości, zdjęć w kolorze sepii i książek. Ciotka – choć sama – nie była samotna. Od czasu do czasu odwiedzali ją wdzięczni studenci biologii, których całe zastępy wyedukowała. Przychodzili do niej też siostrzeńcy, jeśli tylko czas im na to pozwalał. Najbardziej lubiła ciotkę Mariannę za takt i kulturę osobistą. Ciotka nigdy nie zabierała głosu w sprawach, które jej nie dotyczyły. Na temat siostrzenic i siostrzeńca się nie wypowiadała. A gdy wsłuchiwała się w gadaninę ciotki Klary, kręciła tylko głową na znak niezgody. Kręciła głową, gdy ciotka Klara zastanawiała się, czy aby Janek nie jest za spokojny, no bo gdzie też taki młody chłopak się wyżywa, i czy na ten tajemniczy obszar jego życia nie wkroczyło jakieś szemrane towarzystwo. Justyna natomiast w mniemaniu ciotki Klary za późno wracała do domu, poza tym wychowywano ją zbyt lekką ręką, w związku z czym istniało poważne zagrożenie, że nie ma szans wyrosnąć na wartościową kobietę.

Jeśli zaś chodzi o „naszą Julię", to w oczach ciotki Klary było z niej niezłe ziółko. Nigdy co prawda nie rozumiała, co kryło się pod tym określeniem, ale w ustach ciotki brzmiało tak, że na sto procent komplementem nie było. I właśnie dlatego, gdy była młodsza, pyskowała mamie w obecności ciotki, by jej dopiec, chociaż normalnie tego nie robiła. Wówczas ciotka uruchamiała swój kąśliwy jęzor, kończąc zawsze kategoryczny wywód słowami: „Normalnie uszy więdną! Kto to widział, żeby taka smarkula tak się do rodzonej matki odzywała! Gdybym ja była twoją matką, to już bym ci pokazała, że matce szacunek się należy, zwłaszcza że twoja bez niczyjej pomocy radzić sobie musi z bandą dzieciaków!".

Nic więc dziwnego, że gdy była dzieckiem, przy ciotce odgrywała członkinię jakiejś zorganizowanej bandy kierującej się niezbyt czytelnymi zasadami. Ale gdy tylko ciotka Klara znikała z pola widzenia, siostrzenica stawała się na powrót normalną dziewczynką, która miewała lepsze i gorsze dni.

Ziewnęła przeciągle, zdając sobie sprawę, że myśl o ciotce Klarze nie jest najlepszym lekarstwem na sen. Złożyła dłonie na kołdrze i podrygiwała nimi lekko, obracające dość nerwowo kciukami. Postanowiła uspokoić myśli i ręce. Musiała zmusić dłonie, by się rozplotły, a spojrzenie przenieść z sufitu na regał z książkami. W ten sposób obserwowała ruch świateł muskających grzbiety książek z zakresu literatury psychologicznej. Neon umieszczony na wieżowcu naprzeciwko od jakiegoś czasu był uszkodzony i pulsował nieregularnie. Za nic w świecie nie pasował do odgłosów cichszego niż za dnia, ale nigdy nie zasypiającego miasta. Wpatrywała się w to pojawiające się w blasku neonu, to znikające litery na grzbietach książek. Okazało się, że to dobry sposób na trudności z zasypianiem, bo w końcu oczy zaczęły jej się kleić. Powoli dołączała do Neli, choć neonowe migotanie nie ustawało w oczekiwaniu na świt, który niezmiennie oddzielał koniec wczoraj od początku dziś.

– Julka! Julka! – głos mamy wyrwał ją ze snu.

– Co? – mruknęła z niezadowoleniem, ponieważ miała wrażenie, że zasnęła zaledwie przed pięcioma minutami.

– Julka! Skup się!

– Mamo, jest noc! – fuknęła cicho, ponieważ obok niej, przytulona do ściany starego budownictwa, spała Nela.

– Przecież nie każę ci wstawać, tylko mnie posłuchać! – mama sterczała nad nią i szeptała dość głośno, ale chyba też zależało jej na tym, by nie zbudzić swojej ulubionej Neli.

– Na stole zostawiłam ci kartkę. Napisałam wszystko, co masz dziś zrobić. Wrócę późno, bo po pracy podjadę do ciotki Marianny. Od dwóch dni źle się czuje i muszę sprawdzić, czy nie dopadła jej jakaś, nie daj Boże, grypa. Zakupy też muszę jej zrobić, a od niej pojadę prosto do Justyny. Obiecałam, że jej pierogów ulepię.

– Dobrze, dobrze...

Było jej tak wszystko jedno, że nie zdziwiłaby się, gdyby mama chciała jeszcze po tym wszystkim poszaleć w nocnym klubie. Znikała na całą sobotę, więc zostawiała wytyczne, by swej najmłodszej córce czas wolny zbytnio się nie dłużył. Ale i tak owa córka mogła spać przynajmniej do południa, by dopiero po jego upływie wziąć się za prace wypunktowane na pewnie długiej liście matczynych dość skomplikowanych życzeń.

– Poproś Nelę, żeby została do jutra. Na obiedzie będzie ciotka Klara. Zaprosiłam ją, bo ma w tym tygodniu urodziny. Może coś upieczecie.

– Dobrze, dobrze... – zbywała mamę, wiedząc, że nie musi jej słuchać, bo i tak wszystko, o czym teraz mówi, jest napisane na kartce.

– To pa.

– Dobrze, już dobrze... – pożegnała się nieprzytomnie.

Przypominała sobie identyczne słowa taty, który kiedyś trzymał długi patyk umieszczony gdzieś pod siedzeniem jej rowerka odziedziczonego po starszym rodzeństwie. Miał nad nią czuwać, ale i tak puścił patyk, a ona ujechała kawałek pomimo tego, że jeszcze nie do końca umiała jeździć. Gdy tylko zorientowała się, że tato został za nią daleko w tyle, przewróciła się i rozbiła sobie oba kolana. Tato znalazł się przy niej natychmiast i uspokajał ją słowami, którymi pożegnała przed chwilą mamę.

Dobrze, już dobrze...

Mama jak zwykle trzasnęła drzwiami. Chyba nawet trochę mocniej niż zazwyczaj. Pewnie po to, by dać zaspanej córce do zrozumienia, że jeśli ktoś jest pracowity, to właśnie o tej porze zaczyna dzień.

Wcale nie uważała się za istotę leniwą, ale do grona nadgorliwych pracusiów również nie należała. Do wszelakich prac, które musiała w życiu wykonywać, podchodziła przede wszystkim pragmatycznie. Robiła wszystko, co musiała, i nie odkładała na później tego, co nie mogło poczekać. Jeśli zaś coś nie wymagało jej natychmiastowego działania, to znaczy w tej chwili mogło poczekać, tym sobie głowy zawczasu nie zaprzątała.

Teraz konsekwentnie nie zamierzała otwierać oczu, ponieważ była przekonana, że niewyspana nie ma szans zrealizować planów swoich, a co dopiero tych poczynionych przez mamę. Zwłaszcza że plany mamy zawsze wykonywała w pierwszej kolejności. One nie mogły czekać. Nigdy. Przenigdy.

W mieszkaniu zapanowała błoga cisza sobotniego poranka. Słodka drzemka miała wielkie szanse na to, by przerodzić się w głęboki sen, ale zanim się to stało, usłyszała cichy szept Neli.

– Zrozumiałaś wszystko?

– Nie wiem, o czym mówisz – odparła nieprzytomnie przyjaciółce, która podobnie jak mama była rannym ptaszkiem.

– To śpij sobie, śpij… A ja…

– Ty też masz spać! – rozkazała Neli całkiem przytomnie.

– Niedaleko pada jabłko od jabłoni… – usłyszała cichy przytyk w głosie przyjaciółki.

Właśnie w tej chwili zaczęła ganić się za to, że czasem zachowuje się jak własna matka. Spostrzeżenie to denerwowało ją okrutnie. Pocieszające mogło być tylko to, że nie była w tym osamotniona. Justyna też wyzbierała od mamy kilka kwiatków. Tylko Janek się przed tym uchował.

I dzięki Bogu.

* * *

Obudził ją hałas za oknem. Poranny sobotni gwar. Od razu było wiadomo, że mamy nie ma w domu, ponieważ z kuchni nie dobiegał poranny hałas talerzy i garnków. Przeciągnęła się i energicznym ruchem zrzuciła z siebie rozgrzaną pierzynę, taką z prawdziwego pierza. Zawsze pod nią spała zimą, bo jej pokój należał do najchłodniejszych w mieszkaniu. Przez brudną szybę okna do pokoju wpadały promienie słońca. Odniosła wrażenie, że nie widziała słońca od wieków. Tegoroczna zima była raczej pochmurna. Jedno spojrzenie na pokój wystarczyło, by zorientować się, że Nela jest w swoim żywiole i odwala za nią robotę. Na biurku panował niespotykany porządek. Brudne talerze, pewnie zaschnięte przez noc, zniknęły, teraz schły już, umyte do czysta, na kuchennej suszarce. Z pokoju, w którym stał telewizor, rozlegał się cichy szmer włączonego odbiornika i towarzyszący mu dużo głośniejszy syk żelazka. Wyskoczyła z łóżka. Parę kroków dalej ujrzała hałdę prania rzuconą na ulubiony fotel mamy. Nela, nie zwracając uwagi ani na nią, ani na istniejący wokół świat, prasowała, zerkając co chwilę na ekran telewizora, na którym poprzebierani w seledynowe fartuchy aktorzy z całkiem dużą wprawą udawali, że kogoś operują. Nela miała skupioną minę. Nie wiadomo, czy takiej wymagało prasowanie, czy film.

– Cześć, pracusiu! – głośno zaznaczyła swą obecność.

– Cześć – odpowiedziała z uśmiechem Nela, nie przerywając prasowania pościeli w kolorystyce pasującej odcieniem do lekarskich kitli migających co chwilę na ekranie.

– A tobie co się stało? Szpitala mało? Już się zdążyłaś stęsknić?

– Żebyś wiedziała – odpowiedziała natychmiast Nela, tym razem przerywając prasowanie. – Ale już w ten poniedziałek dołączam do ciebie. Mój katar zniknął bez śladu. Jestem zdrowa jak ryba.

Zamiast wziąć się za robotę, usiadła na podłodze tyłem do telewizora i wgapiała się w prasującą Nelę. Myślała o szpitalu. Co poniedziałek, bo akurat wtedy miały najmniej zajęć w planie, chodziły do szpitala dziecięcego. Stawiały się tam co tydzień prawie bez wyjątków. Były wolontariuszkami na oddziale onkologicznym. Na drugim roku regularnie odwiedzały dzieci na dwóch oddziałach: kardiologii i endokrynologii. Wtedy praca z dziećmi wyglądała trochę inaczej, ponieważ rotacja dzieci na tych oddziałach była spora i średnio co dwa tygodnie pojawiały się nowe dzieci, więc na każdym spotkaniu należało na nowo budować nić porozumienia i robić wszystko, by w relacjach pojawiało się zaufanie, nie tylko ze strony dzieci, lecz również rodziców. Na oddziale onkologii praca wyglądała całkiem inaczej. Dzieci przebywały tam znacznie dłużej, więc często razem z Nelą pracowały z tymi samymi podopiecznymi, co bardzo ułatwiało organizowanie wspólnych zabaw. Dłuższa znajomość z chorym dzieckiem sprawiała, że dopasowywały plan zajęć do konkretnych dzieci, wychodziły naprzeciw ich zainteresowaniom i często bardzo różnym oczekiwaniom. Nela, posiadaczka grupki młodszego rodzeństwa, nie miewała z zabawami żadnych problemów. W szpitalu, tak samo jak na uczelni, była chodzącą doskonałością.

Z nią rzecz miała się zgoła inaczej. Potrzebowała dużo czasu, by przyzwyczaić się do atmosfery szpitala. Musiała znaleźć w sobie siłę na zderzenie z rzeczywistością, w której miała być podporą małych ludzi mierzących się w swym życiu z problemami bardzo trudnymi nawet dla dorosłych. Bardzo szybko zrozumiała, że oddział, który odwiedzała raz w tygodniu, był miejscem, gdzie świat dorosłych wdzierał się bezlitośnie do świata dzieci. Nie godziła się na to i nie potrafiła tego zaakceptować. Była przekonana, że śmierć powinna dotyczyć tylko świata dorosłych, nie dzieci. Niestety świat był tylko jeden. Ten sam dla wszystkich. W dodatku niedoskonały. Z czasem nauczyła się ograniczać swoje wymagania wobec świata, a przede wszystkim panować nad emocjami, gdyż inaczej nie mogłaby robić tego, co tak naprawdę lubiła. Wciąż się uczyła, na przykład tego, jak dobierać bajki, które czyta dzieciom, by unikać trudnych i kłopotliwych tematów. Robiła to nie dla siebie, ale ze względu na dzieci. Poświęcała wiele czasu na obmyślanie pytań, które może zadać dzieciom po przeczytaniu bajki, by móc bawić się jej tekstem i przygotować podopiecznych do wykonania pracy plastycznej. Na potrzeby zabaw z małymi pacjentami zapoznała się z tajnikami origami, za którym nie przepadała. Jednak zauważyła, że zabawa różnokolorowym papierem sprawia wielką frajdę nie tylko dzieciom, ale też ich rodzicom. Rodzice naśladowali ją i pomagali swoim dzieciom, sami wspaniale angażując się w zabawy. Chcieli ich wciąż więcej i więcej. Po jakimś czasie zabaw i zwykłego zginania papierów wysnuła wniosek, że origami pomagało przede wszystkim rodzicom chorych dzieci, bowiem przynajmniej na tych kilka kolorowych chwil zapominali o realiach związanych ze stanem zdrowia swoich pociech. Przynajmniej miała taką nadzieję... Poza tym bezcenne było również to, że wolontariusz urozmaicający szpitalne życie w końcu musiał z tego szpitala wyjść, najczęściej po upływie około dwóch, czasami trzech godzin. Za to wszystkie prace, które powstawały przy współudziale dzieci i ich rodziców, zostawały w szpitalnych salach na parapetach, ku radości pacjentów i odwiedzających. Bardzo często, podobnie jak Nela, była przekonana, że z tych spotkań wynosi więcej aniżeli dzieci, które poznawała.

Szpital to w ogóle było dla niej miejsce paradoksów... Mali chorzy ludzie mieli niczym nieskrępowaną wyobraźnię, dlatego to z ich pomysłów czerpała najwięcej, a jeszcze więcej wynosiła z rozmów prowadzonych podczas wspólnych zabaw. Te rozmowy były dla niej wyjątkowe, ponieważ dzieci przed nią, którą dopiero co poznały, otwierały się zupełnie i opowiadały o sprawach, o których nie wspominały chyba nawet najbliższym. Dziecięca ciekawość, życiowa mądrość, radość z małych rzeczy, na przykład z tego, że o własnych siłach doszło się do gabinetu pielęgniarek na zmianę opatrunku, za każdym razem dawały jej mnóstwo sił. Bardzo szybko zaczęła dostrzegać, że ludzkie problemy za drzwiami szpitala często nie miały żadnego znaczenia. Szpital ją zmieniał. Bardzo. I to na lepsze. To wizyty w nim sprawiały, że miała idealne warunki do obserwowania własnego życia. Dzięki temu wypracowywała odpowiedni stosunek do wszystkiego, co ją spotyka, i nabierała zdrowego dystansu. Działo się tak przede wszystkim wtedy, gdy zjawiała się w szpitalu nie po to, by się bawić, lepić z plasteliny, kleić figurki z rolek po papierze toaletowym, a później je zamalowywać, by czytać śmiesznym głosem historie, a potem się z nich śmiać, ale po to, by po prostu pobyć, posiedzieć obok, w ciszy potrzymać za słabnącą rączkę. Po to, by być... Liczyć krople w kroplówkach, tych dobrych, wzmacniających bezbronne ciałka, i tych złych, które nie obchodziły się łagodnie nie tylko z chorobą, ale i dziecięcym organizmem.

To nie rak zabija. To chemia... – przywołała w myślach słowa, które kiedyś przez przypadek usłyszała od ordynatora oddziału, gdy ten zwracał się do ojca chorego chłopca. Nie mogła zapomnieć ani słów, ani tonu lekarza. Silny psychicznie mężczyzna, przynajmniej za takiego go do tamtej pory uważała, a powiedział to w taki sposób, że zadrżała. Przecież on zawsze mówił tylko to, co konieczne. Uśmiechał się, ale wyłącznie do dzieci. Robił wrażenie kogoś, kto wciąż jest głęboko zamyślony. Z pewnością tak było, gdyż na jego twarzy bezustannie odmalowywało się ogromne skupienie. Nela nadała mu przydomek House. Pasował do niego idealnie, chociaż wyglądem wcale nie przypominał doktora z niezwykle popularnego serialu.

Nela była wolontariuszką z dłuższym stażem. Odwiedzała chore dzieci już wtedy, gdy studiowała na pierwszym roku. Miała dużą odporność psychiczną. Była silniejsza od niej. Gdyby nie pomoc i nieocenione wsparcie Neli, nie dałaby sobie rady. Z nią u boku wszystko wydawało się łatwiejsze, nie tylko wizyty w szpitalu. Dlatego co poniedziałek patrzyła w szmaragdowe oczy przyjaciółki, przezwyciężała wszystkie obawy i zaopatrzona w hity literatury dziecięcej, a także różne plastyczne wynalazki przekraczała próg świata, którego ściany pokryte były wszystkimi kolorami tęczy, choć rzeczywistość bywała mniej kolorowa. Na oddział wchodziły zwykle w ciszy, kończyły wszelkie rozmowy. Każda pogrążała się we własnych myślach. Bywały dni, że chodziły tam, by bawić się i śmiać do woli. Bywały takie, że tylko czytały dzieciom, i to szeptem. Najgorsze zaś były te dni, gdy pozostawało im tylko siedzieć przy łóżkach, by w ten sposób zapewnić choćby znikomą pomoc udręczonym rodzicom. Nela nauczyła ją wszystkiego. Nie ustawała w tych naukach, chociaż początki były bardzo trudne. Nowa wolontariuszka nie rokowała dobrze i dopiero gdy jej matka postawiła na niej krzyżyk, mówiąc: „Julka, musisz w końcu zrozumieć, że nie każdy się do tego nadaje", zrozumiała, że ona się właśnie nadaje. I to bardzo. Tylko musi w to poważne wyzwanie włożyć całą siłę charakteru. Postanowiła kolejny raz w życiu udowodnić mamie, że jej teorie obarczone są dużym ryzykiem błędu. Chciała też pokazać Neli, że ani jedna chwila, którą jej poświęciła, nie poszła na marne.

Jak zwykle to sobie chciała udowodnić najwięcej. Pragnęła odnaleźć niezachwianą ludzkim gadaniem wiarę we własne możliwości. Szukała wiary w siebie. Taka była. Wymagała od siebie bardzo dużo, choć na pierwszy rzut oka na pewno robiła całkiem odmienne wrażenie. Przykręcała sobie śrubę zawsze, a szczególnie wtedy, gdy mama podcinała jej skrzydła, dochodząc do daleko idących wniosków w rodzaju: „Julka, przecież nie każdy musi…", albo: „jak nie potrafisz zrozumieć, to po prostu to wkuj…", czy: „mogłabyś się choć raz postarać, żeby mnie zaskoczyć, ale tym razem pozytywnie…". Wciąż wbijano jej szpile nasączone pesymizmem, nie potrafiła o nich zapomnieć, dlatego właśnie musiała podejmować coraz to nowe wyzwania. Ze wszystkich sił starała się pojąć niezrozumiały materiał, gdyż zakuwać bez sensu nie potrafiła. Albo zaskakiwała mamę w najmniej oczekiwanym momencie, na przykład czekała na nią późnym popołudniem z ciepłym obiadem przyszykowanym naprędce oraz informacją, że udało jej się zaliczyć jakąś psychologiczną kobyłę, i to na dobrą ocenę. Lub że w szpitalu poradziła sobie śpiewająco i będzie do tych dzieciaków chodzić już zawsze. Nawet wtedy, gdy skończy studia.

Gdy była dzieckiem, zawsze bacznie obserwowała mamę. Wtedy była przekonana, że mama często ma rację, a jej nieomylność w wielu sprawach jest wynikiem życiowego doświadczenia popartego intuicją. Jednak wraz z upływem czasu wzrok jej się wyostrzył i zauważała, że nawet mamie zdarzało się pomylić. Przykładowo, Nela wcale nie była tak odporna na życiowe zawirowania, jak wydawało się to mamie. Mama nie wiedziała, że Nela niejednokrotnie swoją nieugiętość i hart ducha porzucała gdzieś za drzwiami, za to wylewała z siebie strumienie niepohamowanych łez, których zwykle bardzo się potem wstydziła…

– Nie zimno ci? – zapytała Nela znad prasowania.

– Zimno – odparła, wyrwana z zamyślenia. – Do tego jestem już głodna.

– Ja już zdążyłam przegryźć owsiane ciastko twojej mamy – przyznała Nela.

– Błe! – skrzywiła się wymownie, gdyż zdrowa kuchnia nie należała do jej ulubionych.

– Z kawą są pyszne…

– Przestań… – ziewnęła, nie dając się przekonać. – Zrobię jakieś prawdziwe męskie śniadanie, co? Kiełbachę usmażę, do tego jakąś jajecznicę dorzucę. Zobaczę, co jest w lodówce.

– Czemu nie… – uśmiechnęła się pod nosem Nela.

Wiedziałam! – krzyknęła radośnie w myślach, ponieważ zawsze potrafiła przekonać Nelę do wielu rzeczy, a już zwłaszcza do dobrego i prostego jedzenia.

– Ale ty wiesz, że wcale nie musisz tego prasować? – spytała stanowczo i roztarła sobie zmarznięty kark.

– Jak spojrzysz na listę swojej mamy, a później na zegarek, to z pewnością zmienisz zdanie i stracisz swoje dotychczasowe opanowanie – prorokowała Nela. – Poza tym przekonasz się, że jajecznica z kiełbachą to bardziej obiad niż śniadanie.

– Dobrze, już dobrze...

Wstała z podłogi i beztrosko poczłapała do kuchni, by w pierwszej kolejności zerknąć na listę rozkazów. Takich list widziała już tysiące, nie robiło więc na niej większego wrażenia, że spis był tak długi, iż zdawał się nie mieć końca.

W kuchni wcisnęła się między pralkę a stół. Stary, sklejany już kilkanaście razy taboret zaskrzypiał, gdy na nim usiadła. Zdążyła zmarznąć, miała na sobie tylko cienką bawełnianą pidżamę. Na plecach pojawiła się jej gęsia skórka, oparła się więc o ciepłą pralkę, w której bębnie leżało już gotowe do zabrania czyste pranie. Trochę zakurzony zegar ścienny w kształcie przedpotopowego czajnika wskazywał godzinę prawie trzynastą. Gdyby nie to, że Nela od rana odbywała w jej mieszkaniu tak zwany domowy wolontariat, to wróciłaby jeszcze do łóżka i posłała na urlop wszystkie czynności z listy. Ale skoro Nela odwalała kawał dobrej roboty, to nie miała innego wyjścia, jak tylko czym prędzej do niej dołączyć. Otworzyła zatem ciepłe okno pralki i z ociąganiem ruszyła do łazienki po miskę. Mobilizował ją całkiem przyjemny aromat płynu do płukania.

– I co ty na to? – w łazience dobiegł ją głos Neli.

– Na co? Listę czy porę? – rozbrajająco dopytała o szczegóły.

– Na jedno i drugie – doprecyzowała pytanie Nela.

– A tam... – stęknęła wymijająco, szarpiąc się z mokrą plątaniną skotłowanego prania, która stawiała wyraźny opór podczas wyciągania z pralki. – Powieszę w łazience te szmaty i zabieram się za kiełbachę, całe szczęście trochę jej jest w lodówce. Później zjemy bigos. A nad listą i czasem nie zamierzam się zastanawiać. Jakoś to będzie.

Tak to właśnie było. Nela zastanawiała się nad wszystkim, a ona starała się przeć przed siebie, nie roztrząsając wszystkiego zanadto. Nela rozważnie podchodziła do życia, a ona najczęściej reagowała raptownie. Niekiedy sama łapała się na tym, że działa zbyt szybko, a miała już świadomość, iż szybciej nie oznacza lepiej. Jednak świadomość ta nie przeszkadzała jej z przekorą podchodzić do kazań ciotki Klary rozpoczynających się od oklepanych frazesów w rodzaju: „gdy się człowiek spieszy, to się diabeł cieszy". Rozwieszała pranie, myśląc o tym, że tylko ciotka Marianna nie wymagała od niej, by upodobniła się do otaczających ją starych bab. Ciotce Klarze natomiast podobałaby się tylko wtedy, gdyby była taka jak ona.

Niedoczekanie! Nawet na starość, niedoczekanie!

Zatrzęsła się na samą myśl o tym. A mama? Ona była jeszcze trudniejszym przypadkiem niż ciotka Klara, ponieważ chciała, by jej najmłodsza córka prześcignęła ją w doskonałości.

Czy to możliwe, żeby jajko było mądrzejsze od kury? Raczej nie, choć zdarzały się już przecież przypadki, że uczniowie przerastali mistrzów... – zachodziła w głowę nad takimi zagadnieniami, ponieważ nie chciała się do nikogo upodabniać. Nie miała zamiaru się ścigać ani nikogo przerastać. Chciała zachować autonomię. Po dziurki w nosie miała uwag, oczekiwań i roszczeń. Coraz łatwiej było jej zachowywać do nich dystans. Przykład brała przede wszystkim z Janka, któremu udało się wyrwać spod babskich skrzydeł. Sutanna chroniła go skutecznie przed rodzinnym gadaniem. Niepojęty był dla niej fakt, że odkąd Janek został wyświęcony, to mama i ciotka Klara w jego obecności milczały jak zaklęte, pozostając pod wrażeniem osobowości duchownego.

Justyna była przeciwieństwem Janka. Z opowiadań wiadomo było, że starsza siostra była pyskata od najmłodszych lat. I choćby mama czy ciotka Klara zbudowały nie wiem jak kwieciste zdanie zakończone wykrzyknikiem, to Justyna potrafiła sobie z nim poradzić, wymyślając jeszcze lepszą odpowiedź, z wykrzyknikiem na końcu i często z przytupem.

Za to jej podejście było całkowicie odmienne. Słuchała zdania seniorek na pozór uważnie, ale wszystkie mądrości puszczała mimo uszu, udając przy tym przejętą, zaszczyconą czy nawet poruszoną. W głębi duszy natomiast pomstowała, pyskowała i kłóciła się z każdym zasłyszanym idiotyzmem.

– Prasowanie skończone – poinformowała z zadowoleniem Nela, zaglądając do łazienki.

– To co teraz? – zapytała, wytrzepując kuchenną ścierkę, a potem rozwieszając ją nieopodal.

– Ja do odkurzacza, a ty do jajecznicy – zaproponowała Nela. – No chyba że wolisz na odwrót... – Nela lubiła zostawiać jej dokonywanie ostatecznego wyboru, i to nie tylko w sprawach błahych.

– Wolę na odwrót – postanowiła szybko.

Wiedziała, że Nela przygotuje lepsze śniadanie. Poodkurzałaby też oczywiście lepiej, ale skoro i tak niedługo miało się nabrudzić, to wybór był raczej prosty. Usłyszała denerwujący dzwonek własnego telefonu. Musiała taki mieć, innego po prostu nie słyszała. Chciała odebrać, ale miała zajęte ręce.

– Zobaczysz, kto dzwoni? – poprosiła przyjaciółkę. – Jeśli to mama, to nie odbieraj, bo nam jeszcze, nie daj Boże, dołoży coś do listy.

Nela szybko skoczyła do przejściowego pomieszczenia, ni to przedpokoju, ni korytarza. Po chwili wróciła z niewyraźną miną i wciąż dzwoniącym telefonem w ręce.

– To Nowy. Dzwoni Nowy – powtórzyła, szepcząc tak cicho, jakby Nowy mógł usłyszeć jej słowa.

– No i co? Odbierać? – zapytała Nelę, przejmując słuchawkę w wilgotne od prania dłonie.

Nela bez słów skinęła głową.

– Słucham? – zapytała głośno, a Nela wpatrywała się w nią z uwagą.

– No cześć – odpowiedziała na przywitanie Nowego. Uwaga Neli nie słabła, zwłaszcza że czas mijał, a ona nadal nie wiedziała, o co Nowemu może chodzić.

– Miałam dokładnie taki sam plan na wieczór, tylko że umówiłam się już z Nelą – posłała przyjaciółce szeroki uśmiech. – Myślę, że nie będzie miała nic przeciwko.

Mina Neli rzedła, a za to ona była w coraz lepszym nastroju.

– Kwadrans przed seansem chyba wystarczy... To jesteśmy umówieni, do zobaczenia.

Odłożyła telefon na zamkniętą klapę toalety i z satysfakcją spojrzała na zbaraniałą Nelę.

– Tylko mi nie mów, że... – Nela rozumiała już wszystko.

– Tak. Właśnie tak. Dziś wieczorem idziemy do kina. Z Nowym – podjęła decyzję.

– Nie... – Nela miała czelność zaprotestować.

– Tak! – nie pozostawiła ani cienia złudzeń.

– Jak mogłaś... – głos Neli był bardzo smutny.

– Co? – udawała niezrozumienie.

– Przecież będę się przy was czuła jak przyzwoitka – ton Neli ją zmiękczał, ale nie mogła teraz dać się ugłaskać.

– Zwariowałaś?! – zagrzmiała. – On nie jest w moim typie, przecież już ci to mówiłam. A tobie się trochę podoba, więc głupotą byłoby nie skorzystać z okazji, jak sama się pcha w ramiona.

– Ale ja mu się nie podobam – wyszeptała Nela ze wstydem, nie doceniając ani siebie, ani tym bardziej facetów.

– Uspokój się – powiedziała delikatnie, starając się, by jej takt wziął górę nad niepewnością przyjaciółki. – Obstawiam, że chciał umówić się ze mną z twojego powodu. Faceci często chadzają okrężną drogą, a ci nieśmiali to już zupełne barany i nigdy nie uderzają bezpośrednio.

– I ty już trzeci rok studiujesz psychologię – delikatnie zakpiła Nela.

– Nie będziemy zajmować się teraz analizą ani mojego wykształcenia, ani jego jakości. Leć do kuchni, a ja do odkurzacza. Odhaczamy kolejne rzeczy z listy, bo za jakieś pięć godzin będziemy z Nowym siedzieć w kinie. Ty, Nowy i ja. Weźmiemy go w środek.

– Ja nigdzie nie idę – Nela powzięła idiotyczne postanowienie i wycofała się rakiem z łazienki.

– Do kiełbachy! Już! Poszła! – załatwiła dwie sprawy za jednym zamachem, i to tylko udając, że podnosi głos.

Z Nelą tak trzeba było. Wprost, bez zostawiania przestrzeni na niedomówienia. Zwłaszcza że była pewna, iż się nie myli. Już jakiś czas temu zauważyła, że Nowy zawsze kręci się w ich pobliżu, i to na pewno nie ze względu na nią. Nowy niechybnie zagiął parol na Nelę. Był wysokim chudzielcem o wzroście koszykarza, sympatycznym dryblasem o wyraźnym uroku osobistym. A biorąc pod uwagę jedno z powiedzeń ciotki Klary, które wypowiadała z taką dumą, jakby była ich autorką, a mianowicie porzekadło o przyciągających się przeciwieństwach, Nowy i Nela powinni przyciągać się tak, że już bardziej się nie da. Wierzyła w siłę przysłów, w to, że zawierały potwierdzone prawdy, ale od ciotki Klary różniła się tym, iż wolała działać, zamiast siedzieć i pleść bzdury. Na facetach też się trochę znała, ale jeśli wziąć pod uwagę jej dotychczasowe historie z facetami w roli głównej, to... Szkoda gadać, bo zamieniała się chyba w ciotkę Mariannę. Wolała być milcząca i zagadkowa. Pewnie dlatego, że poza nielicznymi niewypałami nie trafił jej się nikt wyjątkowy. Z pewnością tak samo było z ciotką Marianną.

W rodzinie na ogół nie komentowało się nigdy przyczyn staropanieństwa ciotek. Czasami miewała wrażenie, że jest to temat tabu, zwłaszcza w przypadku ciotki Klary. Wnioskowała, iż większą tajemnicą owiana była historia ciotki Marianny, bo ciotka Klara była po prostu wredna, a faceci nie lubią wrednych bab. Wrednych osób nie lubi nikt.

Odkurzała pospiesznie i nawet bardzo starała się, by nie robić tego po łebkach, mając przed oczami wizję mamy kręcącej nosem. Odkurzała i nawet trochę podśmiewywała się w duchu na myśl o mamie, której charakter łączył w sobie cechy obu ciotek. Mama potrafiła być dobra jak ciotka Marianna, ale nie przeszkadzało jej to bywać czasem wredną, czym upodabniała się do ciotki Klary. Być może to właśnie dzięki swojej skomplikowanej osobowości mama związała się w życiu z fajnym i mądrym mężczyzną. Niestety już go przy niej nie było, ale wspomnienia z nim związane, choć wolała je przemilczeć, z pewnością umilały jej samotność.

Z ulgą wyłączyła odkurzacz, który hałasem działał jej na nerwy.

– Kiełbacha gotowa?! – zapytała głośno, chociaż nie musiała już przekrzykiwać plastikowego potwora.

– Jeszcze chwilę... – usłyszała niepewny głos Neli, która już drżała na myśl o wieczornym spotkaniu z Nowym.

– W takim razie jeszcze trochę doodkurzam – znów krzyknęła.

Wiedziała, że gdyby słyszała ją mama, to swoim zwyczajem z trwogą popatrzyłaby na przyszłość swej córki, którą całe życie usiłowała wychować na porządnego człowieka. Mama w nią nie wierzyła. A ona wiedziała, że wysiłki mamy nie idą na marne. Chociaż wiele jej życiowych poczynań nie wytrzymywało zderzenia z krytycyzmem matki, to i tak uważała się za dobrego człowieka. Zaś minami strojonymi przez mamę nauczyła się zbytnio nie przejmować, bo wiedziała, że po pierwsze, ten typ tak ma, a po drugie, trudno cieszyć się ze zwykłych rzeczy, gdy nieustannie oczekuje się jakichś cudów. I to w imię czego?

Tylko i wyłącznie dla dobra własnego dziecka – pomyślała ironicznie i znów rozbolały ją uszy od szumu odkurzacza.

– Julka! Co ty dziś jesteś taka niemrawa?! Przyspiesz kroku! Mamy mnóstwo roboty!

A to ci nowość! – pomyślała z niechęcią. Wolała się nie odzywać. Zawsze na tym dobrze wychodziła. Jej milczące asekuranctwo nieraz ratowało ją z opresji. Przyspieszyła kroku, spełniając bez dyskusji oczekiwania mamy.

– Całą mszę ziewałaś! Kto to widział, żeby w takie mrozy szlajać się pół nocy nie wiadomo gdzie i z kim! – spora zadyszka nie przeszkadzała mamie naskakiwać na córkę.

– Nie szlajałam się – sprostowała beznamiętnym tonem i dodała: – Byłam w kinie z Nelą i z takim jednym nowym z naszego roku.

– I bardzo dobrze! – głos mamy złagodniał odrobinę. – Zrozumieć tylko nie mogę, po co ciągnęłaś za sobą Nelę, skoro wspominałaś, że ten kolega zaprosił tylko ciebie. Może coś by z tego było, a tak…

Mama najpierw westchnęła ciężko, a później z wyraźną dezaprobatą w głosie zaczęła ją pouczać, nie bacząc na to, że jej córka już jedno niedzielne kazanie ma za sobą.

– Chyba zdajesz sobie sprawę, że jesteś już w takim wieku…

– Co to znaczy: w takim wieku? – obruszyła się, nie dając mamie skończyć.

Przyspieszyła kroku. Chyba z podenerwowania.

– To, co słyszysz. Justyna właśnie w twoim wieku już się za suknią ślubną rozglądała.

I też byłaś niezadowolona. Pamiętasz? – zapytała, w duchu wiedząc, że najlepiej zrobi, jeśli nie zareaguje na zaczepki mamy. Ale w życiu jak to w życiu... Teoria to jedno, a praktyka drugie. Czasem górę bierze teoria, a czasem...

– A co to, za przeproszeniem, za porównania? – ofuknęła mamę dość nieprzyjemnym tonem.

– Żadne porównania – mama zaczęła się odrobinę wycofywać. – Po prostu się o ciebie martwię i tyle.

– To się nie martw – poprosiła spokojnie.

Wiedziała, że nie należało wkraczać na wojenną ścieżkę z mamą. To było paskudne rozwiązanie, zwłaszcza wtedy, gdy szykował się obiad w towarzystwie ciotki Klary. Ciotki Marianny miało dziś niestety nie być. Całe szczęście nie zaatakowała jej żadna grypa, tylko dotkliwie się przeziębiła. Natomiast Justyna i jej chłopcy zostali zaproszeni na obiad u teściów, darzonych przez wszystkich dużą sympatią.

– Łatwo ci mówić, nie martw się! – mama zgrabiałą od mrozu ręką wstukała kod w domofon i drzwi otworzyły się od razu.

Szły po schodach, ponieważ mama uważała, że oprócz martwienia się o dzieci należy też nieustająco dbać o swój mięsień sercowy, zwłaszcza w tej rodzinie. Tato zmarł na serce, a ciotka Klara oprócz wielu innych hipochondrycznych dolegliwości cierpiała na arytmię, o której mówiła często i dużo, szczególnie że żaden kardiolog jej u niej nie stwierdził. Ale najlepszym lekarzem w rodzinie była ona sama. Potrafiła postawić diagnozę nawet wtedy, gdy nikt o nią nie prosił. Zatem ciotka Klara też wdrapywała się po schodach, nie korzystając z windy. Ciotka Marianna mieszkała na pierwszym piętrze, więc winda i tak mogła dla niej nie istnieć, zaś ciotka Klara na nieco mniej przyjaznym osiedlu zajmowała mały lokal na trzeciej kondygnacji, więc tragedii nie było. Natomiast one przez to gderanie ciotki o windzie musiały wspinać się na szóste piętro. Na szczęście robiły to zwykle tylko raz w tygodniu, w niedzielę po mszy.

– I co to za chłopak? – zapytała mama, dysząc coraz szybciej.

– Nawet fajny – odpowiedziała dumna ze swego uregulowanego oddechu. – Co prawda trochę wycofany, ale do kina odważył się zaprosić, więc chyba nie jest najgorzej.

– Fajny? – mama przystanęła ze zmęczenia i z wrażenia. – To po co ciągałaś za sobą Nelę? Zrozumieć tego nie mogę.

– Zabrałam ją ze sobą, bo on mi się nie podoba, więc nie skorzystam, poza tym on wzdycha raczej do Neli…

– Fajny, a ty nie skorzystasz? – mama ruszyła przed siebie chyba tylko po to, by znów zastygnąć w bezruchu.

– Mamo! Po prostu nie ma między nami chemii – wytłumaczyła rzeczowo.

Mamie nie spodobała się odpowiedź. Szła dalej, ale nie miała zamiaru skończyć z marudzeniem.

– To teraz masz zamiar zabawiać się w swatkę?

– Właśnie to zamierzam! – rozpromieniła się na przekór mamie.

– O Boże! Julka! Ty w ogóle życia nie znasz…

Może i dobrze… – pomyślała i uśmiechnęła się, bo miała zamiar nie tylko brnąć po schodach, ale też brnąć w poruszony przez mamę temat.

– Możemy się założyć, że coś z tego będzie.

– Na pewno! – uśmiechnęła się drwiąco mama.

– I tu się mylisz – zaoponowała, odwijając długi szalik, ponieważ na tych schodach nawet największy zmarzluch mógł się nieźle namęczyć i zgrzać. – Nela zyskuje przy bliższym poznaniu. I to nawet bardzo. Dlatego nie przesądzałabym sprawy zbyt szybko.

Poza tym przecież nie wszystkie związki na ziemi są owocem miłości od pierwszego wejrzenia.

Mama najpierw podejrzanie się spłoszyła, by już po chwili przyznać jej rację. Bardzo lubiła takie momenty, w których mama się z nią zgadzała. Żałowała tylko, że zdarzały się naprawdę rzadko.

– W myśl zasady, że przeciwieństwa się przyciągają – kontynuowała – ci dwoje pasują do siebie, i to nawet zaskakująco dobrze. Gdybyś ich zobaczyła razem, to nie stawiałabyś na nich tak szybko krzyżyka. Nela jest okrągła i przemiła, a on wysoki do nieba i trochę mrukowaty. Inteligencją to pewnie Neli do pięt nie dorasta, ale jej po prostu trudno dorównać.

W końcu weszły do mieszkania i już od progu poczuła, że życie przyspiesza tu biegu. Dom był miejscem, w którym mama odbijała sobie godziny ciszy spędzane w bibliotece. Zawsze gdy odwiedzała ją w pracy, nie mogła się nadziwić, ile różnych oblicz może mieć jedna osoba. Mama w bibliotece była oazą spokoju. Między ciągnącymi się w nieskończoność regałami poruszała się z dostojeństwem. Mówiła głównie szeptem. Do półgłosu uciekała się tylko w szczególnych przypadkach i robiła to z widoczną niechęcią. Natomiast przestępując próg własnego mieszkania, zamieniała się w czynny wulkan. Córka zdążyła się już przyzwyczaić do dwoistej natury mamy i nabrać odporności na jej zmienne nastroje. Dzięki wrodzonej empatii wiedziała, kiedy może pozwolić sobie na dyskusję z rodzicielką, a kiedy najlepiej bez słów zamknąć się w pokoju, by przeczekać burzową atmosferę. Biorąc przykład z Janka – mistrza dyplomacji – bardzo często mierzyła siły na zamiary i wycofywała się rakiem z drażliwych sytuacji. Miała pełną świadomość, że zdarzają się w życiu chwile, gdy wchodzenie w konflikt, i to nie tylko z najbliższymi, jest po prostu nieopłacalne. W potyczkach z uwielbiającą dominować mamą nie miała szans, dlatego unikała spięć, jak tylko potrafiła. Robiła to z wygodnictwa, trochę z lenistwa, a przede wszystkim z umiłowania świętego spokoju. Niejednokrotnie wolała coś przemilczeć, odwrócić wzrok, udać, że nie słyszy, zasymulować pozorną potulność albo najzwyczajniej w świecie porzucić swe zwykle bardzo mocne przekonania, przyznając mamie rację. Wybierała spokój, ponieważ z jej punktu widzenia był dużo bardziej atrakcyjny niż doprowadzenie mamy do palpitacji serca i wypruwania żył podczas zażartych kłótni. W jej mniemaniu awantura była ostatecznością. W obliczu matczynych fanaberii do perfekcji opanowała umiejętność machania na wszystko ręką. Podobnie jak Janek odziedziczyła ją po tacie. Natomiast Justyna nie miała tak łatwo. Była charakterologicznym podobieństwem mamy. Jej mąż, w rodzinie zwany po prostu Krzychem, nie miał z nią najłatwiejszego życia, ale krył w sobie za to ogromne pokłady wrodzonego stoicyzmu. Póki co był w Justynie wciąż tak bezpamiętnie zakochany, że bez trudu tańczył tak, jak ona mu zagrała. Przynajmniej póki co…

– No, przebrałaś się już?! Co ty tam tak długo robisz?! Julka!

Usłyszała wyrzut w głosie mamy dokładnie w chwili, gdy gotowa do pracy stanęła w progu mikroskopijnej kuchni. W tym domu nawet nieduża łazienka była większa od kuchni. Nie dość, że kuchnia była maleńka, to jeszcze do ostatniego skrawka zastawiona meblami. Jakimś cudem zmieściło się w niej umeblowanie zgoła większego metrażu. Centrum mikropomieszczenia zajmował wcale niemały prostokątny stół, którego wieloletnim sąsiadem był narożnik pokryty miejscami poprzecieranym welurem w kolorze cappuccino. Nad dłuższym bokiem narożnika ciągnęła się półka obciążona zniszczoną, bo na bieżąco wertowaną literaturą z zakresu kulinariów. Jedynym luksusem w tej kuchni było ogromne okno – owoc ostatniego remontu budynku, który przeprowadzano wtedy, gdy przygotowywała się do matury. Hałas był wtedy taki, że uczyć się nie dało, ale na szczęście nie przeszkodziło jej to w zdaniu matury prawie na wymarzonych dziewięćdziesiąt procent, a kuchenne okno kochała najbardziej z całego mieszkania. To przez nie potrafiła w samotności godzinami wpatrywać się w niebo nad miastem, a nocą udawać, że tam gdzieś na dole jest las, a nie miejska niezasypiająca nigdy arteria. Między dwudziestą trzecią a czwartą czy piątą rano samochody pędziły tamtędy, za nic mając sobie coś, co w żargonie policyjnym nazywano ograniczeniem prędkości. Gdy patrzyła na okno w kuchni, budziło się w niej przekonanie, że może kiedyś dzięki łaskawości losu będzie mogła pozwolić sobie na własne mieszkanie, które z pewnością też nie będzie duże, ale za to urządzi je zgodnie z zasadami minimalizmu. Wstawi tam tylko to, co konieczne, żadnych zbytków.

– Jestem gotowa do pracy – zameldowała posłusznie.

– Obierz najpierw włoszczyznę na zupę, a później ziemniaki. Potem zajmij się marchewką, udusimy ją do kotletów mielonych, pasuje prawie tak dobrze jak buraczki. Chciałam je kupić, ale były takie wyrośnięte, że się bałam. W środku miały na pewno same wióry. Ja się wezmę za ciasto. Może też marchewkowe... Mamy imbir?

– Pewnie mamy – odpowiedziała, organizując sobie miejsce pracy przy stole.

Siadała zawsze na tym samym miejscu narożnika. Najbliżej okna, tak że miała przed sobą małą przestrzeń, którą raz po raz zagarniała krzątająca się po kuchni mama. Podczas gdy rodzicielka trzaskała kuchennymi sprzętami, ona po cichu obierała wszystkie warzywa, stosując się do porządku prac narzuconego przez mamę. Nuciła. Zawsze gdy przeobrażała się w pomoc kuchenną, reagującą na polecenia: „obierz", „pomieszaj", „pozamiataj", „przynieś", „wynieś", nuciła pod nosem. Była to albo wymyślona muzyczna kompozycja, albo niezmiennie walc z *Nocy i dni*, w którym jej ulubionym fragmentem był: „zielenieje sad po burzy". Nie przez przypadek z niedzielnymi obiadami kojarzyły się jej seriale z dawnych lat: *Noce i dnie*, *Północ – Południe* czy *Ptaki ciernistych krzewów*. To te seanse przez wiele lat były jak wisienka na niedzielnym torcie. Teraz podśpiewywała sobie, napawając się względnym spokojem, o którym po południu nie będzie mowy, wszak miała odwiedzić je ciotka Klara.

Pomimo tego, że kuchnia była zagracona, a mama trzaskała garami, ona lubiła tu przebywać. Co więcej, to właśnie tu najczęściej uczyła się do egzaminów. Podczas sesji kuchnia stawała się pokojem nauki, miejscem pracy w ciszy nocnej. Książki zwykle czytała w swoim pokoju, ale zakuwała w kuchni, zazwyczaj sama. Wiedziała, że na jej roku istniały towarzystwa wzajemnej adoracji, które razem nie tylko się uczyły, ale też gromadnie odwiedzały toaletę podczas przerw w wykładach. Jednak ani Nela, ani ona nie należały do żadnego z takich kółek. Nie oznaczało to, że były wyobcowane. Wręcz przeciwnie. Trzymały się ze wszystkimi i to na równi. Nikogo nie wyróżniały i nikogo nie pomijały. Najbardziej trzymały się jednak ze sobą, co nie zmieniało faktu, że uczyły się zwykle w pojedynkę. Nela przyswajała wiedzę najczęściej w bibliotece uniwersyteckiej, bo w akademiku nie miała ku temu warunków. A ona właśnie w kuchni, do której przenosiła swą biurkową lampkę. Początek roku kalendarzowego zawsze zaczynał się od mocnego uderzenia, czyli sesji zimowej, od której dzielił ją tylko nieco ponad tydzień. Miała już za sobą blisko cztery miesiące nauki i wystarczyły one, by zrozumiała, że to właśnie trzeci rok studiów był najtrudniejszy. Najwięcej zajęć, najwięcej nauki i – co najważniejsze – najwięcej wiedzy do wkucia. Wcześniej nie musiała przeczytać tylu książek, napisać tylu prac, omówić tak wielu referatów i przedstawić tylu prezentacji. Sesja zimowa zaczynała się od tak zwanej kobyły, to znaczy egzaminacyjnej zmory większości studentów. A na imię jej było statystyka komputerowa. Nienawidziła tego przedmiotu. Od zawsze. Ale to dzięki niemu zaprzyjaźniła się z Nelą. Statystyka, której oddech stale czuła na plecach, była jednym z najważniejszych przedmiotów na pierwszym roku, tak zwanym sitem, które oddzielało ziarna od plew. Przez nią dokonywała się studencka selekcja naturalna. Była tak ważnym przedmiotem, ponieważ – jak się później okazało – poznane na niej zagadnienia przewijały się bardzo często na innych zajęciach. Na pierwszym roku, jakieś dwa tygodnie przed egzaminem ze statystyki, dopadały ją koszmary nie tylko w nocy, ale także w ciągu dnia i nauki do tegoż przedmiotu. Wiedziała, że jeśli ktoś mądry jej nie pomoże, to czeka ją klapa na całej linii i nawet kampania wrześniowa nie pomoże jej wyciągnąć się ze statystycznie prawdopodobnych tarapatów. W związku z tym, nie bacząc na swoiste wyobcowanie Neli, do której z racji imienia przylgnął przydomek Petro, podeszła do niej w akcie desperacji i orzekła: „Pewnie już zauważyłaś, że ze statystyki jestem noga". Petronela – tak wówczas myślała o Neli – uśmiechnęła się całkiem uprzejmie, w ogóle niecynicznie, dlatego zapytała ją wprost: „Petronela, Pomożesz?". Nie spodziewała się tak natychmiastowej i w dodatku radosnej reakcji. „Oczywiście" – odparła z sympatią najlepsza studentka na roku, po czym cicho poprosiła, by nazywać ją Nelą. Po prostu Nelą. W ten sposób zaczęła się najcenniejsza przygoda przygoda z Nelą, która zagadnienia ze statystyki miała w małym paluszku, co więcej, posiadała także umiejętności metodyczne i pedagogiczne, co w całokształcie czyniło z niej statystycznego guru.

– Starczy już tych ziemniaków! Oszalałaś?! – podniesiony ton mamy jak zwykle sprawił, że w mgnieniu oka wracała do rzeczywistości.

Zgodnie z matczynym rozporządzeniem wróciła myślami do kuchni i mycia ziemniaków, których przez zamyślenie rzeczywiście obrała jak dla wojska. Ratowała się potulnym pytaniem:

– Coś mam jeszcze przygotować oprócz włoszczyzny i marchewki?

– Imbir jeszcze obierz! Kwiaty podlej w całym domu, a potem sprawdź, czy pranie już wyschło. Jeśli tak, to je ściągnij i chociaż poskładaj, niech bez sensu nie gnije w łazience.

Była gotowa wykonywać polecenia mamy bez szemrania, głowę mając oczywiście zaprzątniętą czym innym. Teraz rozmyślała o statystyce komputerowej, która dopadła ją w tym roku akademickim. Przedmiot okazał się zastosowaniem wiadomości ze statystyki z pierwszego roku, ale na komputerze. Neli oczywiście od razu udało się zaprzyjaźnić z tak zwanym SPSS-em, czyli programem statystycznym, w którym każdy szanujący się psycholog musiał dokonywać obliczeń z przeprowadzonych badań. Nie trzeba było więc być ani alfą, ani omegą, by przewidzieć, że bez znajomości tego programu napisanie pracy licencjackiej i magisterskiej albo przeprowadzenie jakichkolwiek badań będzie niemożliwe. Egzamin zbliżał się wielkimi krokami, jednak ona nie popadała w skrajny stres, ponieważ dzięki ofiarnej pomocy Neli SPSS nie miał przed nią żadnych tajemnic.

– Cieniej się nie dało? – zapytała z dezaprobatą mama, zaglądając do foliowej torby, w której lądowały wszelakie obierki.

– Zajmę się kwiatami i praniem. Mam zrobić coś jeszcze? – zapytała od razu, zupełnie nie przejmując się krytyką, gdyż ta po prostu była nieunikniona.

– Nakryj jeszcze do stołu i obejdź mieszkanie, popatrz, czy nie trzeba czegoś ogarnąć. Zrób coś sama z siebie, bo już mam dosyć proszenia cię o wszystko i tego ciągłego dyktowania, co masz zrobić.

Akurat! – pomyślała przekornie, wychodząc z kuchni, by wykazać się inwencją twórczą przy zbieraniu prania i nakrywaniu do stołu, bo innej pracy niż ta, którą palcem wskazała jej mama, organizować sobie nie miała najmniejszego zamiaru.

Ciotka Klara pojawiła się punktualnie, jak zwykle zresztą. Punktualność z pewnością stanowiła jedną z nielicznych jej zalet. Była niezwykle punktualna i tego samego bez wyjątku wymagała od innych, co czyniło z niej jeszcze bardziej trudną we współżyciu istotę.

– A, dzień dobry, dzień dobry, Julio! – usłyszała powitanie, gdy pomagała ciotce zdjąć futro pochodzące z nie wiadomo jakiego zwierza.

Tej „Julii" w ustach ciotki nigdy nie znosiła. Ale cóż było robić, skoro od zawsze dla ciotki była Julią. Nawet jako mała dziewczynka.

– Mróz taki, że można sobie odmrozić stopy. Pan Hrabia to się nawet do drzwi balkonowych nie zbliża, bo chociaż kocem je opatulam u dołu, to i tak od nich zimnem ciągnie. Tylko patrzeć, jak się pochoruję. Ale czuję, że coś ładnie pachnie, bo w tej waszej windzie to odór taki, że wytrzymać nie sposób!

– To czemu schodami nie przyszłaś? – mama zagadnęła ciotkę z kuchni bez żadnych wstępów czy powitania.

– Po schodach to ja tylko u siebie chodzę. Poza tym tłumaczyć ci się nie muszę. Będziesz w moim wieku, to pogadamy, a wiedz, że ci, Heleno, życzę, żebyś w moim wieku moją kondycję miała.

– Już ty się o mnie nie martw na zapas – zagrzmiała mama. Chyba już siostrzyczka zdążyła podnieść jej ciśnienie swoim gadaniem i tonem głosu, bo z kuchni dochodził stukot garnków.

– Twoja matka, Julio, jak zawsze miła, jak zwykle do rany przyłóż – natychmiast podsumowała ciotka Klara.

Macie to we krwi – pomyślała złośliwie, co nie przeszkodziło jej uśmiechać się i udawać zrozumienie dla słów ciotki, która stała już w drzwiach kuchni. To znaczy w miejscu na drzwi, bo drzwi w kuchni nigdy nie było. A raczej nie było ich, odkąd pamięta. Była futryna, były zawiasy, tylko drzwi brakowało.

– Może byś się przywitała ze swoją starszą siostrą? – zasugerowała mamie ciotka w ramach trwającej wciąż wymiany uprzejmości.

– Dzień dobry, starsza siostro – odparła mama, podkreślając z przyjemnością starszeństwo ciotki. – Zapraszam do stołu. Wszystko jest gotowe, chodźmy, bo stygnie.

– Dobrze, bo z głodu umieram. Rano tylko owsiankę na mleku zjadłam, a w kościele do szpiku kości przemarzłam. Czy w tych kościołach to nie mogliby jakoś bardziej nagrzać?! Przecież w taką zimnicę to na oddechy śpiewających chyba liczyć nie można! No tak, po co grzać, skoro ogrzewanie kosztuje. Ale nikogo to nie obchodzi, że później starsze kobiety majątek w aptekach zostawiają. Poza tym w taki mróz to nawet modlitwa o zdrowie skuteczna pewnie nie jest.

Towarzyszyła ciotce, która przy stole oczywiście zajęła miejsce należne gospodarzowi. Jednak wiedząc, że zaraz zostanie wezwana do kuchni, nie rozsiadała się, tylko przycupnęła przy drugim krańcu stołu.

– Ale co tam u ciebie słychać, Julio? W szkole uczysz się czegoś, co ci się w życiu przyda, czy dyrdymały tłuką ci do głowy?

– Bywa różnie. Czasami fajnych rzeczy się uczę, a czasem dyrdymałów – odpowiedziała wymijająco, nie mogąc się doczekać, by mama zaprzęgła ją do roboty.

– Julka, chodź tutaj! Zupę trzeba nosić!

Wstała natychmiast.

– Przepraszam cię, ciociu, na chwilę – starała się udawać dobre maniery, bo ciotka to lubiła i dzięki temu stawała się bardziej znośna.

– Idź, dziecko, idź. Pomagaj matce, bo nie ubywa jej lat, oj, nie ubywa.

Weszła do kuchni, gdy mama skończyła nalewać zupę do talerzy. Zapach kapuśniaku sprawił, że poczuła wilczy głód.

– No, zanieś! – poleciła mama. – Tej marudzie pierwszej – ściszyła głos. – Tylko nie rozlej po drodze!

To mogło okazać się trudne, ponieważ mama nie żałowała zupy i nalewała jej zawsze od serca. Zatem parząc sobie palce, ułożyła dwa talerze na niewielkiej tacy i udawała, że nic się nie rozlewa, wgapiając się w obrazek na tacce, przedstawiający żółte kwiaty na zielonym tle. Obraz właśnie zalał się kwaśną zupą.

– A to co? Kapuśniak? – zaczęła zrzędzić ciotka Klara.

– Kapuśniak, kapuśniak! – krzyknęła z kuchni mama. – Jedz i nie marudź. Na takie zimno to najlepsza zupa. Nie słyszałaś, że kiszonki są zdrowe? Chronią przed grypą. Specjalnie ugotowałam, bo wieczorem do Marianny skoczę. Zaniosę jej, niech zje coś zdrowego i gorącego. Jak wciągnie wieczorem taką michę zupy, to się jutro już na pewno lepiej poczuje. Chociaż to nie grypa ją dopadła, to i tak jakaś taka słabowita wydaje się ostatnio.

– Bo się nigdy odpowiednio ubrać nie potrafi. Zawsze fircykuje z ubraniami, to teraz ma za swoje – zdolność do empatii nigdy nie była mocną stroną ciotki. – To już nie te czasy, kiedy młodość ją grzała. Ubierać się ciepło trzeba, a nie podfruwajkę udawać! Taka stara, a taka głupia!

Nie odzywała się, bo z ciotką Klarą lepiej było nie wchodzić w dyskusję. Ciotka nie umiała współczuć w chorobie, ponieważ sama udawała wiele różnych dolegliwości, choć była zdrowa jak rydz. Nic dziwnego, przecież złego diabli nie biorą.

– Lepiej daj już spokój – mama skarciła ciotkę, siadając przy stole. – Ledwo z kościoła wyszłaś, a już obmawiasz innych? Lepiej powiedz, czy zupa ci smakuje.

Mama domagała się komplementów i miała ku temu podstawy, bo kapuśniak był wyborny.

– Dobra, dobra... Całkiem dobra... – przyznała trochę na odczepnego ciotka. – Ale jutro będzie na pewno lepsza, bo kapuśniak, żeby dobry był, musi postać, przegryźć się, bo taki świeży, prosto z gara, to jeszcze nie to.

Zerkając na ciotkę, jadła zupę z apetytem. Nie przerywając pałaszowania, z uwagą obserwowała ten pokazowy popis siostrzanej miłości i cieszyła się w duchu, że ją i Justynę łączyła zgoła inna relacja.

– Nie bój się, nie bój... Dostaniesz słoik zupy na jutro – mama umiejętnie zamknęła usta ciotce Klarze.

– Ależ o co ci chodzi?! – ciotka obruszyła się na niby. – Ja wcale nie dlatego... Zresztą pewna nie jestem, czy mnie zgaga po tym kapuśniaku nie będzie męczyła. Bo to jednak kwas, jakby nie patrzeć. A jeszcze jak na drugie jakieś smażone wymyśliłaś, to już zgagę mam murowaną. To pewne jak amen w pacierzu.

Największą zgagą to jesteś ty! – krzyknęła w duchu, dając upust wzbierającym w niej negatywnym emocjom, co nie przeszkadzało jej żwawo wciągać zupę, ponieważ jej akurat zgaga nie groziła. A kapuśniak był wyśmienity.

– A co ty, Julio, tak zamilkłaś? Jak mała byłaś, to buzia ci się nie zamykała. A teraz cicha, rozmarzona jakaś, może się w kimś podkochujesz?

– Dałby Bóg! – mama ochoczo podchwyciła temat, który niezależnie od okazji wyciągała jak asa z rękawa zawsze miła i dyskretna ciotunia Klarunia.

– Nie mam czasu na takie bzdury – palnęła i odłożyła łyżkę na stół, specjalnie robiąc przy tym hałas.

– Julio! Akurat na to czasu wiele nie potrzeba – ciągnęła temat ciotka Klara.

Znawczyni się znalazła! – prychnęła w duchu, zastanawiając się, czy nadejdą takie czasy, że każdą swą myśl rzuci ciotce prosto w twarz.

– Bo wiesz, Julio, twoja siostra w twoim wieku...

– Wiem, wiem! – uśmiechnęła się, udając rozbawienie, chociaż do zabawowego nastroju było jej teraz daleko.

– Idę po drugie danie – mama wstała od stołu. – Julka, jak ciocia skończy, to zanieś do zlewu talerze. Zmyjesz wszystko później.

Skoro tak ładnie prosisz, to czemu nie? Wszystko zmyję później. Takie myśli pozwalały jej zachować normalność. Nie mogła pogodzić się nie z tym, że była rodzinną pomywaczką. Nie mieściło jej się w głowie, że mama za każdym razem musiała jej o tym przypominać, niezależnie od tego, ile osób bywało na ich rodzinnych niedzielnych obiadkach.

– Tak, tak! Przynoś drugie, bo ja już kończę.

Ciotka Klara nie zważała na niebezpieczeństwo zgagi. Mając przed oczami wizję drugiego dania, przyspieszyła zamaszysty ruch łyżki tak bardzo, że mogła nabawić się kontuzji nadgarstka lub łokcia.

– Całkiem dobra, całkiem dobra... – ciotka skomentowała smak zupy, mówiąc z pełnymi ustami i oddając w jej ręce pusty talerz, gdy na stole mama postawiła okrągły półmisek z dość mocno przypieczonymi kotletami mielonymi.

– O, proszę! Kotlety! – ciotka Klara, nie czekając na zaproszenie do jedzenia, nałożyła sobie na talerz największego mielonego. – O, i marchewka duszona! A to co? Buraków nie dostałaś?!

Obserwowała, jak mama nawet nie stara się zlekceważyć gadki ciotki i bez pardonu rusza do ataku.

– Czy ty mogłabyś chociaż raz w życiu udawać zadowoloną i skupić się na tym, co jest, a nie na tym, czego nie ma? Buraków nie ma! A skoro nie ma, to znaczy, że nie kupiłam! A jeśli nie kupiłam, to znaczy, że były, ale brzydkie. Rozumiesz?! – mama wpatrywała się w ciotkę poirytowana.

– A tobie jak zwykle nic powiedzieć nie można! – ciotka w nosie miała stan irytacji młodszej siostry, zwłaszcza że na talerz nałożyła sobie już wszystko, czym mogła zapchać swe wiecznie paplające bez większego sensu usta.

– Co nie można?! – mama usiłowała mieć ostatnie słowo.

– No pewnie, że nie można! – ciotka, nie zważając na to, że kotlety są smażone, a marchewka to nie buraczki, zajadała się tak, że aż trzęsły się jej uszy, a wraz z nimi dyndały złote kolczyki.

– A tobie można?! – zdenerwowana mama nieproszona nałożyła Julce na talerz kopę ziemniaków, której ta nie miała ochoty zjeść, więc od razu zaprotestowała.

– Mamo! – skrzywiła się, nie odrywając wzroku od ziemniaczanej hałdy na talerzu.

– Bez protestów, jedz! – oberwała natychmiast. – Sesja się zbliża! Musisz jeść! Marchewki sobie dołóż, bo jak nie, to sama to zrobię!

– Mamo... – posłała jej błagalne spojrzenie.

– Jedz, Julio, jedz! Matki słuchaj! Są domy, w których takiego obiadu nie uświadczysz nawet w święta.

Zerknęła na ciotkę Klarę.

Co za stara małpa! Najpierw daje mamie popalić, a potem się podlizuje, udając, że trzyma właśnie jej stronę.

– Przecież jem – odpowiedziała niewzruszona.

Ale musiała ze sobą niezwykle walczyć, by zachować obojętność. Niestety straciła ochotę na jedzenie.

– A co tam u Justyny słychać? Coś dawno jej chłopców nie widziałam. Nawet nie wiem, czy urośli.

Ciotka Klara znów swym zwyczajem dokładała mamie trosk. Przecież wcale nie stęskniła się za dziećmi, których nie znosiła, ponieważ zwykle tak hałasowały, że zagłuszały wszystkie mądrości wygłaszane przez ciotkę. Ciotce chodziło teraz o to, by między wierszami przekazać swojej siostrze komunikat: „córka cię nie odwiedza, pewnie ma jakiś ważny powód, że wolą z dziećmi bywać gdzie indziej".

Patrzyła na wredny wyraz twarzy ciotki. Jedzenie stanęło jej w gardle. Czuła trudną do opanowania chęć, by wygarnąć ciotce wszystko, co o niej myśli. Nazbierało się tego trochę, nie tylko dziś, ale przez te wszystkie lata. Nawet nie szkoda by jej było poświęcić sporo własnego czasu na takie pranie brudów. Marzyła o tym, aby kiedyś, nie zważając na wiek ciotki, wylać jej w końcu na głowę wiadro zbieranych od dawna pomyj. Nawet nie wiadomo, czy taki zabieg przyniósłby jakikolwiek efekt. Pewnie nie, bo działanie innym na nerwy i wyprowadzanie ich z równowagi było życiową pasją ciotki Klary, bez której nie potrafiłaby normalnie egzystować, choć raczej ciężko nazwać to normalną egzystencją.

– Pewnie, że urośli – mama potrafiła się obronić przed jęzorem ciotki. – Justyna przez nich to pod koniec dnia sama nie wie, jak się nazywa.

Na myśl o wnukach mama wyraźnie się rozpromieniła. Kochała chłopców podwójnie, za siebie i za swojego męża, a ich dziadka, któremu nie było dane doczekać wnuków. Gdyby to zależało od mamy, cały swój czas poświęcałaby Szymkowi i Tymkowi, ale wciąż jeszcze musiała pracować, dlatego chłopcami zajmowała się przede wszystkim Justyna. Na Krzychu specjalnie polegać nie mogła, bo ten albo pracował, albo musiał się uczyć do egzaminów specjalizacyjnych, a że w domu nie miał ku temu odpowiednich warunków, to często wiał z niego do swoich rodziców, gdzie miał cichy kąt i jedzenie podsunięte pod sam nos.

– O matko święta! Jakie teraz te dzieci są rozpuszczone jak dziadowskie bicze! – biadoliła ciotka Klara.

Odezwała się, specjalistka od dzieci!

Zmierzyła ciotkę wzrokiem, a napotkawszy jednocześnie karcące spojrzenie mamy, zaczęła szybciej jeść. Co jednak nie przeszkadzało jej myśleć dalej:

Jak się całe życie kota wychowuje, to niedziwne, że można się do woli wypowiadać w kwestii wychowania akurat dzieci, prawda?!

Po prostu nie potrafiła zrezygnować z własnych myśli, w których regularnie ośmieszała ciotkę Klarę. Sprawiały jej tak niewymowną przyjemność, że chwilami obawiała się, czy na starość nie zacznie dzielić się nimi z otoczeniem. A wtedy będzie przypominać nikogo innego, tylko ciotkę Klarę właśnie.

– Dzieci jak to dzieci – od razu w obronie swych wnuków, żywych sreber, stanęła mama. – Czasami do rany przyłóż, a czasami ocet na ranę. Ale jak brzmi mądre przysłowie: „Kto ma pszczoły, ten ma miód, kto ma dzieci, ten ma...

– Smród! – dokończyła z uciechą w głosie i satysfakcją w oku ciotka.

– Nie smród, tylko cud! – zaoponowała mama.

Rodzinny obiad... Niedzielne spotkanie po mszy świętej... Nie ma co...

Coraz bardziej drwiła w myślach. Wiedziała, że jest w stanie wytrzymać jeszcze dużo. Tylko w imię czego? Powinna była skończyć tę udrękę, zamknąć się w pokoju, przysiąść i ostro zakuwać wzorem Neli, która zrezygnowała z obiadu nie dlatego, że dowiedziała się o odwiedzinach ciotki Klary, ale że już od dziś owinięta kocem siedziała na półpiętrze akademika i wtulona w zakurzone żebra kaloryfera bardzo starej daty, zgłębiała tajniki różnych dziedzin psychologii: ogólnej, klinicznej, stresu, penitencjarnej, sądowej czy zeznań świadków. Żałowała, że nie może uczyć się z Nelą, ale z nią przyswajała tylko ten materiał, z którym nie mogła poradzić sobie sama.

– Smakowało? – zapytała mama, zabierając ciotce Klarze sprzed nosa pusty talerz.

– A jakże by mogło nie smakować? Przecież ja w ogóle wybredna nie jestem. Co mi się daje, to jem i nie marudzę. Tak zostałam w domu wychowana.

Ciotka Klara mówiła i patrzyła na swą siostrę takim wzrokiem, jakby ta przed chwilą nakarmiła ją nie świeżo ugotowanym obiadem, tylko bigosem, którego wielka micha tkwiła od kilku dni w lodówce. Bigos był przepyszny, ale ciotka Klara go nie dostała, by nie mogła podsumować kuchennych osiągnięć swej siostry słowami: „Bigos?! A któż to widział, żeby gości bigosem podejmować? Przecież ich nie wypada karmić kapustą wymieszaną z resztkami z całego tygodnia".

– Kiedyś to były czasy... – ciotka Klara zaczynała urządzać wycieczki w przeszłość.

Jak zwykle robiła wszystko, żeby nie pochwalić obiadu i nie podziękować siostrze za zaproszenie. Dziękowanie nie leżało w naturze ciotki. Całe życie była „urzędniczką na stanowisku w magistracie", czyli niezależnie od okoliczności to jej należały się podziękowania albo ewentualnie korne prośby, albo kwiaty lub czekoladki, najlepiej te z Pewexu.

– Kiedyś rodzice robili wszystko, żeby dzieci na dobrych ludzi wychować, a teraz dzieci to nic innego jak dodatek do luksusów, któremu czasu poświęcać nie trzeba! Najpierw ludzie dorabiają się majątków, a dopiero później zabierają się za dzieci. No, nie patrz tak na mnie! – ciotka znów skarciła mamę.

A to dlaczego? Bo czekała na jedno „dziękuję" z ust siostry, którego rodzice z pewnością nauczyli małą Klarusię.

– Prawdę mówię! Zabierają się za dzieci, a jak już je mają, to zamiast je uczyć, co jest dobre, to robią wszystko, żeby to im było dobrze. I wyrasta później takie nie wiadomo co. Dalej niż czubka własnego nosa nie widzi. A na starość nie ma się komu zająć rodzicami i innymi starszymi członkami rodziny. A co ja tam mówię: zająć się! Nikt się nawet nie zainteresuje!

Wysłuchiwała bzdur wygadywanych przez ciotkę i wiedziała, że teraz złość staruszki wycelowana była już nie w mamę, ale w nią. Lecz ciotka miała pecha, ponieważ ona w przeciwieństwie do mamy nie miała zamiaru reagować.

– Oj, nie udała się starość Panu Bogu! Oj, nie udała!

Ta to nawet Pana Boga nie oszczędzi!

– Rzeczywiście – jednak się odezwała.

Do tego szczerze się uśmiechnęła, bo zobaczyła po zgorzkniałej minie ciotki, jak ta udaje, że nie zauważa przytyku siostrzenicy, po czym poczęła odpierać atak z delikatnością słonia w składzie porcelany.

– Ty to się, dziecko, lepiej nie wypowiadaj, jak czegoś na własnej skórze nie doświadczyłaś, bo o starości to ty nic nie wiesz, a w tej twojej szkole też nic się na ten temat nie dowiesz, bo gdybyś miała o tym choćby blade pojęcie, to byś się teraz tak głupkowato nie uśmiechała.

Mogła się domyślić, że nie będzie musiała długo czekać, żeby oberwać za kpiący uśmieszek. Wolała nie spoglądać na mamę, by nie dostało jej się jeszcze bardziej, dlatego przybierając skruszony wyraz twarzy, postanowiła zagrać jak zwykle niezbyt rozgarniętą dziewuszkę.

– A co też ciocia wygaduje? Przecież ja się z deseru cieszę. Do głowy by mi nie przyszło, żeby uśmiechać się na myśl o starości. Bo skoro ciocia uważa, że jest straszna, to przecież ciocia wie, z czym to się je. Kto jak kto, ale ciocia to na pewno wie, co mówi, prawda?

Mama, słysząc jej słowa i ton, zwłaszcza ton, chrząknęła, przywołując ją do porządku i każąc po prostu zamknąć dziób. Oczywiście przyszło jej to bez trudu, choćby z tej prostej przyczyny, że już inny dziób kłapał bez opamiętania.

– No i co tam na ten deser zrobiłyście? Mam nadzieję, że jakieś ciasto bez zakalca, bo jak zakalec jest, to jadła niestety nie będę. Pamiętacie, co mi się stało, jak mnie latem drożdżowym zakalcem uraczyłyście? Pamiętacie jeszcze?

Jeden... dwa... trzy... cztery...

Odliczała w myślach, ponieważ ochota na to, by z ciasta marchewkowego, które wyrosło wzorcowo w okrągłej blaszce, zrobić ciotce najpierw kapelusz, a zaraz potem barokowy kołnierz, wciąż przybierała na sile. Ciasto drożdżowe mamy nigdy nie miało zakalca. Za każdym razem wychodziło udane i rzucało wszystkich na kolana. Jednak tylko ciotka Klara, dobrze wychowana panna, która na starość została już tylko panną, miała tendencję do przejadania się nim bez opamiętania, tak że jej żołądek tego nie wytrzymywał.

– Bardzo proszę – mama postawiła na stole okrągłe ciasto marchewkowe przybrane migdałami przyklejonymi do cienkiej warstwy serka mascarpone, do którego dla złamania smaku zakradła się odrobina cynamonu i imbiru.

– O Chryste Panie! A co to, za przeproszeniem, jest?! – ciotka Klara nie kryła niezadowolenia.

– Ciasto marchewkowe – poinformowała ciotkę mama, starając się zachować spokój.

– To akurat widzę – fuknęła wrednie ciotka. – Na drugie marchewka, na deser marchewka. Widocznie promocja w sklepie była, ale oczywiście nie marudzę i staram się to zrozumieć.

Łaskawa monarchini, prawda? – pomyślała, uśmiechając się do ciotki i tym razem bardzo żałując, że ze względu na mamę nie może pozwolić sobie, by wypowiedzieć na głos swoje przemyślenia i zrobić ciotce żabot z ciasta.

– Ja się pytam: co to jest?! – ciotka swoim starym, trzęsącym się paluchem dotknęła migdała, wciskając go mocno w pierzynkę z mascarpone z cynamonowo-imbirową nutą.

– To są migdały – wytłumaczyła coraz bardziej zrzędliwej siostrze mama.

– To od razu mi je powyjmuj. Przecież ja na tym zęby sobie połamię! A jeśliby nawet nie, to mi pod protezę wejdzie. Takie rarytasy to nie na moją szczękę. Czy ty, Heleno, zanim coś robisz, to mogłabyś czasami chociaż trochę o mnie pomyśleć?

Nie wytrzymam tego dłużej!

Musiała wyjść, żeby nie doszło do rękoczynów. Więcej naprawdę mogła nie wytrzymać. Żeby nie wygarnąć tej starej raszpli, musiała znaleźć się daleko stąd.

– Ja za deser dziękuję!

Z łoskotem odłożyła sztućce na pusty talerz, mimo że ciasto marchewkowe mamy z odrobiną rozgrzewającego imbiru w połączeniu z kawą, zwłaszcza zimą, było czymś, o czym marzyła, zanim zasiądzie do nauki przed sesją. Jednak wyobraźnia podsuwała jej teraz widok migdałów wchodzących pod protezę ciotki. Tego było już za wiele. Deser w towarzystwie ciotki mogłaby okupić niebezpiecznymi torsjami, a w rezultacie śmiertelnym zadławieniem.

Nie mogła do tego dopuścić, bo bardzo chciała przecież dożyć starości z rodziną u boku, by udowodnić całemu światu, że staruszki mogą być też miłe, pomocne i odlotowe.

Gdy zamknęła się w pokoju i oddała nauce, rozmowa zza ściany przestała dla niej istnieć. Podobnie jak czas, który płynął jak zwykle, z tą tylko różnicą, że przestała go kontrolować.

Z pokoju wyszła tylko na moment poproszona przez mamę, by ucałować nabożnie ciotkę Klarę i powiedzieć, jak bardzo jej przykro, że ta musi je już opuścić. Potem wróciła do siebie z ulgą, by przy wkuwaniu fachowej literatury pochłaniać kolejne kawałki ciasta marchewkowego i popijać je kawą doskonale komponującą się z migdałowym aromatem. Po obiedzie uczyła się, nie robiąc sobie żadnych przerw. Nawet czerpała przyjemność z tej nauki, gdyż nie spodziewała się przyswajać niezbędną do egzaminu wiedzę z taką łatwością. Lubiła się uczyć. Szczególnie tego, co ją interesowało. Często czuła, że pewne dziedziny wiedzy z pewnością przydadzą jej się w pracy zawodowej.

Mama uchyliła drzwi jej pokoju i włączyła górne światło, na pewno dochodząc do wniosku, że jak tak dalej pójdzie, to jej najmłodsze dziecko oślepnie nad książkami.

– Nie masz dosyć? – zapytała, jak na nią bardzo empatycznie.

– A co? – odparła, wyczuwając w głosie mamy jeszcze niewypowiedzianą prośbę.

– Ciotka mnie wykończyła... – mama szeptała, wiedząc, że może zdrowie ciotki Klary szwankowało, ale słuch miała doskonały. – I tak sobie pomyślałam, czy...

– Spoko! – uśmiechnęła się i odgadła prośbę mamy. – Odprowadzę ją. Nawet dobrze mi to zrobi, bo przewietrzę się trochę i odkażę ten jad na mrozie – zażartowała, mając sporo uznania dla psychicznej odporności mamy.

– To super – szczerze ucieszyła się mama. – A podeszłabyś jeszcze do swojej matki chrzestnej, żeby zanieść jej trochę jedzenia?

– Podejdę – odpowiedziała z uśmiechem.

Pomyślała, że za każdym razem, gdy miały nieprzyjemność goszczenia ciotki Klary, a zdarzało się to na ich nieszczęście coraz częściej wraz z tym, jak ciotce przybywało lat, to plusem tej mordęgi było to, że stawały się wtedy z mamą dla siebie milsze niż zwykle i rozumiały się trochę lepiej.

Miała mnóstwo zastrzeżeń do matczynego charakteru. Jednak w porównaniu z ciotką Klarą mama była wzorem godnym naśladowania. Poza tym fizyczne podobieństwo obu kobiet uzmysławiało jej, że tym bardziej należy cieszyć się z tego, iż przynajmniej pod względem usposobienia i osobowości siostry nie są do siebie podobne. Matce naturze, dzięki Bogu, udało się trochę namieszać i mama mimo wszystko była bardzo udana. Co prawda nie tak udana jak ciotka Marianna, ale przecież w życiu nie można mieć wszystkiego, bo życie człowieka ma miejsce na ziemi, a nie w raju...

– A to ty, Juleczko... – ciotka Marianna uchyliła szerzej drzwi, a w oczach na jej widok zagościła radość.

Uśmiechała się już od progu, ponieważ tembr głosu ciotki wskazywał na to, że podczas tej wizyty nie będzie miejsca na marudzenie czy przykrości. Fakt ten cieszył ją niezmiernie, bo jakieś dwadzieścia minut temu z wielką ulgą pożegnała się z nieznośną marudą, o której mama w chwilach złości zwykła mówić: „nawet gdyby jej tyłek miodem posmarować, to nie dogodzisz!". Mama miewała czasem rację. Nie tylko czasem...

– Tak, to ja, ciociu – uśmiechnęła się, szczerze ciesząc się na widok ciotki Marianny w dość dobrej kondycji.

Co prawda delikatna i drobna postać, którą miała przed sobą, okutana w wełniany pled w kolorze dojrzałych brzoskwiń, była trochę blada na twarzy, ale ciotka Marianna zawsze była ciut bledsza od wszystkich, którzy ją otaczali. Odkąd pamiętała ciotkę, ta miała bardzo jasną karnację i siwe włosy. Przypominała sobie jak przez mgłę, że dawniej siwym włosom towarzyszyły też kruczoczarne. Jednak już od pewnego czasu włosy na głowie ciotki Marianny były całkiem białe, przez co wyglądała na osobę starszą niż w rzeczywistości.

– Wejdź, dziecko, wejdź – zapraszała ją do środka ciotka. – Ale przytulanie mnie odradzam, bo co prawda od wczoraj gorączki już nie mam, jednak wciąż brzydko pokasłuję.

Zrobiła krok przed siebie i znalazła się w świecie ciotki Marianny. Panował w nim spokój, porządek i ład. Stare lampy stojące na miedzianych cienkich nogach rozświetlały mieszkanie, ukazując wnętrza wypełnione pamiątkami z miejsc, które każdy człowiek powinien odwiedzić. Wśród tych bibelotów, na których chyba wyjątkowo nie osadzał się kurz, stały fotografie, książki i kwiaty. Ciotka Marianna zgromadziła w mieszkaniu mnóstwo różnych przedmiotów, ale mimo to jego przestrzeń nie przypominała graciarni, tylko bardzo dobrze przemyślane i zaaranżowane wnętrze. Lubiła w nim przebywać, bo mieszkanie ciotki emanowało spokojem, który w zestawieniu z dobrodusznością właścicielki napawał ją zawsze optymizmem i wiarą w lepsze jutro.

– Proszę, ciociu – wskazała wzrokiem na ciążącą jej już dość mocno siatkę w dłoni. – Oto smakowita przesyłka od twojej młodszej siostry Heleny. Kapuśniak, ziemniaki, mielone i duszona marchewka, a na deser ciasto marchewkowe z dodatkiem imbiru, który na pewno dobrze ci zrobi. Wszystko palce lizać – reklamowała, jak umiała.

– Dziękuję, ale z twojej mamy to jest dobra kobieta – mówiąc to, ciotka wyciągnęła ręce, chcąc przejąć siatkę pękatą od plastikowych pojemników.

– Ciociu, nie! – zaprotestowała. – To jest bardzo ciężkie, ja zaniosę.

Postawiła siatkę na podłodze przedpokoju ciotki i rozebrała się z grubej kurtki. Najbardziej cieszyła się z tego, że pozbyła się kozaków, ponieważ dzięki temu jej stopy mogły szybciej odtajać w ciepłym mieszkaniu ciotki, bowiem wieczór był mroźny, wietrzny i bardzo nieżyczliwy dla spacerowiczów. Wniosła siatkę do kuchni ciotki i postawiła ją na stole.

– Co grzejemy najpierw? – zapytała od razu. – Zupa czy drugie danie?

– Kapuśniak – rozpromieniła się ciotka. – Drugie zostanie na jutro.

– W tym? – wskazała na mały rondelek stojący na kuchence gazowej.

Ciotka skinęła głową. Nawet nie usiłowała udawać, że chce sama zagrzać sobie zupę, ponieważ wiedziała, że „jej Juleczka" bardzo lubi dla niej kucharzyć.

W istocie, bardzo lubiła krzątać się w kuchni ciotki Marianny. Tu wszystko miała pod ręką. Było tu cicho i przytulnie. A co najważniejsze, nikt nie ośmielał się zwracać jej uwagi ani komentować z powątpiewaniem jej umiejętności. Kapuśniak szybko zaczął pyrkotać na gazie, pachnąc przy tym oszałamiająco smacznie.

– Jak się czujesz, ciociu? – zapytała, stawiając miseczkę przed uśmiechającą się to na jej widok, to na widok smakowitej zupy siwowłosą damą.

– Stosownie do wieku się czuję, Juleczko – dama odpowiedziała wymijająco.

– To znaczy dobrze? – zapytała, bo wolała się upewnić.

– Jak to w życiu, dziecko. Raz lepiej, raz gorzej, ale do głowy by mi nie przyszło, żeby narzekać na starość, bo skoro byłam już młoda, to i dobrze, że starość się też przydarzyła. Modlę się codziennie, oby tak dalej, oby nie gorzej, moja kochana Juleczko.

O ile imię „Julia" w ustach ciotki Klary ją irytowało, o tyle „Juleczka" słyszane od ciotki Marianny sprawiało, że robiło jej się ciepło na sercu. Nawet w tak mroźny wieczór jak dzisiaj.

– Ale pyszne – ciotka promieniała, jedząc kapuśniak. – Twoja mama w kuchni potrafi czynić cuda.

– Przynajmniej w kuchni – odrzekła automatycznie i od razu pożałowała swych słów, gdyż nie zabrzmiały zbyt przyjemnie, ale w obecności ciotki nie musiała aż tak bardzo trzymać na wodzy swych myśli.

– Juleczko, bądź dla niej wyrozumiała. Dużo w życiu przeszła. Poza tym każdy z nas ma coś za uszami. Ale nie każdy potrafi się tak doskonale troszczyć o rodzinę jak twoja mama.

– To prawda – przyznała ciotce rację, bo ta w przeciwieństwie do swych sióstr często miewała rację, chociaż nigdy się o nią nie wykłócała.

– A co tam u ciebie? Sesja za pasem.

Ciotka pracowała tyle lat na uczelni, więc nie zapomniała, że styczeń i początek lutego to dla studentów czas nie tylko radowania się z karnawałowego szaleństwa.

– Już w piątek pierwszy egzamin – westchnęła ciężko, unikając wpadania w histerię.

– Ale już bez zajęć na uczelni – mówiąc to, ciotka uśmiechnęła się, ponieważ zawsze starała się odnaleźć jasną stronę nawet w ciemnych barwach codziennych trosk.

– Całe szczęście – również się uśmiechnęła.

– To od jutra nie wychodzisz z domu? – zapytała ciotka, doskonale znając jej przyzwyczajenia przed sesją.

– Jutro jeszcze tak, bo idę do szpitala, ale już od wtorku siedzę w domu i zakuwam bez przerwy. Piątkowe sprzątanie ogarnę dopiero po egzaminie.

– Nie będziesz zmęczona? – zapytała ciotka z troską w głosie.

– Będę, ale inaczej. Sprzątanie akurat dobrze mi zrobi – uśmiechnęła się, wiedząc, że się nie myli.

– A co tam słychać w szpitalu? Dajesz radę?

– Teraz już tak – odparła szczerze, przypominając sobie bardzo trudne początki.

– Jestem z ciebie dumna – ciotka spojrzała na nią i to wystarczyło, by zrozumiały się doskonale bez słów. – Jestem pewna, że możesz wiele dać tym dzieciom...

– Często myślę, że to ja więcej wynoszę z tych spotkań. Bardzo mi pomagają.

– Bo w życiu tak jest – ciotka uśmiechnęła się dobrotliwie. – Ludzie są jak naczynia połączone. Jednemu ubywa, drugiemu przybywa, a w ogólnym rozrachunku i tak wszyscy mamy po równo. W przyrodzie też nic nie ginie, tylko zmienia właściciela – ciotka Marianna wykładała swoją filozofię życiową mocno osadzoną w biologicznym rytmie świata. – To co jutro planujesz robić w szpitalu?

– To zależy od tego, czego będzie potrzeba. Na pewno poczytam małemu Michasiowi, jest bardzo chory... Fajny, to taki mały dorosły. Patrzy na ciebie, a ty się boisz, że on już wie i zna każdą twoją myśl. Zaczynasz mu czytać i dopóki się nie odezwie, to można go wziąć za dorosłego, bo patrzy na ciebie z taką mądrością. Ale gdy już odważy się o coś spytać, to wiadomo, że wciąż jest dzieckiem, tylko o inteligentnym spojrzeniu dorosłego człowieka.

– A co mu czytasz?

– Zabieram ze sobą kilka żelaznych pozycji. Dzieci lubią *Kubusia Puchatka*, *Bolka i Lolka*, trochę starsze lubią *Mikołajka*... Mam również propozycje bardziej nowoczesne, na przykład historyjki o ludzikach z małych klocków.

– Ale to dla chłopców? – dopytywała z zaciekawieniem ciotka.

– Dla dziewczynek też – wytłumaczyła szybko. – Ciociu, teraz są takie czasy, że najpierw się kręci film dla dzieci, a później wokół niego powstaje cały przemysł zabawkowy, odzieżowy, a nawet spożywczy. Dzieci mogą jeść żelki w kształcie swoich ulubionych bohaterów z bajek.

– Kto by pomyślał, że doczekamy takich czasów, ale to dobrze, że dzieci mają, co chcą. Dzieciństwo to najważniejszy czas w życiu człowieka, bardzo dużo od niego zależy... – mówiąc to, ciotka zamyśliła się.

– Wiesz, ciociu, te dzieci ze szpitala to...

– Wiem, wiem... – ciotka nie pozwoliła jej skończyć.

I dobrze, że to zrobiła, bo ona zupełnie nie miała siły kończyć rozpoczętego zdania. Niestety trochę już się w szpitalu naoglądała, a to, co widziała, mało miało wspólnego z beztroską, która powinna wypełniać dzieciństwo.

– A pamiętasz, Juleczko, co ja ci zawsze czytałam? – ciotka z pewnością zauważyła, że musi zmienić temat, by podnieść ją na duchu i odwrócić uwagę od trudnej tematyki.

– Jakże mogłabym zapomnieć?

– Naprawdę? Pamiętasz? – ciotka zdziwiła się i ucieszyła szczerze.

– No pewnie! Ballady! Moja ulubiona to ta o kapryśnej królewnie, która chciała mieć suknię uszytą z prawdziwych śniegowych gwiazdek – pamiętała swą ulubioną balladę, i to ze szczegółami.

– Zawsze chciałaś, żebym czytała ci tę samą balladę. Zresztą każde z was miało swą ulubioną. Justynka najbardziej lubiła tę o królewiczu zwanym Baryłką, a Janek o roztrzepanym rycerzu. Chcieliście słuchać w kółko tylko swojej ulubionej, żadnej innej.

Widziała, jak ogromną radość sprawiały ciotce te wspomnienia. Nie zdziwiło jej to wcale. Ją również bardzo cieszyły.

– A ty, ciociu, też masz swoją ulubioną balladę? – zapytała z ciekawością.

– Oczywiście, że mam – ciotka rozpromieniła się już któryś raz tego wieczoru.

– To może tym razem to ja ci ją przeczytam – zaproponowała.

– Pod jednym warunkiem – ciotka zrobiła się zagadkowa.

– Jakim? – dla ciotki Marianny była gotowa przyjąć każdy warunek.

– Że najpierw zaparzymy sobie melisy, a później zjemy po kawałku ciasta twojej mamy a mojej siostry i dopiero później oddamy się lekturze.

– W porządku, akceptuję plan – poderwała się od stołu. – Melisa jest tu gdzie zwykle? – zapytała.

– Stare osoby nie lubią zmian – odparła ciotka.

– Ciociu, jakie stare? – obruszyła się i wyjęła z kuchennej szafki metalową puszkę z namalowanym na wieczku słońcem, w której od zawsze ciotka przechowywała saszetki pachnące melisą.

Zapaliła gaz pod małym czajnikiem.

– Ale urosłaś od czasów, gdy czytałam ci *Balladę o kapryśnej królewnie*.

– Ale chyba za bardzo się nie zmieniłam?

– Wcale, dlatego wciąż za tobą przepadam. Coś ci powiem, tylko w tajemnicy. Nie mów tego nikomu – poprosiła ciotka niby w żartach, a jednak bardzo serio.

– Nie puszczę pary z ust – obiecała uroczyście.

– Jesteś moim ulubionym siostrzyniątkiem – przyznała ciotka.

Słysząc te słowa, poczuła się tak beztrosko, jakby czasy dzieciństwa wróciły nie tylko na chwilę, ale na zawsze.

– Na pewno nikomu nic nie powiem – uśmiechnęła się, zmywając talerz ciotki po zupie.

Gdy odwróciła się, ciotki nie było już w kuchni. Pewnie ruszyła na poszukiwanie książki. Jej okładkę pamiętała od zawsze i to z pewnością dlatego, że właśnie bohaterka jej ulubionej ballady była na niej przedstawiona.

– Już jestem. Patrz, co mam – ciotka trzymała książkę z balladami.

– To ty, ciociu, jedz, a ja będę czytała – zaproponowała, wyjmując egzemplarz z dłoni ciotki.

– A może jak za dawnych czasów… – ciotka chyba miała wielką ochotę wrócić do dawnych czasów.

– Nie – sprzeciwiła się ciotce, chyba pierwszy raz w życiu. – Dzisiaj ja ci poczytam. Tylko zdradź mi, proszę, tytuł swojej ulubionej ballady.

– *Ballada o złym czarowniku* – bez wahania powiedziała ciotka.

Natychmiast odszukała ulubiony utwór ciotki w spisie treści, była na samym jego końcu. Ciotka zaczęła jeść, a ona czytać. Czytała powoli i wyraźnie, tak samo jak kiedyś robiła to ciotka. Tak jak czyniła to w szpitalu co poniedziałek.

*Ballada o złym czarowniku**

Na szklanej górze,
  takiej wysokiej,
  że trudno było ją
  zmierzyć.

---

* Wiera Badalska, *Ballada o złym czarowniku*, w: taż, *Ballady*, Warszawa 1975.

Na szczycie,
gdzie już nie sięgniesz okiem,
żył
zły czarownik
na wieży.
Na wieżę
schody wiodły kręcone,
a miały tysiąc dwa stopnie.
Kiedy czarownik szedł,
wtedy one
trzeszczały pod nim
okropnie.

Schody w balladzie trzeszczały okropnie, a ona czytała coraz ciszej. Zresztą chyba nie musiała już czytać, ponieważ Michaś zasnął. Był bardzo zmęczony, dlatego też nad wyraz spokojny. Chory, jak wszystkie dzieci tutaj. Tak samo jak te, które teraz wygłupiały się w pokoju nauki i zabawy, robiąc wraz z Nelą dziwaczne miny i przybierając osobliwe pozy przy okazji ulubionej zabawy w kalambury.

Zamknęła książkę po cichu i obserwowała bladą rączkę leżącą na kołdrze w przyjaznym seledynowym kolorze. Kątem oka obserwowała krzątaninę na szpitalnym korytarzu. Dziś było tak jak zwykle. Obok przemykały dzieci, które miały jeszcze włosy na głowie, ale też dzieci ich pozbawione. Niektóre miały główki przykryte chustkami, inne nie. Przechodzili tamtędy też rodzice i personel. Podziwiała tych, którzy pracowali na tym oddziale, niezależnie od sprawowanej funkcji. Wszyscy tu zatrudnieni byli sympatyczni, oddani swej pracy, a przede wszystkim bardzo pomocni. Poza tym przychodzili tu prawie codziennie. Znali przebywające tu dzieci, a historia każdego dziecka stanowiła też opowieść o całej rodzinie. Był to oddział dramatów i radości. Tu liczyło się, żeby iść do przodu mimo wszystko. Nela zawsze zachowywała się jak członek personelu. Czytała karty dzieci, chciała wiedzieć o każdym pacjencie jak najwięcej, rozmawiała z rodzicami i potrafiła to robić doskonale.

Z nią było inaczej. Chciała tylko pomagać. Czytać, bawić się, uczyć, nic więcej. Miała zbyt mało siły, by zapoznawać się z historią chorób dzieci. W zupełności wystarczało jej to, że zna ich imiona, czasami imiona ich rodziców, przede wszystkim matek. Zwykle to na matki spadał obowiązek trwania przy dziecku. To dobrze, bo to one najczęściej z wielką pokorą znosiły wszystko, co tu się działo. Wiele razy widziała, z jaką uwagą i spokojem, co prawda płacząc, ale cicho i prawie niewidocznie, wsłuchiwały się w słowa lekarzy prowadzących i ordynatora tego oddziału. Przychodziła tu z Nelą od ponad roku, a jeszcze ani razu nie zamieniła z ordynatorem ani jednego słowa. Nie wymieniła z nim nawet spojrzenia. Nazywał się Kochanowski.

Taki ważniak, pewnie z tych Kochanowskich… – zażartowała kiedyś w myślach, gdy jedna z pielęgniarek wspomniała o nim w pobieżnej rozmowie. Nie wiedziała nawet, jak ma na imię. Identyfikatora nie nosił, a na drzwiach jego gabinetu wisiała tylko tabliczka z napisem: „ORDYNATOR ODDZIAŁU". Żadnego imienia czy nazwiska, zero dodatkowych informacji, choćby o godzinach przyjęć. Po oddziale przemykał wiele razy dziennie. Sprawiał wrażenie niedostępnego. Wyglądał na kogoś, kto nie odzywa się niepytany, a głos zabiera tylko wtedy, gdy już nie ma innego wyjścia. Nela mówiła na niego House. Z upływem czasu nie mogła stwierdzić, czy ten pseudonim do niego pasuje, czy nie. To fakt, że wszyscy pracujący na tym oddziale starali się być radośni, tylko on zwykle zachowywał śmiertelną powagę. Oddziałowa legenda głosiła, że umie się uśmiechać, ale tylko do dzieci. Był jedynym członkiem personelu medycznego, który nie nosił fartucha, natomiast niezmiennie ubierał się w białą koszulę, na którą czasami zakładał granatową kamizelkę. Chociaż nie nosił identyfikatora, to z pewnością każdy wkraczający na oddział po raz pierwszy od razu wiedział, że to ważna persona. Po prostu ordynator miał w sobie coś szczególnego, widocznego na pierwszy rzut oka, a czego nazwać nie sposób. Nieraz udało jej się, oczywiście przypadkiem, usłyszeć pielęgniarki obmawiające różnych bywalców szpitala. Nic dziwnego, bo pielęgniarki na tym oddziale były jak dziewczyny z kontrwywiadu. Wiedziały wszystko: kto? z kim? dlaczego? Wiedziały, kto jest przyjacielem, a kto wrogiem, z kim można konie kraść, a z kim lepiej nawet nie zasiadać do herbaty. Wiedziały, kto lubił się wywyższać, a komu zupełnie na tym nie zależało. Tylko o ordynatorze pielęgniarki nie plotkowały chyba nigdy. Przynajmniej do tej pory nie usłyszała na jego temat ani jednego złego słowa. Dobrego zresztą chyba też nie. To znaczy, ściśle rzecz ujmując, słyszała o nim dobre słowa, tyle że padały one zawsze z ust Neli. Przyjaciółka wpatrzona była w swojego House'a jak w obrazek. A ona nawet nie rejestrowała tego, gdy pojawiał się i znikał. A jeśli nawet zauważała go kątem oka, to tylko przypadkiem.

– Ale ten ordynator jest przystojny, nie sądzisz? – zapytała ją kiedyś Nela, gdy wychodziły ze szpitala.

– Bo ja wiem… – odpowiedziała.

Pytanie przyjaciółki puściła mimo uszu, ponieważ do głowy by jej nie przyszło, by spojrzeć na niego jak na mężczyznę.

– Nie mów, że nie zauważyłaś, jak pielęgniarki wodzą za nim wzrokiem.

– Może to z obawy przed burą, a nie z powodu zauroczenia – wymyśliła na poczekaniu.

– No coś ty! On nie potrafiłby zmieszać nikogo z błotem. Jest taki spokojny…

– Chyba masz już wystarczająco dużo lat, żeby wiedzieć, że pozory mylą – sprowadzała Nelę na ziemię z wyżyn uniesienia.

– Nie! – Nela wzięła ordynatora w obronę. – To niemożliwe, on nie jest takim gburem…

Podczas tamtej rozmowy Nela miała jeszcze pewne wątpliwości. A dziś…

Dziś było inaczej. Była przekonana, że Nela śledzi każdy jego ruch. Zwłaszcza że przemykał po oddziale dość często. Czytał karty dzieci. Rozmawiał z ich rodzicami, oczywiście nie w sali ani na korytarzu, tylko w gabinecie, do którego ich zapraszał.

Gabinet ordynatora mieścił się przy wejściu na oddział. W środku urządzony był bardzo surowo. Nie była w nim nigdy. Raz tylko widziała, jak salowa tam sprząta i zmywa szarą podłogę. Była przyzwyczajona do tego, że w lekarskim pokoju, który czasami odwiedzała, panował straszny rozgardiasz potęgowany licznymi stertami papierów. W gabinecie ordynatora, gdy do niego zerknęła, zdziwił ją minimalizm i porządek. Nigdzie nie zalegały papierzyska. Nawet blat biurka był prawie pusty. Nie stały na nim brudne kubki tak jak w pokoju lekarskim, brakowało również rysunków dzieci na ścianach. Porozwalanych długopisów też nie było. Jedyny element wnętrza przełamujący jego ład stanowiła biała koszula. Wisiała na oparciu skromnego obrotowego krzesła w niczym nie przypominającego dyrektorskiego stołka. Na biurku leżały tylko otwarty laptop i szary, metalowy, prostokątny i piętrowy pojemnik na dokumentację, której nie było w nim dużo. Akurat teraz przypomniała jej się biel koszuli zawieszonej na krześle, ponieważ kątem oka widziała, jak taka właśnie koszula ordynatora miga jej od czasu do czasu w niedomkniętych drzwiach sali.

Michaś spał spokojnie. Był bardzo urodziwym chłopcem. Mogła już wyjść, ale nie chciała zostawiać go samego. Wolała poczekać na jego mamę, która podczas jej dyżuru zwykle się kąpała, chodziła na ekspresowe zakupy, okrążała szpitalny budynek z nieodłączną słuchawką telefonu przy uchu bądź gdzieś wyjeżdżała na chwilę.

Drzwi sali otworzyły się szerzej i stanęła w nich Karola, energiczna jedenastolatka z mnóstwem kolorowych bransoletek na rękach.

– Co robicie? – zapytała głośno.

Natychmiast zwróciła się do niej z proszącym wyrazem twarzy i palcem wskazującym na ustach, sugerując tym samym ściszenie głosu. Dokładnie w tym momencie spojrzał na nią Kochanowski, a raczej zaszczycił ją przypadkowym spojrzeniem. Dałaby głowę, że na ułamek sekundy jego skupiony wyraz twarzy złagodniał, pewnie na widok śpiącego Michasia.

– Dobrze, już dobrze... – wyszeptała Karola i podeszła bliżej.

– Przymknij drzwi, proszę...

Karola natychmiast spełniła jej prośbę.

– Jak tam mały? – dziewczynka szeptała.

Mimo to niebezpieczeństwo obudzenia Michasia wzrastało, bo bransoletki na dłoniach energicznej Karoli nigdy nie milkły, tylko wciąż pobrzękiwały. Słychać je było nawet wtedy, gdy Karoli jeszcze nie było widać.

– Śpi. Zasnął szybko, jest zmęczony... – poinformowała cicho.

– Pobawisz się ze mną? – zapytała bez wstępów Karola.

– Pewnie – odpowiedziała z uśmiechem.

Lubiła zabawy z Karoliną. Zwłaszcza po tym, jak długo czytała innym dzieciom, ponieważ dziewczynka potrzebowała przede wszystkim słuchacza, bo buzia jej się nie zamykała. Poza tym zawsze kończyło się tak samo, to znaczy mała prosiła o dwa złote na telewizor, by pooglądać jakieś romansidła. Karolina była szpitalnym ewenementem. Doskonale znosiła atmosferę tu panującą, chociaż mama odwiedzała ją dość rzadko, ponieważ chora miała jeszcze piątkę młodszego rodzeństwa. O tacie już dawno temu słuch zaginął. Dziewczynka bez względu na okoliczności była wesoła. Uśmiechała się nawet wtedy, gdy na oddziale zapadała cisza. To tylko w takich chwilach Karola przestawała mówić. Wtedy wszyscy robili się bardziej małomówni niż zazwyczaj, by odchodzące dziecko mogło to zrobić w spokoju. Na szczęście taka małomówność zdarzała się Karoli bardzo rzadko, bo dzieci nie chciały odchodzić. Walczyły odważnie. Często mogła się przekonać, że był to oddział małych bohaterów. Czasami łezka zakręciła im się w oku, ale zawsze pozostawali superbohaterami.

– To chodź już! – ponaglała ją Karolina.

– Muszę poczekać na mamę Michasia – szepnęła.

– Wcale nie musisz, przecież on się nie obudzi, zobacz, jak mocno śpi – Karolina specjalnie potrząsnęła dłonią, by udowodnić, że nawet dzwonienie bransoletek nie jest w stanie obudzić małego.

– Mam pomysł – wymyśliła na poczekaniu. – Idź do siebie, przygotuj wszystko do zabawy, a jak tylko pojawi się mama Michasia, to od razu do ciebie przyjdę. Dobrze? – zapytała z nadzieją w głosie.

– Może być! – głośno zgodziła się Karola i nie zważając na sen młodszego kolegi, wybiegła z sali.

Michaś na szczęście spał. Odpoczywał. Zbierał siły nadwątlone walką z chorobą. Po chwili w drzwiach stanęła jego mama, wychudzona przez stres, ale nadal bardzo ładna.

– Jak dobrze, że śpi – kobieta stanęła za jej plecami.

Dlatego od razu wstała z krzesła, na którym siedziała.

– Ależ proszę siedzieć! – mama Michasia szybko położyła dłoń na jej ramieniu.

– Muszę iść – uśmiechnęła się do niej. – Obiecałam Karolinie, że jeszcze ją odwiedzę.

– W takim razie nie będę pani zatrzymywać – kobieta odwzajemniła uśmiech i zajęła jej miejsce.

– Zimno na dworze? – zapytała, nie chcąc wychodzić bez słowa i ciesząc się, że mama Michasia zażyła spaceru.

Podejrzewała, jakim wyzwoleniem mogło być dla rodziców chwilowe wyjście do świata, w którym wszystko funkcjonowało według normalnych zasad. Za bramą szpitala nie ma ostrych igieł, zasmuconych oczu i paskudnych sytuacji, pragnących przesłonić słoneczną stronę rzeczywistości.

– Zimno, ale przyjemnie tak wyjść, zaczerpnąć trochę świeżego powietrza...

– To ja uciekam, bo zaraz będzie kolacja, a jeśli nie zdążę wysłuchać chociaż jednej niestworzonej historii Karoli, to na pewno mi tego nie wybaczy...

– Oczywiście, rozumiem, proszę iść, dziękuję. Dobranoc.

– Dobranoc – odpowiedziała cicho.

Wychodząc, zamknęła za sobą drzwi, bo w istocie zbliżał się czas kolacji. Z pomieszczenia na tyłach oddziału dobiegało całkiem domowo brzmiące pobrzękiwanie kubków i talerzy, stawianych nieostrożnie na metalowym stole, którego nogi wspierały się na popiskujących podczas jazdy kółkach.

Z pokoju zabaw wysypała się grupka dzieci. W środku Nela wraz z dwiema innymi wolontariuszkami zajęte były sprzątaniem, a raczej porządkowaniem tego, co usiłowały sprzątnąć dzieci. Zabawa musiała być przednia, bo wykorzystano w niej nie tylko kredki, ale też farby, bibułę i kolorowy papier. W kalamburach wszystko było dozwolone.

– Już? – zapytała na jej widok Nela.

– Jeszcze obiecałam Karolinie, że do niej zajrzę – przyznała.

– To nawet dobrze, bo to – Nela rozejrzała się po sali – jeszcze trochę potrwa.

– Jak skończysz, to po prostu przyjdź – poprosiła.

Nela nic nie odpowiedziała, tylko uśmiechnęła się ze zrozumieniem, ponieważ od Karoli dość trudno było wyjść nawet wtedy, gdy już ściskała w dłoni dwuzłotówkę. Tematy jej się nie kończyły, a coraz to nowe pytania wyrastały jak grzyby po deszczu. Całkiem niedawno dowiedziała się od salowej – pani Józefy – co stoi za tak dobrym samopoczuciem Karoli, którym tryskała za każdym razem, gdy trafiała na oddział. Wierzyła na słowo pani Józefie, bo ta pracowała na oddziale już wiele lat i – jak sama twierdziła, posapując podczas zmywania podłóg – wiele już tu widziała, i to takich rzeczy, o których się niektórym ludziom nawet nie śniło.

– Nie ma się czemu dziwić – mówiła. – Każde dziecko, co tu trafia, nieszczęśliwe jest, z dala od rodziny, zostawione samemu sobie. Ale zdarzają się takie skowronki jak nasza Karolcia, co to tu latają i ćwierkają nawet wtedy, gdy im sił ledwie starcza. I takich to mi zawsze podwójnie szkoda, bo skoro im w szpitalu dobrze, to znaczy, że poza nim cienko przędą. Pewnie nikt się specjalnie nimi nie interesuje ani nie zajmuje. Tu to siostra zapyta, czy im czegoś nie potrzeba, to doktor po głowie pogłaszcze, a jak już panie przychodzą, to nie ma większej atrakcji…

Była już bardzo zmęczona. Miała za sobą nieprzespaną noc. Zasnęła nad ranem. Za poduszkę posłużyło jej grube tomiszcze. Kolejna noc zapowiadała się podobnie, więc z utęsknieniem wyczekiwała wózka, który miał przywieźć Karolinie kolację. Pisk kółek był tuż-tuż. Pewnie dlatego usłyszała zwyczajowe pytanie dziewczynki, padające zamiast pożegnania.

– Dasz mi dwa złote? Tylko w jednej monecie.

– Dam – uśmiechnęła się, ciesząc się, że struny głosowe Karoli w końcu chociaż trochę odpoczną. – Proszę – położyła monetę na wyciągniętej dłoni dziewczynki.

– Dzięki! – poczuła przelotny pocałunek na policzku.

Zaraz potem otworzyły się drzwi i dał się słyszeć pytający głos Neli.

– Jak tam? Czy moje dziewczyny już się nagadały?

– I to jak! – ucieszyła się Karola, pewnie przede wszystkim na myśl, że po kolacji nie da się od razu zapędzić do łóżka, tylko pooglądа telewizję w świetlicy.

– To trzymaj się ciepło – powiedziała szybko, posyłając Karoli całusa, gdy ta sadowiła się na łóżku w oczekiwaniu na kolację. Dziewczynka odwdzięczyła jej się podobnym gestem i uśmiechnęła się, wlepiając wzrok w leżący na jej dłoni skarb.

– Patrz! – Nela z wrażenia nie zapięła kurtki, tylko wpatrywała się przed siebie, łowiąc wzrokiem w mroku przed szpitalem poruszającą się dość wolno sylwetkę.

– Zapnij się lepiej! – powiedziała, zupełnie nie rozumiejąc przyczyn zaaferowania przyjaciółki.

– Proszę cię! Popatrz! – Nela widocznie postanowiła tkwić przed szpitalem w niezapiętej kurtce, aż nie zamarznie na sopel lodu.

– Idzie przed nami jakiś facet, no i co z tego? – widziała coraz więcej, bo wzrok przyzwyczajał się do ciemności.

Rzeczywiście. Kilkanaście metrów przed nimi szedł wysoki mężczyzna z dużą torbą obijającą mu się przy każdym kroku o biodro.

– Nie jakiś, tylko House! – wyrwało się Neli.

– I co w nim jest takiego, że postanowiłaś ryzykować zapaleniem płuc? Zapnij się w końcu! Nie czujesz, jak jest przeraźliwie zimno? Nela! – wrzasnęła, gdyż ta zachowywała się tak, jakby nie docierały do niej żadne argumenty i była głucha jak pień.

– Powiedziałabym ci, ale na pewno mnie wyśmiejesz.

– To szybko powiedz, ja cię raz-dwa wyśmieję i będzie po sprawie. Wtedy się zapniesz i może nie pochorujesz, a w piątek stawisz się na egzamin, do którego już pewnie wszystko wykułaś na blachę.

– Jestem w trakcie – poinformowała szybko Nela, która zachowywała się dziwnie, jak nie ona. – Zobacz, oparł się o samochód.

– No! Oparł się o samochód, potrafi chodzić i do tego pewnie jeszcze oddycha, wyobraź sobie! – zakpiła wrednie. – Idziemy! – chwyciła przyjaciółkę za łokieć, by zmusić ją do marszu.

– Nie, proszę cię... Poczekajmy jeszcze chwilę, chcę na niego popatrzeć...

Myślała, że się przesłyszała. Ale nie, nie mogła uwierzyć w to, co słyszy. Chwyciła Nelę za poły niezapiętej kurtki i usiłowała w ciemności zajrzeć w oczy przyjaciółki. Były podejrzanie nieobecne.

– Nela, co z tobą?! – zapytała zdenerwowana. – Możesz mi wytłumaczyć, co jest grane?!

– Zadurzyłam się – wyznała ledwie słyszalnie Nela.

– Zwariowałaś? – zapytała.

Nie wierzyła w to, co się dzieje, w to, co słyszy. Przecież Neli daleko było do wariatki. Już prędzej siebie podejrzewałaby o tak niedorzeczne, irracjonalne i idiotyczne zachowanie.

– Tak, zwariowałam – niestety Nela przyznała się natychmiast. – Jeszcze żaden mężczyzna nie podobał mi się tak jak on.

Rzeczywiście zwariowała! – pomyślała i zabrakło jej ze zdenerwowania tchu. Stanęła jak wryta. Dopiero teraz wzorem Neli wlepiła wzrok w faceta, który właśnie wsiadał do samochodu stojącego na małym parkingu przed szpitalem. Parking zarezerwowano dla VIP- ów, bo przeciętny zmotoryzowany nie mógł nawet wjechać na teren szpitala.

Nie mogła otrząsnąć się z szoku. Jak to możliwe? Nela, uosobienie inteligencji, zachowująca trzeźwość umysłu nawet w najbardziej stresujących warunkach, przyznaje jej się teraz do takiego ekscesu nijak niepasującego do jej zwykłego zachowania.

Samochód ordynatora odjeżdżał z parkingu tak, jak jego właściciel poruszał się po oddziale. Auto ruszyło bez pisku opon i nagłych zrywów. Kierowca jechał jakoś tak dostojnie, z umiarkowaną prędkością.

Utkwiła w Neli pytające spojrzenie, a ta jakby już żałowała nagłej i zbyt wylewnej szczerości, westchnęła i w końcu zaczęła zapinać kurtkę. Stały w miejscu. Ona wgapiała się w Nelę, a Nela robiła wszystko, by ich wzrok się nie spotkał. Owijała się grubym zielonym szalikiem, doskonale komponującym się z kolorem włosów wystających spod również zielonej czapki. Zieleń szalika i czapki była piękna, ale do koloru oczu Neli po prostu się nie umywała.

– Późno się zrobiło – obwieściła zawstydzona Nela.

Patrzyła na przyjaciółkę i nie wiedziała, co powiedzieć. Jak się zachować? Rzadko zapominała języka w gębie. Zawsze też wiedziała, co ma myśleć. Niestety teraz miała pustkę w głowie. Może dobrym rozwiązaniem byłoby puścić w niepamięć to, co usłyszała. Ale nie znosiła niedomówień. Ciążyły jej bardzo. O ile w rodzinie był to dla niej chleb powszedni, bo stosunki z ciotką Klarą, a nawet mamą roiły się od niedomówień, o tyle teraz nie chciała i nie mogła pozwolić na to, by przemilczenie, które tak doskonale znała z domu, zaczęło rujnować przyjaźń z Nelą. Nela na to nie zasługiwała. A w obecnej chwili, co było widoczne jak na dłoni pomimo panujących wokół ciemności, jej najlepsza przyjaciółka nie miała siły na to, by zostać sam na sam ze skrywanymi do tej pory uczuciami.

– Chodź! Wejdziemy do tej kafejki przy przystanku – zaproponowała bez wahania, nie bacząc na to, że ani Nela, ani ona nie miały tego w planie.

– Nie – cicho sprzeciwiła się Nela. – Musimy się przecież uczyć.

– Nauka to nie pewna męska część ciała... Kilka godzin może postać – powołała się na powiedzenie Larwy, ale w odróżnieniu od niej wolała nie używać wulgaryzmów, ponieważ Nela była na nie uczulona.

Wiedziała o tym doskonale, bo zdarzało się, że nerwy ją ponosiły, i wtedy zupełnie zapominała o kulturze języka. Nela potrafiła przywołać ją do porządku i po prostu ochrzanić, używając przy tym bardzo kulturalnych słów.

– Jesteś pewna? – Nela wciąż była zagubiona.

– Tak – odpowiedziała zdecydowanie. – Musimy pogadać. Teraz, nie kiedy indziej.

– Dobrze, ale ja stawiam – zaproponowała Nela.

– Wystarczy, że już dzisiaj postawiłaś oczy w słup, a do tego dorzuciłaś takie wyznanie, że nogi się pode mną ugięły. Lepiej będzie, jeśli dziś już nic nikomu nie postawisz. Chodź!

Ruszyły przed siebie, idąc przez mróz. Chociaż chodnik był odśnieżony, to pozostawał tak śliski, że stawiając kroki, trzeba było bardzo uważać, by nie wywinąć orła. Trzymały się pod rękę jak dystyngowane starsze małżeństwo. Knajpka, do której szły, nie grzeszyła urodą. Stoliki były byle jakie, ale za to pod ścianami stały kanapy z miękkimi poduszkami, które tworzyły atmosferę lokalu. Cała reszta pozostawiała wiele do życzenia. Do knajpki wchodziło się po kilku schodkach. Idąc, modliła się o wolne miejsce i o to, by nie pozabijały się na bardzo śliskich schodkach. Niebo jej dziś sprzyjało. Całe i zdrowe dotarły na wygodną kanapę. Teraz patrzyła na Nelę, wyrzucając sobie w duchu, że niczego podejrzanego wcześniej w jej zachowaniu nie zauważyła. Chyba była ślepa.

– Proszę cię, nie patrz tak na mnie... – Neli nie opuszczało uczucie zawstydzenia. Cały czas nie wiedziała, gdzie oczy podziać.

Wyczuła to i odwróciła wzrok.

– Podejdę do baru, zaraz załatwię nam pyszną herbatę, bo jakoś nikt z obsługi się nie rusza.

Szybko wyjęła z workowatej torby małą portmonetkę i zanurzyła w niej dłoń, by wyjąć pieniądze i sprawdzić, czy stać ją na dwie herbaty, a może coś jeszcze. Nigdy – jak to mawiała mama – nie śmierdziała groszem. Wszystko, co zarabiała, chowała do metalowego pudełka w swoim pokoju, by bez sensu nie wydawać pieniędzy, a później i tak wszystko wyciągała, żeby nie prosić mamy o drobne na bzdury. Przeliczyła dość liczny bilon i odetchnęła z ulgą. Było ją stać na dwie duże herbaty, zimowe z bajecznymi dodatkami takimi jak owoce karamboli, ale o ciastkach niestety nie mogło być mowy.

Cóż... bieda i tyle! – pomyślała gorzko, ale za chwilę i tak ucieszyła się, bo przypomniała sobie, jak bardzo Nela lubi owocową herbatę. Gdy przyniosła do stolika dwa wielkie kubki, a musiała to zrobić sama, bo obsługa lokalu była w tym czasie zajęta sobą, Nela zdążyła się już pozbierać i dlatego odezwała się pierwsza.

– Żałuję, że ci o tym powiedziałam – przyjaciółka wciąż miała sobie za złe zbytnią szczerość.

– Właśnie bardzo dobrze – beztrosko usiłowała nadać rozmowie lżejszy ton, choć zapowiadało się na to, że wcale lekko nie będzie.

– To bez sensu – Nela posłodziła herbatę.

– Zgadzam się z tobą – przyznała przyjaciółce rację. – Podsuwam ci pod nos fajnego faceta, odpowiedniego, pasującego do ciebie jak ulał, a ty sobie głowę zawracasz gościem, który wiekowo mógłby być twoim ojcem. Dlatego muszę ci przytaknąć, jak zwykle zresztą. W tym przypadku też się nie mylisz. To jest bez sensu – celowo i z rozmysłem powtórzyła słowa Neli.

– Chodzi mi o to, że bez sensu zrobiłam, mówiąc ci o tym – uściśliła Nela.

Ona jednak odniosła wrażenie, że kręcą się w kółko i do niczego w tej rozmowie nie dojdą.

– To akurat ma sens!

– Nie – Nela odzyskiwała rezon. – Czasami trzeba ugryźć się w język, zamiast pleść bzdury.

– No, brawo! To naprawdę niedorzeczność, brać na celownik faceta, o którym się nic nie wie, który nie zdaje sobie nawet sprawy z twojego istnienia.

– Nie mów tak… – powiedziała Nela tak błagalnie, że przeraziła ją nie na żarty.

– Gdyby słyszała cię teraz moja ulubiona ciotka Klara, to na pewno podsumowałaby: „Dziecko zwariowało, w głowie mu się poprzestawiało" – potrafiła doskonale wyobrazić sobie minę swej milusińskiej ciotki, gdy wypowiada dokładnie te słowa.

– To dobrze się złożyło, że mnie nie słyszała – skonstatowała Nela, doskonale znając paskudny jęzor ciotki Klary.

Nela podobnie jak ciotka była częstym gościem szóstego piętra szarego bloku, dlatego zdążyła się już przyzwyczaić do bardzo wątpliwej serdeczności okazywanej przez wysuszoną starszą panią.

– Dobra! Nie przyszłyśmy tu, żeby rozmawiać o ciotce Klarze – ucięła wątek, który sama zaczęła. – Lepiej powiedz mi, co ci odbiło, żeby… – nie wiedziała, jakich słów użyć, by dokończyć zdanie.

– Nie wiem – Nela pokręciła bezradnie głową, a na twarzy rysował się jej wyraz beznadziei. – Spojrzał na mnie kilka razy i przepadłam. Po prostu.

– Spojrzał na ciebie? – powtórzyła, nie wierząc w to, co słyszy. – Przecież to typ, który nawet nie raczy obdarzyć nas spojrzeniem.

– Zwykle nie… Ale pamiętasz, jak dwa tygodnie temu na korytarzu zemdlał chłopak?

– Pamiętam.

Rzeczywiście potrafiła doskonale przywołać w pamięci opisaną przez Nelę sytuację. Od razu przypomniała sobie też przerażenie i wszechogarniającą niemoc, jakie ją wtedy dopadły.

– Pomagałam przy nim wtedy, bo dwie pielęgniarki nie mogły dać sobie rady, a trzecia akurat zapadła się pod ziemię. Wiesz, jak House się nim fachowo zajął? – Nela nie kryła podziwu.

– Przypominam ci, że jest lekarzem – pragnęła szybko ostudzić temperaturę tych zachwytów.

– Przecież wiem, ale zrozumiałam wtedy, że on wcale nie jest niedostępny, tylko po prostu bardzo skupiony na tych dzieciach. Wiesz, jest taki... odpowiedzialny.

– Boże! Mówisz tak, jakbym miała go za nic – głos znów uwiązł jej w gardle. – Posłuchaj... Nie trzeba być Einsteinem, aby wiedzieć, że facet ma przerąbane. Jaką to trzeba mieć odporność, żeby dzień po dniu, a pewnie też w nocy być odpowiedzialnym za te dzieciaki, żeby gadać z ich rodzicami... Boże, przecież to koszmar... – zamyśliła się na chwilę.

– Rozumiesz, on się wtedy tak na mnie popatrzył, kiedy trzymałam głowę tego chłopca z padaczką. Spojrzał tak, jakby to ode mnie zależało jego życie, naprawdę... Obdarzył mnie spojrzeniem góra dwa razy i to mi wystarczyło. To jest po prostu silniejsze ode mnie... Takim ciepłym i spokojnym głosem instruował mnie, co mam robić, jak postępować. Zwracał się do mnie na ty. A później, jak już opanowaliśmy sytuację, wziął tego rosłego chłopaka na ręce i podziękował mi za pomoc, mówiąc już *per* pani.

– Dobra, rozumiem... To znaczy właśnie nie rozumiem... Ale co teraz zamierzasz? – zapytała trochę zbyt obcesowo.

– To co zwykle... – odpowiedziała z wrodzoną potulnością Nela. – Muszę się z tym uporać. Przeboleć to uczucie... A potem przejść nad nim do porządku dziennego. Odkąd pamiętam, zawsze było tak samo. Mam w tym spore doświadczenie. Zadurzam się w kimś, kto albo nie zwraca na mnie uwagi, albo kogoś już ma, albo po prostu nie ma szans, by mógł być kiedyś mój.

– Ale muszę przyznać, że tym razem pojechałaś po bandzie – wypaliła bez zastanowienia. A mogła najpierw pomyśleć, zamiast zachowywać się jak ciotka Klara.

– I co ja na to poradzę... – Nela spokojnie podsumowała jej niekontrolowany wybuch.

Rzeczywiście zdążyła już przywyknąć do tego, że roznieca w sobie uczucie bez przyszłości, a później musi się bardzo postarać i napracować, by je w sobie zdusić. Na szczęście Nela była bardzo pracowita. I właśnie ta jej cecha przyświecała jej niczym światło w tunelu.

– Ciekawa jestem, jaki on jest prywatnie – Nela, gdy zadawała to pytanie, wciąż myślami zdawała się być gdzieś daleko stąd.

– Tego nie wie nikt – rzuciła, raczej nie popisując się błyskotliwością, ale chciała to szybko naprawić. – Wiesz, mąż jednej ze znajomych mojej mamy jest znanym kabareciarzem. Cały kraj śmieje się z jego żartów, ja zresztą też. W pracy pełna profeska. Ale jak wraca do domu, to przestaje być tak zabawnie. Już nieraz kości porachował tej znajomej mamy. Na twoim miejscu nie rozmyślałabym za dużo nad tym, jaki ten Kochanowski jest prywatnie, bo z nim może być podobnie. Na pewno gdzieś musi odreagować. Zresztą daleko szukać nie trzeba. Spójrz na moją mamę. W pracy istny anioł, a tylko próg mieszkania przekroczy, od razu rogi jej rosną.

– Nawet jeżeli jest tak, jak mówisz, to ja i tak wiem, że on jest bardzo dobrym człowiekiem – Nela stanęła w obronie ordynatora.

– Na pewno nie jest zły – chciała jak najszybciej skończyć tę rozmowę. – Ale ty lepiej zrobisz, jeśli skupisz się na Nowym.

– Przecież widzisz, że się staram – Nela przybrała usprawiedliwiający ton.

– A tam, guzik widzę! – nie dała zwieść się zbyt łatwo. – Przecież ja nic nie zauważyłam! – bezlitośnie podsumowała swój brak spostrzegawczości. – Gdybyś mi dziś nie powiedziała o Housie, to nie domyśliłabym się tego nigdy. Przenigdy.

– To dobrze. Tak miało być – spuentowała Nela, wracając do punktu wyjścia rozmowy, a nie o to przecież chodziło.

– Guzik, nie dobrze! – kontynuowała zapożyczoną z pasmanterii grę słów. – Musisz wziąć się w garść! A w stronę Kochanowskiego nawet nie waż się odwracać, a za jakiś czas wszystko rozejdzie się po kościach. Nie ma się co przejmować, bo na osteoporozę za młoda jeszcze jesteś, na oglądanie się za takim staruchem zresztą też!

– Proszę cię…

Nela jak zwykle prosiła ją o odpowiedni dobór słów, ponieważ z nich dwóch była tą bardziej kulturalną. Ona natomiast, często nie bacząc ani na okoliczności, ani na towarzystwo, potrafiła podsumować bez ogródek siarczystym i nieparlamentarnym językiem każdą sytuację.

– W porządku. Zamykam się. Nic już nie mówię. Ani słowa więcej, ale musisz mi obiecać, że przestajesz wodzić wzrokiem za panem ordynatorem, a coraz częściej zawieszasz oko na Nowym, i to w taki sposób, żeby mógł to zauważyć. Chcesz jeszcze jedną herbatę? – zapytała, choć miała pełną świadomość swych finansowych niedostatków.

– Nie, dziękuję bardzo – Nela w końcu się uśmiechnęła.

– To co, pryskamy stąd? – zapytała.

Przyjaciółka nie odpowiedziała. Skinęła głową, w której pewnie aż huczało od różnych sprzecznych myśli. Patrzyła na Nelę i pomimo tego, że teraz bardzo żałowała swojej towarzyszki, to jednocześnie była o nią spokojna. Nela przecież zawsze potrafiła kierować się w życiu rozsądkiem. Gdy wyszły z kafejki, by za moment schować się przed padającym śniegiem i wiejącym wiatrem pod wiatą tramwajowego przystanku, miała już pewność, że Nela, nie bacząc na czekające ją cierpienia i rozterki, już od zaraz zacznie realizację projektu pod tytułem: „House to mężczyzna nie dla mnie". Patrzyła na to, jak przestępuje z nogi na nogę z zimna, a w głowie nadal jej się nie mieściło, jak tak rozsądna dziewczyna jak Nela mogła zadurzyć się w kimś takim.

Miłość chyba rzeczywiście nie wybiera... – pomyślała, mając przed oczami dość niewyraźny obraz Kochanowskiego. Dla niej był facetem, na którego nigdy nie zwróciłaby uwagi, gdyby nie zachwyty Neli. I to nie dlatego, że czegoś mu brakowało, bo akurat posiadał wszystko, co trzeba. Ale ona zdążyła się już przekonać, że ci faceci, którzy w przeszłości zwracali na nią uwagę, a do tego mieli dobre warunki, za każdym razem przy bliższym, choć niezbyt bliskim poznaniu dużo tracili. Okazywało się, że na ich korzyść przemawiały tylko te warunki, bo jakiejś głębi próżno było szukać.

Kiedyś, gdy Justyna, w rodzinie zwana dziewczyną jak z obrazka, pierwszy raz przyprowadziła Krzycha do domu, ona od razu wiedziała, że musi to być facet godny jej siostry, za którą na ulicy odwracali się wszyscy mężczyźni, i to bez względu na wiek czy stan cywilny. Justyna była wystrzałową blondynką, niezwykle naturalną, a piwne oczy, pełne, niepoprawione usta, wąska talia i wrodzony wdzięk upodabniały ją do młodej Brigitte Bardot, która identycznie jak Justyna miała w sobie „to coś", z czym kobieta się rodzi. Co więcej, mama uważała, że jej młodsza córka też ma „to coś", tylko od Justyny różni się tym, iż nie zdaje sobie z tego sprawy. Nawet gorzej! Zarówno swój wygląd, jak i „to coś" miała najczęściej w nosie.

Z pewnością więc „to coś", którym obdarzona była Justyna, odpowiadało za to, że Krzychu, mężczyzna o nierzucającej się w oczy, choć niezaprzeczalnej urodzie, za to znający się na rzeczy, postanowił związać z nią swoje życie. Zdecydował się, chociaż mocno sfeminizowana rodzina jego wybranki, pomimo doskonałego wykształcenia i pochodzenia przyszłego zięcia, na początku kręciła nosem, że „taki jakiś niepozorny...". Tylko ciotka Marianna wiedziała, jak położyć temu kres, i poinformowała siostry, że przystojny mąż bywa przekleństwem żony. Krzychu, choć wysoki, to do przystojniaków nie wiadomo czemu nie został zakwalifikowany. Ale przy bliższym poznaniu zyskiwał, i to bardzo. Do tego stopnia, że teraz, gdy należał do rodziny już piąty rok, chwilami wydawał się Julce bardzo atrakcyjnym facetem.

Cóż się dziwić? Kto z kim przestaje, takim się staje – myślała, gdy wsiadały z Nelą do tramwaju. A taki Kochanowski? Biorąc pod uwagę to, jak wygląda, przy bliższym poznaniu mógł tylko stracić. Poza tym po dzisiejszej rozmowie z przyjaciółką za punkt honoru postawiła sobie, by Nela na dobre zapomniała o przystojnym lekarzu! I im szybciej to zrobi, tym lepiej. A gdyby przyszło jej na myśl stawiać opór w tej materii, to była gotowa wybić przyjaciółce ordynatora z głowy wszystkim, co tylko miała pod ręką, i to bez uprzedniego znieczulenia. Bez dyskusji!

Wróciła do domu. Czuła się jak z krzyża zdjęta. Głowa ją bolała, odkąd wyszła z egzaminu. Mogło się wydawać, że statystyka komputerowa obrała ją sobie za cel i ciągle zaskakiwała tym, jak bardzo potrafiła być skomplikowana. Teraz pozostała jej już tylko modlitwa o choćby dostateczny wynik egzaminu. Mózg postanowił odmówić jej dziś posłuszeństwa. Podobnie mięśnie jak na złość jej nawalały. Nie był to najodpowiedniejszy moment, bo małżeństwo, u którego z Nelą sprzątały, musiało zrobić w przeddzień porządków bal na sto par. Ich mieszkanie wyglądało więc dziś jak po przejściu tornada, a w kuchennych szafkach świeciły pustki. Wszystkie naczynia pobrudzono. Były też takie, które nie przetrwały imprezy. Zatem do pulsującego bólu głowy doszła niemoc całego ciała. Dlatego gdy weszła do domu i usłyszała proszący ton siostry, przeraziła się, ponieważ musiało stać się coś złego. Justyna pojawiała się w domu sama, bez obstawy, tylko wtedy, kiedy miała kłopoty. Dziś, zważywszy na późną porę, towarzystwo pewnie spało pod niezbyt czujnym okiem tatusia zatopionego niechybnie w jakiejś medycznej literaturze.

Słysząc coraz bardziej pokorny ton starszej siostry, rozbierała się w przedpokoju. Gdyby nie odwiedziny Justyny, to kroki skierowałaby od razu do swojego pokoju, nogą zgarnęłaby książki leżące na posłaniu, po czym runęłaby na łóżko niczym ściana rudery po spotkaniu z rozpędzonym taranem. Jednak mimo że ledwo mogła skupić na czymś wzrok, weszła do kuchni.

– Cześć, siostra – cmoknęła Justynę w zasępioną twarz i usiadła na swym ulubionym skrawku narożnika.

– A z matką się nie przywitasz? – zapytała natychmiast mama.

– Hej, mamo! – uniosła dłoń w geście powitania, któremu starała się nadać przyjazny charakter.

– Jak egzamin? – mama bez zwłoki przeszła do przesłuchania z przebiegu edukacji córki.

– Do łatwych niestety nie należał – skrzywiła się, pragnąc grymasem podkreślić swe powątpiewanie w powodzenie.

– Ale zdasz? – mama już dziś chciała zapewnić sobie spokój ducha, no i spokojny sen.

– Bóg raczy wiedzieć... – odpowiedziała, na osobę boską zrzucając odpowiedzialność za wynik egzaminu.

– Bóg to ma ważniejsze sprawy na głowie niż twój egzamin – skrytykowała ją natychmiast mama.

– Tak mi się tylko powiedziało – wytłumaczyła się, wiedząc, że w rozmowach z mamą akurat Bogu należało odpuścić.

– To jak będzie, mamo? Bo muszę już wracać! – Justyna popędzała rodzicielkę.

Zerknęła na siostrę, wiedząc, że próba popędzania mamy to błąd. I to poważny. Sprawy z nią należało załatwiać w całkiem inny sposób. Uwielbiała wypróbowywać na mamie metodę „na pokorne cielę", ponieważ wybieg ten był niezawodny.

– Powinnaś to jeszcze przemyśleć. Przecież nigdzie ci się nie spieszy. To są jeszcze mali chłopcy, codziennie zostają tylko z tobą, nocą zresztą też. Tymka dopiero co od piersi odstawiłaś, a już go chcesz z babką zostawiać?

Przysłuchiwała się słowom mamy i już wiedziała, że Justyna przyszła tu dziś z jakimś pomysłem, który ewidentnie nie przypadł mamie do gustu. Niestety.

– Mamo... – ton Justyny z proszącego przechodził w błagalny. – To tylko trzy dni i dwie noce...

– Przecież wiesz, że to nie tylko ode mnie zależy. W pracy muszę spytać. Znów tylko we dwie jesteśmy. Ta młoda nie wytrzymała nawet dwóch miesięcy.

Temu akurat nie ma się co dziwić... – pomyślała, wiedząc, jak specyficzny biblioteczny duet tworzyła mama z panią Lonią, która moherowego beretu nie zdejmowała z pewnością nawet do snu. Ucieszyła się, że w towarzystwie mamy umiała najpierw pomyśleć, a dopiero później dokonywać selekcji tego, co może powiedzieć, a co musi przemilczeć na wieki wieków, amen.

– A o co chodzi? – zapytała i od razu jej się dostało, bo napotkała spojrzenie mamy karcące jej ciekawość. – Jeśli można wiedzieć, oczywiście – zaczęła bronić się przed napastliwością matczynego wzroku.

– Lepiej powiedz, czy dziś coś jadłaś – mama chyba nie zamierzała wtajemniczyć jej w przyczynę odwiedzin Justyny.

– Coś tam zjadłam – odpowiedziała wymijająco.

– To co ci zrobić?

Justyna, pewnie czując, że w ten sposób mama miga się od podjęcia decyzji, wlepiła wzrok w siostrę, szukając poplecznika w sprawie.

– Zrobię sobie kanapkę z pomidorem, nie przeszkadzam – bez namysłu opowiedziała się po stronie starszej siostry, biorąc pomidora i myjąc go pod kuchennym kranem.

– Mamo, myślałam, że się ucieszysz – Justyna nie traciła czasu. – Odkąd urodzili się chłopcy, nie spędziliśmy z Krzychem ani jednego dnia bez nich. Poza tym to taka okazja. Wszystko już opłacone. Barcelona. No, mamo... Proszę cię, mamy przecież rocznicę zaręczyn...

Smarowała chleb masłem i zerkała to na Justynę, to na mamę. Musiała przyznać, że siostra umiejętnie argumentowała swoją prośbę. Jednak na mamine obawy nie było mocnych.

– Barcelona? – rozpromieniła się, chociaż pomidor, w którego się wgryzła, był wodnisty i całkowicie pozbawiony aromatu. W końcu gorąca szklarnia to nie hiszpańskie słońce. – O matko! Ale bosko! Kiedy jedziecie? – robiła, co mogła, by pomóc Justynie.

– Julka, nie sól tyle! – mama też nie odpuszczała w walce o przywództwo w ich małej grupie.

– A tak w ogóle, to którą macie rocznicę zaręczyn? – skierowała rozmowę na inne tory i jak gdyby nigdy nic zatopiła zęby w kanapce, tym razem bardzo przesolonej.

– Szóstą – rozpromieniła się Justyna.

– O kurczę! Ale ten czas leci! Koniecznie trzeba to uczcić! – powiedziała z pełnymi ustami.

– Gdyby to była rocznica ślubu… – mama zaczynała swoje. – To bym zrozumiała, ale tak… – gadka mamy sprawiła, że na twarzy Justyny nie było już ani śladu radości.

– Przepraszam, bo się zgubiłam, to ile już jesteś z Krzychem? – zapytała z niekłamanym zainteresowaniem.

– Ponad jedenaście lat.

– Naprawdę?! – zrobiła duże oczy. – Ten czas nie leci, tylko zaiwania. Taki szmat czasu z jednym facetem, w dodatku świętowanie rocznicy w Barcelonie. No nie! Chyba zzielenieję z zazdrości! Oczywiście o Barcelonę, a nie o faceta. Żeby była jasność, do Krzycha nic nie mam, ale nie podejrzewam siebie o to, żebym kiedykolwiek wytrzymała tyle z jednym facetem! – mówiła szybko, a jadła wolno.

– Żeby z facetem wytrzymać, to najpierw trzeba go mieć! – złośliwie zauważyła mama.

– Przyjdzie i na to czas. Bądź spokojna – odparowała naprędce, tym razem nie żałując, że powiedziała, co sądzi.

– Pozostaje pytanie, czy znajdzie się taki, co z tobą wytrzyma – mama była dziś w bardziej zaczepnym nastroju niż zazwyczaj.

– Znajdzie się – dobrze. Nie znajdzie się – też dobrze. Zostanę wolontariuszką w afrykańskim buszu i zrobię z mojego życia jakiś użytek.

– Co ty, Julka, wygadujesz?! – mama podniosła głos. – Próbujesz mnie zdenerwować?

– No coś ty, mamo. Przecież powinnaś się cieszyć, że chcę zrobić coś dla innych.

– Ty mnie naprawdę lepiej nie wyprowadzaj z równowagi! Ja chcę, żebyś studia skończyła. Za mąż wyszła i dziećmi się zajmowała, swoimi, a nie tymi z Afryki!

Mama uwielbiała proste i przewidywalne scenariusze na życie. Jankowi wybaczyła wybór innej drogi tylko dlatego, że poświęcił się Bogu, a tylko z trzema osobami boskimi mama na wojnę nie chadzała. Ze wszystkimi innymi natomiast wojowała bez zastanowienia!

– Wcale nie zamierzam cię denerwować. Po prostu nie wiem, gdzie, z kim i co będę robić za dziesięć lat – wytłumaczyła, czując, że chyba jednak nie udało jej się pomóc siostrze.

– Mamo, to kiedy dasz mi znać, czy możesz zostać z chłopcami? – Justyna postawiła sprawę na ostrzu noża.

Spojrzała na Justynę, potem na mamę. Wiedziała, że za chwilę rozpęta się awantura, bo obie stawianie na swoim miały we krwi.

– Jak się dowiem, to dam ci znać! – obcesowość tonu mamy nie przerażała, za to wydawała się nawet zabawna.

– Ale ja muszę już to wiedzieć. Krzychu za trzy dni ma dać odpowiedź, czy jedzie sam, czy z osobą towarzyszącą. A jak się okaże, że ty nie możesz zaopiekować się chłopcami, to będę musiała pójść po prośbie do teściowej.

Odnotowała w duchu, że urwał się właśnie włosek, na którym do tej pory awantura wisiała, lecz rozpętała się już na dobre.

– I po co jak zwykle wytaczasz to działo?! – wrzasnęła mama.

– Jak to po co? – kiedyś Justyna umiałaby przekrzyczeć mamę, ale posiadanie małych dzieci nauczyło ją niepodnoszenia głosu. – Chcę wyjechać z mężem na trzy dni. To kogo mam poprosić o pomoc przy dzieciach? Do kogo mam iść jak nie do matki? A ty zamiast powiedzieć: „dobrze, dziecko, jedź, odpocznij chociaż trochę", to robisz z igły widły. Zresztą jak zwykle.

Na te słowa Justyny mama podniosła palec wskazujący i pogroziła nim starszej córce, jakby zapominając o tym, że ta nie jest już małolatą.

– O, kochana! Nie tędy droga!

Nie wytrzymała napięcia i biorąc na siebie ryzyko wybuchu matczynej złości, wtrąciła się i stanęła pomiędzy wciąż uniesionym palcem mamy a twarzą Justyny.

– Dobra! Ja zostanę z chłopakami i po sprawie!

– Przecież nawet nie wiesz, kiedy wyjeżdżają! – mama nie spuszczała z tonu.

– To nieważne. Zostanę z maluchami – powiedziała, ciesząc się, że studiuje psychologię, bo w kontaktach z mamą bez umiejętności z tego zakresu mogłaby nie dać rady, a tak potrafiła w miarę spokojnie do końca wypowiedzieć swe racje, choć była już na skraju nerwowej wytrzymałości.

– Nie musisz z siebie takiej samarytanki robić. Nie musisz! – wypaliła z wściekłością mama. – Zorientuję się w pracy, jak sprawy się mają, i zajmę się wnukami!

No i proszę. Można? Można!

Uśmiechnęła się, ponieważ na taki obrót spraw, szczerze mówiąc, a właściwie myśląc, liczyła.

– I co się śmiejesz jak głupi do sera?! – palnęła ze złością mama.

– Nie śmieję się, tylko uśmiecham – sprostowała od niechcenia.

– Czy możecie w końcu przestać?! – zapytała podniesionym głosem Justyna, wciąż bardzo zdenerwowana.

– Możemy! – odparowała mama. – Zjadłaś już? – zapytała, dając do zrozumienia obu swym córkom, kto tu rządzi i od czyjego humoru powinien zależeć ich nastrój.

– Tak. Dziękuję. Było bardzo pyszne. A teraz idę się położyć, bo padam na pysk.

– Mniej pyskuj, to będziesz padała na twarz!

Erudycyjnym wykładom rodzicielki nie było końca, dlatego ona nie zamierzała się już odzywać. W pośpiechu ucałowała siostrę w policzek, mamę obdarzyła zdawkowym „dobranoc" i wyszła z kuchni, nie dając rodzicielce możliwości ciągnięcia dyskusji w nieskończoność.

Weszła do pokoju, ciesząc się, że mama w końcu przestała do niego zaglądać. Niegdyś sprzątała go za jej plecami, a potem skarżyła się na swój ciężki los. Pokój wyglądał teraz jak po policyjnej rewizji. Jednym kopnięciem utorowała sobie drogę do łóżka uginającego się pod ciężarem porozkładanych książek. Pozamykała je wszystkie i z szacunku do literatury, nawet tej na temat statystyki komputerowej, ułożyła z nich ciężki stos i położyła na biurku, choć miała ochotę wyrzucić go za okno. Padła na łóżko, wiedząc, że na razie nie ma siły się rozebrać. Spojrzała na piętrzący się stos książek.

Jaki piękny byłby świat, gdybym nigdy już nie musiała zaglądać do tej sterty makulatury... – rozmarzyła się, zamykając oczy i mimochodem słysząc coraz spokojniejsze głosy dobiegające z kuchni. Emocje jak zwykle opadły. Jak zwykle powoli. Taka oczyszczająca awantura nie była zła, ponieważ gdyby nie ona, to większość rodzinnych kłopotów zalegiwałaby w mieszkaniu całe lata. To właśnie przez wrzaski najczęściej rozwiązywano problemy rodzące się w tym domu. Względna cisza sprawiła, że zrobiło jej się błogo. W końcu mogła odsapnąć. Bardzo powoli traciła kontakt z rzeczywistością. Mięśnie zaczynały się przyjemnie rozluźniać. Zgasiła zapaloną przed chwilą lampkę. Przestawała cokolwiek słyszeć. Zobaczyła jednak, że uchylają się drzwi jej pokoju. Do łóżka podeszła Justyna. Pocałowała ją w czoło i szepnęła: „dziękuję".

Nie miała siły, by coś siostrze odpowiedzieć, zresztą drzwi pokoju znów się zamknęły. Miała przymknięte oczy. Prawie spała, choć po głowie tłukły jej się jeszcze myśli. Lubiła utwierdzać innych w przekonaniu, że mogą na niej polegać. Nauczyła się tego od Neli. Wiedziała, że to umiejętność przydatna w przyjaźni, a coraz częściej używała jej również na rodzinnym podwórku. Nigdy do końca nie zgadzała się z powiedzeniem, że z rodziną najlepiej wychodzi się na zdjęciu. Przysłowie to w chwilach podenerwowania zawsze padało z ust mamy jakby na złość ciotce Klarze, której z rodzinnego zdjęcia nie dałoby sią nijak wyciąć, bo zawsze wybierała dla siebie miejsce w jego centrum.

Gdzie ona jest? – zastanawiała się. Czekała na przyjaciółkę i umierała z nerwów. W blaszaku, tak zwanej taniej jatce dla studentów, huczało dziś jak w ulu. Była sesja w pełni. Jedni szykowali się do egzaminów. Inni przeżywali rozterki związane z tym, czy udało im się wszystko dobrze zdać. Jeszcze inni skarżyli się na wyjątkowo wrednych egzaminatorów. Była też spora grupa studentów pogrążonych w milczeniu, którzy oczekiwali na wyrok. To właśnie do tej grupy dziś należała. Nie miała ani ochoty, ani odwagi, żeby iść do instytutu statystyki i czekać na wywieszenie listy, na której znaleźć się mieli tylko wygrani. O skazańcach się nie mówiło. Zwykle przeczuwała, czy zdała egzamin, czy powinna się jeszcze raz zapoznać z materiałem. Tym razem było inaczej. Jej umysł był jak *tabula rasa*, nie chciał nic przyswajać, co przeszkadzało jej w nauce do kolejnego egzaminu. Chciała, żeby Nela już wróciła i bez budowania zbędnego napięcia prosto z mostu powiedziała, jak się sprawy mają. Przyjaciółka powinna była już wrócić, i to jakieś pół godziny temu. Blaszane drzwi otwierały się bez przerwy. Roszada towarzystwa przy stolikach nie ustawała. Nad jej głową wciąż krążyły pełne talerze. Od lady co chwilę dobiegał skrzekliwy głos kucharki, która ogłaszała wszem i wobec, że danie czeka na odbiór. Dla zabicia czasu Julka wsłuchiwała się w jej okrzyki: „ruskie!", „dwa razy z mięsem!", „żurek z białą!", „żurek z jajkiem!", „ziemniaczane z cukrem!". Jednym uchem łowiła wykrzykiwane pozycje z *menu* i dochodziła do wniosku, że należała do tej części populacji, która nie zajada stresu, tylko reaguje na niego ściskiem żołądka. Już od wczorajszego ranka nie potrafiła nic przełknąć na myśl o liście osób, którym udało się zaliczyć statystykę komputerową. Modliła się, by jej nazwisko także znalazło się na tym spisie szczęściarzy, choćby na ostatnim miejscu. W przypadku statystyki ambicję chowała do kieszeni. O Nelę mogła się nie martwić. Ta znajdowała się na każdej liście, i to na samej górze. Z nią za to bywało różnie. Nie można powiedzieć, że w rankingu roku znajdowała się w ogonie, który przecież do najkrótszych nie należał. Była tak zwanym średniakiem i zupełnie jej to nie przeszkadzało. Do tej pory na każdym szczeblu edukacji, już od podstawówki, należała do elity, a mama i tak zwykle była niezadowolona. Zawsze przecież mogło być lepiej. Całe szczęście pomimo matczynych wymagań w końcu udało jej się zrozumieć, że oceny nie są najważniejsze, a w obecnej sytuacji ta świadomość okazywała się bardzo pomocna. Były takie przedmioty, które chciała po prostu zakuć, zdać i zapomnieć.

– Wolne?

Podniosła wzrok i zobaczyła nad sobą jakąś lalunię z przesadnym makijażem, która trzymała przed sobą duży talerz.

– Proszę – odpowiedziała niezbyt uprzejmie.

Jak się okazało, Naleśnikara usiadła naprzeciwko i klepiąc jakieś SMS-y na ekranie swojego szpanerskiego telefonu, zjadała nie naleśnika z bitą śmietaną, tylko bitą śmietanę z dodatkiem naleśnika.

Patrzyła na jej paznokcie, nie mogąc wyjść z podziwu, jak takimi plastikowymi szponami można cokolwiek zrobić. Zerknęła na swoje dłonie. Krótko obcięte paznokcie przypominały jej o tym, że do damy było jej daleko. Za to znów wielkimi krokami nadchodziło piątkowe sprzątanie.

Do blaszaka wpadało coraz więcej młodzieży. Atmosfera gęstniała zauważalnie, tak jak widocznie ciemniały rumieńce kobiety zza lady.

W końcu, gdy jej cierpliwość zaczęła się wyczerpywać, w otwartych drzwiach zobaczyła przyprószoną śniegiem zieloną czapkę Neli, nad którą górowała uśmiechnięta twarz Nowego. O ile Nowy się uśmiechał, o tyle mina Neli nie wróżyła nic dobrego.

Niech to szlag! Mam to w plecy! – pomyślała i nabrała ochoty, by walnąć pustym talerzem Naleśnikary o podłogę. Ta musiała to wyczuć, bo mruknąwszy coś pod nosem, chwyciła talerz w swe szpony i ulotniła się szybko.

Nela stała już nad nią. Uśmiechała się.

– Masz zamiar jeszcze długo tak milczeć?

– Powoli odzyskuję głos – ton Neli był bardzo poważny.

– Wyduś to w końcu z siebie! – powiedziała głośniej, niż było to konieczne.

– Cztery i pół – wyrzuciła z siebie Nela.

– Wariatko! O siebie się pytam! – krzyknęła, bo poniosły ją nerwy.

– No przecież mówię, że cztery i pół – powtórzyła spokojnie Nela.

– Żartujesz? – zapytała, zupełnie nie zważając na minę Nowego.

– Nie żartuje! – Nowy odzyskał mowę i wlepił wzrok w Nelę.

– To niemożliwe! – wiedziała, że cuda się zdarzają, ale nie takie! – A wam jak poszło? – zapytała radośnie.

Miała ochotę wycałować każdego, kto jeszcze przed momentem irytował ją do bólu.

– Nela jak zwykle – poinformował od razu Nowy. – A ja cztery.

– A cała reszta? – zapytała dla zasady.

– Różnie – powiedział znów Nowy, odsuwając dla Neli brązowe plastikowe krzesło z powodzeniem udające wiklinę. – To na co macie ochotę? – zapytał, gdy Nela przysiadła dość nieśmiało na odsuniętym specjalnie dla niej krześle.

– Bo ja wiem… – zaczęła się zastanawiać, dopiero teraz czując ssanie w żołądku, które do tej pory blokował stres.

Nela zdjęła kurtkę, a Nowy odruchowo zajął się jej garderobą. *Ma chłopak wprawę!* – pomyślała z radością. Miała nadzieję, że taką wprawę miał we wszystkim, bo inaczej znajomość między nim a Nelą potrzebowałaby zbyt wiele czasu na rozwój wypadków miłosnych. A czasu nie było. Nowy musiał działać szybko i zdecydowanie, żeby czym prędzej wybić Neli z głowy ordynatora.

Przyjaciółka zamiast zamówić po prostu ruskie, spłonęła rumieńcem i utkwiła wzrok w dużym zegarku wiszącym tuż przy drzwiach blaszaka. Na cyferblacie widniało zdjęcie wieży Eiffla. Był to jedyny element przypominający Francję-elegancję w tym pomieszczeniu.

– Ale my nie mamy zbyt wiele czasu – Nela wpatrywała się w nią, zamiast zauważyć, że Nowy nie odrywa od niej wzroku.

– Spieszycie się gdzieś? – zapytał z niedowierzaniem Nowy.

– Za godzinę zaczynamy pracę – odpowiedziała szybko, gorączkowo obmyślając już plan działań na jutro.

– Pracujecie?

– Nie ma wyjścia. Życie! – mówiąc to, wzruszyła ramionami.

– To co dostaniemy tu najszybciej? – zapytał Nowy, wstając od stolika. – Ja stawiam – bardzo naturalnie wszedł w rolę sponsora.

– Nie ma mowy – żarliwie zaprotestowała Nela.

– Siedź cicho! – zgasiła ją od razu.

– Dzięki! – mówiąc to, Nowy posłał jej pospieszny uśmiech i wczytał się w *menu*.

Dania spisano byle jakim pismem na dużej zatłuszczonej kartce, która kiedyś, dawno temu, była eleganckim arkuszem brystolu, przytwierdzonym do ściany, też nie pierwszej czystości.

– Zamów nam to samo co sobie – zaproponowała, by uniknąć niepotrzebnych ceregieli. Nie chciała marnować czasu ani zbytnio nadwerężać kieszeni sponsora, o którego zamożności nie miała żadnego pojęcia.

– Mogą być ruskie pierogi? – zapytał konkretnie.

Coraz bardziej jej się podobał. Lubiła takich facetów: konkretnych i zdecydowanych. Przy takich życie zawsze wydawało się łatwiejsze, niż było w istocie. Właśnie takiego gościa potrzebowała Nela. Przyda jej się chłopak, który pomoże jej przełamać nieśmiałość, także tę w stosunku do płci przeciwnej. Nowy naprawdę był całkiem interesujący. Przemawiał za nim też fakt, że zatrzymywał swój wzrok na twarzy Neli zwykle dłużej, niż wymagała tego sytuacja.

– Pewnie, że mogą – odpowiedziała, nie bacząc na Nelę, która milczała jak zaklęta.

– Mogą? – tym razem Nowy skierował pytanie tylko do Neli, a ta zamiast próbować uwieść go wzrokiem, skinęła tylko niewinnie głową.

Nowy oddalił się, ale nie sposób było stracić go z oczu, ponieważ nawet w długiej kolejce rzucał się w oczy, a wszystko to dzięki swojemu wzrostowi koszykarza.

– Jak ty się zachowujesz? – szepnęła z wyrzutem do przyjaciółki.

– Normalnie – Nela też szeptała.

– No właśnie! – fuknęła. – Może postarałabyś się trochę bardziej! Poflirtuj z nim trochę! Błagam!

– To znaczy co mam robić? – przyjaciółka spojrzała wyczekująco.

– Na początek wystarczy, jak będziesz patrzyła mu w oczy, kiedy do ciebie mówi. Rozumiesz? W jego oczy! A nie w blat stołu!

– Postaram się – odpowiedziała Nela, ale bez większego przekonania.

– Wszystko dobrze? Co z tobą? – zapytała od razu.

– Chciał mnie zaprosić dziś do teatru...

– I czemu się nie zgodziłaś? – od razu wiedziała, co zrobiła Nela, dlatego najpierw się załamała, a zaraz potem wkurzyła.

– A praca?

– Przecież mogę zająć się tym sama! – zdenerwowała się jeszcze bardziej.

Była gotowa pracować w pojedynkę, zwłaszcza że cztery i pół ze statystyki komputerowej dodało jej sił, których jeszcze tak niedawno nie miała.

– To jeszcze nie wszystko – szepnęła Nela, jakby bojąc się, że ktoś może ją usłyszeć.

– Oświadczył ci się! – wypowiedziała na głos to, na co w najbliższej przyszłości liczyła.

– Taki szybki nie jest. Ale do teatru zapraszał mnie przy Larwie.

– Coś ty? – zrobiła wielkie oczy.

Cieszyła się i już żałowała, że nie znalazła w sobie odwagi, by osobiście poczekać na wywieszenie listy na drzwiach profesora. Ten niestety brzydził się komputerami i nową technologią. Niezbyt szanował innych prowadzących, którzy podawali wyniki egzaminów, korzystając z dobrodziejstw Internetu.

– Mam nadzieję, że ją zamurowało!

– Chyba tak – Nela zabawnie zmarszczyła nos.

– Słyszała, co mu odparowałaś?

– Raczej nie, bo odwróciła się na pięcie.

– Ale to zazdrośnica! Niech wie, wieszak jeden, że rozmiar to nie wszystko! – podsumowała i pożałowała natychmiast swej szczerości. – *Sorry!* – dodała, tłumacząc się głupio.

– Spokojnie. Mam w domu lustro – odpowiedziała Nela.

Uwielbiała w przyjaciółce jej bezpośredniość.

– Tylko się nie gap w to lustro bez sensu! – nakazała. – Od dziś możesz się przeglądać tylko w oczach Nowego.

– Mówicie na mnie Nowy? – usłyszała za plecami rozbawiony męski głos.

– Nie! Mówimy: Piękny i Bogaty! – zażartowała, ratując z opresji Nelę, która znów nie wzięła sobie do serca dobrych rad przyjaciółki i jak zaczarowana wgapiała się w stół.

– To zasłużyłyście na pierogi.

Nowy, to znaczy Piękny i Bogaty, położył przed nimi dwa talerze i poszedł przynieść swoją porcję.

Pierogi wyglądały nawet dość apetycznie.

– Ale wtopa! – szepnęła Nela.

– Tylko spokojnie. Zaraz nad tym popracuję. Ty nie musisz nic mówić, tylko się na wszystko zgadzaj. Zrozumiano?

Nela nie zdążyła przytaknąć, bo Nowy już rozsiadł się przy stoliku. Ledwo się zmieścił, takie miał długie nogi.

– To smacznego! – uśmiechnął się zabójczo. – Mam na imię Xawery – dodał żartobliwie.

– Przecież wiemy! – parsknęła śmiechem.

Zaczęli jeść. Przez chwilę wszyscy milczeli.

– Gdzie pracujecie? – zapytał Nowy, to znaczy Xawery, dokładnie wtedy, gdy ona też zadała mu pytanie.

– Twoje imię pisze się przez „K" czy przez „X"?

– Przez „X" – udzielił natychmiast informacji i wlepił wzrok w Nelę, dając tym samym do zrozumienia, że pewnie wolałby, żeby to ona udzieliła odpowiedzi.

Nela przejęła pałeczkę w rozmowie.

– Sprzątamy mieszkanie dość zamożnych ludzi.

– Jak chcecie, to mogę wam pomóc – zaproponował niezwłocznie.

Jak się piszesz przez „x", to na pewno nie potrafisz sprzątać – pomyślała i postanowiła odrzucić propozycję pomocy.

– Dzisiaj posprzątam sama – powiedziała, nawet nie patrząc na Nelę. – Przynieśliście mi dobrą wiadomość, więc coś się wam od życia należy. Niech stracę!

– Nie ma mowy – zaprotestowała Nela, zapominając, że miała się na wszystko zgadzać.

– Nie pyskuj! – uśmiechnęła się do przyjaciółki, chociaż mama, używając tego zwrotu, nie uśmiechała się nigdy.

– Czy w takim razie możemy wybrać się dziś do teatru? – Xawery spojrzał na Nelę, a ta milczała, chociaż dawno zdążyła przełknąć wszystkie pierogi.

– W życiu wszystko jest możliwe – uśmiechnęła się do Xawerego, nie chcąc ograniczać swojej odpowiedzi tylko do planów na dzisiejszy wieczór.

Znów nawet nie spojrzała na Nelę, tylko zaczęła szybciej niż dotychczas wciągać pierogi. Chciała jak najszybciej opuścić blaszak. Wcale nie dlatego, że spieszyło jej się do pracy, której musiała się dziś poświęcić za dwie. Miała tylko nadzieję, że związana polinezyjskim węzłem małżeńskim parka po bardzo imprezowym ubiegłym tygodniu w tym dała sobie spokój i odsypiała minione szaleństwa, nie brudząc przy tym zbytnio ani nie bałaganiąc.

– To ja uciekam – przełknęła ostatni kęs wciąż gorących pierogów. – Nawet dobrze gotujesz – uśmiechnęła się do Xawerego. – A ty – spojrzała na Nelę – uśmiechnij się chociaż trochę, bo jeszcze sobie Nowy, przepraszam, Xawery pomyśli, że ci się nie podoba, zaproszenie cofnie i zamiast w teatrze wylądujesz nad zlewem z brudnymi garami. Dzięki za obiad – ubierając się, wpatrywała się w Xawerego, bo wiedziała, że Nela i tak będzie unikać jej wzroku. Mimo wszystko przeżyła szok. Była przekonana, że Nela popatrzy na nią karcąco, a tymczasem stało się całkiem inaczej. Napotkała łagodne spojrzenie przyjaciółki. Nela pożegnała ją bardziej zdawkowo niż zwykle i wróciła natychmiast do zaglądania w oczy Xawerego i kontynuowania rozpoczętego właśnie tematu rozmowy.

Wyszła na zewnątrz i postanowiła pobiec na przystanek, chociaż bieganie nie było jej ulubioną dyscypliną sportu. Była raczej typem asportowym. Jednak zdążyła się już kilkakrotnie przekonać, że sprzątanie w pojedynkę to coś bardzo nieprzyjemnego. Sprawiało, że wychodziła od „burdelarzy" spocona jak mysz, musząc potem doprowadzić się do porządku. Wsiadła do tramwaju i cieszyła się jednak po drodze, tak jakby zamiast sprzątania w mieszkaniu czekały na nią luksusy polinezyjskiej wyspy. Zdała egzamin, a Xawery wydawał się porządnym facetem. Takiego potrzebowała Nela, zwłaszcza teraz, gdy ten cały Kochanowski burzył jej emocjonalną równowagę. Julce podobało się, jak Xawery patrzy na jej przyjaciółkę. Zapragnęła, by na nią też tak ktoś kiedyś spojrzał. Ale póki co zupełnie nie zależało jej na tym, by przyspieszyć tę chwilę. Na zakochane spojrzenie była gotowa poczekać całkiem długo.

Przecież cuda się zdarzają. Cuda i miłość – pomyślała, wierząc w to głęboko. Jechała tramwajem przez popołudniowy zimowy mrok, a krzykliwe neony miasta malowały jej twarz na różne kolorowe wzory. – *Cztery plus ze statystyki komputerowej! Ale jaja!* – ucieszyła się w myślach. Pozostawiła za sobą światła miasta i wysiadła z tramwaju. Biegiem ruszyła przed siebie. Chciała zarobić własną kasę, aby dopomóc cudom, które – miała taką nadzieję – gdzieś tam na nią czekają. Gdzieś tam, blisko albo trochę dalej, nieważne gdzie. Ważne, czy w ogóle się ich doczeka.

– Julka, wstawaj! Musimy iść na zakupy!

Z premedytacją nie otwierała oczu. Nie chciała od rana doprowadzać mamy do białej gorączki, ale pragnęła ostatnie chwile sobotniego poranka spędzić błogo rozespana, uwielbiała ten stan. Skoro zaliczyła tę durną statystykę komputerową, to reszta sesji była już tylko formalnością. Do tego nareszcie pojawiła się realna szansa, by w końcu otrzymywała kasę nie tylko za pracę fizyczną, ale też umysłową. Jeśli sesja dalej pójdzie po jej myśli, mogłaby wzorem Neli dostawać stypendium naukowe. Nigdy siebie o to nie podejrzewała, a tu proszę...

– Julka, czy ty ogłuchłaś?! – mama wparowała do jej pokoju. – Zawsze musisz mieć tu taki burdel?!

– Lepiej mieć burdel w pokoju niż pokój w burdelu – podsumowała śpiącym głosem swą skłonność do bałaganiarstwa

– Jeszcze oczu nie zdążyłaś otworzyć, a już mi działasz na nerwy?!

– To pozwól mi jeszcze pospać. Chociaż pół godziny. Błagam... – płaszczyła się przed mamą, mając przeczucie, że tym razem może jej się udać.

– I tak budzę cię godzinę później, niż to wczoraj zaplanowałam!

– Błagam... – ponowiła prośbę, bo czuła, że pomimo groźnego tonu mamy chce jeszcze spać, spać, spać...

W głowie jej szumiało. Naprawdę była przemęczona. Zdała najtrudniejszy egzamin w sesji, miała za sobą mnóstwo zaliczeń, z których najgorszą oceną była jedna trója, i to w dodatku z plusem. Widocznie znajomość z Nelą zaczęła przynosić wymierne rezultaty.

– W porządku – mama się poddała. – Ale daję ci tylko pół godziny, ani minuty dłużej. Ja dziś wyjątkowo nie idę do pracy i mam dużo różnych planów...

Uśmiechnęła się przez sen, wiedząc, jak wiele mamę kosztowało oddanie pola, gdyż nie należała do osób wyznających zasadę: „czasem trzeba mieć odwagę, by wywiesić białą flagę". Ona w przeciwieństwie do mamy takiej odwagi miała w sobie mnóstwo, co uwidaczniało się przede wszystkim w kontaktach z mamą. Ustępowała często. Zazwyczaj się wycofywała, ale dziś była naprawdę zmęczona. Wczoraj wróciła do domu później niż zwykle. Chociaż i tak nie było najgorzej, bo zastała mieszkanie „burdelarzy" nawet w stanie względnego porządku, co należało do rzadkości. W myślach czasami nazywała swych pracodawców dinksami. Tym samym spolszczała wyrażenie, a raczej socjologiczne zjawisko *double income, no kids* – dwie pensje, żadnych dzieci. Cóż, świat był pełen sprzeczności. Jedni przeznaczali całe swoje zarobki na przyjemności. Drudzy, tacy jak rodzice Neli, utrzymywali się z ciężkiej pracy i pomimo niezbyt dużej zasobności portfela mieli dużo dzieci, którym niczego nie brakowało, pewnie dlatego, że nie miały zbyt wygórowanych oczekiwań.

– Julka, minęło pół godziny! Wstawaj, bo jeszcze trochę i dzień się skończy. Najprawdopodobniej jutro na obiedzie będzie Janek. Zaprosiłam więc Justynę i ciotki. Wstawaj! W tym tygodniu nawet palcem w domu nie kiwnęłaś. Na meblach kurz, po podłodze koty fruwają, na wannie zalega firanka, brudy już wychodzą z kosza – histeryzowała mama.

Fruwające koty, niewywieszona firanka, wysypujące się brudy, istny dom wariatów! – myślała z ogromną niechęcią, by wstawać o poranku.

– Mamo, litości! Ja mam sesję! – nakryła głowę poduszką, wiedząc, że na niewiele się to zda.

– Wiem, dlatego nic nie mówię!

Akurat: „nic nie mówię"! – westchnęła w duchu. Zrezygnowana zdjęła z głowy poduszkę i cisnęła nią na usłaną książkami podłogę. Podgłówek po drodze przewrócił z łoskotem kilka kubków na blacie biurka. Na szczęście kubki były puste, ale hałas wystarczył, by mama znów nad nią wyrosła.

– Wstawaj natychmiast! Pamiętaj, że nie pozwolę ci stąd wyjść, dopóki się z tym nie uporasz! – gdyby spojrzenie mamy mogło zabić, to ona byłaby już nieżywa.

Ale żyła i cieszyła się, że tym razem słowo „burdel" nie chciało przejść mamie przez usta.

– Noce są już zimne, a ty śpisz w takim łaszku!

Spojrzała na siebie przychylnym okiem. Spała w rozciągniętym podkoszulku, który kiedyś należał do Janka. Cóż mogła poradzić na to, że do damy było jej daleko. I to nie tylko za dnia, ale również nocą.

– Mamo, proszę cię! – poczuła się nieswojo, czując na sobie baczne, świdrujące spojrzenie mamy.

Miała na sobie tylko cienki podkoszulek, miejscami dość mocno zniszczony przez upływ czasu. Pod spodem ani skrawka bielizny.

– Ale ty jesteś zgrabna. Po ojcu. On taki był. Jakby go ktoś wyrzeźbił… – w głosie mamy było sporo zachwytu, ale mimo to córka wiedziała, że w jej przypadku takie wspomnienia wcale nie zwiastują nic dobrego. W końcu tego ranka nie miały się relaksować, tylko od razu przejść w stan pełnej mobilizacji.

– Mamo, proszę…

Ze wstydem zakryła biust rysujący się bardzo wyraźnie pod przezroczystą bawełną. Nie znosiła takich zawstydzających sytuacji.

Co prawda mamie prawie wcale się nie zdarzały. Za to ciotka Klara, ta była straszna. Komentowała każdy szczegół jej urody nawet teraz, kiedy etap przeobrażania się z podlotka w kobietę miała już za sobą.

Mama posłuchała jej prośby, zniknęła za drzwiami i zaczęła tłuc kuchennymi sprzętami. Tymczasem ona przemknęła do łazienki, która rzeczywiście tonęła w brudach, ale doprowadzić do takiego stanu niecałe dziesięć metrów kwadratowych nie było przecież trudno. Mama jak zwykle miała rację, i to w obu kwestiach. W domu panował, delikatnie rzecz ujmując, rozgardiasz. A koszulka, którą teraz widziała w zabrudzonym lustrze łazienkowym, rzeczywiście nadawała się tylko na parne i gorące noce. Patrzyła na dziewczynę stojącą po drugiej stronie lustra. Wpatrywała się w ciemną szatynkę. Szyję miała ładną, taką smukłą. Nigdy nie spodziewała się tak dużego biustu, a tu proszę. Wyrósł bez konsultacji z nią. Wyglądał tak, że sprawiał jej radość. Mocno zaznaczał swoją obecność pod cieniuśkim materiałem.

Taka dziewczyna się marnuje! – gdzieś z tyłu głowy usłyszała skrzeczący głos ciotki Klary, zaprowadzający ją za każdym razem na skraj wytrzymałości. Chciała wykrzyczeć jej w twarz to, że jeżeli biustu kobiety nie dotyka żaden mężczyzna, to nie oznacza jeszcze, że ona się marnuje.

– Zemdlałaś tam?! – tym razem w głosie mamy wcale nie kryła się troska, tylko sugestia, by porannej toalecie nadać odpowiednie tempo.

– Już, już...! – oderwała wzrok od zabrudzonej powierzchni lustra, w którego odbiciu zobaczyła kogoś, kto pomimo zmęczenia dość dobrze wyglądał. Ucieszyło ją to spostrzeżenie, i to bardzo. Pomyślała, że byłoby całkiem miło, gdyby ją też ktoś zaprosił do teatru albo do kina, lub przynajmniej na spacer, nawet na mrozie. Chciała pospacerować z kimś za rękę. Marzyła, by ktoś ją przytulił, pocałował, niekoniecznie do utraty tchu. Przyłapała się na myśli, że pragnęła przejrzeć się w męskich oczach. Miała ochotę wpatrywać się w nie dokładnie tak, jak nakazywała to wczoraj Neli.

– Może zaprosisz jutro na obiad Nelę – zaproponowała mama, przynosząc odkurzacz do przedpokoju. Może nawet dobrze się złożyło, że ma dziś wyjątkowo wolną sobotę. Było to możliwe dzięki temu, że znów zatrudniono kogoś nowego do jej biblioteki. – Niech dziewczyna zje coś porządnego. Przecież nie samą nauką żyje człowiek. Posiedzi z nami. Porozmawiamy. Pośmiejemy się.

– Zaposze... – odpowiedziała niewyraźnie, bo inaczej się nie dało, trzymając szczoteczkę do zębów w ustach.

– Tylko mi się teraz nie kąp. Wykąpiesz się, jak już uwiniemy się z robotą.

Marzyła o wolności. O tym, że może się kąpać, kiedy ma na to ochotę. Sprzątać, kiedy jej się zachce. Może wszystko robić tak, jak chce. Wolno jej samodzielnie planować pracę wedle własnego widzimisię. Ale póki co mogła tylko o tym pomarzyć, bo rządziła mama.

– Co ugotujemy? – zapytała z zaciekawieniem zza drzwi łazienki. Swoim pozytywnym nastawieniem chciała zadbać o dobrą atmosferę, która mogła osłodzić pracę.

– Tak się właśnie zastanawiam – zamyśliła się mama. – Janek lubi kapuśniak. To byłoby świetne danie na rozgrzanie po mszy, na której oczywiście przemarzniemy do szpiku kości. Ale chłopcy Justynki kwaśnicy nie ruszą. A jeśli ugotuję rosół, to Justyna pogniecie makaron i marchewkę widelcem, więc się chłopcy najedzą. Krzysiek też pewnie rosół woli.

Kuchenne dylematy mamy były zawsze bardzo poważne.

– Masz babo placek – westchnęła mama.

– A jakie ciasto? – zapytała, by na chwilę uciec od trudnego zagadnienia doboru zupy.

– Tu nie ma kłopotu. Upiekę sernik. Wszyscy go lubią. Na pół blachy nałożę brzoskwiń. Kto będzie chciał, zje z brzoskwiniami, a kto woli bez, ten ukroi sobie kawałek bez.

– A na drugie? – zapytała.

Jednak nie było już szans, by usłyszeć odpowiedź. Odkurzacz buczał, a jego kółka dudniły po podłodze, która była kiedyś eleganckim dębowym parkietem, a teraz po prostu klepką podniszczoną wieloletnim użytkowaniem. Wykorzystała hałas oraz chwilowy brak nadzoru i przekręciła zamek w drzwiach łazienki. Chciała ukryć swą krnąbrność, ponieważ na przekór mamie zapragnęła oblać swe zmarznięte i głodne męskiego dotyku ciało gorącą wodą.

Każdy ma takie pieszczoty, na jakie w danej chwili może sobie pozwolić! – pomyślała gorzko i odkręciła kran z gorącą wodą, na którą oczywiście musiała trochę poczekać. Tęsknoty by nie istniały, gdyby na ich spełnienie nie trzeba było poczekać. Po chwili czuła już na plecach gorący dotyk. Nie chciała zastanawiać się zbyt długo nad tym, jak wiele ma, a jak wiele jej jeszcze brakuje. Zabrała się więc do rzeczy bardziej prozaicznych. Wolała przemyśleć drugie danie. Z tym nie było żadnego problemu, wszak od rodzinnych tradycji odstępować nie należy. Przygotują schabowe, utłuczone jak się patrzy. To jest to! Dawniej schabowe tłukła Justyna, a teraz ona, bo mama nie miała już tyle siły, chociaż zwykle udawała, że właśnie ma się zabrać do ubijania kotletów, tylko akurat zawsze coś jej wypadało. Wtedy prawie wszyscy mieszkańcy bloku mogli usłyszeć jej słowa: „Julka, nie gap się jak wół na malowane wrota, tylko chwytaj tłuczek, bo ja jeszcze muszę cebulę drobniutko pokroić do kapusty kiszonej, a żeby lepiej smakowała, to jeszcze może marchewki trochę zetrę…". I tak dalej, i tak dalej…

Wieża Babel! – pomyślała, patrząc na stłoczonych przy jednym niezbyt dużym stole członków swojej rodziny. Atmosfera panująca właśnie w dużym pokoju dowodziła tego, że syndrom wieży Babel może zaistnieć nawet wówczas, gdy wszyscy mówią tym samym językiem. Było głośno, więc wolała się nie odzywać. Obserwowała tylko chaos przy stole i wsłuchiwała się w coś, czego z pewnością nie można było nazwać rozmową. Wszyscy mieli coś do powiedzenia. Każdy wypowiadał swe zdanie, dzielił się własnymi przemyśleniami na przeróżne tematy. Mówili w tym samym języku, ale o jakimkolwiek porozumieniu nie mogło być mowy. Mama biegała między pokojem a kuchnią, oczywiście nie pozwalając sobie pomóc. Przynosiła drugie danie i wciąż obwieszczała głośno, co zaraz poda. Krzychu póki co uciekł od gwaru przy stole i niezbyt umiejętnie ukrywał się za firanką, rozmawiając z kimś przez telefon, niechybnie na tematy zawodowe. Justyna wściekła się na zachowanie Krzycha, poza tym usiłowała zapanować nad wrzaskiem Tymka i szermierką widelcem w wykonaniu starszego syna. Jak zwykle udawało jej się to gorzej niż średnio. Ciotka Klara fukała na prawo i lewo, dziwiąc się, jak można mieć takie niegrzeczne, hałaśliwe i ruchliwe dzieci. Nie przeszkadzało jej to w tym, by nie czekając na innych gości, nakładać sobie na talerz to, co przynosiła jej młodsza siostra, jakby w obawie, że może czegoś zabraknąć, chociaż jedzenia w tym domu nie zabrakło jeszcze nigdy. Ciotka

Marianna siedziała skulona, tak by nikomu nie przeszkadzać. Zajęła miejsce w rogu stołu i wpatrywała się w całe towarzystwo z dobrotliwym uśmiechem. Podobnie jak jej najmłodsza siostrzenica kompletnie wyłączyła się z panującej wrzawy. Janka niestety dziś zabrakło. Rano zatelefonował, że jednak musi zostać w parafii, bo proboszcz zaniemógł. Mama okupiła ten telefon ponad godziną płaczu, ale teraz już na powrót była w swoim żywiole. Łzy bardzo jej pomagały, gdy rzeczywistość jak na złość nie chciała spełniać jej wymagań.

Siedziała sobie przy stole. Była trochę zła, że mama nie pozwalała sobie pomóc, mimo że córka wielokrotnie to proponowała. Spoglądała to tu, to tam. Nie dziwiła się niczemu. Nie przeszkadzał jej wrzask maluchów, fochy siostry ani gderanie ciotki. Od czasu do czasu spotykała wzrok swej matki chrzestnej. Wymieniały wtedy uśmiechy i spojrzenia, rozumiejąc się bez słów.

– Zupełnie nie rozumiem, dlaczego to dziecko tak wrzeszczy – po raz kolejny komentowała ciotka Klara, nie bojąc się spojrzenia Justyny, które nabierało morderczego charakteru.

Bo dzieci to nie koty! – odpowiadała w duchu na pytanie ciotki, obiecując sobie, że za nic w świecie nie wypowie tych słów na głos.

– Ale tu pięknie pachnie! – zachwycił się smakowitym zapachem obiadu Krzychu, wracając do towarzystwa z konferencji odbytej na osobności.

– Proszę! – Justyna natychmiast obarczyła go obowiązkiem pilnowania starszego syna. – Tylko uważaj na oczy, bo nie daje sobie zabrać tego widelca!

Krzysiek zachowawczo odsunął głowę od uzbrojonej ręki syna.

– Na jego oczy uważaj! – wrzasnęła Justyna.

Tego nie wytrzymała i parsknęła śmiechem.

– I z czego się szwagierka śmiejesz? – usłyszała jedyny męski głos w tym towarzystwie. Brzmiał bardzo sympatycznie, choć pytanie z pozoru wydawało się zupełnie niesympatyczne.

Wymienili ze szwagrem spojrzenia. Postarała się przekazać mu, by spojrzał na twarz ciotki Klary, bo ta miała taką minę, że koń by się uśmiał. Na żabocie jej staromodnej bluzki zostały ślady po oblanym masłem ziemniaku, który brudząc wszystko jak leci, turlał się teraz po obrusie. Łakomstwo ciotki nie znało granic.

– Proszę! – mama postawiła na stole już ostatni półmisek i wyciągnęła ręce po Szymka, który widząc to, natychmiast zrezygnował z naprawdę niebezpiecznej zabawy widelcem i cisnął nim o podłogę. Z chęcią uwolnił się z obezwładniających go objęć taty, wybierając przyjemnie kołyszące ramiona babci.

– Chodź do babci, chodź, mój ty szkrabie kochany, a tatuś niech zje, póki wszystko ciepłe.

Nic dziwnego, że na te słowa Krzychu rozpromienił się i posłał teściowej rozanielone spojrzenie. Miał chłopak szczęście. Trafiła mu się naprawdę fajna teściowa. Pomocna i oddana. Pokazywała mu najczęściej tylko dobre oblicze. To gorsze rezerwowała dla swych córek.

Widziała, że siostra wkurza się na ewidentny brak równouprawnienia w rodzinie, więc również wstała od stołu, by Justyna też mogła w spokoju cieszyć się ciepłą strawą.

– Chodź do cioci... – wyciągnęła ramiona ku wrzeszczącemu bez przerwy Tymkowi.

Mały jednak nie miał ochoty na taką zamianę. Nie spuścił z tonu, tylko wtulił się w mamę, która w tej sytuacji mogła tylko wzrokiem pożerać smakołyki ze stołu.

– No chodź do cioci... – przekonywała przymilnym głosem małego siostrzeńca. – Chodź, ciocia ci pokaże auta na ulicy.

Wiedziała doskonale, w którą strunę uderzyć, bo Tymek uspokoił się natychmiast i od razu wyciągnął do niej ręce. Przejęła zatem z rąk siostry słodki ciężar, który na szczęście zdążył już zamilknąć, i ruszyła z nim w kierunku okna.

Po chwili Tymek siedział już na szerokim plastikowym parapecie, a ona, nie bacząc na muskającą jej twarz firankę, odezwała się przez ten woal do mamy.

– Mamo, daj mi tu też Szymka, a sama siadaj i jedz.

Gwar przy stole ustał. Wszyscy pałaszowali z apetytem to, co przygotowała mama, która stanęła teraz za jej plecami.

– Tak się urobiłam, że mi się nawet jeść nie chce – stwierdziła mama.

Cała mama! – pomyślała, czując jednocześnie podziw i niechęć. Podziw miała dla mamy za to, że ta naprawdę robiła wszystko dla innych, choć zwykle robiła to kosztem własnego czasu i zdrowia. Niechęć żywiła z kolei do tych chwil, kiedy górę brała w mamie jej cierpiętnicza natura.

– Dawaj mi go tu, i to szybko! – odsłoniła firankę, za którą stała, i Szymon z radością dołączył do młodszego brata oblizującego właśnie zimną, lecz nawet czystą szybę.

Mama, słysząc jej nieznoszący sprzeciwu ton, nie oponowała.

– No dobrze. Ja zjem teraz, a później cię zmienię.

Nie odpowiedziała, zasłoniła firankę i musiała dla utrzymania drogocennej atmosfery spokoju szybko zająć się czym innym. Przyjęła dość niewygodną pozycję i pochylona obejmowała siedzących na parapecie chłopców, jednym ramieniem Szymka, drugim Tymka. Chłopcy, jak na braci przystało, z podobnym wyrazem twarzy oraz czołami przyklejonymi do szyby, spoglądali tak samo zaciekawieni w dół. Tam, sześć pięter niżej, widzieli ulicę, na której ruch, zwykle przez nią znienawidzony, teraz okazywał się bardzo pomocny.

– I co my tu mamy? – zapytała, patrząc na ciągnący się po asfalcie sznur samochodów. – Same cuda – sama odpowiedziała sobie na pytanie, bo póki co chłopcy nie palili się do rozmowy.

Szymon mówił dużo, ale znał tylko pojedyncze słowa, a Tymkowi trudno się było porozumiewać ze światem, bo najczęściej w buzi trzymał własną pięść lub inne ciekawe przedmioty. W tej chwili też chował w swej jamie ustnej pulchne paluszki, ale na szczęście siedział grzecznie. Nie wierzgał nogami, choć to bardzo lubił.

– Zobaczcie, chłopcy, jakie ładne czerwone auto. W dodatku jak szybko jedzie, oj, chyba się kierowca wcale pana policjanta nie boi. A musicie wiedzieć, że pan policjant na ulicy jest bardzo ważny, bo porządku pilnuje. I jak złapie takiego pirata drogowego, to mu taki mandat przysoli, że kierowca jak nic wyląduje w pudle.

– Julka, na Boga! Co ty za bzdury dzieciom opowiadasz! – zagrzmiała mama.

– Pozwalam im opowiedzieć nawet *Egzorcystę* – zainterweniowała Justyna – byle tylko ta cisza trwała jak najdłużej.

– O, chłopaki, patrzcie... A tam, w tym niebieskim, to musi jakiś nadziany gość jechać, bo na taką furę nie każdy może sobie pozwolić – do dzieci mogła mówić bez ogródek to, co myśli.

– Julka, no proszę cię, przestań! Co ty wygadujesz? – mama zachowywała się tak, jakby ją zżerała zazdrość o to, że to nie jej udało się okiełznać rozwrzeszczanych wnuków.

– A niech tam! Najważniejsze, że cisza jest! – tym razem swoje zadowolenie wyraziła ciotka Klara, która zaspokoiwszy pierwszy głód, postanowiła wykorzystać tę chwilę spokoju na swe hipochondryczne biadolenie. – Do lekarza muszę znowu iść, bo mnie tak ostatnio stawy bolą! Zaczynam się obawiać, że na starość sama nie dam rady ani widelca, ani łyżki w ręce utrzymać.

– To widocznie masz jeszcze sporo czasu, bo póki co świetnie dajesz sobie radę ze sztućcami – odezwała się w końcu ciotka Marianna, nie bojąc się między wierszami skrytykować obżarstwa starszej siostry, która pomimo swych wielu wyimaginowanych przypadłości gastrycznych wpychała w siebie, co tylko się dało, i to w nieograniczonych ilościach. Co gorsza, nie ponosiła tego żadnych konsekwencji, ponieważ nigdy nie grzeszyła nadwagą. Ale tylko nadwagą.

Niezmiennie dziwiło ją, że ciotka Klara od zawsze była staruszką. Tak samo jak dziesięć lat temu, a nawet i dwadzieścia. Ciotka Klara staruszką się już chyba urodziła, w dodatku stetryczałą i za dużo gadającą, dokładnie tak jak teraz.

Starała się nie słuchać lamentów dochodzących zza firanki, tylko maksymalnie wydłużać chwilę wolności młodych rodziców, a zwłaszcza Justyny. Wiedziała, że zaraz panowie, których przytrzymywała na parapecie, mając w brzuszkach pełno pysznego rosołu babci, zostaną uśpieni, tak że podczas deseru ona będzie mogła w końcu zjeść drugie danie.

– O, a tam jedzie ciężarówka! Patrzcie, chłopcy, cała biała. A zaraz za nią furgonetka. Zielona. Pewnie wojskowa. Może nawet na pace siedzą żołnierze. A tam, zobaczcie, jakiś pan się przewrócił. Nie uważał i zrobił „bam". Widzicie, jak się idzie, to trzeba uważnie patrzeć pod nogi, zwłaszcza zimą, kiedy chodniki są śliskie. A teraz wszystkie auta muszą się zatrzymać, bo ludzie przechodzą na drugą stronę ulicy. Patrzcie, ile kolorowych aut. Czerwone, białe, czarne – wymieniała kolory coraz spokojniejszym i cichszym głosem, bo czuła, że małoletni bohaterowie są zmęczeni. Jeśli więc przedłuży tę wyliczankę kolorów, to zmiękczy ich do tego stopnia, że zapakowanie jednego do wózka, a drugiego do łóżka nie będzie stanowiło żadnego problemu. Tymek już coraz częściej tarł oczy, a jego oparta o szybę główka zaczynała powoli opadać.

– I teraz żółty pojechał, a za nim taki brudas, że nie wiadomo jakiego jest koloru. A teraz jakaś ciężarówka z szarą plandeką. Za nią jakiś mały i śmieszny samochodzik bez bagażnika, jakby mu tyłu zabrakło. No, taki bezdupnik.

– Julka! – mama wciąż podsłuchiwała, zupełnie nie zdając sobie sprawy, jaki kawał dobrej roboty odwalało w tej chwili jej najmłodsze dziecko.

– Ciii... – posłała mamie groźne spojrzenie przez firankę, a ta dopiero domyśliła się, o co chodzi. – A za maluchem stoi karetka pogotowia. Mamy szczęście, że nie na sygnale, bo gdyby zawyła, to cała moja gadka poszłaby na marne. Za karetką nie zatrzyma się już nic, bo samochody właśnie ruszają. Powoli, bardzo powoli, bo jest strasznie ślisko. Samochody toczą się przed siebie – mówiła coraz wolniej, coraz ciszej i przeciągała niektóre sylaby w wyrazach, a znała się na tym jak mało kto.

Przy stole na wyraźne polecenie mamy zapanowała cisza. A ona, na złość ciotce Klarze, kontynuowała swą ślimaczącą się coraz wolniej opowieść o ulicy kilka pięter niżej.

– Toczy się ciężarówka, a za nią furgonetka, za furgonetką czerwone auto, a za nim białe, potem czarne, no i żółte, za nimi brudas nie wiadomo jakiego koloru i... Justyna... – szepnęła, bo Tymek zasnął już na amen, a Szymon za chwilę miał pójść w ślady brata.

– Normalnie cudotwórczyni – szepnęła do niej Justyna i delikatnie zabrała Tymka z parapetu. – Mogę postawić wózek w twoim pokoju? – zapytała cicho.

– Jeśli ci się uda, to proszę – odpowiedziała z uśmiechem.

Gdy Justyna wyszła z pokoju, ona nachyliła się nad Szymonem i mruczała mu do ucha jakąś już niezbyt sensowną opowieść drogi na zmianę z wyliczanką samochodów, by po chwili wziąć malca na ręce. Szymek wtulił twarz w jej szyję i jeszcze przez moment marudził. Po chwili już usypiał, ale... Niestety ciotka Klara nie wytrzymała. Musiała się odezwać! Na szczęście Szymonowi było już wszystko jedno, bo zdążył zasnąć snem kamiennym, a ciotkę i tak wszyscy zignorowali. Nawet mama.

– Śpi – usłyszała za sobą szept mamy. – Zanieś go też do siebie, tam będzie najciszej.

W tej samej chwili cisza dobiegła końca, bo mama szarpnęła za firankę, chcąc ją zasłonić, a metalowe żabki zagruchotały metalicznym brzękiem. Szymon natychmiast podniósł główkę i popatrzył na nią z przestrachem w już zaspanych oczkach.

– Śpij – poprosiła go bardzo łagodnie.

Posłuchał od razu. Mama zniknęła w kuchni, jakby uciekając przed konsekwencjami swego braku ostrożności. Natomiast ona pękała z dumy przed wszystkimi zebranymi wokół stołu. Najbardziej z przebiegu wypadków cieszyli się Justyna i Krzychu, Krzychu chyba nawet bardziej niż Justyna. Był jej ulubionym szwagrem i to wcale nie dlatego, że innego nie miała. Darzyła go sympatią od samego początku. Miała do niego szacunek z kilku powodów. Pierwszy i bardzo ważny był taki, że Krzychu potrafił okiełznać jej starszą siostrę, co z pewnością nie było łatwe. Po drugie, miała go za faceta z charakterem, bo robił zwykle więcej, niż mówił. I co najważniejsze, potrafił tak samo jak ona zgadzać się ze wszystkim, co słyszał od kobiet siedzących teraz przy stole, a tak naprawdę miał te słowa w głębokim poważaniu albo – jak kto woli – w głębi... serca.

Drzwi do jej pokoju były uchylone, udało się jej wejść i nie wpaść na wózek, który prawie całkowicie wypełniał mikroskopijną przestrzeń. Pokój z jednej strony ograniczany był przez szafę i regały z książkami, z drugiej – przez kanapę, a z trzeciej przez biurko stojące tuż po oknem. Zamyślona Justyna stała oparta o biurko.

– Tu go połóż – wskazała na prowizoryczne legowisko.

Zdążyła już przygotować małemu leżankę z kołdry, jaśka i kocyka, który towarzyszył Szymkowi w każdej, nawet niezbyt dalekiej podróży. Nie miała zbytniej wprawy, ale nachyliła się nad legowiskiem i powoli odkleiła od siebie malucha, który cichuteńkim jęknięciem zareagował na zmianę pozycji. Matczyna dłoń, położona od razu na jego malinowym i rozgrzanym policzku, ukoiła ten jęk w mgnieniu oka.

– W końcu chwila spokoju – szepnęła z wielką ulgą Justyna. – Dzięki ci bardzo.

Uśmiechnęła się z dumą, bo tej chwili odpoczynku siostra mogła zażywać między innymi dzięki niej.

– Chodź, idziemy jeść, może ciotka Klara nie zdążyła jeszcze wszystkiego zmieść z talerzy – zaproponowała, bo zaczął jej doskwierać głód.

– A możemy za chwilę? – poprosiła Justyna.

– Pewnie! Czemu? – zapytała konkretnie, bo z Justyną można było, a nawet należało tak rozmawiać.

– Wiesz, że mama ciągle kręci nosem na ten nasz wyjazd bez dzieci – w głosie Justyny dało się słyszeć niezrozumienie dla matczynego zachowania.

– Chyba nie myślałaś, że pochwali was za to, iż organizujecie sobie *sex trip* w Barcelonie, a jej chcecie zostawić dzieciaki. Ale nie przejmuj się. To tylko takie gadanie. Na twoim miejscu nie brałabym sobie tego jej kręcenia nosem do serca. Ona pogada, pomarudzi, ale dziećmi i tak się zajmie. Ten typ tak ma. Nie martw się, jakby co będę ratować sytuację. Rozumiem, że to już za tydzień.

Justyna skinęła głową, a w jej oczach na samą myśl o wyjeździe zagościł młodzieńczy blask, taki, jakiego dawno w nich nie było. Bardzo ucieszyła ją radość siostry, nawet bardziej niż zdany egzamin, i to nie z byle przedmiotu!

– Przywieziesz chłopaków tu czy…

– Wolałabym, żeby zostali w domu – powiedziała Justyna. – Wiesz, byłoby mniej zamieszania. Wszystko tam jest pod ręką. Spakowanie ich to makabra. Poza tym w domu będą spokojniejsi…

– Wiem, wiem – weszła siostrze w słowo. Zresztą stale nawzajem wchodziły sobie w słowo, ale obie miały dla siebie tyle wyrozumiałości, że żadnej to zupełnie nie przeszkadzało. – Nie myśl tylko o tym za dużo. To tylko trzy dni. Nie martw się. Przecież wiesz, że pomogę.

– I tak będę o tym myślała… – blask w oczach Justyny przygasł.

– Gdzie wy się podziewacie? – mama stanęła na progu stołowego i za nic mając sobie sen wnuków, nawoływała córki do stołu.

– Już jesteśmy! – zameldowała się szybko i nie oglądając się na Justynę, zajęła miejsce przy stole, tym razem obok ciotki Marianny.

– To czego mam sobie, ciociu, nałożyć? – zapytała, uśmiechając się do najcichszej osoby w rodzinie.

– Wszystkiego – odpowiedziała ciotka, odwzajemniając uśmiech.

Widziała, jak znacząco ciotka Marianna zerka teraz na ciotkę Klarę, zajadającą się już pewnie kolejną repetą obiadu. Ciotka Marianna pewnie go tylko nieśmiało uszczknęła.

– Co ty jesteś taka tajemnicza? – usiłowała namówić Nelę do zwierzeń na temat piątkowego wieczoru spędzonego w teatrze u boku Xawerego.

– Napracowałaś się w piątek? – zapytała Nela, zupełnie nie wyczuwając, że poważnie naraża się tym pytaniem przyjaciółce. A jeszcze bardziej narażała się trzymaniem w tajemnicy przebiegu swojej pierwszej randki.

– Tak jak zwykle – odpowiedziała wymijająco.

– O matko! – Nela załamała ręce.

Śmiesznie wyglądała w tej pozie w otoczeniu otwartych zeszytów i książek. Właśnie za chwilę miały zacząć naukę do kolejnego egzaminu. To znaczy, ściśle rzecz ujmując, udało się jej namówić przyjaciółkę do wspólnego zakuwania. Na szczęście Nela wszystkie wymagane treści opanowała już do perfekcji, więc czekały ją przyjemne korepetycje z dość łatwym materiałem i obeznaną w temacie nauczycielką.

– Narobiłam się za nas dwie, to mi się chyba teraz coś należy – zasugerowała, znów nawiązując do piątkowej randki z Xawerym.

– Dobrze, to następnym razem sprzątam sama – Nela chyba nie miała zamiaru puścić pary z ust.

– Nie ma mowy! – spiorunowała przyjaciółkę wzrokiem, mając nadzieję, że Nela wystraszy się tej otwartej konfrontacji. – Sprzątamy razem i koniec. Chyba że w ten piątek się okaże, że muszę pomóc mamie przy chłopcach Justyny. Ale jeśli babcia sama da sobie radę z wnukami, to sprzątamy w takim samym układzie jak zwykle. Harujemy razem.

Wciąż wpatrywała się w Nelę, a ta nic. Milczała jak zaklęta.

– Sztuka była fajna? – zapytała, nie dając zbić się z tropu.

– Tak, ale nie mogłam się za bardzo skupić – Nela w końcu uchyliła rąbka tajemnicy. Od razu zaczęła też nerwowo wertować zeszyt zapisany jej ładnym pismem.

– Chyba teraz też masz z tym kłopot – trafiła w punkt, bo w końcu Nela na nią spojrzała.

– Po prostu nie wiem, co mam ci powiedzieć – szepnęła przyjaciółka i niestety znów zamilkła.

Ciszy, która zapadła, nie śmiał nawet zakłócić odgłos płatków śniegu, którymi wiatr smagał okna jej pokoju. W domu panował niczym niezmącony spokój, bo mama spędzała wieczór na szkoleniu z bibliotekoznawstwa.

– Najlepiej, gdybyś mi powiedziała, że zaciągnął cię do łóżka – podpuszczała przyjaciółkę.

Nela spojrzała na nią z ukosa.

– Tego ode mnie nie usłyszysz ani dziś, ani nigdy.

– Lepiej nie udawaj świętszej, niż jesteś – poradziła przyjaciółce i zamilkła, wyczekując choćby skrawka zwierzeń.

Chyba na próżno.

– Ja tu czekam! – apelowała o szczerość, oczywiście bezskutecznie. – No proszę cię, wyduś coś z siebie. Za rękę cię chwycił? A może położył ci dłoń na kolanie albo pocałował cię tak, że języka w gębie, przepraszam, w buzi zapomniałaś.

Nela zupełnie nieoczekiwanie wybuchła śmiechem. Tego się po niej nie spodziewała, bo widok beztrosko śmiejącej się Neli należał do rzadkości. Taka spontaniczna radość jeszcze tylko dodawała przyjaciółce i tak niekłamanego czaru. Dołki w jej policzkach miały w sobie tyle uroku, że to chyba niemożliwe, by Xawery zakończył teatralny wieczór tylko i wyłącznie przelotnym pożegnaniem. Coś było na rzeczy! To dlatego Nela tak dziwnie się zachowywała. Na pewno! Głośny śmiech przyjaciółki zamienił się w rozmarzony uśmiech.

– Przepraszam, czy ja powiedziałam coś śmiesznego? – zapytała bardzo poważnie.

Nela, zaprzeczając zdecydowanym ruchem głowy, ponownie parsknęła śmiechem.

– Jeżeli myślisz, że dzięki temu idiotycznemu chichotowi nie będziesz musiała mi opowiedzieć, co się wczoraj między wami działo, to jesteś w błędzie. Śmiej się, ile wlezie, proszę bardzo. Śmiech to zdrowie. Ja mam czas. Poczekam cierpliwie, aż się uspokoisz – kłamała jak z nut, czasu bowiem nie miała zbyt wiele, bo do egzaminu zostały już tylko dwa dni, a ten już prawie chylił się ku końcowi. – No mów! – podniosła głos, udając, że traci cierpliwość.

– To mówisz, że masz czas? – zapytała błyskotliwie Nela.

– Czas to pieniądz! – podsumowała, tym razem symulując wybuch złości. – Jeśli chcesz, żeby twoja najlepsza koleżanka dostała konieczne jej do życia stypendium naukowe, to powinnaś już ją uczyć, a żeby zacząć korepetycje, musisz opowiedzieć jej o wieczorze z Xawerym, bo inaczej w ogóle nie będzie mogła skupić się na nauce.

– Skoro jest to warunek konieczny… – zaczęła Nela ostrożnie.

– Całowałaś się? – zapytała prosto z mostu.

– Nie – odpowiedziała od razu Nela, zupełnie nie budując dramaturgii chwili.

– Ale z ciebie jest … – przemilczała teraz wszystkie obelgi cisnące się jej na usta.

– Nie całowałam się, tylko Xawery mnie pocałował.

A jednak mam nosa! – pomyślała z zadowoleniem, ale wolała się nie odzywać, nie chcąc przerywać przyjaciółce wywodu. – *Ta to potrafi zbudować dramaturgię...* – wciąż rozmawiała ze sobą w duchu, ale nie odezwała się ani słowem, tylko czekała na to, co powie przyjaciółka. Napięcie nadal rosło, a Nela budowała je, wciąż niczym się nie przejmując.

– I co? – zapytała w końcu, obruszając się, i to nawet na poważnie.

– Jak to co? – Nela udawała, że nie rozumie. – Przecież na pewno wiesz lepiej ode mnie, jak to jest...

– Co rozumiesz przez to – cytuję: – „lepiej ode mnie"? – spytała na dobre rozeźlona, nie dając się tak łatwo obłaskawić.

– Myślę, że statystycznie rzecz ujmując, robiłaś to w życiu więcej razy niż ja.

– A to z jakiego powodu?

– Bo w twoim mieście było pewnie wielu zapatrzonych w ciebie chłopaków, a u mnie na wsi było ich nie tak dużo, a zapatrzonego we mnie to ani jednego!

– Boże! Co to w ogóle za statystyka?! – zagrzmiała. – Przestań mydlić mi oczy, tylko coś opowiedz!

– Uwaga! Mam zamiar coś opowiedzieć! – Nela nie była sobą, naprawdę. – Ma usta dużo bardziej miękkie od... mojego policzka.

Otworzyła szeroko oczy, zrozumiawszy, skąd wzięły się wcześniejsze chichoty przyjaciółki.

– Policzek? – zapytała. – Pocałował cię w policzek?! – powtórzyła z niedowierzaniem.

Nela skinęła głową, ale rozanieliła się tak, jakby Xawery wycałował każdy skrawek jej ciała. Mięciutkiego ciała. Nawet małe stopy.

– Ale był jakiś erotyczny podtekst? No chyba tak! – skonstatowała, widząc rozkochany wzrok przyjaciółki.

– Chyba był... – przyznała w końcu bez specjalnych oporów Nela.

– To teraz pamiętaj, już nigdy nie daj ciała! – zaczęła wykład z przygotowania do życia w rodzinie i zaraz się za to skarciła. – Nie, co ja plotę! Właśnie daj ciała! – to chyba z radości z powodu szczęścia Neli nie potrafiła zebrać myśli ani składnie się wypowiedzieć. – Chodzi mi o to, żebyś kuła żelazo, póki gorące... Mam nadzieję, że rozumiesz, co mam na myśli – spojrzała na Nelę wyczekująco.

– Znamy się już trochę – powoli zaczęła Nela – więc obawiam się, że rozumiem cię, obawiam się nawet, że aż za dobrze cię rozumiem.

Na słowa przyjaciółki uśmiechnęła się z ulgą, ale wbrew pozorom wcale nie wyobrażała sobie Neli i Xawerego nagich w miłosnym uścisku, tylko pomyślała o czymś zgoła innym.

I bujaj się, doktorku! Nela wyleczona! – przyszło jej do głowy.

– A tak *à propos* kucia... – zaczęła ostrożnie Nela i spojrzała bardzo wymownie na swe notatki zapisane drobnym maczkiem.

– Jestem gotowa! – głośno i wyraźnie wyraziła swój zapał do nauki.

Miała pewność, że Nelę z Xawerym na razie łączy tylko niewinne uczucie. Ale miała też niczym niezmąconą intuicję, że w przypadku tych dwojga niewinność okaże się doskonałym początkiem prawdziwej frywolności... Myślała teraz o różnych odcieniach miłości, nie było dwóch takich samych, ale wszystkie smakowały równie dobrze. Zatopiła się w marzeniach, trochę o Neli, trochę o sobie. Westchnęła za głośno, przez co przyjaciółka zauważyła jej bujanie w obłokach.

– Mówiłaś, że jesteś gotowa! – Nela zgromiła ją lekko, choć nie leżało to raczej w jej naturze.

– Jestem, jestem… – tłumaczyła się bez przekonania.

Miała teraz bowiem ochotę nie na naukę, tylko właśnie na tę frywolność. Gdyby spotkało ją choćby jedno spojrzenie, ale przynajmniej subtelnie frywolne.

– To zaczynamy! – Nela była nieugięta. – Żeby zdać co najmniej na cztery, musisz nauczyć się tego, co zaznaczyłam na niebiesko – objaśniła swe konkretne wymagania Nela. – Ale żeby było ci łatwiej to przyswoić… – zerknęła na przyjaciółkę i uśmiechnęła się jednocześnie – to trochę ci to wszystko wytłumaczę…

– Tak naprawdę to wystarczy mi trzy… – z rozbrajającą szczerością scharakteryzowała swe chwilami dosyć umiarkowane ambicje.

Nela zachowała spokój ducha.

– Trzy – zaczęła właśnie bardzo spokojnie – to dostajesz wtedy, gdy nie da się nauczyć na więcej. A skoro możesz mieć cztery, to nie rozumiem, dlaczego miałabyś nie spróbować – ciągnęła Nela, popadając w ton nudziary.

– Mogłabyś nie przynudzać? – jej głos brzmiał całkiem inaczej od tego, którym przed chwilą odezwała się przyjaciółka.

Zresztą zawsze mówiły innym tonem, ale nie przeszkadzało im to w końcu dojść do porozumienia. Zawsze potrafiły się zrozumieć, pewnie dlatego, że obie bardzo tego pragnęły. Było tak w każdej sprawie, naukowej i nie tylko.

– Teraz posłuchaj… – Nela w mgnieniu oka przestała nudzić i przeszła do konkretów.

To zawsze wychodziło jej świetnie.

– Julka, Chryste Panie! Dlaczego, do diabła, nie odbierasz tego telefonu! – wrzeszczała mama do słuchawki.

Pięknie! Chrystus i diabeł w jednym zdaniu! – pomyślała ze złością. Gdyby wiedziała, że oddzwania do mamy po to, by wysłuchiwać jej wrzasków, nie sięgnęłaby po telefon jeszcze długo.

– Mamo… – spokój w głosie mogła okupić głęboką nerwicą, ale czego się nie robi dla dobra sprawy. – Nie odbierałam, bo miałam egzamin.

Mama nerwowo dyszała do słuchawki. Musiało się coś stać. Przeraziła się, bo mama zwykle kontrolowała wszystko, nie tylko swoje sprawy. Nie zapominała o wywiadówkach, pracach klasowych, sprawdzianach, kartkówkach i innych szkolnych torturach. Od najmłodszych lat musiała wszystko wiedzieć. Co? gdzie? kiedy? Powtarzała do znudzenia: „Julka! Ucz się!", „Julka! Dlaczego ty się nie uczysz!", „Co dostałaś?", „Jak wypadłaś na tle klasy?", „Czy ja naprawdę muszę ci przypominać, że za kilka dni zaczyna się sesja?!".

– Stało się coś? – zapytała, szybko tracąc spokój.

– Ciotka Klara upadła i zwichnęła nogę! – wrzasnęła ze złością mama, ale złość nie przeszkadzała jej w żałosnym zawodzeniu do słuchawki. – Mówiłam jej, żeby nie szła sama do apteki, by poczekała na mnie, ale ona jest przecież najmądrzejsza i nikogo nigdy nie słucha!

Znała mamę doskonale i wiedziała, że skłonność do wyolbrzymiania problemów, a potem do histeryzowania była jej nieodłączną cechą, która ujawniała się ze wzmożoną siłą wtedy, gdy działo się coś, czego mama nie wpisała do swojego kalendarza z przynajmniej tygodniowym wyprzedzeniem.

– I co teraz? – zapytała, kątem oka dostrzegając Xawerego nadskakującego Neli, gdy odbierali kurtki z szatni.

– No siedzę w szpitalu i czekam, bo jej tę nogę chcą jakoś unieruchomić, żeby sprawa się jeszcze bardziej nie skomplikowała, ale i tak wszystko już wystarczająco się pokomplikowało! – mama była w psychicznej rozsypce, dlatego to córka musiała do tych komplikacji podejść bardzo rzeczowo.

– Jak wrócicie do ciotki? – zapytała więc, usiłując nie pozwolić mamie nakręcić cię i popaść w niekontrolowany płacz.

– A jak mam wrócić? Autobusem chyba! – mama płakała, jednocześnie nerwowo podnosząc głos.

– W którym jesteście szpitalu? – zapytała, wiedząc, że bez jej pomocy się po prostu nie obejdzie.

Całe szczęście szpital, w którym były, mieścił się niedaleko uczelni, choć niestety spory kawał drogi od domu.

– Idziesz? – szepnęła do niej już ubrana Nela.

– Nie – na moment zasłoniła dłonią telefon. – Mam rodzinną aferę, idźcie beze mnie.

Nela zdawała sobie sprawę z powagi rodzinnych tarapatów, więc przesłała jej szybkiego całusa, wiedząc, że nie czas na rozwlekłe pożegnania. Xawery uśmiechnął się tylko, zupełnie niezmartwiony obrotem sprawy.

Miły, sympatyczny, ale jednak chłop... – natychmiast skomentowała w myślach jego uśmiech, który wynikał z radości, że będzie miał Nelę tylko dla siebie. Nie będzie świadków jego ewentualnych, daj Boże, zalotów.

– To biegnę do was! – odezwała się znów do mamy. – Będę za kwadrans! – pospiesznie skończyła rozmowę, celowo nie dopuszczając mamy do głosu.

Właściwie nie musiała dopuszczać jej do głosu, ponieważ i tak wiedziała, co by usłyszała, gdyby jej rodzicielka mogła się w tej chwili rozgadać. Zaraz zalałaby ją fala matczynych żali, że niczego w życiu nie może sobie zaplanować, bo „zawsze coś wypadnie!". Taka właśnie była niepisana zasada rządząca życiem mamy. A skoro dziś miała wybrzmieć jeszcze nieraz, to nie było sensu, by pozwalać na tę niekończącą się litanię już teraz i w dodatku jeszcze za to płacić.

Ubrała się pospiesznie w kurtkę, którą wcisnął jej w ręce Xawery. Od razu po wyjściu z budynku musiała dokładnie zapiąć kurtkę i otulić się szalikiem. Było zimno jak w psiarni. Miała już dosyć mrozów, zimy i rodzinnych afer. Na początku spokojnie szła, ale przez mróz i swoje zdenerwowanie narzucała sobie szybsze tempo. W pewnym momencie, nie zważając na ślizgawicę, winowajczynię dzisiejszej afery, zaczęła biec. Przestała pędzić dopiero wtedy, gdy zobaczyła mamę siedzącą na szpitalnym szaroburym korytarzu, który już dawno temu zapomniał, co oznacza słowo „remont". Było tak dlatego, że ortopedia znajdowała się gdzieś w podziemiach, w dodatku słabo oświetlonych.

– Jesteś nareszcie! – syknęła spuchnięta od płaczu mama.

Chociaż raz mogłabyś się ucieszyć na mój widok... – pomyślała, ciesząc się, że ma jeszcze siłę, by się hamować i nie mówić na głos wszystkiego, co chodziło jej po głowie. Tak było najbezpieczniej.

– I tak biegłam – przyznała się, powoli opanowując zadyszkę.

– Zwariowałaś?! Nie wystarczy, że mam już na głowie połamaną ciotkę?! Chodniki oblodzone, a ta sportsmenkę udaje!

Mama była w kompletnej rozsypce. Patrząc na nią, córka nie musiała się długo zastanawiać dlaczego.

Noga to noga! A dzieci to dzieci!

W myślach tworzyła już komentarze, z którymi mama miała ją za chwilę zapoznać.

– I co ja biedna teraz pocznę!

Zaczyna się! – była świadoma, że właśnie rozpoczynała się litania, której nie chciała wysłuchiwać przez telefon.

– Muszę chwycić za telefon i zadzwonić do Justyny, żeby przerwała pakowanie, bo nie czas teraz na żadne wojaże!

Ani mi się waż! – wrzasnęła w myślach, ale odnieść się do pomysłu mamy zamierzała z chłodnym opanowaniem.

– A to dlaczego? – zapytała ze stoickim spokojem.

– Przecież się nie rozdwoję ani nie roztroję. Ciotka Marianna miała znowu wczoraj przez cały dzień stan podgorączkowy, a przecież dopiero co z ciężkiego przeziębienia się wyleczyła. A Klara? Będzie teraz nie do życia.

Tak jakby kiedykolwiek było inaczej! – stwierdziła w duchu.

– I jak ja się dziećmi zajmę? Możesz mi to powiedzieć? Widocznie tak miało być! Poza tym od początku mi się ta Barcelona nie podobała. Co to za pomysł?! Przecież mąż żonie na rocznicę to kwiaty może przynieść! Czy trzeba od razu dzieci po babkach zostawiać, a samemu gzić się po hotelach?!

Trzeba! – krzyknęła w duchu, usilnie starając się zachować cierpliwość i okazać mądrość w obliczu głupoty.

– Przecież jestem jeszcze ja! – wtrąciła nerwowo, przerywając mamie wyliczankę.

– Jak to ty? – zapytała mama, udając, że nie rozumie tej propozycji pomocy. – To co? – złośliwa mama nie miała zamiaru odpuszczać. – Kim się zajmiesz? Kogo wybierasz? Klarę, Mariannę czy dzieci? – wyrzuciła z siebie, dając do zrozumienia, jak trudny (przynajmniej w dwóch pierwszych przypadkach) jest jej odwieczny zakres obowiązków.

– Wybieram dzieci! – zdecydowała bez chwili namysłu. Nie miała złudzeń, że jej pewność i determinacja za chwilę zostaną poddane poważnej próbie, ale powtórzyła dobitnie: – Zajmę się dziećmi, koniec dyskusji!

– Przecież ty sobie z nimi nie poradzisz! – zarzut był jeden, ale za to konkretny.

– To zatrudnię do pomocy Nelę! – skłamała na poczekaniu, bo wiedziała, że Nela już nazajutrz wybiera się do rodziny na Mazury, ten wyjazd miał osłodzić jej wszystkie trudy sesji, na szczęście już minione.

– Z Nelą to co innego! – mama zawsze bardziej wierzyła w umiejętności innych niż własnej córki, zresztą w ogóle nie miała zbytniego zaufania do swoich dzieci. – Ale i tak muszę dać znać Justynie, że sytuacja się skomplikowała, to może jeszcze przemyśli te swoje wojaże bez dzieci.

– Ja do niej zadzwonię – zaproponowała niezwłocznie, nie poddając się psychicznej presji, która towarzyszyła ostatnim słowom mamy.

– A co ty tak nagle pierwsza w kolejce do dzieci jesteś? – zapytała mama cynicznie.

Na szczęście nie była zobligowana do odpowiedzi na postawione przez mamę pytanie, ponieważ na końcu korytarza pojawiła się ciotka Klara, której mina mówiła sama za siebie. Widząc zacięty wyraz twarzy ciotki, już wiedziała, że wybór opieki nad dziećmi będzie strzałem w dziesiątkę, a nie we własne kolano. Lekarz, a może sanitariusz, który wiózł ciotkę na wózku inwalidzkim, pouczał ją na odchodnym:

– Uważamy na siebie, prowadzimy spokojny, siedzący tryb życia. Takie są moje zalecenia.

– Dobrze, panie doktorze – łagodność ciotki, zwykle przybierającej skrzekliwy ton, stanowiła nie lada nowość.

Gdy ciotka Klara była już coraz bliżej ze swoją nogą włożoną w gips, ona podniosła wzrok na mężczyznę, przed którym wredna ciotka udawała całkiem miłą staruszkę. Jedno spojrzenie wystarczyło, by stwierdzić, że pan doktor był niczego sobie. Niestety gdy podawał mamie recepty z wypisanymi lekami, które należało podać ciotce na wypadek, gdyby przyszło jej do głowy marudzić, zauważyła, że ten niczego sobie kawaler niepostrzeżenie zmienił stan cywilny. Jego atrakcyjność poleciała na łeb, na szyję, ponieważ na serdecznym palcu pobłyskiwała mu złota obrączka.

Kiedy lekarz odszedł, wcisnąwszy jej wcześniej w dłoń kulę nie pierwszej nowości, nie było jej ani trochę żal, że nie ma już na kim oka zawiesić.

– I co teraz będzie?! – zaskrzeczała ciotka Klara, pokazując swoje prawdziwe oblicze. Nawet jej wredny głos brzmiał niestety na powrót znajomo.

– Jak to, co będzie?! – odezwała się stanowczo mama. – Nic nie będzie! Poradzimy sobie i już!

– Ale jak?! – dopytywała się ciotka Klara. – Przecież ja jestem teraz bezradna jak małe dziecko. Będę wymagała ciągłej pomocy.

No tak! Wymagania ciotki Klary! Też mi nowość! – mimowolnie uśmiechnęła się do swych myśli.

– A tobie, Julka, co? Nie za wesoło jest?! – obsztorcowała ją natychmiast mama.

– Ta dzisiejsza młodzież to za grosz współczucia nie ma! – ciotka Klara donośnie dokonała podsumowania współczesnego pokolenia, zupełnie zapominając o tym, że jest niesprawną staruszką wymagającą opieki dwadzieścia cztery godziny na dobę. – Ale cóż poradzić? Zimno, głodno, i do domu daleko! – ciotka Klara wpatrywała się w swoją włożoną w gips nogę.

– Tylko nie tragizuj – poprosiła ją łagodnie mama.

– I jeszcze w dodatku zrobiło się już ciemno! – ciotka Klara nie zamierzała przestać.

– Może wezwiemy taksówkę pod same drzwi szpitala, żeby cię nie narazić na kolejny upadek – zaproponowała mama.

A może jeszcze karocę? – jej myśli, zwłaszcza te złośliwe, chyba nigdy nie szły na urlop.

Kątem oka obserwowała, jak mama wyciąga z torebki portmonetkę i zagląda do niej, wiedząc, że za bardzo nie stać ich na podróże po mieście taksówkami. Jednak ten wieczór tak właśnie miał się skończyć: luksusowo.

– Tak będzie chyba najlepiej – tym razem ciotka Klara zgodziła się z siostrą bez gderania, ale to tylko dlatego, że w grę wchodziła jej wygoda.

Popatrzyła to na ciotkę, to na mamę i już wiedziała, że to ona zapłaci za ten luksus, a zaplanowaną na jutro wizytę w księgarni przełoży na kolejny tydzień, a może nawet miesiąc.

Co mi tam… – wzruszyła w duchu ramionami i postarała się nie wsłuchiwać za bardzo w gderanie ciotki Klary, traktowała je jak niezrozumiałą sekwencję dźwięków, nie skupiając się na treści. Od kiedy dorosła, w towarzystwie swojej starszej ciotki udawała pokorne cielę, chociaż po cichu była niepokornym bykiem, na którego wygadywane przez ciotkę bzdury działały jak czerwona płachta torreadora.

– Dlaczego tak w życiu jest?

– Jak? – zapytała, szybko stawiając kroki.

Wracały z Nelą z uczelni. Właśnie dowiedziały się, że ostatni egzamin zaliczyły. Żegnały zimową sesję i zamiast cieszyć się z czekającej je dwutygodniowej laby, zachciało im się trudnych rozmów o życiu. To znaczy Neli się zachciało.

– No tak, że nie możesz być w kilku miejscach naraz.

– A to pytanie to raczej nie do mnie – uśmiechnęła się do przyjaciółki.

– Dlaczego? – zapytała Nela, zwolniwszy kroku, ponieważ w przeciwieństwie do niej preferowała spokojne spacery.

– Bo nie zamierzam się nad tym głowić! Zwłaszcza że „burdelarze" wymyślili sobie wypad na narty, ale są na tyle szlachetni, że dali nam kasę za robotę, której nie odwalimy. To cud! Nela! Życie jest piękne, a ty zastanawiasz się nad jakimiś bzdurami.

– Zupełnie mnie nie rozumiesz – westchnęła Nela, nie kryjąc smutku.

– Wybacz mi, ale chyba jestem już myślami gdzie indziej, bo od jutra muszę przez trzy dni zajmować się maluchami, i to bez przerwy – powiedziała na swoją obronę.

– Dasz radę – głos Neli znów zabrzmiał przyjaźnie.

– Gdybyś mogła zostać, na pewno wszystko byłoby łatwiejsze, a tak...

– I wracamy do punktu wyjścia – skonstatowała z tajemniczym uśmiechem Nela.

– To znaczy...? – wciąż nie rozumiała.

– To znaczy, że odkąd zaczęłyśmy rozmawiać, chodzi mi właśnie o to. Chciałabym ci pomóc, mam też ochotę tych kilka wolnych dni spędzić z Xawerym, ale też bardzo chcę zobaczyć się z rodzicami i dzieciakami.

Dzieciakami Nela nazywała swe rodzeństwo, ale słowo to wymawiała z ogromnym uczuciem.

– I co ja mam zrobić? – zakończyła swój wywód.

Zatrzymały się na przystanku z nadzieją, że pustki wcale nie oznaczają, iż spóźniły się na tramwaj.

– Nie myśleć za dużo. Nie zastanawiaj się za bardzo nad życiem, bo szkoda byłoby, gdybyś zwariowała, zwłaszcza że najbardziej cenię sobie w tobie właśnie normalność. A tak poza tym to jestem bardzo ciekawa, co najbardziej ceni w tobie Xawery – zapytała z zaciekawieniem, sugerując, że odpowiedź Neli powinna dotyczyć nie tylko sfery osobowościowej.

– Akurat dziś to pewnie nic we mnie nie ceni, bo jak się dowiedział, że jutro wyjeżdżam, i to na ponad tydzień, to się strasznie nabzdyczył.

– A to ci dopiero bzdyk! – roześmiała się. – Nie mylić z bzyk – uściśliła z rozbawieniem.

– Zazdroszczę ci dobrego humoru, bo mnie jakoś wcale nie jest do śmiechu.

– To po co się martwisz? Jak kocha, to poczeka! – chciała, by zafrasowana przyjaciółka rozweseliła się przynajmniej odrobinę.

– A jak nie poczeka? – mina Neli wskazywała na to, że wysiłki przyjaciółki spełzły na niczym, a jej nastrój wcale się nie poprawił.

– To po co ci taki kretyn i egoista? – jak zwykle w towarzystwie Neli przesadziła ze szczerością.

– To nie tak... On jest fajny. Nawet chciał, żebyśmy pojechali gdzieś razem.

Proszę, jaki szybki! – tym razem udało się jej ugryźć w język zawczasu.

– Coś ty?! – zrobiła wielkie oczy.

Widocznie przez tę hecę z ciotką Klarą coś przeoczyła.

– Naprawdę – Nela mówiła bardzo cicho, wręcz wstydliwie. – Jego rodzice mają chatkę w Zakopanem. Sami pojechali na narty gdzieś za granicę...

– A chatka się zmarnuje – jęknęła żałobnie.

– Czemu wciąż żartujesz? – Nela spojrzała na nią wzrokiem, który z nastrojem do żartów nie miał wiele wspólnego.

– A co nam pozostało? Też miałam inne plany, a tu co? Dzieci, zupki, kupki, płacze po nocy, a jak to się skończy, to najgorsze dopiero się zacznie! Czeka na mnie ciotka Klara i jej kończyna w gipsie. Obiecałam mamie z ręką na sercu, że posprzątam mieszkanie ciotki, i to tak solidnie, bo tam u niej to teraz wszędzie koty wiszą, a Pan Hrabia nie lubi konkurencji. A jak już się z tym uporam, to nie wyobrażam sobie, żeby ciotce Mariannie też nie posprzątać. No i ferie się skończą, nawet nie zdążę do ciebie pojechać...

– A chciałabyś? – rozpromieniła się natychmiast Nela.

Zrobiło się jej wesoło, pewnie na wspomnienie tegorocznych wakacji, podczas których tydzień spędziły razem w rodzinnym domu Neli na Mazurach. Było bosko. Odpoczywały wśród krów, dojarek, kanek z mlekiem, okolicznych sąsiadów, żółtych mleczy porastających łąki dzierżawione przez rodziców Neli, otoczone ludźmi z sercem na dłoni. Wokół biegały umorusane i szczęśliwe dzieci – rodzeństwo Neli, wychowujące się w tej krainie mlekiem i miodem płynącej.

– No jasne! – zagrzmiała.

Roześmiała się i po raz kolejny stanął jej przed oczami błękit mazurskiego nieba, po którym sunęły chmury przybierające magiczne kształty. Płatały czarodziejskie figle, bo przypominały jej i Neli za każdym razem co innego.

– To może się jednak uda – rozmarzyła się Nela. – Przyjedź chociaż na kilka dni, a potem wrócimy tu razem.

– Na razie jeszcze nic nie wiem – chciała, by dobry nastrój Neli trwał jak najdłużej, ale musiała być realistką. – Zobaczymy. Przecież będziemy w kontakcie. Gdzie ten cholerny tramwaj?!

– Chyba chce, żebyśmy zamarzły. – Nela chuchnęła rozgrzanym oddechem na szybę wiaty przystanku i narysowała małe, kształtne serduszko.

– Czyli zakochałaś się – podsumowała sytuację, nie odrywając wzroku od rysunku, który zdążył już zamarznąć.

Nela nie potwierdziła, ale też nie zaprzeczyła. Za to uśmiechnęła się.

O to właśnie chodziło! – pomyślała, widząc, jak uśmiech Neli niestety niknie.

– Tylko nie myśl za dużo – poprosiła serdecznie.

– Myślisz, że tak się da... – Nela była znów smutna.

– Nie wiem, czy się da – odpowiedziała, wiedząc, że wcale się tak nie da, a przynajmniej nie jest to takie łatwe.

– Ale pojedziesz do szpitala? – Nela nagle zmieniła temat, bo już myślała o tym, że w najbliższy poniedziałek nie będzie mogła spotkać się z dziećmi.

– Ma się rozumieć! – odpowiedziała, ciesząc się, że są sprawy, w których Nela może całkowicie na niej polegać.

Poza tym w oddali migotały już światła zbliżającego się tramwaju. Na wizytę w szpitalu naprawdę się cieszyła, choć nie zawsze była to przyjemność. Odwiedziny dzieci to moment, kiedy mogła w odpowiedni sposób spojrzeć na siebie i świat. Wtedy patrzyła z perspektywy człowieka, który miał mnóstwo powodów, by cieszyć się życiem. Należało doceniać nawet kłopoty, ponieważ w porównaniu z rzeczywistością szpitalną często spadały do rangi najzwyklejszych niedogodności. A przecież nawet największe niedogodności można znieść. Historie szpitalne uzmysławiały jej, że w życiu człowiek potrafi naprawdę wiele udźwignąć. Dźwiga swój ciężar sam lub z pomocą najbliższych, którzy przydają się nawet wtedy, gdy nie dysponują siłą nadludzką i okazuje się, że sami są tylko ludźmi.

Drzwi tramwaju otworzyły się, więc one wsiadły do niego czym prędzej. Był prawie pusty, usiadły zatem obok siebie. To, że za chwilę miały się pożegnać, dla obu było przykrością, która – jak każda inna – miała swą dobrą stronę. Uzmysławiała, że choć nie znały się jeszcze szczególnie długo, to dzięki wzajemnym staraniom stworzyły relację, której niestraszne są żadne kłopoty. Mogły na siebie liczyć w każdej sytuacji.

– Powiedz, czy jest szansa, że przyjedziesz? – Nela wydawała się zdrowo poruszona.

– Szansa jest zawsze – odpowiedziała, nie chcąc gasić entuzjazmu przyjaciółki.

– Naprawdę tak sądzisz? – Nela zadała pytanie tak, jakby nie chodziło jej tylko o plany wypoczynku po sesji, ale o coś znacznie bardziej poważnego.

– Nie, na niby! – odpowiedziała przewrotnie, by niepotrzebnie nie budzić nadziei, bo choć nadzieja była bardzo ważna, to potrafiła być też złudna.

– Będziesz się odzywać? – zapytała Nela, zbierając się już niestety do wyjścia.

Przystanek, na którym miała wysiąść, był już w zasięgu wzroku.

– Pewnie, że będę! Nie martw się, a jak mi każesz, to nawet Xawerego mogę skontrolować, jakby trzeba było, oczywiście...

– Nie trzeba – uśmiechnęła się Nela, stojąc nad nią.

– Przecież wiem! – wstała i przytuliła się do przyjaciółki na krótką chwilę, ale to wystarczyło. – Cześć! Ucałuj ode mnie rodzinkę!

– Jasna sprawa! – odpowiedziała Nela i wyskoczyła z tramwaju w ostatniej chwili.

Tramwaj znów ruszył. Bez Neli od razu poczuła się bardzo samotna. Chciała do niej pojechać, ale tu, na miejscu, miała sporo do załatwienia. Musiała pomóc mamie, która przez ostatnie dni miotała się jak ryba w sieci, martwiąc się o wszystkich dookoła. Miała ku temu nadzwyczajne zdolności, jak mało kto. Od kilku dni nie dało się z nią wytrzymać. Wrzeszczała bez powodu, a raczej bez wyraźnego powodu. Bo czy bałagan wypełzający z pokoju na korytarz to powód do wszczynania awantury? No chyba nie!

Westchnęła i jak zwykle o tej porze obserwowała z tramwaju kolory migoczącego neonami miasta, odbijające się na jej twarzy. Obiecała sobie, że jutro, zanim wybędzie z domu na całe trzy dni do chłopców, zrobi taki porządek w pokoju, że mamie oko zbieleje i przynajmniej przez jakiś czas nie będzie musiała wysłuchiwać marudzenia: „Powiedz mi, Julka, jak to możliwe, że ci ludzie są zadowoleni z twojego sprzątania?! Mam tylko nadzieję, że w piątki nie jesteś tylko damą do towarzystwa Neli, bo nie wybaczyłabym ci nigdy, gdybym się dowiedziała, że...".

No właśnie! „Nie wybaczyłabym ci nigdy, gdybym się dowiedziała, że..." – tak brzmiała kolejna ulubiona kwestia mamy. Znała ich trochę. Wszystkie sprawiały, że nawet jeśli w myślach postępowała wbrew zasadom dobrego wychowania, to i tak w rzeczywistości zachowywała się jak panienka z dobrego domu. Bo w takim właśnie domu, starając się sprostać rozlicznym wymaganiom mamy, wyrosła. A mama jak to ona, mogła wkurzać się do granic psychicznej wytrzymałości swojej i innych, ale w końcu i tak zawsze odwalała kawał dobrej roboty. A że towarzyszyły temu wrzaski i awantury, to zupełnie inna historia... Pewnie inaczej nie umiała. Może to z rodzinnego domu wyniosła przekonanie, że spokój jako metoda wychowawcza sprawdza się tylko w przypadku nielicznych. Zapewne mama bała się, że jej najmłodsza córka nie należy do tej chlubnej mniejszości. I pewnie było w tym ziarno prawdy, ponieważ ona lubiła chadzać własnymi ścieżkami, ale nie chciała być odludkiem. Dlatego z wielką przyjemnością wysiadła z tramwaju, w którym nie licząc śmierdzącego pijaczka i pani motorniczy, była sama jak palec.

Gdy zbliżała się do klatki swojego bloku, wiedziała, że mama nie sprząta teraz po kolacji, jak inne kobiety w tutejszych małych kuchniach miały to w zwyczaju o tej porze. Była pewna, że mama już gotuje obiad na jutro, bo Marianna musi się dobrze odżywiać, żeby paskudne wirusy i bakterie dały jej w końcu spokój, a Klara jak zajmie czymś usta, to wydaje się bardziej znośna, przyda się też, żeby chłopcy Justyny przynajmniej przez dwa dni zajadali dobrą babciną zupę. Jechała windą i choć wiedziała, że w domu na powitanie nikt jej nie przytuli, nie usłyszy też żadnego dobrego słowa, to cieszyła się, że do niego wraca. Bo przecież nie ma to jak w domu. Nawet wtedy, gdy zamiast „dobrze, że już jesteś", usłyszy: „Co tak późno? Gdzieś się podziewała?! Może byś mi w końcu chociaż trochę pomogła, bo już mi to bokami wychodzi!". Wysiadła z windy i stanęła przed drzwiami, za którymi póki co było cicho. I choć nie zwykła wypowiadać swych myśli na głos, bo zazwyczaj się do tego po prostu nie nadawały, dziś zachowała się inaczej. Uśmiechnęła się pod nosem, zanim otworzyła drzwi, i powiedziała do siebie całkiem głośno: „nie ma to jak w domu”.

Panie Boże, dziękuję Ci, że go mam… – dodała w myślach z wdzięcznością.

– Dobrze, już dobrze! Nie rób ze mnie kretynki! To tylko trzy dni! – wczoraj przed południem, gdy tymi słowami żegnała siostrę, zupełnie nie zdawała sobie sprawy z tego, jaką odpowiedzialność na siebie bierze.

Dziś natomiast miała już tę świadomość. Przez półtora dnia przekonała się, że opieka nad dwoma chłopcami prawie w tym samym wieku to coś, przy czym wysiadają sporty ekstremalne, za które z obawy o własne życie nigdy by się nie wzięła. Gdyby chodziło tylko o opiekę nad maluchami, to nie byłoby jeszcze tak źle, ale od ponad trzech godzin do tego wszystkiego doszło jeszcze ciążące jej najbardziej poczucie odpowiedzialności. Chodziła po zagraconym zabawkami mieszkaniu, którego wczoraj wieczorem nie posprzątała, wiedząc, że bez sensu się wysilać, bo nazajutrz wieczorem nie będzie po tym śladu. Tonęła więc w zabawkach, tuląc do siebie rozgorączkowane ciało Tymka. Szymon całe szczęście zasnął przy bajkach i w ubraniu chrapał w najlepsze. Nadal słychać było szum kreskówek, które telewizja na szczęście emitowała nawet późnym wieczorem. Gdyby nie to, że Tymek nie dał się nawet na sekundę odłożyć do łóżeczka, z pewnością zajęłaby się już Szymkiem. Niestety pomimo kilku prób i tak się to nie udało. O tyle dobrze, że Tymek, zmęczony gorączką, w końcu usnął. Niestety sen miał bardzo niespokojny. Dlatego nadal nosiła go na rękach, nie mając serca znów doprowadzać go do żałosnego płaczu. Snuła się po mieszkaniu, czekając na wieści od Krzycha, który na odległość podjął decyzję, że nie powie o zaistniałej sytuacji Justynie, gdyż ta śladem własnej matki z powodu chorób swoich dzieci traciła psychiczną równowagę. Kontrolującej ją prawie co godzinę mamie powiedziała, że wszystko w porządku, poprosiła jedynie, by przestała już dziś wydzwaniać, bo pobudzi chłopców. Mamę zatem miała z głowy. Chodziła po mieszkaniu, starając się zachować spokój i z niecierpliwością czekała na telefon od szwagra, który z Barcelony usiłował skontaktować się z jakimś swoim kumplem pediatrą, by ten, nie zważając na późną porę, podjechał z drugiego końca miasta i obejrzał gorączkującego Tymka. Wiedziała, że Krzychu zareaguje spokojnie, dlatego to z nim postanowiła się skontaktować w pierwszej kolejności. Razem postanowili, że najlepiej dla wszystkich będzie, jeśli wieści o gorączce Tymka nie dotrą ani do Justyny, ani do nikogo innego, bo teraz potrzebny był spokój, a nie histeria w kraju i poza jego granicami. Zatem krążyła powolnie po mieszkaniu, jednostajnie bujając rozgorączkowanego chłopca. Dla zajęcia czymś myśli bez przerwy nuciła walca z *Nocy i dni* i starała się mimo wszystko, w przeciwieństwie do bohaterki filmu, nie popaść w melancholię i nie wylewać morza łez. Póki co wychodziło jej to w miarę dobrze. Nucąc, radziła sobie ze zdenerwowaniem i oczekiwaniem na telefon od Krzycha. Coś długo nie oddzwaniał, a Tymek był wciąż gorący jak wyjęty z pieca rumiany rogalik.

W końcu jej nucenie przerwał dzwonek telefonu, na który czekała z utęsknieniem.

– I co? – odebrała prawie natychmiast, starając się mówić cicho i nie wykonywać gwałtownych ruchów.

– Przyjedzie – powiedział Krzychu rzeczowo.

Widocznie oboje nie mieli siły na niepotrzebne konwenanse.

– Kiedy? – zapytała, prawie wchodząc mu w słowo.

– Już skończył dyżur, tylko ma jeszcze jakiś bardzo trudny przypadek, ale jak tylko się z nim upora, to wsiądzie w samochód i będzie.

– Ale powiedział, ile to jeszcze może potrwać? – zapytała nie wiadomo po co, skoro i tak nie miała innego wyjścia, jak tylko cierpliwie czekać.

– Godzinę, góra dwie – odpowiedział i rozłączył się. Nie miała wyjścia. Krzychu był na podsłuchu, dlatego skończył rozmowę. Jej pozostawało tylko cierpliwie czekać.

Daj Boże, żeby przyjechał jakiś specjalista, a nie konował...

Wciąż nuciła, modląc się w duchu. Odłożyła telefon gdzieś obok ściszonego telewizora. Nie przestawała nucić i z dzieckiem na ręku zaczęła zbierać zabawki z podłogi, kucając co chwila, by uporządkować zagraconą przestrzeń, żeby lekarz nie przewrócił się od razu po wejściu. W normalnych warunkach posprzątanie salonu zajęłoby jej pięć, najwyżej dziesięć minut, ale takich warunków teraz nie było. Poprawiła kocyk, pod którym w załamaniu narożnika w salonie spał Szymon, jego czoło na szczęście miało normalną temperaturę. Nie wiedziała, jak długo wykonuje dziwne przysiady, ale po pewnym czasie na podłodze nie walały się już żadne zabawki. Wszystkie udało jej się pozbierać i powkładać do wielkiego plastikowego przezroczystego pojemnika w pokoju chłopców. Gratulowała sobie, że na niskim stoliku w salonie, stojącym tuż przy narożniku, utrzymała porządek, a kuchnię udało jej się ogarnąć po południu, gdy Tymek jeszcze spokojnie spał w wózku, a Szymon bawił się długą nitką ugotowanego makaronu. Ciągnął nitkę w tę i z powrotem po podłodze w kuchni. Gdy usłyszała irytujący pisk domofonu, doskoczyła do niego w tempie gazeli, obawiając się, że kolejny dźwięk obudzi chłopców.

– Już otwieram – szepnęła do białej słuchawki zupełnie tak, jakby dwa piętra niżej stał Krzychu, a nie jakiś obcy facet.

Wciąż działała szybko jak struś pędziwiatr. Wróciwszy do salonu, upewniła się, że Szymon śpi w najlepsze, chociaż przekręcił się na bok. Tymek niestety zaczął się kręcić i nerwowo wzdychać. Nie przerażało jej już, że się przebudzi, ponieważ i tak za chwilę miał przejść badanie i znaleźć się w innych, miała nadzieję, że kompetentnych, rękach. Z kręcącym się coraz bardziej maluchem w ramionach podeszła do drzwi wejściowych i lekko je uchyliła. Nuciła dalej, ale bardzo cicho, by móc nasłuchiwać kroków na schodach. Windy w budynku nie było. Kroków nie usłyszała, ale niebawem rozległo się bardzo delikatne pukanie. Na moment oderwała dłoń od plecków Tymka, by otworzyć szerzej drzwi i wpuścić do środka nie tylko słup światła, ale również... House'a. Melodia zamarła jej na ustach. Przeżyłaby chyba dużo mniejszy szok, gdyby zobaczyła ducha. Ale przed drzwiami stał człowiek z krwi i kości. Co więcej, miała wrażenie, że ta istota ludzka przez ułamek sekundy miała inny wyraz twarzy niż ten, do którego zdążyła się już przyzwyczaić. Jeszcze nigdy nie widziała Kochanowskiego uśmiechniętego. A teraz przez chwilę miała wrażenie, że jego kamienna twarz przybrała nieznacznie inny, mniej surowy wyraz. Jednak nie była pewna, czy był to uśmiech, czy po prostu lekkie zdziwienie. Widocznie lekarz też nie spodziewał się, że u dzieci swojego znajomego, może nawet przyjaciela, spotka wolontariuszkę z własnego oddziału. Zresztą jego mina mogła niczego nie oznaczać. Ordynator był pewnie typem, który równie dobrze mógł nie pamiętać, że już wcześniej gdzieś widział twarz tej dziewczyny.

– Dobry wieczór – przywitał się bardzo cicho.

Usłyszała jego głos wyraźnie, bo absolutnej ciszy mieszkania nie mącił już walc, który kojarzył jej się z mężczyzną ubranym w biały, mokry i wybrudzony frak, trzymającym w dłoniach bukiet żółtawych nenufarów.

– Dobry wieczór – udało jej się odpowiedzieć z opanowaniem w głosie.

– Byłbym wcześniej, ale…

– Wiem – nie dała mu dokończyć. – Proszę – usunęła się z przejścia i zaprosiła go wzrokiem do środka.

Zamknęła za nim drzwi, w zupełności rozumiejąc fakt, że mógł pojawić się dopiero teraz. Wiedziała, że na oddziale, któremu szefował, działo się dużo i bardzo trudno było z niego wyjść. Miała świadomość, że wykonywał kawał dobrej roboty, która zaczynała się wcześnie rano i wcale nie kończyła zamknięciem drzwi gabinetu o godzinie szesnastej.

– Mogę? – zapytał i spojrzał pytająco na ścienny wieszak na ubrania wiszący w przedpokoju.

– Proszę bardzo – odpowiedziała szybko, więc powiesił na nim swoją kurtkę.

– Gdzie mogę umyć ręce? – zapytał rzeczowo.

Wskazała mu drzwi łazienki. Zniknął za nimi bez słowa. Wiedziała, że Kochanowski uchodzi na oddziale za spokojnego, poważnego i małomównego faceta. Teraz, gdy patrzyła na zamknięte drzwi łazienki i słyszała dochodzący zza nich szum wody, pojęła, że w dodatku jest zamknięty w sobie. Ma w sobie coś z odludka, choć otaczają go ludzie. Niestety wciąż nowi. Chyba dostrzegła to już wcześniej, ale do tej pory mylnie interpretowała. Wcześniej wydawał jej się po prostu nadętym bufonem. Dziś w mgnieniu oka zrozumiała, że z bufonem nie miał nic wspólnego. Gdy wyszedł z łazienki, ona tkwiła wciąż w tym samym miejscu i z pewnością wyglądała jak idiotka, ale mogła się tym zupełnie nie przejmować, bo lekarz skupił się na małym pacjencie. Dotknął czółka Tymka i skomentował gorączkę słowami:

– Rzeczywiście, maluszek rozpalony.

Myślała, że się przesłyszała. Nie wyglądał na faceta, który potrafi używać pieszczotliwych zdrobnień. Widocznie czasem to robił, lecz tylko w kontakcie z pacjentami, a ona najwyraźniej nie powinna zajmować się ocenianiem jego osobowości, ponieważ cały czas chybiała.

– Niestety będziemy musieli go obudzić – powiedział, patrząc na małego, na nią nawet nie zerknął. – Gdzie możemy go położyć? – spytał konkretnie.

W dalszym ciągu zachowywała się jak idiotka, dlatego kompletnie podenerwowana podeszła do ogromnego narożnika, największego mebla w mieszkaniu. Na szczęście znalazła na nim doskonałe miejsce do badania, ponieważ jakiś czas temu zmieniała tam Tymkowi pieluchę. Kocyk, który wtedy rozłożyła, wciąż leżał w tym samym miejscu. Odkleiła od siebie ciałko malucha i ułożyła je na kocyku. Kochanowski stał obok. Nie zauważyła, kiedy powiesił sobie na szyi stetoskop.

– Proszę go rozebrać – usłyszała ciche słowa, więc starając się, by mały póki co się nie obudził, delikatnie odpinała zatrzaski jego pidżamki.

Dostrzegała obok siebie biel koszuli ordynatora, kontrastującą z granatem swetrowej kamizelki w szpic. Gdy Tymek miał na sobie już tylko pieluszkę, obudził się. Otworzył oczka i, o dziwo, się nie rozpłakał. Stało się tak pewnie dlatego, że przywitał go bardzo ciepły męski głos.

– Cześć, maluchu – powiedział lekarz, pocierając zimną końcówkę stetoskopu, by zmniejszyć dyskomfort gorączkującego dziecka podczas badania.

W drugim końcu narożnika przez chwilę wiercił się Szymon, ale na szczęście się nie rozbudził. I dobrze, bo mogła skupić całą swoją uwagę na Tymku. Kochanowski bardzo zręcznie podniósł go z koca.

Ma gość wprawę! – pomyślała z wyraźnym podziwem. Patrzyła, jak znany jej z całkiem innych okoliczności mężczyzna usiadł na podłodze i posadził sobie malca na wyprostowanych nogach. Potem wodził kciukiem po jego małym brzuszku, pewnie chcąc zrelaksować pacjenta, a przy okazji z uwagą osłuchał małe plecki. Nasłuchiwał i milczał. Musiała przyznać, że miał fach w ręku. Obchodził się z Tymkiem z mistrzowską wprawą. Potem wstał i położył małego z powrotem na narożniku. Badał jego klatkę piersiową, a maluch milczał jak zaklęty, wpatrując się w pochyloną nad nim twarz.

– Czysto – usłyszała w końcu.

Nie wiedziała, czy słowo skierowane było do niej, czy tylko rzucone w przestrzeń. Mały jęknął.

– Ciii… – usłyszał malec i od razu się uspokoił.

Pewnie Tymek poczuł, że znów jest w centrum uwagi. Doktor badał teraz mały brzuszek, wodząc po nim dłońmi. Dokładnie wiedział, gdzie zwiększyć nacisk, a gdzie nie stosować go wcale.

– Brzuch niebolesny, wszystko w porządku – tym razem miała pewność, że zdanie było skierowane do niej, bo towarzyszyło mu ukradkowe spojrzenie.

Cieszyła się, że udało jej się spotkać wzrok lekarza. Tymczasem on wyjął z torby coś, czego nazwy nawet nie znała. Zanim zdążyła się zorientować, było już po badaniu. Znów padł werdykt.

– Uszy zdrowe.

Gdy tylko usłyszała krótki krzyk Tymka, któremu bardzo nie spodobało się, że ktoś włożył mu do ust drewnianą szpatułkę i w dodatku nachylił się nad nim, świecąc mu w twarz małą latarką, oblał ją zimny pot.

– Ma stan zapalny gardła, ale bez tragedii. Proszę to wyrzucić – poczuła w dłoni lekkie drewienko i usłyszała, jak latarka wpada do wnętrza otwartej torby.

– Zwykła infekcja wirusowa – orzekł lekarz.

Znów napotkała jego wzrok, gdy posłusznie wyrzucała szpatułkę.

– Ma pani coś przeciwgorączkowego? – zapytał.

– Mam – odpowiedziała bez wahania, bo Justyna zaopatrzyła ją w leki na wypadek każdej możliwej choroby, chyba tylko poza malarią.

– Proszę zgodnie z zaleceniem podać mu coś teraz, to powinien przespać noc spokojnie. Pomimo gorączki jest w dobrej kondycji. Proszę mu tylko często dawać coś do picia, żeby się nie odwodnił. Jutro i pojutrze też proszę podawać leki przeciwgorączkowe, co osiem, a jeśli zajdzie taka potrzeba, to co sześć godzin. Infekcja powinna zniknąć tak szybko, jak się pojawiła. A gdyby działo się coś niepokojącego, to proszę do mnie zadzwonić, nie zważając na porę. Krzysiek ma mój numer – mówiąc to, zerknął na wsłuchanego w niego Tymka. – Może już go pani ubrać.

Szybko i sprawnie ubierała kwilącego cicho Tymka, spiesząc się, by zdążyć podziękować Kochanowskiemu. Nie miała szans go pożegnać, bo gdy tylko zamknął torbę, ruszył do wyjścia. Musiał jednak poczuć na plecach jej wzrok, ponieważ odwrócił się raptownie i utkwił w niej to swoje poważne spojrzenie.

– Proszę nie robić sobie kłopotu i mnie nie odprowadzać. Trafię do wyjścia. Dobranoc.

– Dobranoc – odpowiedziała potulnie. – Dziękuję – dodała szybko. – Bardzo dziękuję – powtórzyła, starając się znów nie wyjść na idiotkę.

Wzięła na ręce ubranego już Tymka. Okryła go kocykiem, na którym leżał podczas badania, i prędko ruszyła za lekarzem. Udało jej się złapać go przy drzwiach. Miał na sobie kurtkę. Już trzymał rękę na klamce, ale odwrócił się i spojrzał jej prosto w oczy.

– Gdyby starszy również zaczął gorączkować, proszę jemu też podać lek przeciwgorączkowy, ale dopiero wtedy, gdy gorączka przekroczy trzydzieści osiem stopni. Jeśli będzie działo się coś, co panią zaniepokoi, proszę się do mnie odezwać, to podjadę jeszcze jutro po dziewiętnastej.

– Dobrze – przytaknęła. – Jeszcze raz dziękuję, panie doktorze – usiłowała się uśmiechnąć.

Ale on już na nią nie patrzył, rzucił na odchodne: „nie ma sprawy", dodał jeszcze pospieszne „dobranoc" i zamknął za sobą drzwi. Zniknął równie szybko, jak się pojawił. Niczym duch.

Cały House... – pomyślała. Odwalał dobrą robotę i rozpływał się w powietrzu. Tak samo zachowywał się w szpitalu. Zjawiał się, gdy tylko coś się działo. Załatwiał sprawę i znikał z oczu, zupełnie jakby chował się przed ludźmi.

Tymek chyba zatęsknił za męskim towarzystwem, ponieważ dawał coraz głośniej wyraz swej tęsknocie. Musiała szybko zareagować, bo pod wpływem jego marudzenia śpiący na narożniku Szymon zaczął podrygiwać nogami i zrzucać z siebie przykrycie. Stosując się do jednej z nielicznych rad Kochanowskiego, chwyciła za butelkę ze smoczkiem, w której było jeszcze trochę ulubionej herbaty owocowej chłopców. To maliny i żurawina sprawiały, że herbata miała piękny kolor, a przyssany do butelki Tymek uspokoił się niebawem i za chwilę oddał się słodkiej drzemce. Teraz musiała się jakoś zorganizować: podać małemu lek i przenieść Szymona do łóżeczka, które stało nie w pokoju dziecięcym, tylko w sypialni rodziców. Tak naprawdę była to sypialnia całej rodziny, ponieważ oprócz dużego dwuosobowego łóżka stały tu dwa łóżeczka niemowlęce. W domu, który stworzyli Justyna z Krzychem, spało się jak za dawnych czasów – wszyscy w jednej izbie. Dzieci były otoczone ciepłem, dosłownie i w przenośni. Justyna lubiąca w życiu wygodę pewnie nie wyobrażała sobie sytuacji, w której przez całą noc kursuje między pokojami dzieci. Dziatwę wolała trzymać przy sobie, a w nosie mieć książkowe zalecenia. Krzychu przeważnie zgadzał się bez szemrania z pomysłami żony, nie tylko tymi dotyczącymi wychowania dzieci. Poza tym gdy groziło mu niewyspanie, bo na przykład chłopcy ząbkowali, wtedy zupełnie jak mały chłopiec ciągnął za sobą poduszkę i kołdrę i szedł przespać się na bardzo wygodnym narożniku w salonie. Nie stanowiło to dla niego żadnego problemu. Dla Justyny również, chociaż z dziećmi u boku nie wysypiała się prawie wcale, przytulając do siebie to jednego, to drugiego budrysa.

Myśląc o siostrze, patrzyła na chłopców śpiących w swoich łóżeczkach i zdała sobie sprawę, że na co dzień rzadko odwiedza dom siostry. Panujące tu zwyczaje znała tylko z opowieści Justyny.

Miała sporo swoich zajęć i różnych zabierających czas aktywności. Z rodziną spotykała się przede wszystkim na kultywowanych przez mamę z wielką pieczołowitością niedzielnych obiadach, którym się nikt specjalnie nie dziwił, gdyż były integralną częścią rodzinnej tradycji. Trochę żałowała, że ma dla siostrzeńców mało czasu, pewnie dlatego teraz nie mogła od nich oderwać wzroku. Cieszyła się, że herbatka tak skutecznie uśpiła Tymka, więc bez problemu udało jej się podać mu lekarstwo przez sen specjalnym aplikatorem. Chłopcy spali, a ona z uwagi na późną porę nie dzwoniła do szwagra, tylko spłodziła wyczerpującego i uspokajającego SMS-a, w którym prosiła o numer telefonu lekarza. Odpowiedź od Krzycha dostała od razu. Numer telefonu też.

W końcu po bardzo długim i obfitującym w emocje dniu, a zwłaszcza wieczorze, wyluzowała się nieco. Jednak pomimo zmęczenia i zestresowania gorączką Tymka czuła, że zaczyna się noc, podczas której nie zmruży oka. Adrenalina robiła swoje. Poza tym buzowało w niej wiele różnych emocji. Zwykle z racji swoich predyspozycji i zainteresowań ściśle związanych z kierunkiem studiów, na który się zdecydowała, potrafiła nieomylnie nazywać swe uczucia i określić stan duszy. Dziś coś się stało. Dlatego zamiast zasypiać i przygotowywać się do wyzwań dnia następnego, zaczynała analizować. Największym zaskoczeniem była oczywiście wizyta ordynatora. Skoro nie mogła zasnąć, wstała i postanowiła przygotować na resztę nocy świeżą herbatę dla chłopców, zwłaszcza dla Tymka.

Po cichu wyszła z sypialni i odkręciła kran w kuchni. Bardzo dokładnie myła butelki, czekała na wrzątek, by dolać do niego wody źródlanej, a potem trzymać owe butelki w podgrzewaczu stojącym na sypialnianym parapecie. Wiedziała, jak się zachowywać, ponieważ Justyna opowiedziała jej o wszystkim z najdrobniejszymi szczegółami, które dopiero teraz wydawały jej się niezmiernie ważne. Wsłuchiwała się w cichy szum wody w czajniku i myślała o Neli, a raczej o jej wszystkich zachwytach dotyczących House'a. W głowie kotłowało się jej coraz więcej myśli. Zaczynały się niebezpiecznie kłębić wokół Kochanowskiego, o którym dotąd nie myślała wcale. Przypominała sobie, jak podczas rozmowy dyscyplinującej uczucia własnej przyjaciółki nie szczędziła słów mogących go zdyskredytować w jej oczach. „Gbur, zarozumialec, staruch jeden" – tak go wówczas nazywała. Oczywiście robiła to bez większego zastanowienia, bo przecież czego się nie robi dla dobra sprawy? Chciała, by Nela uspokoiła swe uczucia. Innej drogi jak przez zniechęcenie chyba nie było. Chyba? Przecież robiła wszystko, co konieczne... Przynajmniej tak wtedy myślała.

Teraz wszystko wyglądało inaczej. Pomimo tego, że wyszedł, wciąż czuła jego obecność. Już wiedziała, że wypowiadając się wcześniej na jego temat, była niesprawiedliwa. Z pewnością oceniała go zbyt surowo. Zrobiła to bez sensu. Co gorsza, bez namysłu. Po prostu nagadała Neli bzdur i tyle. Ordynator był inny. Dziś popatrzyła na niego innymi oczyma. Już nie musiała obrzydzać go przyjaciółce. Pierwszy raz coś takiego przeżywała. Nagle ktoś stał się dla niej całkiem innym człowiekiem. On był interesujący. W tej chwili wstydziła się za siebie i każde złe słowo wypowiedziane pod jego adresem. Jak mogła mieć aż takie klapki na oczach? On nie był gburem. To po prostu człowiek maksymalnie skupiony na własnej pracy. Nie był też zarozumiały. Teraz jasny wydawał jej się fakt, że nie nawiązywał głębszych relacji ze swymi rozmówcami, gdyż zwykle następni czekali już w kolejce. Wiedziała, że komunikaty, które im przekazywał, były rzeczowe i krótkie, ubogie w emocje. Nawet jeśli ważył słowa, to robił to zaskakująco szybko.

Woda w czajniku zdążyła się zagotować, a ona nie reagowała. Wciąż wstydziła się słów, którymi opisywała go Neli. Najbardziej jednak żałowała jednego z nich. „Staruch" – to było to słowo. Kochanowski był dużo starszy od Neli, ale starucha nie przypominał na pewno. Gdyby tak było, z pewnością Nela nie zadurzyłaby się w nim, w dodatku dość poważnie. Teraz nie mogła sobie wybaczyć, że tak powiedziała, nie zważając na uczucia przyjaciółki. Przecież to, że w kącikach oczu miał chyba trochę zmarszczek, a jego skronie były przyprószone siwizną, nie czyniło z niego starego człowieka. Nawet nie domyślała się, ile mógł mieć lat. Chciałaby to wiedzieć, ale jedynym człowiekiem mogącym pomóc jej rozwiązać dylemat był Krzychu, a jego nie zamierzała wypytywać. Ale skoro szwagier dobijał do czterdziestki, to Kochanowski mógł być w jego wieku…

Tak pi razy oko musi mieć cztery dychy… – pomyślała, a wymawiając w myślach słowo „oko", uśmiechnęła się do swojej kolejnej myśli: *Jestem prawie tak dobra jak Dostojewski.*

Pamiętała, że kiedyś czytała *Zbrodnię i karę*, w której Dostojewski rozbawił ją, pisząc, że w drzwiach stanęła sześćdziesięcioletnia staruszka. Nagle uśmiech zniknął z jej twarzy, a przez sekundę poczuła fizyczny ból. Przypomniała sobie, że jej tato odszedł z tego świata, nie mając nawet sześćdziesięciu lat. Pamiętała ludzi, którzy wtedy z poruszeniem powtarzali: „Boże, taki młody człowiek...". Tym bardziej teraz miała ochotę popukać się w czoło. Ordynator nie miał nic wspólnego ze staruchem.

Może zmyliła mnie jego powaga... – szukała w myślach jakiegoś usprawiedliwienia dla swego zachowania. Podejrzewała, że zakwalifikowała go do odległej sobie kategorii wiekowej z powodu jego powagi. Prócz tego było w nim jeszcze coś, co sprawiało, że czuła się przy nim... Teraz nie miała pojęcia jak... Może chodziło o jego spojrzenie. Na pewno nie potrafił jednym spojrzeniem zjednywać sobie ludzi. A przecież znała takie osoby, których spojrzenie było w stanie zmienić jej świat. Na przykład ciotka Marianna, ta potrafiła sprawić, że patrzyła na nią jak na rówieśnicę, zupełnie nie dostrzegając jej zmarszczek i lekko drżących dłoni. Z Kochanowskim było na odwrót. On jednym spojrzeniem potrafił onieśmielać i budować dystans między sobą a swoim rozmówcą. Gdyby w tej całej sytuacji był jeszcze brzydki, to tak jak w przypadku bazyliszka nie chciałoby się na niego patrzeć i byłoby po problemie. Ale on nie był brzydki, ale ładny, o ile w takich kategoriach można w ogóle oceniać wygląd faceta. Gdyby zobaczyła go mama, to z pewnością westchnęłaby nad tym, że jest taki ładny, przystojny i stonowany. Miał wszystko, co w mężczyznach ceniła mama. Najważniejsze było jednak stonowanie, ponieważ to ono według mamy czyniło z chłopca mężczyznę, czyli gościa, który nie ma pstro w głowie i przy którym kobieta może czuć się bezpiecznie. „Prawdziwy mężczyzna to taki, przy którym kobieta niczego się nie obawia" – takie słowa mama wiele razy kierowała do Justyny, gdy ta zaczęła „prowadzać się z chłopaczyskami", a później „przyprowadzać kawalerów do domu". To był straszny okres, w którym w domu bez ustanku funkcjonowała dwuosobowa, bo złożona z mamy i ciotki Klary, loża prześmiewców. Pamiętała to wciąż bardzo dokładnie. Wiedziała, że błędów siostry nie powtórzy nigdy, co równało się temu, że żadnych kawalerów, nawet tych z punktu widzenia mamy atrakcyjnych, do domu przyprowadzała nie będzie.

A taki pan ordynator...? Z pewnością ma w sobie coś, co zaimponowałoby mamie, gdyby znalazł się na szóstym piętrze szarego bloku...

Boże, coś mi się stało z głową! Zwariowałam! – przywołała do porządku siebie i wszystkie swe idiotyczne myśli. Musiała przestać o nim myśleć. Przecież to rozmyślanie było bezcelowe. Nie miało żadnego sensu. Zwykle nie zabierała się w swym życiu za rzeczy, które nie miały sensu. Szkoda jej było na to czasu. Zalała malinową herbatę nieco już ostygłą wodą i zrozumiała, że naprawdę coś się z nią stało. Im bardziej chciała przestać myśleć o tym facecie, który dziś delikatnie zbadał jej siostrzeńca, im bardziej chciała zresetować swą pamięć, tym bardziej nękało ją wspomnienie spojrzenia przenikliwych oczu. Myśl ta atakowała ją bezlitośnie niczym wirus, za nic mając jej obronę, choćby tylko symulowaną.

Zwariowałam! – po cichu stawiała sobie diagnozę, choć wcale nie chciała jej słyszeć. Zaczęła intensywnie mieszać herbatkę w obu plastikowych butelkach. Potrzebowała się uspokoić i po prostu pójść spać. Musiała przestać myśleć o tym facecie, ponieważ nowość, która pojawiła się właśnie w jej życiu, właśnie te rozmyślania o ordynatorze, irytowała ją bardziej niż słuchanie kazań mamy przeplatanych często idiotyzmami wygłaszanymi przez ciotkę Klarę. A przecież nie znosiła się irytować. Musiała coś z tym zrobić! I to szybko! Najszybciej jak się da!

Ferie zimowe dobiegały końca, choć miała wrażenie, że w tym roku skończyły się szybciej niż weekend albo pieniądze w portfelu. W podskokach z radością biegła do akademika, w którym mieszkała Nela. Jak zwykle po kilku dniach wolnego zdążała tam w jednym celu: na wyżerkę, wielką i wielce przyjemną! Gdy Nela wracała z domu, zawsze przywoziła smakołyki, o których mieszczuchom się nawet nie śniło. Nie śnili o nich nawet ci, którzy w telewizji prowadzili różne programy kulinarne w rodzaju: dodaj, wymieszaj, zapiecz i jedz, dopóki nie pękniesz. Wszystko, co przywoziła z rodzinnego domu Nela, smakowało tak, że w każdym, kto spróbował tych dobroci, budził się żarłok nie znający zasad dobrego wychowania przy stole ani znaczenia słowa „umiar".

Akademik był już w zasięgu wzroku. Z każdym żwawym krokiem widziała go coraz wyraźniej. Wiedziała, że za chwilę w jednym z wielu okien zobaczy Nelę, która ściągnęła z domu już wczoraj rano. Oczywiście Xawery, który bez problemu wybaczył ukochanej porzucenie go na czas ferii, już wczoraj położył na niej łapę. Nagle zatrzymała się w pół kroku i nie mogąc się powstrzymać od szerokiego uśmiechu, odmachała Neli, która w niektórych sprawach była przewidywalna jak kolejność dni tygodnia. Nela machała dłonią spokojnie, a ona jak wariatka, czyli tak, że mało jej ręka nie wypadła ze stawów. Jeszcze bardziej przyspieszyła kroku, choć wydawało się, że to niemożliwe. Do przodu gnała ją nie tylko siła przyjaźni, ale też ciekawość dziecka, które choć wie, że za nieodpowiednie zachowanie może dostać po łapskach, i tak w to brnie. Chciała wiedzieć wszystko o Neli i Xawerym. Po prostu wszystko! Nawet za cenę dostania po łbie. Wiedziała też, że Nela nastawia już wodę na sok zrobiony z malin zebranych w mazurskim ogrodzie przez jej rodzeństwo. Takich dzieci i takich malin nie było nigdzie indziej na świecie.

O Chryste, Nela, to są maliny czy śliwki?! – pomyślała, przypomniawszy sobie wakacyjny pobyt u Neli. Przy domu przypominającym kwadratowy klocek, obok kilku ogromnych zabudowań gospodarczych, z których wciąż dochodziło meczenie cieląt, ciągnął się ogród – niezbyt szeroki, ale za to bardzo długi. Prowadził wprost na łąkę, która zdawała się nie mieć końca. Biorąc pod uwagę to, ile krów mogła wyżywić trawa na niej rosnąca, wydawało się prawie możliwe, że łąka rzeczywiście nie miała kresu. Ogród, którym na łąkę szli ludzie, bo krowy przemierzały trasę po drugiej stronie zabudowań, był urodzajnym tunelem odgrodzonym od wiejskiego świata malinową plantacją pnącą się po bardzo zardzewiałej siatce, której nie sposób było wymienić, bo maliny rokrocznie rodziły coraz większe owoce. Wspomnienia krajobrazu, w których się zanurzyła, czekając na windę przytrzymywaną przez jakiegoś durnia na szóstym piętrze, sprawiły, że jej irytacja była wciąż niewidoczna dla otoczenia. W końcu winda ruszyła, a malinowa bajka miała zaraz dotknąć jej spragnionego słodyczy podniebienia.

Niebo w gębie – pomyślała, czekając na rychłe radosne spotkanie. Cieszyła się, że chyba pierwszy raz tej zimy nie zmarzła. Chociaż na poboczach wciąż tkwiły usypane przez pługi paskudne hałdy topniejącego śniegu, to powietrze pachniało już wiosną. Wiosenna pora była jeszcze odległa i nieśmiałością mogła konkurować nawet z samą Nelą, ale zbliżała się z każdym o kilka minut dłuższym dniem.

– Można? – zapytała, uchylając drzwi pokoju Neli, pomimo tego, że wcześniej zapukała.

Wiedziała, że Nela jest sama. Jej koleżanki z medycyny przyjeżdżały zawsze na ostatnią chwilę. Dziewczyny były świetne. Potrafiły uczyć się do upadłego. Zakuwać tak, że huk niósł się po całym mieście, ale tak samo intensywnie potrafiły imprezować po kolejnych zaliczonych egzaminach. Z wolnych chwil wyciskały każdą radosną sekundę.

– Cześć – odparła Nela i przytuliła się do niej jakoś mocniej niż zwykle.

W małym pokoju unosił się aromat dorodnych malin. Dzięki temu zapachowi był to najpiękniejszy pokój w mieście. Ktoś posprzątał go na tip-top. Od razu było widać, że to dzieło Neli. Ona wszystko w swoim życiu tak robiła. Inaczej być nie mogło.

– No już, już! Wystarczy! – poczuła się nieswojo w tym trochę melodramatycznym uścisku przyjaciółki. – Też się stęskniłam, ale bez przesady. Poza tym oprócz tęsknienia musiałam jeszcze zaiwaniać na rodzinnym froncie. Bez tego się nie obyło!

– Co ty powiesz? – teraz zdziwienie udawała ta, która pewnie w rodzinnym domu też ogarnęła przez dwa tygodnie ferii mnóstwo tematów.

Nela ustawiała na kwadratowej szafce nocnej, służącej też w razie potrzeby za stolik, kubki z sokiem malinowym i talerzyki, na które nałożyła ciasto w kolorze miodu, z błyszczącymi orzechami włoskimi, przełożone dwukrotnie budyniem, chyba waniliowym.

– Opłacało się przyjść! – wesoło podniosła głos, rzucając kurtkę na łóżko jednej z niedoszłych jeszcze medyczek, które ścielono tylko wtedy, gdy owa prawie medyczka była nieobecna. – Bałam się, że nic mi nie zostanie. Xawery, chociaż jest takim chudzielcem, to idę o zakład, że potrafi spałaszować każdą ilość ciasta twojej mamy.

Nela usiadła naprzeciwko. Jednak nie była skora do żarliwych zachwytów nad wypiekami. Bez wątpienia ciasto było boskie. Niestety zbyt szybko rozpływało się w ustach.

– Jak było? – mówiła niewyraźnie, bo zrobienie przerwy w jedzeniu ciasta było po prostu niemożliwe.

– Dziwnie – odpowiedziała Nela dość zagadkowo.

– Ale wszystko dobrze? – zapytała, chwilowo panując nad sobą i powstrzymując się od ostatniego kęsa ciasta, którego na talerzyku już prawie nie miała.

– W domu? – zapytała od razu Nela.

– W domu i w obejściu – uściśliła, pamiętając, jak rodzice Neli nazywali swój skrawek ziemi.

– W domu dobrze – odpowiedziała Nela, pozwalając wysnuć jej przypuszczenie, że skoro w domu wszystko gra, to gdzie indziej leży i kwiczy.

– To co jest nie tak? – zapytała natychmiast.

– Sama nie wiem… – mówiąc to, Nela ujęła w dłonie burzę swych rozognionych włosów i rozmasowała głowę ewidentnie nadwyrężoną myśleniem.

– Nela czegoś nie wie. To znaczy, że mamy święto! – skwitowała spragniona ciasta, bo stojący przed nią talerzyk był już pusty.

Ale teraz było to nieważne. Musiała szybko dowiedzieć się, dlaczego Nela jest smutna, chociaż spędziła sporo czasu z rodziną.

– Żadne święto – stwierdziła Nela.

Niestety przyjaciółka nie miała ochoty rozwijać męczącego wątku. Dlatego to na niej spoczęło rozprawienie się z tematem.

– Zerwał z tobą! – rzuciła to przypuszczenie na rybkę.

Zrobiła to, ponieważ wierzyła głęboko, że ktoś wgapiający się w Nelę takim wzrokiem jak Xawery nie mógłby posunąć się do takiego idiotyzmu.

– Gorzej! – odpowiedziała Nela.

– Rzucił cię dla Larwy – głośno wykoncypowała i zanim zdążyła się ugryźć w język, Nela znów się odezwała.

– Jeszcze gorzej!

– Gorzej to, moja droga, już być nie może!

– Może! – odpowiedziała znów Nela i podmieniła talerzyk.

Omiotła rozochoconym spojrzeniem drugi duży kawał ciasta.

– Gadaj szybko, o co chodzi! – fuknęła, bojąc się coraz bardziej, że skoro Nela twierdzi, że może być gorzej, to... może być gorzej.

Nela wpatrywała się w nią i milczała.

– No mów! – ponagliła przyjaciółkę, ale póki co ponaglanie na nic się zdało. – No chyba był u ciebie wczoraj?

– Przecież mówię ci, że gorzej...

– Ty byłaś u niego? – zapytała, jakoś nie wierząc w to, że Nela, dziewczyna z dobrego domu z tradycjami, z ogrodem i obejściem, z własnej woli władowała się do mieszkania Xawerego, który jak kiedyś sam napomknął, mieszka „w takiej trochę większej kawalerce".

– Gorzej...

– Zaraz to ty się gorzej poczujesz! – wychodząc z siebie, zagroziła, idąc śladem swej mamy.

Zrobiła to doskonale. Uczyła się przecież od najlepszych. Justyna często w takich sytuacjach, gdy jej młodsza siostra zaczynała mówić jak matka, zwracała się do niej następującymi słowami: „Ty sobie, Julka, lepiej uważaj, bo jak mama wyjdzie z siebie, to ci sam święty Boże nie pomoże. Nawet jeśli o zmiłowanie nad tobą poprosi twój duchowny brat".

– Gorzej to już chyba być nie może – Nela najwidoczniej nie bała się pogróżek.

– Posłuchaj, jeżeli jeszcze raz użyjesz słowa „gorzej", to nie ręczę za siebie.

– Byłam u jego rodziców – Nela w końcu zdobyła się na wyznanie.

– I nie można było tak od razu? – zapytała z ulgą w głosie.

– Gdybym wiedziała, co tam zastanę, sto razy zastanowiłabym się nad tą wizytą.

– O matko! Było aż tak strasznie? – przestraszyła się trochę, co nie przeszkodziło jej pałaszować drugiego kawałka ciasta i zastanawiać się nad tym, czy załamana z niewiadomych powodów przyjaciółka nie poskąpi jej przypadkiem trzeciego.

Akurat nad tym mogła się nie zastanawiać, ponieważ Nela nie była skąpa. Jednak tym, że przyjaciółka była chyba dość poważnie podłamana, zaczęła się właśnie przejmować.

– No mów! Wyduś wreszcie, czym cię starzy Xawerego do siebie zniechęcili, i to tak na dzień dobry.

– Nawet nie wiem, czy można to tak ująć… Nie jestem pewna, czy mnie zniechęcili… – zaczęła całkiem dyplomatycznie, a nawet trochę filozoficznie Nela.

– To co zrobili? – zapytała konkretnie.

– Chyba onieśmielili.

– Im więcej mówisz, tym mniej wiem – podsumowała dotychczasową rozmowę.

– Xawery uparł się wczoraj, że pojedziemy do niego – Nela chyba w końcu zrozumiała, że musi to z siebie wyrzucić.

– A ty biedna myślałaś, że jak do niego, to coś z tego będzie… – cmoknęła dwuznacznie. – A tu klops! Chodziło o prezentację, tak? – zapytała, wpatrując się w szmaragdy oczu Neli.

– Nie do końca, ale w dużym skrócie. Nawet nie pozwolił mi się przebrać po podróży.

– I w tym cała rzecz? – kolejny dziś raz się zdziwiła.

– Trochę też... – ton Neli był spokojny, ale sama Nela raczej nie.

– To w czym?! – zaczęła już nawet odczuwać fizyczne zmęczenie w związku z wyciąganiem informacji z nieskorej do zwierzeń przyjaciółki.

– Oni mieszkają w pałacu – odezwała się w końcu Nela, a jej głos drżał z przestrachu.

– Buckingham? Zdążyliście tak szybko obrócić?! – palnęła.

Od razu pożałowała swych słów.

– Nie! W pałacu w lesie, gdzieś na południu miasta...

– To w lesie czy w mieście? – postanowiła wyprowadzić Nelę z równowagi, by prędzej powiedziała, co leży jej na wątrobie.

– Skąd mam wiedzieć? Nie pytałam o adres... – niestety Nela trzymała nerwy na wodzy.

– Drzwi otworzył wam kamerdyner? – z wielką przyjemnością wyobraziła sobie pałacową rzeczywistość.

– Nie, ojciec Xawerego.

– To ja się pytam: co to za pałac? Przejmujesz się jakąś zubożałą szlachtą?

– Może nie chcieli mnie przestraszyć i kamerdyner dostał wychodne... – Nela powinna się teraz uśmiechnąć, ale niestety, wyraz jej twarzy pozostawał niezmienny.

– To przynajmniej teraz wiemy, skąd to imię... To znaczy, skąd to „X" na początku – uściśliła, by przyjaciółka wiedziała, o co jej chodzi.

– Widzę, że się dobrze bawisz – Nela spojrzała na nią prosząco.

– Dobre żarełko – rzuciła okiem na ostatni kęs ciasta pozbawiony już orzechów. – Popitka też pierwsza klasa – celowo głośno siorbnęła. – A opowieść zapowiada się całkiem, całkiem... – mówiąc to, zauważyła, że Nela może zaraz się popłakać.

Już rozumiem! Koniec z tym! – w myślach postanowiła się zdyscyplinować. Chyba podeszła do tematu nie tak, jak powinna. Miała przecież pewność, że skromność Neli nie korespondowała z zamożnością familii Xawerego, który do tej pory żadnym zachowaniem nie zdradził swego szlacheckiego pochodzenia.

– Poczułaś się jak Kopciuszek? – zapytała, ubierając swe przypuszczenia w metaforę z bajki.

Nela głośno westchnęła.

– W dodatku nie taki, co przyjechał karocą z dyni, tylko sam jest dynią – mówiąc to, Nela nie patrzyła na nią, ale utkwiła wzrok gdzieś w podłodze.

– Żyjemy w dwudziestym pierwszym wieku – wytoczyła potężne działo.

– I co z tego? – od razu zapytała Nela. – Mój świat i świat Xawerego są zupełnie różne. To dwa przeciwległe bieguny. Mają do siebie bardzo daleko.

– Nela! Czyś ty zwariowała?! – musiała przyznać, że czasami odzywki mamy okazywały się bardzo pomocne. – Normalnie mordy im poobijam, jeżeli zrobili z ciebie kocmołucha – zdenerwowała się nie na żarty.

– To nie tak... – zaczęła Nela, ale wzroku nie podniosła.

– W takim razie jak? – zapytała, starając się zachować ostrożność.

– Oni byli w porządku. To ja poczułam się tak, jakbym wchodziła tam, gdzie nie powinnam.

– Naprawdę zwariowałaś?

Nie mogła w to uwierzyć. Nie od dziś wiedziała, że jej najlepsza przyjaciółka jest bardzo skromna. Nie znała nikogo, kto w kwestii skromności mógłby się równać z Nelą. I jakoś nigdy specjalnie jej to nie dziwiło, ponieważ świat, w którym żyły, nastawiony był na lans, a skromność najczęściej była *passé*. Jednak ta cecha Neli była szczególna, bo połączona z tak imponującym intelektem, że w życiu nie pomyślałaby, iż może stać się kulą u nogi przyjaciółki. Niestety właśnie teraz chyba tak się stało.

– Posłuchaj... – musiała urządzić Neli intensywną psychoterapię. – Xawery robi do ciebie takie słodkie oczy, jakich do mnie jeszcze nikt w życiu nie robił, a ty masz zamiar teraz to wszystko... – zastanowiła się na chwilę, ponieważ zabrakło jej odpowiedniego słowa – ... zniweczyć – użyła takiego, że mama byłaby z niej z pewnością dumna. – I to w imię czego...? Jakichś przestarzałych przesądów na temat, za przeproszeniem, pieprzonego mezaliansu? Nela! W dobie homoseksualnych par, które chcą mieć prawo do adopcji dzieci, niech się pałacowe towarzystwo cieszy, że Xawery przyprowadził do domu kobietę! I że przyprowadził właśnie ciebie! Nawet jeśli ten dom jest pałacem.

– Ale zrozum, to nie chodzi o nich... To chodzi o mnie... – Nela przerwała jej prawie adwokacką przemowę.

– A ty zrozum, że skoro poczułaś się tak, jak się poczułaś, to z nimi jest coś nie w porządku. A Xawery? Jak się zachowywał?

– Oni wszyscy zachowywali się dobrze. Naprawdę... – przekonywała Nela. – Było miło, sympatycznie nawet. Zjedliśmy ciasto, przeszliśmy się po ogrodzie, który w sezonie musi wyglądać olśniewająco. Mają w nim nawet podgrzewane chodniki, żeby nie leżał na nich śnieg.

– Fiu, fiu... – była gotowa zagwizdać, ale ciotka Klara nie pozwalała nigdy na żadne gwizdy, gdyż twierdziła, że jak dziewczynka gwiżdże, to się diabły w piekle cieszą.

A w nosie mam ciotkę Klarę! – pomyślała, gwiżdżąc przeciągle.

– Nie stresuj się za bardzo! Tak się przecież składa, że jesteś córką obszarników ziemskich. Ogród też macie imponujący. A wasze krowy są na pewno więcej warte niż te ich wszystkie grzane chodniki!

Udało się! – pomyślała i rozpromieniła się. W końcu zobaczyła uśmiech Neli. Tylko szkoda, że bardzo niemrawy.

– Ale obok mojego domu rosną malwy i to chyba samosiejki, a obok domu Xawerego róże zabezpieczone przed mrozami specjalną włókniną.

– I powiedz mi, co to ma do rzeczy?

– Nie udawaj...

– Ale ja naprawdę niczego nie udaję. Pomyśl, oni mają pałac na południu miasta, a wy macie posiadłość na północy kraju. Normalnie *Północ – Południe*! – Nela od razu zrozumiała filmowe odniesienie. – Po prostu! Dla prawdziwej miłości przeszkody nie istnieją! Rejonizacja też jej nie dotyczy. Poza tym mówię ci, że powinni się cieszyć! Bo zobacz, gdyby Xawery wybrał mnie – uśmiechnęła się, Nela też – to by dopiero była różnica klasowa. Z jednej strony pałac, z drugiej wiecznie zasikana klatka schodowa. Nela, ty jesteś w czepku urodzona. A kim są z zawodu król i królowa z pałacu? – zapytała z ciekawości.

– Lekarzami.

– O widzisz! Naprawdę strzał w dziesiątkę! Kto ma medyka w rodzie, tego bieda nie ubodzie! – tym razem posłużyła się powiedzeniem ciotki Klary, przeinaczając je trochę na obecne potrzeby.

– Chyba księdza w rodzie – poprawiła ją natychmiast Nela.

Przyjaciółka znała to powiedzenie, chociaż w rodzie na pewno nie miała nikogo, kto przypominałby ciotkę Klarę, rzucającą różnymi przysłowiami niby to własnymi mądrościami. Ciotka Klara była po prostu jedyna i niepowtarzalna. Na szczęście.

– W naszym przypadku lepiej sprawdza się wersja z medykiem, bo z księdzem to tak sobie – przez myśl przebiegł jej szczery uśmiech brata. – A ciasto mieli takie dobre jak to od północnych obszarników?

– Dobre – odpowiedziała Nela, po czym zamyśliła się.

Obserwowała przyjaciółkę i podejrzewała, że powodem zamyślenia nie jest bynajmniej wspomnienie smaku ciasta zjedzonego wczoraj w pałacu.

– I nad czym znowu tak dumasz? – zapytała, przyssawszy się do kubka, by już do końca wypić jego zawartość o wymarzonym smaku, a teraz też temperaturze.

Zdążyła wypić sok, odstawić na małą szafkę zastępującą wszystkie kuchenne meble brudne naczynia, wrócić do małej salonki, usiąść na tapczanie, to znaczy na wąskiej pryczy, i znów wpatrzeć się w zamyślone, jakby tonące w rozlicznych kłopotach oczy Neli. Wzięła głęboki wdech i poprzysięgła sobie, że nie wyjdzie z tego zapyziałego akademika, dopóki Nela nie odzyska spokoju ducha.

– Nie wyjdę stąd, dopóki mi nie powiesz, o co chodzi tym razem – uśmiechnęła się do przyjaciółki ochoczo.

– Fajnie, bo nie lubię być sama – zgasiła ją natychmiast Nela. – Pewnie dlatego, że w moim domu samotność jest rzeczą nieosiągalną.

– Tęsknisz? – zapytała, wiedząc, że Nela zawsze tęskni.

Nela naprawdę zawsze tęskniła. Miała taki dom, do którego chciało się wracać. Zazdrościła tego przyjaciółce. Jej dom różnił się od tego Neli wszystkim, czym tylko mógł. A mimo to lubiła do niego wracać i wciąż powtarzała sobie w myślach to samo zdanie, jakby bojąc się, że może kiedyś o nim zapomnieć:

Nie ma to jak w domu.

Nela w tym czasie wzdychała.

– A Xawery nie będzie zły? – zapytała, nawiązując do tego, że dopóki Nela się nie uspokoi, ona nie opuści jej pokoju.

– Czemu?

– Że mu miejsce zajmuję.

– Nie sypiamy ze sobą – poinformowała Nela, niestety szczerze.

– To szkoda – też umiała być szczera.

– Bo ja wiem...

– Zawsze to lepiej przeżywać coś pięknego, niż nie przeżywać nic – podpowiadała, wierząc w to, co mówi.

– Pewnie coś w tym jest – Nela pogrążyła się w chwilowej zadumie. – Tylko nie zawsze jest tak, że to, co jest miłe dla nas, jest też miłe dla innych.

– Znowu przesadzasz! – podniosła ton.

– Nie przesadzam – Nela nie potrafiła mówić podniesionym tonem, choć próbowała. – Nic na to nie poradzę, że jak pojawia się obok mnie Xawery, to od razu zastanawiam się, czy spodoba się moim rodzicom. Pewnie wiesz, o czym mówię.

– Pewnie, że wiem, ale jeśli o to chodzi, to jestem w lepszej sytuacji. Ja wiem, że choćbym nie wiem kogo do domu przyprowadziła, to zawsze będzie jakieś ale... Przypuszczam, że moja rodzina jest bardziej opiniotwórcza niż twoja.

Zauważyła, jak Nela ukradkiem ziewa.

– Trzeba było powiedzieć, że cię zanudzam – zasugerowała z uśmiechem.

– Przepraszam, ale się nie wyspałam. Prawdę mówiąc, oka nie mogłam zmrużyć.

– Czyżbyś jednak nabrała ochoty na pańskie życie w pałacu? – musiała żartować, po prostu musiała.

– Nie. Myślałam o różnych sprawach... – odpowiedź Neli zabrzmiała niebezpiecznie enigmatycznie, a twarz przyjaciółki znów zasnuł smutek.

– Te sprawy to jakaś tajemnica? O mój Boże! – udała wystraszoną.

– Trochę tak... – prawdomówność Neli brała górę nad zagadkowością, stąd wiadomo było, że należało kuć żelazo, póki gorące.

– To opowiedz mi o wszystkim szybko! Tylko po cichu, żeby nikt nie słyszał! – zaproponowała, a Nela nie zdążyła uśmiać się z jej słów, gdyż usłyszały donośne i energiczne pukanie do drzwi.

– Proszę... – zareagowała na nie miłym i zapraszającym tonem Nela.

Drzwi otworzyły się natychmiast i stanął w nich nieurodziwy i w ogóle nieprzystojny okularnik.

– Cześć, Nel – przywitał się miłym głosem, a jej rzucił zwykłe „dzień dobry".

– Cześć, Stasiu – odpowiedziała Nela.

Patrząc na tych dwoje bardzo serdecznych wobec siebie ludzi, nie wiadomo dlaczego poczuła się w ich towarzystwie nieswojo. Zupełnie jakby ktoś chciał ją w miarę szybko wyekspediować w rejony pustyni i puszczy. Czyżby była zazdrosna o to, że Nela ma takie sfery w życiu, o których ona nie miała pojęcia? Istniało takie prawdopodobieństwo...

– Masz cukier? – zapytał okularnik.

– Oczywiście.

Nela podeszła do szafki udającej meble kuchenne i wyjęła z niej prawie cały kilogram cukru.

Nieprzystojniak wyciągnął zza pleców kufel do piwa, który Nela natychmiast wypełniła cukrem.

– Dzięki bardzo! Oddam – zaoferował Staś.

– Nie wygłupiaj się – uśmiechnęła się Nela, a on też z uśmiechem i w zabawnym półukłonie, będącym pewnie pożegnaniem, zniknął za drzwiami.

– Nieszczególnej urody, ale sympatyczny – obmówiła natychmiast nieoczekiwanego gościa.

– Przede wszystkim sympatyczny – podkreśliła Nela, znów siadając naprzeciwko.

– To na czym skończyłyśmy? – zapytała bez ogródek.

– Że sympatyczny – zastosowała unik Nela.

– To też – uśmiechnęła się. – Ale chyba miałaś mi opowiedzieć o tym, co dziś nie pozwoliło ci spać.

– Chyba kto... – Nela zaczęła uchylać rąbka tajemnicy.

– No to kto? – zapytała.

Nela milczała. Chyba usiłowała posłać jej wymowne spojrzenie. Czasami taki sposób komunikacji im wystarczał. Dziś niestety nie.

– Oj, nie powiem, żeby mi się dziś z tobą fajnie gadało – z rozmysłem zganiła partnerkę tej niezbyt łatwej rozmowy. – I czemu ty, dziewczyno, milczysz? – zapytała wprost.

– Trochę się boję, że zamiast spróbować mnie zrozumieć, od razu na mnie nakrzyczysz...

Niestety Nela nie musiała dodawać już ani słowa. Wszystko stało się jasne. House, House i jeszcze raz House. Co gorsza, rzeczywiście miała ochotę krzyczeć, może nawet nie na Nelę, tylko tak po prostu krzyczeć z bezsilności. Musiała jednak zapanować nad złymi emocjami. Z tym nie miała kłopotu.

Lata praktyki – pomyślała gorzko i od razu spoważniała.

– Żartujesz? – zapytała najpoważniej, jak potrafiła.

– O to właśnie chodzi, że ani trochę – przyjaciółka znajdowała się na północy, a jej nastrój do żartów na południu.

– Obiecałaś się z tego wyleczyć – cedziła słowa.

– Właśnie to robię... – Nela zachowała normalny ton.

Patrzyła na przyjaciółkę i miała ochotę kogoś palnąć. I to wcale nie obojętnie kogo. Miała ochotę walnąć siebie samą. Po prostu. Czuła się paskudnie. Naprawdę jej odbiło. Jedna myśl wystarczyła, by humor jej siadł. A gdzie tam! Nie siadł, nawet nie przykucnął, tylko leżał plackiem. Zrozumiała, że prosiła Nelę o coś, z czym od jakiegoś czasu sama nie potrafiła sobie poradzić. A dokładniej, odkąd Kochanowski pojawił się w mieszkaniu Justyny i Krzycha. Już do niego niestety nie wrócił, ponieważ infekcja Tymka skończyła się po dwóch dniach tak nagle, jak się zaczęła, a u Szymona się nawet nie zaczęła. Od tamtej pory, chociaż nie widziała ordynatora, to i tak wciąż jej towarzyszył. Panoszył się bezkarnie po jej głowie, chociaż bardzo chciała, by tak nie było. Co więcej, nie opuszczał jej myśli nie dlatego, że zwróciła uwagę na Kochanowskiego, ponieważ zrobiła to wcześniej Nela. Nie! Zupełnie nie! Akurat w tej sprawie obserwacje Neli nie miały żadnego znaczenia. Kochanowskiego odkryła sama, w dziwnych okolicznościach, dziwnym czasie i miejscu. Ale zrobiła to sama i już przeklinała się za to w myślach. Co więcej, rozumiała Nelę. Miała świadomość, że bezstronność i beznamiętność, które zaprezentowała podczas ostatniej rozmowy na temat Kochanowskiego, już się nie powtórzą. Nie miała pojęcia, co jej zrobił. Coś z nią zrobił, nawet na nią nie patrząc, bo była nim zauroczona. Zafascynowana. Przede wszystkim jego niedostępnością. Jego oczami i dłońmi.

– Ja chyba śnię! – wydusiła z wściekłością na samą siebie.

– Widzisz, jak dobrze cię znam – Nela uśmiechnęła się, wcale nie gorzko. – Wiedziałam, że się wkurzysz, ale proszę, nie przejmuj się. Daję radę, a myślę o nim chyba tylko w ramach pożegnania. To takie kończenie znajomości, która dla mnie była wielkim halo, a dla niego chwilą, której nawet nie zapamiętał. Nic dla niego nie znaczyłam. Jestem rozsądną dziewczynką, stąpam twardo po ziemi, nie musisz się mną martwić.

– To akurat wiem – powiedziała głośno.

Musiała się otrząsnąć, pozbyć myśli, które ją męczyły i sprawiały, że czuła się wobec Neli bardzo nie w porządku. To było straszne.

Nela zasługiwała na szczerość i prawdę. Na razie jednak sama nie wiedziała, jaka jest ta prawda. Co stanie się jutro, kiedy może zobaczy go na oddziale? Bała się. Bała się tego bardzo.

– Czyli nie boisz się iść jutro na czytanki? – tak w swej gwarze czasami nazywały wizyty w szpitalu.

– Ani trochę – odpowiedziała z przekonaniem w głosie Nela.

A ja bardzo! – stwierdziła w myślach. Przyznała się przez sobą, że ma stracha. Chyba nie bała się Kochanowskiego, ale siebie. Obawiała się tego, co czuje i co niestety miało duży związek z mężczyzną, którego całkiem niedawno nazwała staruchem.

– To od jutra nie waż się nawet na niego spojrzeć! – powiedziała, wiedząc, że powinna rozkazywać sobie, a nie Neli.

– Nawet nie będę mogła – szepnęła przyjaciółka dość zagadkowo.

– Mam nadzieję, że mnie nie zostawisz – wystraszyła się trochę, bo akurat jutro nie chciała iść do szpitala sama.

– Coś ty! – uspokoiła ją od razu Nela. – Po prostu jutro pójdzie z nami ktoś jeszcze.

– Xawery? – zapytała, choć widząc minę Neli, mogła sobie darować pytanie.

Przyjaciółka skinęła głową i przybrała bardzo zadowolony wyraz twarzy.

– Sama widzisz! Możesz być spokojna, taki pan z pałacem nie przejmowałby się losem innych, gdyby to bogactwo było dla niego najważniejsze. Xawery na pewno ma ten pałac gdzieś, a za tobą poszedłby nawet do piekła, zostawiając dziesięć takich pałaców za sobą, więc nie myśl o bzdurach, tylko ciesz się tym, co masz… I tym, co możesz mieć… – dodała dość dwuznacznie.

– Dzięki… – szepnęła Nela, patrząc jej w oczy, jakby czekając na dalsze zapewnienia, że wszystko zdąża w dobrym kierunku.

Dla ciebie wszystko! – pomyślała szczerze. Musiała stanąć na wysokości zadania.

– Poza tym chyba lepiej zdarzyć się nie mogło, że tobie, córce obszarników, taki bogacz się trafił. Przynajmniej możesz być pewna, że mu o ciebie chodzi, a nie o morgi. Gdyby Xawery okazał się gołodupcem, to nie mogłabyś spać spokojnie, a tak? Skoro nie o morgi mu chodzi ani o pałace… – skupiła wzrok na Neli, a widząc zmieniającą się minę przyjaciółki, parsknęła śmiechem, nie musząc przepraszać za to, co już zdążyła powiedzieć, bo Nela też już się śmiała, całkiem szczerze. Napięcie zostało rozładowane.

Bała się. Miała stracha przed jutrzejszą wizytą w szpitalu. Nie chciała go widzieć. Nie chciała widzieć Kochanowskiego. Nie mogła zrozumieć, jak to możliwe, że ktoś, kogo widywała w miarę regularnie od dłuższego czasu, ktoś, kto do niedawna nie robił na niej żadnego wrażenia, ani jej nie ziębił, ani zanadto nie grzał, nagle awansował na inną pozycję. Miała go już dosyć. Męczył ją. Myślała o nim, męczyła się i wkurzała, głównie na samą siebie. Przecież zawsze była silna. Nie dawała się facetom. Dotychczas pojawiali się w jej życiu i znikali, nie zagrzewając miejsca na dłużej, ponieważ posiadała umiejętność szybkiego odkrywania takich ich defektów, że budowanie dalszej znajomości było bezcelowe.

Już nawet pokój posprzątała, by zająć się czymkolwiek i przestać myśleć. Zajęło jej to sporo czasu, ponieważ Justyna przyjechała dziś z chłopcami na leniwe kluski. Ku wielkiej radości babci apetyty maluchom dopisywały, a później mieli mnóstwo sił na to, by narobić bałaganu w jej zakątku. Teraz w pokoju panowały wzorowy porządek i względna cisza, gdyż zapchane kluchami towarzystwo pojechało do domu. Ciotki Marianny nie było na obiedzie, ponieważ okazało się, że miała inne plany tego popołudnia. Względna cisza w domu nie oznaczała przecież ciszy absolutnej, ponieważ w kuchni oprócz mamy krzątającej się już przy kolacji siedziała jeszcze wciąż sztywna matrona, ciotka Klara, opowiadając nikogo nie interesujące historie.

Siedziała na wyblakłej zieleni starego dywanu, nie słyszała więc dokładnie słów ciotki Klary, tylko jednostajny strumień niewyczerpanych pretensji do świata i ludzi. Mianowicie latem było za gorąco, zimą za zimno, jesień była zbyt słotna, a wiosna zawsze za krótka. Ludzie natomiast wredni albo durni, a życie zawsze niesprawiedliwe. Wsłuchiwała się w paskudną melodię głosu ciotki i gdyby nie to, że to na niej spoczywał obowiązek odprowadzenia kuśtykającej staruszki do domu, to z pewnością już położyłaby się spać. Była zmęczona. Wolne od zajęć dni minęły jak z bicza strzelił. Zwykle planowała je z myślą o sobie i zazwyczaj z tych planów nic nie wychodziło. Stos książek, które miała przeczytać dla przyjemności, nie zmalał ani trochę. Zaczynający się już jutro semestr letni z jednej strony cieszył, z drugiej zaś wiedziała, że znów będzie musiała wejść w trybiki nieustępliwego czasu. Nawet Janek odwołał swą wizytę w ostatniej chwili i nie zobaczyli się podczas ferii zimowych. Czyżby spełniało się przepełnione czarnowidztwem proroctwo ciotki Klary, która uważała, że skoro siostrzeniec oddał się w ręce boskie, to dla rodziny był już stracony?

Nela nie reagowała na mailowe zaczepki. Pewnie nie miała dostępu do Internetu u koleżanek medyczek. Nela nie miała swojego komputera, nawet takiego jak ona, czyli starego, odziedziczonego po kimś złomu. W przypadku Neli ten brak miał tylko same plusy. Po pierwsze, nie marnowała czasu na bzdury, a po drugie, przyzwyczaiła się do zapamiętywania wszystkiego, co ważne. Z nią było oczywiście inaczej. Wielu rzeczy nie musiała zapamiętywać, ponieważ w razie potrzeby mogła odnaleźć wszystko w komputerze zajechanym znacznie przez Krzycha. Nela nie tylko w sprawach naukowych, ale też po prostu ważnych liczyła tylko na siebie. Zapamiętywała wszystko, co ważne. Z ludźmi rozmawiała zwykle twarzą w twarz, a do telefonu przekonała się dlatego, że dzięki niemu, gdy tylko odczuwała taką potrzebę, mogła w słuchawce usłyszeć głosy bliskich. Zazwyczaj irytowało ją, gdy Nela nie odpowiadała na mailowe wiadomości. Dziś jednak była spokojna. O planie zajęć na nowy semestr, który pojawił się już na stronie uczelni, mogły porozmawiać przecież jutro. Miała jednak ogromną chęć wejść na stronę szpitala i poszukać informacji na temat personelu medycznego tam zatrudnionego. Miała chęć, ale nie zrobiła tego, by udowodnić sobie, że nie chce wiedzieć o Kochanowskim nic więcej ponad to, co już wie. A wiedziała bardzo mało. Prawie nic. Poza tym miała też świadomość, że im mniej o nim wie, tym lepiej, lepiej dla niej. Krzychu przysłał jej numer Kochanowskiego, dlatego wiedziała, że ordynator oddziału ma na imię Łukasz. Gdy zobaczyła w swym telefonie to imię, zdziwiła się. Nie pasowało do niego. Żadne inne też nie. Amadeusz, Hilary czy Tytus… Co to za różnica? Kochanowski miał ładne nazwisko. Pewnie wystarczyło wklepać jego imię i nazwisko w przeglądarkę i wiedziałaby o nim dużo więcej niż do tej pory…

Tylko po co? – pytała się w myślach, ale i tak wpatrywała się w klawiaturę komputera. Pewnie dowiedziałaby się, do jakich medycznych gazet Kochanowski pisuje artykuły, ponieważ z pewnością to robi. Wiedziałaby, jakie tematy w nich porusza, gdyż wiedzy medycznej popartej doświadczeniem na pewno mu nie brakowało. Wyglądał na mola książkowego. Może dowiedziałaby się o nim czegoś jako o człowieku, choć obstawiała, że na Facebooku go nie było. Kochanowski nie potrzebował nawet realnych znajomości. Na odległość czuć go było odludkiem. Wypisywanie dyrdymałów w sieci nie było mu do niczego potrzebne. Jej zresztą też nie. Zamiast wklepać jego imię i nazwisko w klawiaturę, siedziała i zastanawiała się na przykład nad tym, czy skoro znał go Krzychu, to czy Justyna też wiedziała coś na jego temat. Miała jednak pewność, że najlepiej zrobi, jeśli nie będzie wtajemniczać ani Krzycha, ani Justyny, ani nikogo innego w swe przemyślenia na temat Kochanowskiego. Dopóki wszystkie pytania dotyczące jego osoby były tylko w jej głowie, świat nie wiedział o niczym, czyli o tym, że zaczyna się coś dziać...

Coś, czyli co...? – zapytała się w duchu.

Nico! – gdyby to było możliwe, wrzasnęłaby sobie do ucha. Była gotowa obrazić się na samą siebie za własne myśli. „Bądź dla siebie dobra" – poprosiła ją kiedyś ciotka Marianna. Nie pamiętała już, w jakich okolicznościach usłyszała te słowa, ale dziś nie brała ich sobie do serca. Nie potrafiła tego zrobić. Jak miała być dla siebie dobra, skoro sama się na siebie denerwowała? Postanowiła nie myśleć o Kochanowskim, ale rozmyślaniom nie było końca.

Obłęd! – piętnowała i krytykowała w myślach swe zachowanie.

– A ty co, Julka?! Sama do siebie mówisz? – usłyszała przez uchylone drzwi pokoju głos mamy.

W tym domu nie ma za grosz intymności! – tym razem, gdyby mogła, wykrzyczałaby zarówno swą refleksję, jak również złość mamie prosto w twarz. Oczywiście w realu wolała tego nie robić.

– Wydawało ci się! – odezwała się, jednak głośniej, niż zamierzała.

– Co tak siedzisz?! – mama wtargnęła na jej terytorium w dodatku z idiotycznym pytaniem na ustach.

– A co mam robić? – odezwała się niezbyt uprzejmie.

– Może napijesz się z nami herbaty?

To mnie zaszczyt spotkał! – pomyślała, wstając z podłogi.

– Skoczę tylko do toalety i już przychodzę – powiedziała, by zyskać na czasie.

Chciała zerknąć do lustra, aby przekonać się, że jej twarz nie zdradza ani uczuć, ani zagubienia, ani wewnętrznego konfliktu, które zaczynały ją zżerać od środka. Wystarczyło zrobić kilka kroków, zgasić światło, otworzyć drzwi, zamknąć je za sobą szybko i… uspokoić myśli.

Dzięki Bogu, wyglądała normalnie. Nic w jej wyrazie twarzy nie wskazywało na to, że w głowie jej się poprzewracało. Patrzyła na siebie beznamiętnie. Nie potrafiła sobie poradzić z wewnętrznym niepokojem, był niewidoczny dla oczu, ale obecny w sercu, niebezpieczny, jakby przyczajony.

– Julka, herbata! – nawoływanie mamy nie miało nic wspólnego z serdecznym zaproszeniem.

Przecież herbata nie ucieknie!

– Julka, no chodź! Ciocię trzeba odprowadzić! Zmęczona już jest!

Jak można się zmęczyć całodziennym siedzeniem i ględzeniem?! – pomyślała, zbyt mocno gasząc światło. Weszła do kuchni, nie mogąc pozbyć się uczucia irytacji. Przywitał ją sceptyczny wzrok ciotki Klary. Mama szukała czegoś w lodówce.

– A co ty, Julia, jakaś taka markotna się wydajesz? – zapytała wycieńczona nicnierobieniem ciotka Klara.

Markotna? Co to za beznadziejne słowo! – przyszło jej do głowy. Miała ochotę popatrzeć z wściekłością w oczy ciotki, ale na początku uciekła wzrokiem, by zapanować nad sobą, po czym spojrzała na ciotkę i uśmiechnęła się, udając, że durne pytania do niej nie docierają. Wyciągnęła z filiżanki mokrą torebkę wypełnioną owocowym suszem, który z mazurskimi malinami nie miał nic wspólnego, a i tak jakiś oszust nie bał się nazwać tego herbatą malinową.

– Rzeczywiście – mama zerknęła w jej kierunku znad pojemnika, w którym upychała ostatnie sztuki leniwych, przeznaczone z pewnością dla ciotki Marianny.

Zejdźcie ze mnie, bo mi słabo! – pomyślała, jednocześnie błogosławiąc się w duszy za umiejętność zapanowania nad językiem.

– Te kluski to dla ciotki Marianny? – zapytała dokładnie w tej samej chwili, w której mama zadała jej pytanie: „Zaniesiesz?".

W odpowiedzi skinęła posłusznie głową. Nie było sensu odpowiadać, bo i tak zostałaby zagłuszona stukaniem łyżeczki o filiżankę. Ciotka Klara mieszała herbatę.

– A dobrze się czujesz? – mama zdążyła zadać pytanie, zanim ciotka Klara zaczęła siorbać.

– A dlaczego miałabym się źle czuć? – zapytała opryskliwie i od razu skarciła się w duchu za ton.

– Ale po co się od razu tak denerwujesz? – zapytała mama, stawiając przed nią pojemnik z leniwymi.

– Oj, te dzieci! – podsumowała od razu między siorbnięciami ciotka Klara.

Gdyby nie to dziecko, to sama musiałabyś iść teraz do domu, do swojego kociego syna! – pomyślała z wściekłością i dotarło do niej, że rzeczywiście nie czuje się dobrze i że wszystko ją denerwuje. Co gorsza, nie jest temu winna wgapiająca się w nią teraz seniorka rodu. Wszystkiemu winien był Kochanowski. Normalnie diabli nadali! Musiała na siebie uważać nie tylko jutro. Trzeba w ogóle uważać. Był niebezpieczny. Niczego nie robił, a jej życie stawało się inne niż dotychczas. Zajęła usta piciem herbaty, by nie palnąć czegoś głupiego. To, co piła, było gorące i bez smaku.

– Ale chciało mi się pić, pyszna – kłamała jak z nut. – To co, ciociu, idziemy? – zapytała tak miłym głosem, jakby chciała całemu światu udowodnić, że to staruszki marudzą, a dzieci są sympatyczne, o ile tylko potrafią zachować dystans do staruszek.

– Tak, dziecko, idziemy, na mnie już pora – ciotka Klara z niechęcią zbierała się z wygrzanego miejsca na kuchennym narożniku. – Poza tym jak się Marianna spać położy, to nie usłyszy, że przyszłaś, a leniwe co? Zmarnują się?

Jak zwykle żarcie ważniejsze od człowieka! – pomyślała, mając pewność, że ciotka Marianna przyjmie ją z uśmiechem, który będzie tylko i wyłącznie na jej widok, a nie klusek. Uśmiechnie się i powie: „dobrze, że jesteś...". To takie słowa miała dziś usłyszeć od ciotki Marianny. Tak jak zawsze. Lubiła te słowa, wręcz przepadała za nimi, ponieważ ciotka wypowiadała je tak, że nie było wątpliwości, iż kocha ją najbardziej na świecie. Mocniej i bardziej zdecydowanie niż inni, choć robiła to w ciszy i nie oczekując oklasków. Ceniła taką miłość, bez pokazówek, skromną, ale wnoszącą do jej życia wiele dobrego.

Pod dachem
owej wysokiej wieży,
która
gubiła się w chmurach,
kto chce – niech wierzy,
kto chce – niech nie wierzy,
była
komnata ponura.
U drzwi komnaty
pająk na straży
podstępnie czaił się
z kąta.
I gdyby ktoś tam
wejść się odważył,
w sieć swoją
by go oplątał.
W komnacie
skrzynia stała z ołowiu.
Szczelnie zamknięta na kłódkę.
Co było w skrzyni?
Zaraz wam powiem,
chociaż to czynię ze smutkiem.

Czytając baśń, celowo zmieniła jej treść. W tekście było napisane „zaraz wam powiem", a ona z rozmysłem przeczytała: „zaraz ci powiem", by mały Grześ był pewien, że balladę czyta tylko dla niego. Tyle razy jej słuchała i tylekroć ją czytała, że znała na pamięć każde słowo, przecinek, kropkę. Doskonale wiedziała, jak akcentować wymawiane wersy, aby te robiły jak największe wrażenie na słuchających. Tej intonacji nauczyła się całkiem nieświadomie od ciotki Marianny. Mały Grześ był bardzo zmęczony. Dostrzegała, jak jego jasne oczy coraz częściej chowają się za zasłoną bladych powiek pozbawionych rzęs. Chłopiec zasypiał. Ściszała więc głos i uspokajała intonację, by uśpić małego pacjenta. Chłopiec zasnął, a ona nie mogła przestać czytać. Targały nią okropne emocje. Prym wśród nich wiódł strach. To dlatego było jej tak niedobrze. Mdliło ją z nerwów. By odizolować się od tego, co zastała dziś na oddziale, z uporem chciała zająć myśli czymś neutralnym. Starała się mocno, choć upór wcale jej nie pomagał. Szeptała słowa ballady, czytała ją znów od początku, chociaż chłopiec, którego dopiero dziś poznała, już spał. Trafił na oddział z innego szpitala w innym mieście. Miał osiem lat. Wyglądał może na pięć.

Nie potrafiła funkcjonować dziś normalnie, nie zdołała wcielić w życie zasad wolontariatu. Nie miała pojęcia, jak mogłaby wyrazić swój sprzeciw, swój brak zgody na śmierć dziecka. Dziś oddział wyglądał podobnie jak rzeczywistość opisana na początku ballady, którą wciąż czytała, a różnił się tym, że w tekście oczekiwało się na szczęśliwe zakończenie. Tu, gdzie teraz była, obowiązywały inne prawa. Dziś czuła bardzo wyraźnie, że szpitalnym światem rządzą reguły, których nie potrafiła zrozumieć. Właśnie przekonywała się boleśnie, że tym oddziałem, jak i każdym innym mu podobnym, nie rządzą żadne zasady. To był świat bez zasad. Tu rządził rak. Stwór straszny, bo działający po cichu, ubrany w białe rękawiczki.

Powolny albo błyskawiczny. Działający przewidywalnie lub zupełnie zaskakujący. Przyczajony bądź niszczący jawnie. Przyłapywał swe ofiary na całkowitym nieprzygotowaniu, atakował z zaskoczenia, a na koniec udawał niewinnego. Niczemu nie był winny, bo to przecież nie on zabijał. Zabijała chemia. W ostatecznym rozrachunku to ona skazywała na śmierć. Ona była winna, a on pozostawał bezkarny i pewnie dlatego wiecznie poszukiwał nowych ofiar. Działał bezkarnie, był więc odważny i pewny swego...

Dni stawały się długie. To znaczy dłuższe od zimowych. Dzisiejszy jednak przypominał zimowy albo bardziej nawet – listopadowy. Słońca nie dało się uświadczyć. Szarobure powietrze napawało pesymizmem. Na oddziale zamiast sal były – jak w balladzie – tylko ponure komnaty. W ich kątach zamiast pająków czaił się rak. To on sprawiał, że czas się tu dziś zatrzymał i zapadła cisza jak makiem zasiał. Dziś zły czarownik siał tu postrach i to z takim powodzeniem, że bała się wyjść na korytarz. Zwykle ktoś na nim był. Ktoś po nim biegał. Ktoś kogoś zaczepiał, nagle głośno krzyknął, nie bojąc się złajania przez pielęgniarkę dyżurną. Dziś o takich odgłosach normalnie toczącego się życia nie było mowy. Dziś nic nie miało normalnego trybu. Nawet ona działała w innym. Nie potrafiła się zachować. Chociaż kiedy chodziła na szkolenie, dużo mówiło się o tym trybie nazywanym przez nią „nienormalnym". Odkąd tu przychodziła, nie wydarzył się jeszcze nigdy albo łaskawie ją omijał. Wiedziała, że jeśli coś jej nie spotyka, to nie jest to jednoznaczne z tym, że nie spotka jej nigdy. Takie jest życie. I co z tego, że chodziła na szkolenie? Była tak przerażona, że zapomniała o wszystkim, co na szkoleniu kładli jej do głowy mądrzy ludzie. Patrzyła na śpiącego Grzesia. Podniosła się z krzesła, by dokładnie okryć go małą kołdrą. Zamiast wyjść, znów usiadła. Popatrzyła na jelonka zerkającego na nią z obrazka na ścianie nad łóżkiem. Na uśmiechniętą żabę z nenufarem na małym zielonym liściu. Na moment wróciła myślami do dzieciństwa, które kojarzyło jej się z głosem ciotki Marianny. To dzięki niej do dziś pamiętała atmosferę Doliny Roztoki. Żaba natomiast kojarzyła jej się z tą, o której śpiewała jej kiedyś Justyna, czująca wielką sympatię do oślizgłego płaza z jednego prostego powodu: żabka z piosenki też nie słuchała mamy.

Grześ posapywał, ale spał spokojnie. Zrobiło się już naprawdę późno. Godzinę temu powinna stąd wyjść i śladem Neli odprowadzanej przez Xawerego, który rozmawiał dziś z dyrektorem szpitala w niewiadomej sprawie, pójść do domu, by pouczyć się do kilku zbliżających się kolokwiów z różnych przedmiotów. Teraz jednak wszystko miała w nosie, żeby nie powiedzieć, że gdzie indziej. W końcu zamknęła książkę. Przecież musiała to zrobić. Wstała z krzesła. Zebrała siły i po cichu na palcach wyszła z sali. Od razu wpadła w otchłań ciężkiej atmosfery korytarza. Choć nie mogła być tego pewna, to już wiedziała. Stało się. Wiedziała, w której z sal. Znała ją. Wielokrotnie wchodziła do niej z uśmiechem na ustach. Miała też świadomość, że będzie musiała odnaleźć w sobie siłę, by wejść do niej znowu i kolejny raz zobaczyć nową twarz. Jednego jeszcze nie wiedziała. Nie była pewna, czy lepiej pamiętać o tym, co się dziś stało, czy postarać się zapomnieć. Była pewna jednej rzeczy. Dziś pojęła swą głupotę. Zapomniała o podstawowym obowiązującym tu prawie: nic nie trwa wiecznie. Ona wciąż nie wiedziała, czy spędzanymi tu chwilami powinna się cieszyć, czy wprost przeciwnie, bać się ich jak trawiącego wszystko ognia bądź bezlitosnej powodzi.

Za oknami panował już całkowity mrok. Szatniarka z dołu, pani Gienia, z pewnością zebrała się już do domu. Jej kurtkę, jak to się wcześniej zdarzało, pewnie zwinęła i wcisnęła pod ladę. Idąc korytarzem, nie stosowała się do żadnych zasad i rozpłakała się na całego. Nie mogła nad sobą zapanować. Musiała wyjść. Chciała się gdzieś schować, i to jak najszybciej. Znalazła się na schodach, na których jeszcze nigdy nie była. Zeszła w dół na półpiętro. Nic nie widziała. Oparła się o jakiś parapet, który znajdował się w tak ponurym miejscu, że jej dzisiejsza rozpacz pewnie nie była dla niego pierwszyzną. Nagle usłyszała hałas. To książka. Wypadła jej z rąk i spadła na podłogę.

Ballady sięgnęły bruku... Nie tylko ballady. Dziś życie sięgnęło bruku... – pomyślała i nie znalazła siły, by schylić się po książkę. Nie miała też siły stać na własnych nogach. Wcisnęła się więc w parapet. Usiadła na nim, całą sobą opierając się o nieszczelne okno. To było wciąż za mało. Podciągnęła nogi. Skuliła się. Zamknęła się w sobie jak wystraszony jeż. Chciała pokłuć świat swoim bólem i rozgoryczeniem. Ale nic nie pomagało. Dziś nic nie mogło pomóc, bo odszedł chłopiec. Ten, który nieustannie mógł słuchać ballady o złym czarowniku. Ten, którego już tu nie będzie podczas kolejnych jej wizyt.

Umarł Michaś... – rozmyślała, choć gdyby mogła, uciszyłaby swoje myśli. Ale te jak na złość nie dawały się poskromić. Przypominały jej dobre czasy. Przypominała sobie Michasia, który sklejał postacie różnych zwierząt z rolek po toaletowym papierze lub tych dłuższych po papierowych kuchennych ręcznikach. Nie miała siły, by się ruszyć. Musiała tu zostać chyba do jutra. Potrzebowała się wypłakać. Nagle usłyszała głos.

– Proszę...

Zamarła. Ostatkiem sił wychyliła głowę z najeżonej kolcami postawy, którą przybrała.

Zobaczyła przed sobą książkę. Jakaś dłoń trzymała ballady. Zobaczyła też twarz. Była szara. Swym odcieniem pasowała do ołowianych komnat złego zamku, w którego oknach złowróżbnie pohukiwał wiatr.

Jeszcze tylko ciebie tu brakowało... – skwitowała. W myślach potraktowała Kochanowskiego bardzo źle. Zsunęła się z parapetu.

Przejęła od niego książkę i odłożyła na parapet. Nerwowo zaczęła przeszukiwać kieszenie w poszukiwaniu chusteczki, której nie miała, a której choćby skrawka teraz bardzo potrzebowała.

– Proszę… – zobaczyła przed sobą opakowanie chusteczek.

Znasz jakieś inne cholerne słowo?! – zapytała w myślach. Czuła się coraz gorzej. Wyciągnęła dłoń i wzięła chustki. Musiała to zrobić.

– Dziękuję – czując na sobie wzrok Kochanowskiego, doprowadzała się do porządku, nie wiedząc, gdzie podziać wzrok.

Nie gap się! Idź sobie stąd! – krzyczała w duchu. Niestety on stał przed nią i chyba nie zamierzał ruszać się z miejsca.

Idź stąd! Nie słyszysz?! – pytała retorycznie.

Narastająca w niej irytacja okazała się pomocna, bo przestała płakać. Czuła, jak ogarnia ją złość. Na Kochanowskiego, na świat, na cały wszechświat. Na wszystko i wszystkich. Ale najbardziej na niego i ten jego cholerny stoicyzm. Stał spokojnie jakby nigdy nic, tkwił dokładnie przed nią. Czuła, jak się w nią wpatruje, zamiast zbiegać schodami i uciekać jak najdalej od tego przeklętego miejsca, w którym miał się stawić znów jutro rano.

– Proszę się uspokoić – usłyszała spokojny głos.

Odczep się ode mnie! – fuknęła w myślach i wiedząc, że zobaczy nad sobą twarz bez wyrazu, podniosła głowę. Przeczucia jej nie zawiodły. Ordynator był jak zwykle niewzruszony. Mięśnie zastygłe. Bez emocji. Miała przed sobą twarz pozbawioną uczuć. Była szara, ale za tę szarość równie dobrze mógł być odpowiedzialny półmrok półpiętra. Lampy rzucały nikłe światło.

– Proszę – usłyszała kolejny raz.

– Wiem, wiem… – odpowiedziała, tym razem nie dopuszczając do głosu swych myśli.

Bała się, że jeśli się nie odezwie, ten mężczyzna głuchy na uczucia innych jak pień, który przed nią wyrósł, nie ruszy się stąd nigdy.

A ona chciała zostać sama. Ale najwidoczniej ów człowiek pień miał w głębokim poważaniu jej pragnienia, gdyż na jej nieszczęście ani drgnął, chyba nie zamierzał stąd odejść.

– Powinienem teraz powiedzieć, że nie może tu pani przychodzić – zaczął surowo.

– Może mi pan mówić, co się panu żywnie podoba – odpowiedziała niegrzecznie.

A przynajmniej chciała, by tak zabrzmiały jej słowa. Jednak zabrzmiały inaczej. Zdradziły ją i jej rezygnację. Pokazały, że zawiodła się dziś na życiu.

– Zna pani powiedzenie: służba nie drużba? – znów usłyszała rzeczowy ton ordynatora.

– Znam – wlepiła oczy w jego szarą twarz.

– To jeśli ma pani zamiar wciąż tu przychodzić, powinna się pani postarać jeszcze je zrozumieć.

– Nie rozumiem – żachnęła się, nie pojmując, w jakim celu on prowadzi z nią tę durną gadkę.

Chciała, żeby zapadł się pod ziemię. Albo sama chciała zapaść się pod ziemię.

– Może to nie jest odpowiedni moment na taką naukę, ale powinna pani rozumieć, że i pani, i ja znaleźliśmy się tutaj nie po to, żeby się zaprzyjaźniać, ale po to, by nieść pomoc.

Jeszcze nie skończył mówić, a nią wstrząsnęło. Wylał na nią wiadro zimnej wody. Właśnie dziś. Właśnie teraz.

Jakim prawem?! – krzyknęła w duchu, mając ochotę rozdrapać mu twarz pazurami. Do krwi. Skoro on ją ranił, dlaczego miała nie odpłacić mu tym samym?

– Nie obchodzi mnie, po co pan tu przychodzi – odezwała się, przerywając martwą ciszę półpiętra i wygrywając walkę z sobą, by mu czegoś nie zrobić.

Nie chciała dać mu tej satysfakcji. Nie mogła dać się sprowokować, aby swoim zachowaniem nie przyznać mu racji. Chciała tu przychodzić. Mimo wszystko.

– Ale mnie obchodzi, i to bardzo, po co pani tu przychodzi – powiedział, dobitnie akcentując każde swe słowo.

– I co z tego? – zapytała, tym razem udało jej się to zrobić całkiem bezczelnie. – Nie interesuje mnie, że to pana obchodzi. Dzisiaj nic mnie już nie interesuje. Mam dosyć...

– Widzę... – beznamiętny ton Kochanowskiego zmienił się odrobinę.

– Mam w nosie to, co pan widzi – nie zapanowała nad tym, by myśl została tylko myślą.

– Proszę mnie posłuchać...

– Nie muszę – nie dała mu dokończyć.

– Ale powinna pani – powiedział to takim głosem, że się przeraziła.

– W takim razie słucham – syknęła, rwąc z nerwów trzymaną w dłoniach papierową chusteczkę.

– Dobrze pani wie, że...

– Wiem – przerwała mu.

Wiedziała, co za chwilę usłyszy, a słyszeć tego nie chciała.

– To proszę wykorzystywać tę wiedzę w przyszłości, ponieważ dziś się to pani nie udało.

Ordynator skończył swe rzeczowe spostrzeżenia, a ona miała ochotę palnąć go, aby choć odrobinę zburzyć ten jego irytujący spokój.

– W przyszłości postaram się wykazać większym profesjonalizmem – wycedziła, mając ochotę poćwiartować swego rozmówcę.

– To dobrze, cieszę się – podsumował swój stan ducha i odwrócił się, by odejść, lecz wcześniej rzucił jej na odchodne: „do zobaczenia".

Nie chcę cię więcej widzieć! Bezduszny cyborg! – pomyślała, to znaczy wymówiła w myślach. Na nieszczęście „cyborg" wymknął jej się na głos zupełnie niekontrolowanie. Niestety Kochanowski to usłyszał. Zastygł w bezruchu i pewnie rozważał, co zrobić. Zignorować tę obrazę czy wrócić i przepędzić ją z tego miejsca raz na zawsze? W głębi drżącej duszy modliła się o zignorowanie. Chyba za mało żarliwie, ponieważ on postanowił zareagować. Odwrócił się. Podszedł do niej. Popatrzył na nią z góry kamiennym wzrokiem. Był od niej dużo wyższy. Chwilę potem przywarł do niej twardymi jak głaz ustami. Wykorzystując element zaskoczenia, robił z nią, co chciał. Nie wiedziała, co się dzieje. Potrafił jak nikt do tej pory porwać ją namiętnym pocałunkiem. W tym, co teraz jej robił, było tyle pasji, że postanowiła wziąć w tym udział, zapominając, gdzie jest, kim jest i kto się do niej właśnie zbliża, łamiąc wszelkie możliwe zasady i normy. Wcisnął ją w parapet. Na chwilę. Później w szybę okna. Już na dłużej. Tym razem nie słyszała nic, tylko jego wciąż przyspieszający oddech. Zachowywał się tak, jakby nie zamierzał skończyć tego, co z nią właśnie wyczyniał, dopóki nie wypadną przez okno. Co gorsza, nie bała się tego upadku. Wprost przeciwnie. Bardzo go sobie życzyła. Chciała, by wypadli wprost na chłód, który i tak im nie groził. Chciała, by ten mężczyzna przykrył jej ciało swoim i rozprawił się z nią tak, jak z pewnością potrafił. Zdecydowanie. Niestety, nagle zrozumiała, że nie wypadną z okna i nie stanie się już między nimi nic, o czym przed chwilą marzyła. Kochanowski postanowił skończyć to, co tak nagle zaczął. Przecież on tu rządził. Oderwał się od niej i jej zmęczonych, całkiem zdrętwiałych ust. Już było po wszystkim. Popatrzył na nią tym swoim spokojnym wzrokiem i takim samym tonem się odezwał. Z jego ust, które przed chwilą zrobiły z nią coś bajecznie podniecającego, padło pytanie:

– Jak pani myśli? Czy cyborg potrafi całować?

Patrzyła w niego jak w obrazek. Jej oddech nie chciał się uspokoić. Dlatego milczała, nie wiedząc, czy przeprosić go za tego nieszczęsnego cyborga, czy poprosić, by udowodnił jej jeszcze raz, że cyborg potrafi całować. Więcej – że potrafi kochać się na zawołanie. Nie wiedziała, co powiedzieć ani jak się zachować. Dlatego straciła swą szansę. Oderwał od niej oczy nawet szybciej niż usta. Odwrócił się i odszedł, a raczej wbiegł pospiesznie po schodach i zniknął w ołowianym dziś korytarzu oddziału. Została sama. Wciąż zaskoczona, ale już stęskniona. Po takim wstępie była gotowa na ciąg dalszy. Zwariowała. Naprawdę zwariowała. Co on z nią zrobił? Jak śmiał? Musiał naprawdę być bezdusznym cyborgiem. Ale całował jak prawdziwy mężczyzna z krwi i kości. I co z tego? Skoro stała teraz sama, oparta o ścianę, i zupełnie nie wiedziała, co ze sobą począć. Co on sobie wyobraża? I jeszcze to: „Jak pani myśli?", rzucone na koniec. To znaczy, że można całować w taki sposób, a później dać do zrozumienia, że między nimi nic nie było. Nic się nie wydarzyło. W ich relacji nic nie ulegnie zmianie. Jak tak można? Jak on mógł? Zwłaszcza dziś!

Wykorzystywacz! Perfidny wykorzystywacz! – przeklinała go w myślach. Tyle że nie robiła tego, ponieważ poczuła się wykorzystana. Robiła to z innego powodu. Po prostu chciała być wykorzystana, a na to nie miała już szans. Kochanowski naprawdę musiał być cyborgiem, który widocznie miewał chwile słabości, ale pewnie szybko potrafił się z nich otrząsnąć. To był inteligentny typ. Do bólu inteligentny. Błędów raz popełnionych nie powtarzał. Poczuła ból. I strach. Wystraszyła się, że już nigdy nie poczuje takiej namiętności jak ta, której smak wciąż czuła na ustach. Uniosła dłoń. Dotknęła swych ust. Były gorące. Ale cała reszta jej ciała zimna. Musiała wrócić do domu. Potrzebowała stąd uciec. Nie wiedziała, jak ma to zrobić. Nie miała sił. Na nic. Krew krążyła jej tylko w okolicy ust. Nigdzie indziej. Prawie nigdzie indziej. A przecież musiała jeszcze wyrwać sobie serce, by nie czuć straty, by nie czuć już nic.

I co ja teraz zrobię? – pomyślała, bo mówić nie mogła. Usta wciąż bolały, choć przyjemnie. Serce łkało za Michasiem. Po tym, co się dziś stało, nie miała pomysłu na swą przyszłość. Ani bliższą, ani dalszą. Nie miała pomysłu nawet na jutro…

Weszła do domu po cichu, ale i tak wiedziała, że nie ma szans, by jej nie zauważono. W głowie jej się kręciło, odkąd Kochanowski zniknął jej z oczu.

– Myj ręce! – usłyszała powitanie, które jakimś cudem dotarło do jej uszu, bo mama jak zwykle trzaskała garami. – Gdzieś ty się tyle czasu podziewała?!

Zdjęła buty. Ściągała kurtkę, zastanawiając się, co zrobić, by nie pokazywać się teraz mamie.

– Stało się coś? Jak ty wyglądasz?!

Mogła już przestać się zastanawiać. Mama wpatrywała się w nią podejrzliwie i wycierała starą jak świat blachę do ciasta.

– Zmęczona jestem… – odezwała się usprawiedliwiającym tonem.

– Kiedy ostatnio jadłaś?

– Niedawno – odpowiedziała, kłamiąc jak z nut.

Nie pamiętała, kiedy miała dziś coś w ustach. Nie była głodna, a nawet gdyby była, to nie przełknęłaby ani kęsa, aby nie pozbawiać się smaku tamtych ust. Wciąż go czuła.

– Nie kłam, bo nie umiesz tego robić! – podniosła głos mama i już zaczynała podgrzewać obiad.

Tu niczego nie dało się ukryć. Ten dom był za mały na tajemnice. Tu wszystko widać było jak na dłoni. To była przestrzeń, w której słychać było każdy głośniejszy oddech.

– Nie wzdychaj, tylko idź umyj ręce i chodź tu, bo jestem bardzo zmęczona i marzę o tym, by się położyć.

To się połóż, błagam, i nie każ mi jeść. Proszę... – myślała i wbrew oczekiwaniom mamy pokonała w kilku krokach drogę do swojego pokoju. Narażając się na ponowny wrzask mamy, zakopała się w niezasłanym od rana łóżku, w ubraniach przesiąkniętych zapachem szpitala.

– Julka! Jedzenie na stole!

Wezwanie pierwsze.

Zaczęła odliczać w myślach krzyki mamy, które miały się jeszcze kilka razy powtórzyć, by ich autorka stanęła nad nią. W końcu mama wrzasnęła tuż nad jej głową, nie zważając na decybele.

– Czy ty słyszysz, co się do ciebie mówi?!

Wezwanie drugie – pomyślała, nakrywając głowę kołdrą. Było jej zimno.

Ciekawe, czy doczekam się tekstu o żyłach? – zastanawiała się, a jej rozmyślania szybko straciły sens, gdyż w wezwaniu trzecim, zwykle ostatnim, jak było to do przewidzenia, pojawił się spodziewany wątek.

– Boże! Człowiek żyły sobie wypruwa, a ta zamiast przyjść, to głuchą udaje. Julka! No chodźże! Co ty tam tak długo robisz?!

Czekam, aż otworzysz drzwi... – leżała, myślała i nie miała siły, by reagować na słowa mamy. Drzwi otworzyły się już po chwili.

– Czy w tym pokoju nie można chociaż trochę posprzątać?!

Można... – zdążyło jej tylko przemknąć przez myśl, zanim została brutalnie odkryta.

– A ty co?! Co to za zwyczaj, żeby w ubraniach do łóżka się pakować?! Jedzenie na stole! Słyszysz?

– Słyszę, mamo... – odpowiedziała, naśladując spokój House'a.

– To wstawaj, zjedz, rozbierz się, umyj i dopiero potem się kładź.

– Nie mogę, mamo. Przepraszam, ale nie dam rady. Źle się czuję.

Mama oczywiście nie uwierzyła. Przecież jedyną osobą w rodzinie, która miała prawo do złego samopoczucia, była ciotka Klara. Cała reszta, nie zważając na okoliczności, musiała cieszyć się końskim zdrowiem. Bez dyskusji!

– Pokaż czoło! – rozkazała mama i położyła na nim dłoń. – Daj rękę! – tym razem mama dotknęła jej ręki. Potem nachyliła się nad łóżkiem, by przyjrzeć się, czy oczy córki nie szklą się jak na chorobę. – Dziecko! Przecież ty masz ze czterdzieści stopni. Idę po termometr.

Leżała, wsłuchując się w pospieszne kroki mamy.

– Proszę!

Domowy termometr był sprzętem, z którego nigdy nie wyrosła. Kiedyś to tato przynosił go do łóżka, bo mama od dawna bardzo nerwowo reagowała na choroby dzieci. Taty już nie było, a termometr trwał na swym posterunku i tak jak przed laty przy bliższym spotkaniu okazał się niezmiennie lodowaty. Rtęć w słupku termometru już rosła, i to na pewno szybko, a mama, jakby nie rozumiejąc bólu głowy, nadal gderała. Wciąż mówiła, nie bacząc na to, że każde jej słowo kopie leżącego.

– Kiedy ty, Julka, w końcu zmądrzejesz?! Przecież ty się, dziewczyno, sama wykończysz. Czy muszę ci przypominać, że całe życie przed tobą?! Nie dbasz o siebie nic a nic. Wylatujesz z domu co rano jak oparzona, co ja mówię, nie rano, tylko skoro świt! Szkoła jest ważna, rozumiem, ale z tą całą resztą to daj sobie na wstrzymanie. Po ci to, dziecko? Jak nie pójdziesz do tego szpitala raz czy dwa, to przecież świat się od tego nie zawali. Ale po co matki słuchać? Prawda? Po co kogoś słuchać, skoro to ty jesteś najmądrzejsza! A jak jest się najmądrzejszym, to się przecież nikogo wokół nie słucha! Ale oczywiście, jeśli chcesz się wykończyć, to proszę bardzo. Tylko pamiętaj, kto koło ciebie później chodzić musi. A mnie przecież czas też nie oszczędza. Nie robię się coraz młodsza, tylko starsza. Ja cię, Julka, proszę, przestań latać do tego szpitala, bo chorobę na siebie ściągniesz jak nic. Bez jedzenia, pewnie też bez picia, bo czasu na nic nie ma. Wciąż w biegu. Pewnie też niedospana...

Niedokochana... – dodała w myślach do wcześniejszych odkryć mamy, która w zdenerwowaniu zawsze się powtarzała. Nawet nie musiała jej słuchać, bo i tak wiedziała, o czym będzie mowa. Chwilami powtarzające się jak refren wywody mamy mogły wydawać się nawet zabawne. Wszystkie refreny tej pieśni znała na pamięć. Zwłaszcza zdarta jak stara płyta była jej ulubiona fraza: „Ale po co matki słuchać?".

– Julka! Przecież ja nie chcę źle. Chcę, żeby ci w życiu dobrze było...

– Wiem – odezwała się cicho i zamknęła oczy.

– Daj już ten termometr!

Nie musiała wykonywać żadnego ruchu. Termometr był już w rękach mamy, która odsuwała go coraz bardziej od swych oczu z dość komiczną miną, ponieważ – jak sama twierdziła – bez okularów była ślepa jak kura.

– No pięknie! Trzydzieści dziewięć i cztery. Boże! Julka!

Przynajmniej występuję w boskim towarzystwie... – pomyślała już całkiem nieprzytomnie.

– To teraz jedzenie cię nie ominie! Przecież nie możesz nafaszerować się lekami na pusty żołądek! Od tego to się dopiero można pochorować. Wstawaj, ale już!

– Nie mogę, mamo... Naprawdę źle się czuję. Nie dam rady... – jęczała ostatkiem sił, chciała już tylko zasnąć.

Mama patrzyła na nią wkurzonym wzrokiem.

– Jutro po południu miała przyjechać Justyna z chłopcami i przez ciebie nie przyjadą. Przecież trzeba jej powiedzieć, że się rozłożyłaś. Co by to było, gdyby się dzieci od ciebie jakimś choróbskiem zaraziły. Zima się już prawie skończyła, a ty i tak do domu coś przywlekłaś. Nie daj Boże, żeby to jakaś grypa była, bo jak nic i mnie przeczołga. To i do Klary, i do Marianny muszę się odezwać jutro rano, by żadnych odwiedzin nie planowały. To co? Wstajesz?

– Nie dam rady, mamo... – wyszeptała przepraszająco.

Dobijała ją nie tylko wysoka gorączka. Przytłaczało ją wiele spraw. Nie miała siły, by jak zwykle postępować zgodnie z oczekiwaniami mamy. Czuła się winna, że przez nią więzy rodzinne w najbliższym czasie mogą się poważnie rozluźnić. Ale najbardziej wykańczał ją fakt, że wciąż miała przed oczami uśmiech małego chłopca, który od dziś już na zawsze pozostanie małym chłopcem. Takim, który nie urośnie. Nie będzie się uczył, nie zakocha się, nie założy rodziny, nie doświadczy narodzin własnych dzieci ani innych cudów, które potrafił ofiarować ludziom czas. O ile otrzymają go od losu. Miała wrażenie, że czas i los to trzymający sztamę wspólnicy. Albo dawali wiele, albo nie pozwalali na nic. Dziś nie wiedziała nawet, na kogo i na co się złościć, ponieważ odpowiedzialność za śmierć Michasia rozmywała się. Tak samo jak obrazy kończącego się dnia. Co dziwne, dobijał ją też fakt, że nie było przy niej Kochanowskiego. Chciała, żeby był obok... Blisko... Nie musiał jej nawet całować, tak jak tylko on potrafił. Pragnęła, żeby przy niej był tak po prostu. Przecież potrafił być. Wiedziała o tym. Przy Michasiu był dziś na pewno... Gdyby ją teraz przytulił, mogłaby zacząć inne życie. Odmieniłby się jej los i odwrócił bieg czasu. Mogłaby wsłuchiwać się w słowa mamy z większym dystansem. Miałaby kogoś, od kogo czerpałaby siłę. Dzisiaj Kochanowski z pewnością również potrzebował wsparcia. A może miał już kogoś, kto pomagał mu w trudnych sytuacjach? Kto umiał rozszyfrować każde jego spojrzenie i odpowiednio na nie zareagować? Na tę myśl przez jej ciało przebiegł dreszcz. Bardzo nieprzyjemny.

– Boże, dziecko! No pięknie! Masz dreszcze! Naleję ci rosołu do kubka. Całe szczęście został z wczoraj. Zanim podam ci leki, to się napijesz. I pamiętaj! Leżysz w łóżku plackiem, dopóki nie pozwolę ci wstać. Będę cię pilnowała jak małego dziecka! Bo tak się właśnie zachowujesz, jak małe nieodpowiedzialne dziecko! Ani mi się waż nosa z domu wyściubić! Aż ci nie przejdzie! I nie interesują mnie żadne cholerne szpitale, żadne kolokwia, żadne sprzątania, nic mnie nie interesuje, tylko to, żebyś była zdrowa! Julka! Nie zasypiaj! Na rosół czekaj!

– Dobrze... – szepnęła, podnosząc się na łokciu, aby nie zasnąć.

– Najlepiej to wstań, zdejmij te ciuchy, w pidżamę się jakąś ubierz. Przydałoby się, żebyś przynajmniej ręce umyła. Julka! No rusz się! Słyszysz?

– Tak – odpowiedziała, choć marzyła w tej chwili o tym, żeby być głuchą.

Wstała, choć może to za dużo powiedziane, raczej usiadła na łóżku. O myciu rąk nie mogło być mowy. Zdejmowała z siebie ubranie, które w nieładzie lądowało na podłodze. Spod poduszki wyciągnęła czystą, nieco tylko zmiętą piżamę w sprane wzory nawiązujące do estetyki kubizmu. Ubrała ją powoli. Na żwawe ruchy nie miała sił. Położyła się w łóżku i walczyła ze snem, który musiał poczekać, aż zje rosół i połknie lekarstwo. Żeby nie zasnąć, musiała o czymś myśleć. Nie chciała już rozmyślać o ordynatorze. Wolała myśleć o Michasiu. Wiedziała, że o nim nigdy nie zapomni. Pragnęła go zapamiętać jak najdokładniej... Żeby to zrobić, przywoływała w sercu słowa ulubionej ballady chłopca. Robiła to dla niego. Żegnała się z nim takimi słowami, skoro inaczej nie mogła tego zrobić. Pewnie na tym polegał jej przywilej, ale dziś nie potrafiła go wcale docenić...

W skrzyni
czarownik składał, albowiem, skarb
najcenniejszy na świecie.
I strzegł go przy tym
jak oka w głowie.
Dlaczego – wnet się dowiecie.

– Zupa! Uważaj, może być gorąca! Usiądź, Julka! Siadaj, proszę!

Ładne mi: proszę... – pomyślała.

Mama zdawała się słyszeć jej myśli, bo trochę się zreflektowała i następne „proszę" zabrzmiało w jej ustach trochę inaczej. Stało się odrobinę milsze.

– Proszę.

– Dziękuję – odpowiedziała również z dużą dbałością o ton i przejęła z rąk mamy strawę, która chyba apetycznie pachniała, ale tego nie była dziś w stanie ocenić.

Pierwszy łyk był najtrudniejszy. Wzięła go niechętnie, ale zupa była pyszna. Tego jej było trzeba. Gorący rosół łagodził napięcie w żołądku. Nawet nie wiedziała, że do tej pory był ściśnięty w supeł. Posiłek sprawiał, że poczuła się jeszcze bardziej gotowa do spania. Była wykończona, dlatego miała wielkie szanse, by zasnąć pomimo natłoku myśli i sprzecznych doznań, na które niestety rosół mamy nie działał. Zupie udało się obłaskawić ciało. Dusza okazywała się niewzruszona. Jej spokój był po prostu niemożliwy do osiągnięcia.

Nie musisz mnie pilnować... – pomyślała, zerkając na mamę znad kubka.

– Pij! – mama nie potrafiła postarać się o w miarę łagodny ton. – I nie patrz tak na mnie! Nie wyjdę stąd, dopóki nie zobaczę rosołu wypitego do dna. Dopiero wtedy przyniosę ci leki. I zapamiętaj sobie! Żadnego łażenia w tym tygodniu! Leżysz plackiem i odpoczywasz, bo zzieleniałaś na twarzy. Kto to widział, żeby się do takiego stanu doprowadzić? Czy tobie się wydaje, że jesteś niezniszczalna? Otóż nie! Pokaż, ile ci zostało?

Odjęła kubek od zdrętwiałych ust, tych samych, które dziś... Mama mogła utopić wzrok w rosole, który wciąż był w kubku. Spojrzenie mamy miało w sobie tyle mocy, że zupełnie nie wskazywało na zmęczenie całym dniem.

– No, już prawie, jakieś cztery łyki ci zostały. Wypij duszkiem. Idę po leki – mama swoim zwyczajem zatrzymała się w drzwiach, ponieważ stając w progu, zawsze miała coś do dodania. – I żebyś mi się nie ośmieliła jutro rano zrywać. Masz spać! Cały boży dzień! Bez dyskusji!

Trudno o jakąkolwiek dyskusję, skoro nie da się nic powiedzieć... – w myślach zdobyła się na delikatny cynizm, na inny sił dziś nie starczało. Wlała w siebie ostatek rosołu, czując, że nie zmieści w sobie ani łyka więcej.

– Tylko nie zasypiaj!

Nie miała szans zasnąć, bo gdy tylko przymykała oczy, mama już szarpała jej ramię.

– Masz! Weź to! Jaka szkoda, że nie ma tabletek na brak rozsądku, bo gdyby były, dawałbym ci je co rano! Ciekawa jestem, kiedy ty, dziecko, zmądrzejesz?

Pewnie nigdy... – pomyślała, przełykając z trudem pigułę. Walczyła z silną potrzebą zwrócenia jej czym prędzej, i to wraz z całą zawartością żołądka.

– Ani mi się waż! – wrzasnęła mama, widząc, co się dzieje. – Połóż się! Natychmiast! Najlepiej na boku!

Nie położyła się. Opadła na poduszkę. Jej głowa ważyła tyle co cały blok, w którym mieszkała.

– Jak jutro wrócę z pracy, to mam cię zastać w łóżku! Rozumiesz?! Bo gdyby ci przyszło do głowy gdzieś latać – mama, mówiąc, wciąż groziła jej palcem – to cię tam znajdę i takiego wstydu ci narobię, że lepiej nie próbuj! Zrozumiałaś?!

– Tak. Dobrze, mamo… – odparła pokornie.

Mama, mając gdzieś złe samopoczucie i przeraźliwy ból głowy własnego dziecka, z impetem zamknęła drzwi do pokoju, by za kilka sekund powtórzyć to samo z drzwiami do łazienki. Korzystając z chwili ciszy, postanowiła przerwać rozmyślania, by móc zasnąć. Myśli były jednak nieposłuszne. Zamiast wyciszać zgiełk, podsycały go wieloma pytaniami.

Jak on śmiał? Co on sobie wyobraża? Dlaczego to zrobił? Co teraz będzie? Co będzie, gdy się znowu zobaczymy? Może tak jak do tej pory będzie mnie unikał wzrokiem? Właśnie, jak to jest? Czy do tej pory unikał mnie wzrokiem? Czy po prostu na mnie w ogóle nie patrzył?

Jednak najważniejsze pytania, które wygrywały bezkonkurencyjnie tę gonitwę myśli, wbrew pozorom jej nie dotyczyły. Zaadresowane były do ordynatora…

I o czym teraz myślisz? Co zamierzasz z tym zrobić? Czy czujesz jeszcze dotyk moich ust? Mam nadzieję, że czujesz! Że nie zapomnisz go szybko! Że nie zapomnisz o mnie! Że ci się przyśnię! Że będziesz marzył o tym, by powtórzyć swój występ jeszcze raz!

Skupiła się na nim. Przez jej głowę bezustannie przewijały się dręczące pytania, zaprzątając każdy zakamarek jej umysłu. Nie wiedziała, jak uspokoić tę gonitwę myśli. Nie wiedziała, jak siebie uspokoić. Może jak zwykle powinna najpierw zmęczyć głowę, a później oczy lekturą. Książka zawsze była niezawodnym lekiem na bezsenność dającą o sobie znać od czasu do czasu. To dlatego przy łóżku, jak wieża w Pizie, przekrzywiała się sterta książek, będąca antidotum na brak snu. Zerknęła na stos. Nie o takie lektury jej dziś chodziło.

Ballady! – wymyśliła.

Myśli podsuwały jej dobrą podpowiedź. Przeczyta ballady, choćby wszystkie... Nie tylko sobie, poczyta też Michasiowi. Jednak okazało się, że nic z tego. Nie miała siły na to, by zwlec się z łóżka. Co gorsza, resztkami sił przytuliła się do niego jeszcze bardziej. Dotarło do niej, że *Ballady* nie wróciły dziś z nią ze szpitala. Zostały tam, gdzie ją całował. Jeżeli stanie się tak, że straci tę książkę, to poprzysięgła sobie, że mu tego nie daruje. Nie wybaczy mu tego, co jej zrobił, ani tego, co się właśnie zaczęło przez jeden pocałunek pełny namiętności. Musiała to potraktować bardzo poważnie, ponieważ on otworzył jej dziś oczy na namiętność właśnie. Do dziś nie wiedziała, na czym polega...

Leżała i gapiła się w sufit. Nowy dzień wstał już pewnie jakiś czas temu. Wszystkie dolegliwości, które odczuwała wczoraj późnym wieczorem, ustały. Złagodził je głęboki sen. I co z tego, skoro zamiast wstać, wciąż leżała w łóżku. Wcale nie dlatego, że mama straszyła ją wczoraj, iż urządzi raban na całe miasto. Powinna była wstać i coś zjeść, ponieważ czuła głód. A skoro czuje głód, oznacza to, że jest zdrowa. Na oddziale też funkcjonowała ta reguła. Nazywała ją prawem głodu. Jeśli dzieciaki jadły, jeśli były głodne, jeśli upominały się o jedzenie, to wszystko zmierzało w dobrym kierunku. Jeśli było inaczej, wszyscy się martwili. Głód oddalał od złego.

Była teraz ciekawa, która jest godzina. Nie dlatego, żeby przekonać się, czy jest teraz pora śniadania czy obiadu. Chciała wiedzieć, którą godzinę wskazuje teraz zegar, by móc domyślać się, co on teraz robi. Czy przemyka bez fartucha i bez identyfikatora po oddziale? Czy siedzi zamknięty w swym minimalistycznie urządzonym gabinecie i stuka w swój laptop? Musiała odezwać się do Neli, by odpowiedzieć na jej bardzo zaniepokojoną wiadomość, która z pewnością czekała w telefonie schowanym w kieszeni kurtki.

Nela... To właśnie myśl o przyjaciółce sprawiała jej największą trudność już od samego poranka...

Cześć, Nela. Leżę rozłożona na łopatki, bo wczoraj całowałam się z House'em. Tym samym, którego ci niedawno obrzydzałam. I teraz z ręką na sercu muszę przyznać, że pomyliłam się i przesadziłam z tym obrzydzaniem, ponieważ on nie jest starym dziadem, tylko facetem w sile wieku... Co prawda chyba jest trochę gburowaty, ale znam gorszych od niego... A całuje tak, że brak słów...

Cynizm jej myśli przeraził ją samą. Jednak bardziej przerażał ją fakt, że nie wiedziała, co zrobić. Zwykle nie miała takich problemów. Umiała podejmować decyzje – jak to się czasami mówi – na poczekaniu. Najczęściej wiedziała, co robić, co i kiedy powiedzieć. Wiedziała, jakich użyć słów, nawet wtedy, gdy myśli podpowiadały rozwiązania nie mające nic wspólnego ani z zasadami, ani z dobrym wychowaniem. Wszystkiemu winny był on, a dokładnie rzecz ujmując – jego usta. Zresztą nie tylko usta... Jeszcze ta jego wprawa... Ciekawe, czy pomyślał dziś, że trafił na smarkulę, na gąskę, którą można się nie przejmować...

– No tak! – szepnęła sama do siebie.

Mogłam załatwić to inaczej. Trzeba było zamiast z trudem łapać oddech i trząść kolanami, po prostu walnąć mu z liścia i rzucić coś w rodzaju: „Co ty sobie wyobrażasz, palancie!". Nie, może jednak nie palancie...

Wstrzymała potok swych rozjuszonych złością myśli. Naprawdę mogła zachować się inaczej. Ale nie zrobiła tego, bo nikt nie lubi z własnej woli rezygnować z tego, co sprawia mu przyjemność. Jego zachowanie się jej podobało. Z pewnością stanowiło efekt tego, iż był typem dominującym, lubiącym dopasowywać rzeczywistość do własnych potrzeb. Ta dominacja posmakowała jej tak, że była na siebie zła. Ale chciała go tak bardzo, że aż robiło jej się gorąco. Wszędzie. Dotknęła dłonią czoła. Miała normalną temperaturę, czyli to, co działo się z nią wczoraj, było gorączką duszy. Albo ciała... Któż to może wiedzieć...?

A gdyby tak wstać z łóżka, zrobić się na bóstwo i... Nie! – od razu zanegowała tę myśl, ponieważ kategoria „zrobić się na bóstwo" była w jej przypadku nieosiągalna.

Gdyby tak doprowadzić się do względnego porządku i ruszyć do szpitala? Wejść do jego gabinetu, trzaskając drzwiami? Nie! Bez trzaskania drzwiami. Szkoda dzieci, zwłaszcza tych śpiących. Ale gdyby wejść tam dziś? Jeszcze świeżo po wczorajszym ekscesie i powiedzieć: „Co ty sobie wyobrażasz?! Myślisz, że możesz mnie tak po prostu całować? Kiedy zechcesz, bez pytania? Za kogo ty mnie uważasz?! Za małolatę, której wprawnym pocałunkiem można odebrać rozum? Rozum i mowę?!".

Wściekłość, którą teraz czuła, uderzała nie w ordynatora, tylko jak zwykle niestety w nią samą. Była bowiem przekonana, że to, o czym teraz myśli, miało się nigdy nie wydarzyć. Jej słowa zwykle były lekkie jak ptaki na wietrze. Muskały delikatnie uczucia tych, do których były skierowane. Za to trudne słowa, ciężkie i uparte jak woły, te, które często chciała wykrzyczeć, wyrzucić z siebie na bezpieczną odległość, tkwiły w niej z uporem. Często zastanawiała się, dlaczego taka jest. Dlaczego tak żyje, chyba bardziej dla przyjemności innych niż swojej? Dlaczego nie potrafi mówić odważnie? Czy działo się tak dlatego, że takie asekuranctwo jej się opłacało? Miała dzięki niemu wielki spokój, który ceniła sobie nade wszystko. Poproszona o coś, robiła to bez dyskusji i protestów. Wygłaszała najczęściej tylko te opinie, które były w porządku wobec innych. Mówiła akurat to, co inni chcieliby usłyszeć. Z wiekiem miała coraz większą ochotę poszukać winnych tego stanu, lecz jednocześnie bała się rozpocząć poszukiwania, gdyż intuicyjnie wyczuwała, że główną podejrzaną i jednocześnie winną była ona sama. Naprawdę sama była sobie winna. Jeśli miała komuś ze złości zrobić krzywdę, to sobie. Nie było to możliwe. Zatem mogła dalej brnąć w tę swoistą rozbieżność myśli i słów.

Ale to mogła mu wczoraj wygarnąć. Nawet wtedy, gdy jeszcze widziała jego oddalające się plecy. Mogła mu tak dołożyć odważnymi słowami, że może zatrzymałby się w pół kroku, zrobił w tył zwrot i wrócił tylko po to, by zamknąć jej usta – pocałunkiem. Niestety wczoraj tak szybko straciła go z oczu, a dziś fantazjowała: „co by było gdyby...?". W dodatku marzyła o tym, by wciąż płacił za to, co zrobił. Chciała, by wczorajszy pocałunek nie dawał mu dziś spokoju. Pragnęła, żeby o niej myślał. By tak jak ona w kółko analizował. Chciała, by odtwarzał chwilę, w której jego dłonie objęły jej głowę, a usta sprawiły, że nie była w stanie zrobić nic innego, jak też rozewrzeć swoje wargi – ze zdziwienia, z ochoty albo z podniecenia. Marzyła, by też miał dylematy. Oddałaby wiele, aby poznać jego myśli i móc się przekonać, że to, co się stało, miało dla niego jakiekolwiek znaczenie. Pragnęła, by czekał na moment, w którym ją znów zobaczy, by przeżywał wszystko z taką samą siłą jak ona teraz. Chciała, żeby się w niej zakochał tak jak...

Zwariowałam! – pomyślała z przestrachem i usiadła na łóżku. Wystraszyła się swych myśli, ale wolała skupić je na ordynatorze, a nie na Michasiu. Te myśli nie były takie niebezpieczne. Niosły ze sobą adrenalinę, a nie przygnębienie. Zastanawiała się, czy lepiej zrobi, jeśli wygramoli się z łóżka i skontaktuje z Nelą. A może lepiej tego nie robić? Miała dylemat. Powiedzieć prawdę czy milczeć? Opowiedzieć Neli o tym, co się stało i co teraz dzieje się w jej głowie? Żadna z możliwości, które brała pod uwagę, nie wydawała jej się dobra. Ani mówienie, ani milczenie. Musiała to jeszcze przemyśleć. Przecież w myśleniu była nie najgorsza, nawet dość dobra. Tylko ono wychodziło jej tak, że zdarzały się momenty, w których gratulowała sobie swoich przemyśleń. Ale po co człowiekowi mistrzostwo, którym nie może podzielić się z innymi? Co człowiekowi z talentu, którego owoców nie mogą doświadczać inni...?

Taki talent to żaden talent! – podsumowała swe rozmyślania i wyskoczyła z łóżka. Leżakowanie było jej dziś niepotrzebne. Na pewno nie była chora. Przynajmniej nie na ciele. Z umysłem bywało różnie. Dziś szwankował, dlatego musiała zająć się ciałem. Musiała coś zjeść, obojętnie co. Później porozmawia z Nelą. Powie jej, że jutro już będzie na uczelni i na tym skończy. O ordynatorze ani słowa. Ani mru-mru. Po co opowiadać Neli o kimś, o kim muszą zapomnieć. I Nela, i ona. Po co o nim myśleć? Myślenie o nim przecież nie wróży niczego dobrego. Ani jej, ani Neli.

House'a nie ma! – obwieściła w myślach zdecydowanie. Z równym zdecydowaniem wstała z łóżka. Poczuła nagły przypływ sił. Musiała zachowywać się normalnie. Jak zawsze. Jak przed tamtym pocałunkiem. Potrzebowała spotkać się z Nelą. Chciała trochę pozakuwać, żeby jej wyniki nie poleciały na łeb, na szyję, ponieważ potrzebowała kasy ze stypendium. Była zmuszona zapomnieć o doktorze Łukaszu Kochanowskim.

Podeszła do okna. Odsłoniła firankę, choć zupełnie nie zainteresował jej widok za oknem, ponieważ na parapecie wśród wielu walających się tam papierzysk stał sobie lew. Całkiem niegroźny, bo papierowy. Zrobiony z sześciu rolek po papierze toaletowym i z głową zapożyczoną od jakiegoś mocno zmizerowanego starego pluszaka. Wzięła lwa do ręki. Podniosła na wysokość wzroku. Był zakurzony. Najpierw dmuchnęła mu prosto w nos. Później otrzepała jego papierowe, pomalowane na żółto ciało.

– Ale piękny... – przypomniała sobie swój niedawny zachwyt.

– Naprawdę ci się podoba? – zachwyt, który usłyszała w głosie dziecka, był tysiąc razy bardziej szczery od jej, choć swojego wcale nie udawała.

Lew, którego trzymała w dłoniach, był naprawdę pięknie wykonany. Starannie i przemyślnie. Nawet ogon czynił go podobnym do prawdziwego króla zwierząt, chociaż był tylko żółtą sznurówką zakończoną doklejonym do niej w jakiś zmyślny sposób rudym, trochę wyliniałym pomponem, pewnie jakiejś starej czapki.

– Naprawdę!

– To weź go sobie...

– Nie mogę. Przecież zrobiłeś go dla mamy.

– Zrobię dla niej jakieś inne zwierzątko. Zobacz, jak dużo jeszcze nam zostało rolek i szpargałów...

Ugięły się pod nią kolana. Został jej lew. Lew i wspomnienia. Postawiła pamiątkę na regale. Na honorowym miejscu. Usiadła na łóżku i wpatrując się w brąz plastikowych oczu, usiłowała się nie załamać. Zrobiona przez Michasia zabawka, takie coś z niczego, okazała się czymś najcenniejszym. Uzmysłowiło jej to raz na zawsze, że to, co naprawdę cenne, nie ma swojej ceny, bo nijak nie da się jej określić. Przekonała się już, że najbardziej cenne na świecie jest życie. Tak cenne, że aż bezcenne. Dowiedziała się tego, gdy umarł tato. Dziś pamiętała, że wtedy oprócz żalu miała w sobie dużo buntu. Teraz była starsza, może trochę mądrzejsza. Może dlatego miejsce buntu zajął po prostu brak zrozumienia. Nie potrafiła zrozumieć: dlaczego dzieci? A taki klub wujów pod monopolowym wiecznie żywy... Ponad połowa życia na wiecznym rauszu, w głodzie, smrodzie, z trzęsącymi się rękami i nosem sinym nawet w upalne lato. Ale dzieci – dlaczego? Gdzie tu jakiś sens? Porządek? Konsekwencja? Zamknęła oczy. Na próżno. Zrobiła to bez celu, bo znowu jak żywy stanął przed nią Łukasz Kochanowski. Wprowadził się do jej pokoju, jak zwykle bez pytania. Zrobił, co chciał. Ale twarz miał taką jak wczoraj: szarą. Ten to musiał mieć nie lada odporność psychiczną. Patrzyła na lwa i docierało do niej bardzo powoli, że bez względu na to, co się wydarzyło, powinna ordynatora przeprosić za „cyborga", który niekontrolowanie jej się wyrwał. Co z tego, że pewnie był cyborgiem? Żeby to wszystko znosić, musiał nim być. By godzić się na życie bez sensu, porządku, zasad i konsekwencji. Gabinet ordynatora był przerażająco smutny i pusty. Pewnie nie bez powodu. Przypomniało jej się, że kiedyś była świadkiem sceny, kiedy ordynator nie przyjął tak zwanego gniotka od dziewczynki, która własnoręcznie wsypała mąkę ziemniaczaną do małego balona, brudząc przy tym nie tylko siebie, ale także Nelę, która balon szczelnie zawiązała, by dziewczynka mogła dokleić gniotkowi jaskrawo czerwone włosy z nitek grubej wełny oraz dorysować mu oczy i uśmiech. Gdy gniotek był gotowy, mała podbiegła do przechodzącego właśnie Kochanowskiego i coś do niego powiedziała. Ten uśmiechnął się co prawda, a to należało do rzadkości, ale gniotka nie przyjął.

– Powiedział, żebym dała go mamie – zakomunikowała dziewczynka, wracając do stołu, przy którym powstał gniotek.

– To superpomysł – Nela od razu uratowała sytuację.

To Nela potrafiła doskonale. Nie tylko w szpitalu, nie tylko w szkole. Nela swe liczne umiejętności wykorzystywała bezzwłocznie, jeśli tylko zaszła taka potrzeba. Tamta dziewczynka miała jakoś ładnie na imię. Teraz nie potrafiła sobie go przypomnieć. Jednak uśmiech zapamiętała. Dziś już rozumiała, dlaczego Kochanowski nie przyjmował prezentów od dzieci. Pewnie dlatego, żeby nie pamiętać, że twórczyni gniotka udało się wrócić do domu, a wykonawca lwa nie miał tyle szczęścia.

Patrzyła na lwa, wiedząc, że ordynator tak naprawdę spędza swoje życie w szpitalu, więc z pewnością wypracował prywatne sposoby, dzięki którym może znosić wszystko, co potrafiło go tam zniszczyć. Jeśli to robił, to znaczy, że to przeżywał… A skoro przeżywał, to znaczy, że jest człowiekiem. A jeśli tak…

Musiała go przeprosić. I to jak najszybciej. Ze względu na niego, ale przede wszystkim ze względu na Michasia, na pamięć o nim…

– Na pewno?

Miała przed sobą zarumienioną z wysiłku twarz Neli, która właśnie skończyła odkurzanie i kolejny raz chciała rozwiać swoje jakże bardzo zasadne spostrzeżenia dotyczące jej nastroju.

– Przecież ci tłumaczę, że wszystko w normie – powtarzała już dzisiaj po raz czwarty.

Powtarzała to, ale wiedziała, że Nela jej nie wierzy. Nela miała nosa. Nie dosyć, że posiadała dobrą intuicję, to jeszcze psychologiczne zaplecze, w dodatku wciąż uzupełniane. Musiała sobie z tym jakoś poradzić. Obrała strategię przekonywania się w duchu, że to, co się jej przydarzyło, to, o czym myślała praktycznie bez przerwy, musi zostać tylko ich tajemnicą. Jego i jej. Nikogo innego. Nawet, a może przede wszystkim Nela nie powinna się o tym dowiedzieć. Przecież obserwowała, jak ciężko przyjaciółka pracowała nad tym, by zniweczyć uczucia, którymi kiedyś obdarzyła tego faceta. Domyślała się, że Nela kiedyś wodziła za nim wzrokiem, wciąż go wypatrywała. Tęsknym spojrzeniem przeszukiwała szpitalny korytarz, gdy przemykali po nim różni ludzie. Kiedy tylko mogła, rejestrowała każdy ruch w pobliżu jaskini ordynatora. Nela robiła to wszystko tak dyskretnie, że gdyby nie przyznała jej się do swych uczuć, pewnie niczego nie zauważyłaby do dziś. Ale teraz wszystko się zmieniło. Było inaczej. Zauważała, że Nela wciąż wyczuwa chwile, gdy on jest blisko, ale wtedy usilnie skupia wzrok na wykonywanej właśnie czynności. Silna wola odegrała tu swoją rolę, ale udział Xawerego w całej sprawie był na pewno nieoceniony. Wszystko zmierzało ku dobremu. Przynajmniej u Neli.

Zawsze można znaleźć jakiś powód do radości! – pomyślała z zadowoleniem. Rozmyślała o Neli, starając się, by uśmiech, który jej teraz posyłała, całkowicie uśpił czujność przyjaciółki. Chyba się udało, ponieważ Nela wróciła do tematu, którego do dziś nie omówiły.

– Ja rozpłakałam się dopiero w akademiku – przyjaciółka nawiązała do poniedziałkowych wydarzeń.

– A ja nie doniosłam łez do domu – odpowiedziała, zastanawiając się nad tym, na jaki bezpieczniejszy tor pokierować rozmowę, ale jej ostatnio zaprzątnięty wciąż tym samym umysł okazywał się mało pomysłowy.

– Wszystko wiem. Rozmawiałam z twoją mamą...

Zerknęła na Nelę znad ścierki, którą pucowała ekran ogromnego telewizora, prawie dorównującego swym rozmiarem ścianie jej pokoju.

– Ta kobieta mnie kiedyś wykończy! – zdenerwowała się nie na żarty. – Jej kontrola nad moim życiem i nieustanna inwigilacja tak mnie wkurzają, że gdybym tylko miała taką możliwość, wyprowadziłabym się z domu, to znaczy z tego sztabu generalnego. Z mojego nowego adresu zrobiłabym tajemnicę wojskową!

Zawsze dostawała białej gorączki, gdy mama wydzwaniała do Neli i brała ją na spytki dotyczące swej najmłodszej córki.

– Przesadzasz... – powiedziała cicho Nela i nacisnęła na odkurzaczu guzik odpowiedzialny za pożeranie długiego kabla.

– Mówisz tak, bo jak wracasz do akademika, to nikt ci nad głową nie nadaje, dziury w brzuchu nie wierci i nie wypytuje w nieskończoność o nie swoje sprawy.

– Naprawdę przesadzasz – Nela miała swoje zdanie w tej sprawie i się go trzymała, a jej łagodna i uśmiechnięta mina sprawiała, że nie chciało jej się z tym zdaniem dyskutować.

– Ty wiesz swoje, a ja swoje – odezwała się też spokojnie.

Mówiąc to, zamiast patrzeć Neli prosto w oczy, podziwiała efekt swej pracy, czyli ekran telewizora lśniący jak świeży śnieg, po którym w mieście nie zostało już nawet wspomnienie.

Wiosna może przychodzić bez obaw – pomyślała w duchu.

– Fajnie, że już niedługo będzie wiosna – powiedziała, ubierając swe myśli w słowa.

Wolała rozmawiać o pogodzie zamiast o czym innym. Omijała zwłaszcza temat, którego stała się niewolnicą. Myślała o tym różnie. Raz jak o cudzie, a za chwilę jak o przekleństwie. Nie potrafiła rzeczowo ocenić tego, co przeżyła. Czas mijał, a ona wciąż czuła na sobie jego dotyk. Był taki jak jej myśli, trudny do pojęcia. Kiedy nie myślała o pocałunku, od razu zastanawiała się, jakimi słowami powinna przeprosić właśnie za swe niefortunne słowa, a zwłaszcza za to jedno sformułowanie. Widocznie w życiu było tak, że jedno słowo mogło wszystko zepsuć, ale również jedno mogło wszystko naprawić. Tylko nie wiedziała, czy w tym przypadku jest szansa na to, że jedno „przepraszam" wystarczy. Wydawało jej się, że powinna to zrobić grzecznie, to na pewno, i oficjalnie, to też na pewno. Bez zbędnych słów i – nie daj Boże – owijania w bawełnę. Jednak gdy tylko pomyślała o tym, że przez niego straciła ulubioną książkę z czasów dzieciństwa, wówczas od razu wmawiała sobie, że najlepiej zrobi, jeśli wcale do niego nie pójdzie. Idąc za przykładem Neli, za każdym razem, gdy tylko będzie się do niej zbliżał, uda, że go nie widzi. Będzie ukrywała to, że jest dla niej ważny. Po prostu go zignoruje, aby sobie nie myślał, że jeden pocałunek wystarczy, by zawrócić jej w głowie.

Już wiedziała, że książka, którą zostawiła na parapecie szpitalnego półpiętra, zaginęła. We wtorek rano na jej prośbę jedna z pielęgniarek rozpoczęła poszukiwania, które niestety nie przyniosły żadnych rezultatów. Na półpiętrze bezcennej książki nie było, nikt jej nie widział, nikt o niej nie słyszał, nikt o niej nie wspomniał, nikt nie zaniósł jej do pokoju zabaw. Ślad po niej zaginął. Książka przepadła. Kamień w wodę. Chociaż *Ballad* już nie miała, to twarz powinna zachować. Należało pójść i załatwić sprawę. Pocieszające było, że miała szansę zrobić to ekspresowo. Przecież ordynator nigdy nie miał czasu na bzdury. Poza tym był oszczędny w słowach. Zwykle przemykał między ludźmi, a odzywał się do nich tylko wtedy, gdy zachodziła taka konieczność.

– Jula, przecież zdrapiesz drewno z tego stołu, jeśli nie przestaniesz go wycierać…

Nela przywołała ją do porządku i apelowała do rozsądku. Zrobiła to znad żelazka, ponieważ w prasowaniu nie miała sobie równych.

Reagując na uwagę przyjaciółki, przestała znęcać się nad stołem.

– Zamyśliłam się… – usprawiedliwiła się, płucząc ścierkę pod kuchennym kranem i patrząc na brudne gary, które czekały na mycie ręczne, bo nie zmieściły się już do zmywarki.

– Jula, ty ostatnio jesteś zamyślona bez przerwy. W ogóle dziwnie się zachowujesz… – Nela przyglądała się jej podejrzliwym wzrokiem. – Na przykład odkąd tu przychodzimy, to zwykle już od wejścia pomstujesz na tych – cytuję – „burdelarzy", a dziś… – Nela zawiesiła głos i uśmiechnęła się, nie patrząc w jej stronę, tylko skrapiając kołnierzyk prasowanej właśnie koszuli, która choć męska, to miała wyjątkowo babski różowy kolor.

– A dziś co? – zapytała i ucieszyła się, że może zająć się brudnymi, zaschniętymi i przypalonymi garami, stojąc przodem do okna, dzięki czemu miała wszystkowidzące i wiedzące oczy Neli za plecami.

– W ogóle w tym tygodniu twoje zachowanie nie przypomina normalnego. Może powinnaś posłuchać mamy i zostać przez tydzień w łóżku. Tutaj spokojnie dałabym radę ogarnąć wszystko sama.

– A masz wolną chatę w weekend? – zapytała, niby puszczając mimo uszu to, co przed chwilą usłyszała z ust przyjaciółki.

– Mam – odpowiedziała Nela. – Dziewczyny tym razem idą się uczyć do Matyldy.

Matyldę znała tylko z opowiadań współlokatorek Neli, ale wiedziała już, że ma wiele wspólnego z Nelą. Matylda była bardzo mądrą dziewczyną, od której można się wiele nauczyć. Miała apetyt na wiedzę, ale w pozytywnym znaczeniu, to znaczy, że nie zależało jej tylko na swoich wynikach, ale doskonale potrafiła pomagać innym. Chociaż jej nie znała, to darzyła ją ogromną sympatią. Poza wszystkimi innymi cennymi zaletami miała jeszcze jedną, wyjątkową – babcię. Matylda mieszkała z babcią, ponieważ parę dobrych lat wcześniej była typowym przykładem eurosieroty. Babcia Matyldy, tak samo jak jej wnuczka, miała mnóstwo zalet. Nie wściubiała nosa w nie swoje sprawy, nie kontrolowała, nie rozkazywała, a gdy przychodził czas sesji, z wielką radością zajmowała się dokarmianiem różnymi przysmakami uczących się z Matyldą koleżanek. Świat nie widział nigdy wcześniej ani później podobnych rarytasów. Co więcej, babcia zaopatrywała w te przysmaki koleżanki wnuczki na drogę i właśnie dzięki temu babcinemu zwyczajowi zwykle coś Neli skapywało. A dzięki przyjaciółce również ona próbowała potraw, których w jej domu się nie jadało. Risotto, ziemniaki gratin, zapiekanka z warzyw, tofu, tarta ze szpinakiem... Wszystkie potrawy były pyszne, a babcia Matyldy wspaniała. Ilekroć jednak myślała o Matyldzie, zdawała sobie sprawę, że mimo wszystko nie chciałaby się z nią zamienić, nawet pomimo ciotki Klary...

– Widzisz – wróciła do rozmowy – a ja nigdy nie mam wolnej chaty. W dodatku często nadaje mi nad głową nie tylko mama, ale jeszcze ciotka Klara. Nie wyobrażasz sobie, jak bardzo dokucza mi ten ciągły brak spokoju, o jakiejkolwiek intymności nie wspominając. To straszne! Czas mija, lata lecą, a tym babom wydaje się, że można traktować mnie tak, jakbym wciąż miała sześć lat. Mogą włazić do mojego pokoju, kiedy im się podoba. Wolno im komentować wszystko, co jest ze mną związane, i to na wszelkie możliwe sposoby. Mogą podsumowywać każde wypowiedziane przeze mnie słowo. Całe szczęście nie mają wglądu w moje myśli, bo gdyby to było możliwe, to ciotki Klary pewnie już by z nami nie było. Zeszłaby na serce.

– Widzę, że ostatnio rodzinka dała ci się we znaki – Nela spuentowała jej wystąpienie jednym zdaniem.

– Ostatnio?! – zapytała głośniej, niż było to konieczne. – Nie tylko ostatnio! – musiała zapanować nad emocjami, bo w takiej chwili nie wróżyły niczego dobrego.

– Z rodziną źle, a bez niej jeszcze gorzej – w głosie Neli jednoznacznie zabrzmiała tęsknota.

– Jakby to ująć... – chciała powiedzieć coś mądrego, by złagodzić uczucia przyjaciółki. – Chyba zdajesz sobie sprawę, że naszych rodzin nie da się porównać, bo mają ze sobą bardzo mało wspólnego. Żeby nie powiedzieć, że nic.

– Ale to nie chodzi o żadne porównania – głos Neli się oddalił. Widocznie grasowała teraz w garderobie, wieszając w niej wyprasowane koszule i układając jej pozostałą zawartość, a zwłaszcza to, co w tygodniu wywalono stamtąd bez wyraźnej przyczyny. Bo czy poranny pośpiech można nazwać wyraźną przyczyną?

– E tam, bzdury gadasz... – rozwijała wątek, ciesząc się, że Nela powoli traciła chęć analizowania jej nastroju, a tak było dużo bezpieczniej. – Bez dwóch zdań jesteś w lepszej sytuacji. Za rodziną tęsknisz, a jak się tęskni, to się idealizuje. Nikt cię co weekend nie stawia do pionu, bo goście przyszli. Nikt cię przy garach nie ustawia. Możesz się pouczyć w ciszy. Wolno ci wieczorem wyskoczyć z Xawerym na kolację albo do kina. Możesz też zostać z nim w domu, żeby się odrobinę pomigdalić, a może nawet więcej niż odrobinę...? – zawiesiła pytająco głos, mając nadzieję, że Nela bez nagabywania wtajemniczy ją chociaż trochę w jutrzejsze plany związane z zagospodarowaniem wolnej chaty.

– Chcesz herbatę? – usłyszała za sobą znajome szuranie papciami.

– Nie, dziękuję – odpowiedziała, gdy Nela krzątała się przy szufladzie z herbatami, która w przeciwieństwie do lodówki była zawsze doskonale zaopatrzona. – Herbaty nie chcę – odrobinę podniosła głos. – Chciałabym chociaż przez jeden weekend mieć święty spokój.

Żeby zebrać myśli i przygotować się do rozmowy z nim – w duchu szybko wytłumaczyła sobie, dlaczego tęskni za świętym spokojem.

– To przyjedź do mnie jutro. Dziewczyny umówiły się z Matyldą na dwunastą. Oczywiście naukę zaczynają od obiadu. Już dziś cieszyły się na minestrone i łososia w płatkach migdałowych.

– Chyba żartujesz? – podniosła głos nie ze zdenerwowania, ale dlatego, że wrząca woda w czajniku zaczęła zagłuszać jej słowa.

– Co ty mówisz? Nie rozumiem... – Nela zamarła w bezruchu i wpatrywała się w nią.

– A kto pomoże mojej mamie przy garach? Kto się zajmie brudną kuchenną robotą?

– Czy ty się przypadkiem trochę nad sobą nie użalasz?

– Może i tak, ale jak sama tego nie zrobię, to nikt tego nie zrobi – odparowała bezpośrednio.

– Wiesz, że może o życiu nie wiem wiele – Nela nie kokietowała, tylko subiektywnie oceniała swe umiejętności. – Ale wiem, co powinnaś zrobić, żeby przestać użalać się nad sobą.

– To mnie oświeć – poprosiła, podupadając na siłach podczas szorowania patelni wyglądającej tak, jakby ktoś za długo odgrzewał na niej nie jedzenie, tylko węgiel kamienny.

– Powinnaś znaleźć kogoś, kto przejmie te twoje obowiązki i w dodatku zrobi to z ochotą – mówiąc to, Nela zalewała sobie herbatę, a ona miała ochotę na jej mądrości odpowiedzieć tylko jednym słowem, które kołatało teraz w jej myślach:

Zalewasz!

Chociaż przed Nelą nie bała się odkrywać swych myśli, to czasami ze względu na szacunek dla uczuciowości przyjaciółki, a także na utrzymywaną przez nią kulturę języka bywało, że nie dzieliła się z nią wszystkim, co siedziało jej w głowie. Tak jak teraz, kiedy zamiast palnąć głupotę, obdarzyła Nelę niecodziennym spojrzeniem. Można je było nazwać świątecznym, bo wyrażało po prostu: „chyba z choinki się urwałaś".

– Co więcej, ty też powinnaś być gotowa, by przejmować się tym kimś... – dodała po jakimś czasie Nela, udając, że świąteczne spojrzenie nie zrobiło na niej żadnego wrażenia, choć tak naprawdę nie było jej obojętne.

– Może i nie wiesz o życiu wiele – zaczęła swój wywód, już na początku podpierając się słowami przyjaciółki – ale muszę przyznać, że znalazłaś doskonałe rozwiązanie. – Na potwierdzenie swych słów uniosła dłoń nad garami i mokrymi palcami pstryknęła niczym chamowaty klient restauracji na opieszałego kelnera. – Normalnie chyba muszę cię posłuchać. Jak będę dziś wracała do sztabu generalnego, to zapatrzę się na jakiegoś faceta na ulicy i postaram się zakochać od pierwszego wejrzenia. Jak myślisz, motorniczy tramwaju się nadaje? – zażartowała, by nie powiedzieć, że zakpiła.

– A dlaczegóż by nie? – Nela miała poważny wyraz twarzy, kpiarstwo nie leżało w jej naturze. – Jeśli tylko jest bez obrączki, to dlaczego by nie?

– A jak z obrączką to co? – jej kpiny nie dawały się tak łatwo wyplenić.

– Nie żartuj – Nela obdarzyła ją bardzo, ale to bardzo poważnym spojrzeniem.

– Dobra – poddała się. – Kończymy tę gadkę, a ja przestaję marudzić. Wracam do sztabu i dopóki w nim mieszkam, muszę stosować się do zasad w nim panujących – bez trudu przywołała powiedzenie, które mama za każdym razem wytaczała jak armatę, nawet wtedy, gdy jej córka, zamiast zajmować się na przykład brudnymi garami, powinna się uczyć.

– A wracając jeszcze do motorniczego, to chyba wiesz, że z tym nigdy nic nie wiadomo… – Nela znów stała przy desce do prasowania z wyraźnie rozmarzoną miną.

– Tak, wiem – ucięła, burząc tym samym romantyczny nastrój Neli.

– Ale ty jesteś przyziemna… – syknęła Nela, sięgając do stosu niewyprasowanych ubrań, aby wziąć z niego kolejną rzecz.

– Żeby ktoś mógł bujać w obłokach, ktoś inny musi twardo stąpać po ziemi – podsumowała i zerknęła na przyjaciółkę, która wpatrywała się w damską bluzkę wziętą z piramidy zmiętych ubrań.

– Mama nauczyła mnie, że ubrania, które na co dzień wiszą w szafie, najlepiej suszyć też na wieszaku. Po wyjęciu z pralki trzeba je porządnie strzepać i powiesić, to wtedy nie ma tyle pracy przy prasowaniu. A zobacz na to...

Podniosła oczy znad szorowanego zlewu kuchennego. To, co dyndało na wysokości oczu Neli, przypominało raczej rulon marszczonej krepy niż damską bluzkę.

– Widzę, że życie zmusza cię do tego, abyś jednak zeszła z tych swoich obłoków tu do mnie na ziemię.

Nela przeniosła wzrok z rulonu na nią.

– Mylisz się, ja zawsze jestem z tobą na ziemi, tylko czasami tęsknie spoglądam w górę.

– A jutro w tej wolnej chacie to zostajesz na ziemi czy raczej wybierasz się do nieba? – zapytała, bezczelnie wściubiając nos w randkowe plany przyjaciółki.

– Któż to może wiedzieć...?

Została potraktowana przez Nelę wymijająco. Jak przeszkoda na drodze. Jednak uśmiech na twarzy przyjaciółki jednoznacznie wskazywał, że jutro zapowiadało raczej podróże podniebne. A takie pozwalają z pewnością na spojrzenie z dystansem na to, co dzieje się na ziemi. Miała świadomość, że taki dystans jest konieczny, by to, co dzieje się na ziemi, nie przytłaczało z taką mocą. Dałaby wiele, żeby złapać taką perspektywę, ale póki co na to się nie zapowiadało. Taki rozmarzony wzrok, jakim patrzyła teraz Nela pomimo tego, ile prasowania jeszcze ją czekało, był poza jej zasięgiem. Była bardzo ciekawa, jak rozwija się uczucie Neli i Xawerego, ale nie chciała ciągnąć przyjaciółki za język. Wiedziała, jak irytująca może być ta praktyka. Ją przecież regularnie ciągnięto za język. Bez względu na to, czy istniała taka konieczność. Dlatego postanowiła, że nie będzie przyjaciółki o nic pytać, ponieważ gdy ją wypytywano o pewne sprawy, to krew się w niej gotowała.

– I jak tam, Julio? Spotkałaś już na swej drodze jakiegoś porządnego absztyfikanta?

Ciotka Klara często zadawała to pytanie, zamiast odpowiedzieć na zwykłe „dzień dobry" tym samym. Ale ciotka nie mogła zachowywać się jak normalny człowiek. Musiała od progu wytoczyć najcięższe działa i ładować z nich bez opamiętania. Po takich ciocinych podjazdach już się rzeczonej Julii chciało tylko strzelić focha albo co gorsza odpowiedzieć ciotce, żeby się lepiej swoim życiem zajęła. A gdyby ciotka jej posłuchała i wzięła się za siebie, wtedy pewnie umarłaby od razu z nudów. Ciotka Klara nie miała bowiem swojego życia, dlatego z tak wielkim zaangażowaniem szpiegowała życie swoich bliskich.

Wszystko ma swoją dobrą stronę... – pomyślała z uśmiechem. Nawet rozmyślanie o ciotce Klarze. Ale tylko podczas szorowania zlewu. Było wtedy doskonałym sposobem, by szorować na wysoki połysk, bo siły, które zwykle zbierała w sobie, by raz a dobrze palnąć ciotce przez łeb, odżywały w niej teraz. Dlatego pomimo zmęczenia czuła się tak, jakby dopiero przed chwilą wstała.

Mama też potrafiła być całkiem dobra w spytkach i tropieniu różnych spraw, które córka chciała przed nią ukryć. Jednak matka miała do tego przynajmniej jakieś prawo. Chociaż czasami czuła pismo nosem i podejrzewała, że ciotka Klara bywa taka wścibska na zlecenie mamy. Rodzicielka miała bowiem pewność, że tak dobrze wychowała swą córkę, iż ta, doprowadzona nawet do ostateczności, nie powie Klarze ani jednego złego słowa. Co więcej, nie spojrzy na staruszkę nieprzychylnym okiem i pomimo tego, że krew w niej wrzała, palona żywym ogniem pytań, obróci każdy wredny przytyk ciotki w żart. Potem z wymuszonym uśmiechem rzuci w stronę świdrujących ją oczek ciotki: „To ciocia nie wie, że porządny absztyfikant to gatunek grożący wyginięciem, a ja jestem tak zajęta, że nie mam czasu go tropić?".

– A u ciebie wszystko dobrze? – usłyszała tuż przy uchu głos Neli.

Musiała przerwać to bujanie w obłokach. Gdy tylko to zrobiła, zdała sobie sprawę, że najwyższy czas skończyć pucowanie zlewu, bo już od jakiegoś czasu lśnił czystością.

– Sama nie wiem... – odpowiedziała wymijająco.

Odpowiedziała tak, gdyż wracając do rzeczywistości, poczuła strach przed tym, co planowała zrobić. Ten strach miał oczywiście wielkie oczy i nie potrafiła tego przed sobą dłużej ukrywać. Były to oczy Kochanowskiego. Patrzyły na nią z niespotykaną zaciętością, której towarzyszyło pytanie: „Jak pani myśli, czy cyborg potrafi całować?".

– Dobrze się czujesz?

Pytanie Neli zdenerwowało ją. Co prawda całkiem inaczej niż pytania ciotki Klary, dlatego odpowiedziała na nie ze spokojem, marząc o tym, by przyjaciółka zajęła się prasowaniem, a nie analizowaniem jej samopoczucia.

– Sama nie wiem...

Usłyszała znajomy dźwięk obwieszczający koniec pracy zmywarki. Unikając wzroku Neli, otworzyła maszynę i nachyliła się, by wyjąć z niej lśniące naczynia. Nie przeszkadzało jej to wciąż zastanawiać się nad największym problemem swych ostatnich dni. Jak potraktować Kochanowskiego? Co dać mu do zrozumienia? To, że zachował się nieodpowiednio, czy też przyznać się przed nim, że pomimo jego niestosownego zachowania zaczęła traktować go jak porządnego absztyfikanta? Wyjmowane ze zmywarki talerze były wciąż gorące. Parzyły ją w opuszki palców, które w poniedziałkowy wieczór dotykały jeszcze bardziej gorących ust.

Zwariowałam! – pomyślała kolejny raz. Znów wróciła myślami do wieczoru, przed którym miała się jeszcze za całkiem normalną dziewczynę. Trzymany w ręce talerz nie wiadomo dlaczego wypadł jej z rąk i z hukiem rozbił się na drobny mak na wcześniej odkurzanej i umytej podłodze w kuchni.

Naprawdę zwariowałam! – ze złością podsumowała w myślach swe zachowanie. Już teraz bała się spojrzenia Kochanowskiego, ale zatęskniła za nim jednocześnie, nie dając wytchnienia swej zatroskanej głowie. Nie mogła się zdecydować, czy ma oddać się marzeniom, czy lepiej puknąć się w czoło. Póki co stała nieruchomo i wgapiała się w kuchenną podłogę zasypaną odłamkami szkła.

– Nie poznaję cię – usłyszała głos Neli.

Nie musiała patrzeć na przyjaciółkę, by wiedzieć, jakie spojrzenie napotka. Nie chciała złamać się pod jego wpływem. Nie mogła tego zrobić. Nie wiedziała, co jej odpowiedzieć, ponieważ sama się nie poznawała. Wszystko się zmieniło, a ona nie potrafiła odnaleźć się w nowych warunkach. Kochanowski smakował tak, że wszystko inne, czego skosztowała do tej pory, stało się bez smaku, bez woni, bez barwy. Jak powietrze. To Kochanowski sprawił, że stała się kimś innym. To dlatego Nela jej nie poznawała. Musiała się do siebie przyzwyczaić. Do nowej siebie. Starej Julki już nie było. Dlatego Nela patrzyła na nią zmartwionym wzrokiem, widziała, co się dzieje. Widziała, ale nie potrafiła pomóc…

Miała wrażenie, że jej życie zamarło. Znów została oddelegowana do zmywania. Miejsca w zlewie zabrakło, a kuchenny stół też był już zastawiony. Jakby tego było mało, na podłodze w kolejce stały garnki i tak, dzięki Bogu, pozalewane na czas, dzięki czemu miała szansę uporać się ze swymi obowiązki w miarę sprawnie i skończyć robotę wczesną nocą z niedzieli na poniedziałek. Dom ogarnęła cisza. W końcu. Nie miała za złe swym siostrzeńcom, którzy w przekrzykiwaniu się przeszli dziś samych siebie. Byli dziś nie do poskromienia. Justyna przyszła na niedzielny obiad bez Krzycha. Miał dyżur w szpitalu, a brał ich ostatnio dużo. Coraz więcej. Ale takie to czasy, trzeba zarabiać na rodzinę. A w ich rodzinie świetnie rozumiało się konieczność pracy. Takiego zrozumienia nie okazywała oczywiście ciotka Klara, która pewnych rzeczy pojąć nie mogła. Szkoda, że ten brak wyobraźni nie szedł w parze z brakiem komentarzy na temat cudzego życia, o którym starsza pani pojęcia nie miała. Bo tak jak syty nie zrozumie dylematów głodnego, tak ciotka nie była w stanie zrozumieć Justyny. A siostra podpadła dziś ciotce wyjątkowo, ponieważ poprosiła, by ta nie komentowała zachowania jej synów, skoro nie ma swoich dzieci.

– To, że się nie ma własnych dzieci, nie oznacza, że należy przymykać oko na cudze. A tym bardziej jeśli widzi się, jak te cudze chcą wejść wszystkim na głowę! A przede wszystkim swoim rodzicom!

– Krzyśkowi to raczej nie wchodzą, bo go nigdy nie ma. Jest ciągle w pracy.

Odtwarzała w pamięci mało sympatyczną i niepasującą do atmosfery niedzielnego obiadu rozmowę ciotki i swej siostry. Lubiła w Justynie cywilną odwagę, ponieważ sama jej nie posiadała. Co z tego, że jej myśli, gdy przebywała w towarzystwie złośliwej ciotki Klary, również były złośliwe? Cóż z tego? Samym myśleniem nie mogła pomóc ani Justynie, ani sobie, ani nikomu innemu na świecie. Żeby pomagać, trzeba działać. Trzeba mówić o tym, co nas denerwuje i doprowadza do szału. Była ciężkim przypadkiem, bo zamiast mówić, tylko myślała.

Teraz oczywiście też. Zmywała i zastanawiała się nad tym, dlaczego mama, która potrafiła bez najmniejszych problemów ubierać swe wszystkie myśli w słowa, akurat ciotkę Klarę zawsze traktowała ulgowo. Do ciotki Marianny natomiast potrafiła odezwać się z wyrzutem. Zdarzało się, że mówiła do niej podniesionym tonem: „Gdybyś chociaż raz pomyślała o mnie i o tym, że muszę się tobą zajmować, kiedy chorujesz, to może nie łaziłabyś po tym swoim parku w największe mrozy. Stałoby ci się coś, gdybyś choć raz odpuściła sobie ten swój idiotyczny spacerek zimą? No powiedz! Stałoby się coś?!". Ciotka Marianna zwykle takie pytania pozostawiała bez odpowiedzi. Nikogo to specjalnie nie dziwiło, bo ciotka z zasady mówiła mało. Chwilami nawet podejrzewała się o pewne podobieństwo do ciotki w tym względzie. Pewnie ciotka też częściej myślała, niż mówiła.

Za to pytania, które mama kierowała do ciotki Klary, były tak inne, że wsłuchując się w matczyne słowa, często nie mogła się nadziwić, jak to się dzieje, iż jedna osoba może mieć tak dwoistą naturę. Ciotka Marianna traktowana była bez pardonu, a z ciotką Klarą obchodzono się jak ze szkłem. Mama odzywała się do niej ostrożnie: „Przemyśl to, Klaro, czy aby na pewno to będzie dla ciebie dobre. Może powinnaś zrobić tak... Ale decyzja oczywiście należy do ciebie. Przecież ty wiesz najlepiej, co jest dla ciebie dobre...". Tak to już u nich było. Ciotka Marianna otrzymywała od mamy złośliwe polecenia, a ciotka Klara dobrotliwe sugestie. Obserwując przez lata wzajemne rodzinne zależności, zauważyła jeszcze jedną prawidłowość, od której odstępstwa zdarzały się niezmiernie rzadko. Wbrew zasadzie, że nie mówi się źle o nieobecnych, ciotka Klara, mająca w nosie wszystkie mądre prawa, nadawała na ciotkę Mariannę zawsze pod jej nieobecność, a gdy Marianna pojawiała się na rodzinnych obiadach, Klara nabierała wody w usta i lekceważyła swą młodszą siostrę, udając, że jej nie widzi.

– Coś opornie ci to idzie – usłyszała za plecami głos mamy.

– Po prostu dużo tego... – wypowiedziała od razu swą myśl na głos.

Czasami udawało się jej mówić to, co myśli. Szczególnie wtedy, gdy była zmęczona lub kiedy było jej wszystko jedno. Dziś była zarówno zmęczona, jak i było jej wszystko jedno.

– Może ci pomogę? – zaproponowała łagodnie mama.

Lubiła, gdy mama taka była. Taki ton głosu rodzicielki od razu przypominał jej czasy, kiedy był z nimi jeszcze tato. Wtedy mama była całkiem inna, łagodniejsza niż teraz, częściej uśmiechnięta...

– Dam radę – odwróciła się, by spojrzeć w twarz mamy. – Też się dziś narobiłaś. Idź już spać.

– To pa... – mama wyszła z kuchni, szurając papciami.

Na matczynej twarzy rysowało się wyraźnie zmęczenie. Śmiesznie zjeżdżające z nosa okulary zwiastowały, że mama zaraz zaśnie, ponieważ nic nie usypiało jej tak doskonale jak wieczorna lektura.

Z nią było inaczej. Zwłaszcza teraz. Ostatnio samo zmęczenie nie wystarczało, by zasnęła. Od blisko tygodnia nie sypiała dobrze.

Wcześniej przykładała głowę do poduszki i samo to wystarczyło, by myśli uspokajały się, a sen przychodził niezauważony. Teraz też przykładała głowę do poduszki, ale zamiast się uspokajać, zaczynała wariować z tęsknoty. Ten natłok myśli nie pozwalał na sen. Od tego zaczynały się marzenia, które niestety nijak nie chciały zamienić się w sny. Nie chciała myśleć o Kochanowskim. Pragnęła o nim śnić, by móc poczuć, że znów jest blisko. Niestety tego nie czuła. Ani na jawie, ani we śnie.

– Już nie mogę, skończyły mi się pomysły – jęknęła i uśmiechnęła się do sympatycznej gromady, która już prawie godzinę wpatrywała się w nią, tylko chwilami w ciszy jak makiem zasiał. Dzieci czekały na jej komiczne ruchy i zgadywały tytuły bajek, które przedstawiała.

Nela przejęła obowiązek czytania dzieciom, które słabiej się czuły. W dodatku zrobiła to na własną prośbę, choć wyglądała na zmęczoną. Może podczas weekendu Neli było z Xawerym tak dobrze, że mało spała? A może brak snu oznaczał jakieś zmartwienie? Obstawiała to pierwsze, ale z Nelą w niektórych sprawach, zwłaszcza tych, o których nie mówiła, nie mogła być niczego pewna.

– Jeszcze raz! Ostatni! Prosimy! – dzieci nie prosiły, tylko błagały.

Widząc, że dzieciaki ziewają coraz częściej, postanowiła ulec. Jak zwykle. W kontakcie z pacjentami tego oddziału była uległa i łagodna jak baranek. Spełniała prośby od razu, gdy tylko je usłyszała.

– Dobrze, jeszcze raz, ale to już naprawdę ostatni, bo siostra zaglądała tu do nas dwa razy. Jeśli was stąd zaraz nie wypuszczę, to dostanę zakaz wstępu, chcecie tego?

W grupie zawrzało. Słysząc, jak dzieci przekrzykują się: „nie, nie, nie!", wyjrzała przez szybę oddzielającą pokój zabaw od korytarza. Zamiast ponaglającego spojrzenia siostry zobaczyła Nelę, która przywoływała ją do siebie gestem.

– To zbierzcie siły, bo zagadka będzie bardzo trudna, a ja muszę na chwilkę wyjść.

– Nie idź... – od razu usłyszała płaczliwy głos małej Kasi, która choć zwykle znała odpowiedź na zagadkę, nigdy się z nią nie spieszyła, jakby bojąc się, że przyczyni się do końca zabawy.

– Nie idę, tylko posłucham, co ma mi do powiedzenia moja przyjaciółka – wytłumaczyła szybko.

Wstała z klęczek, bo do tej pory przybrała pozycję, która umożliwiała doskonały kontakt wzrokowy z dziećmi. Teraz w podskokach dołączyła do zmęczonej Neli.

– Co tam? – zapytała szybko. – Źle się czujesz?

– Nie, jestem co prawda niewyspana, ale daję radę. Zaczepił mnie House – na brzmienie tego pseudonimu zabrakło jej tchu, ale Nela na szczęście nie zauważyła jej reakcji i kontynuowała: – Zapytał, czy znalazłybyśmy chwilę, bo dziś wyjątkowo wolna jest ósemka, i to do jutra w południe. W związku z tym można by było namalować tam coś na ścianach, bo wciąż nikt tego jeszcze nie zrobił. Nie było okazji. Ktoś obiecał naklejki, ale ich nie przyniósł... Wiesz, jak wygląda ta sala. Gorzej niż gabinet dentystyczny.

– To chyba powinnyśmy zostać – usiłowała zapanować nad zdenerwowaniem. – Ale uprzedzam, malarka ze mnie żadna – usiłowała też żartować, ale w myślach pomstowała z zazdrości.

Dlaczego nie poprosił mnie? – pytała gniewnie.

– Wiesz, że potrafię zamalować czyjś szkic, ale narysować coś od samego początku jest o wiele trudniej – chciała uzmysłowić Neli, na co się decydują.

– Wiem – uśmiechnęła się w końcu Nela, a zmęczenie zniknęło z jej twarzy. – Xawery zaoferował się niedawno, że z tym pomoże. Rozmawiał nawet z dyrektorem. Może być tu za pół godziny.

Naszkicuje co trzeba, a my to po prostu pomalujemy. Oddziałowa już wszystko przygotowuje.

Cały czas szeptały, ponieważ po oddziale krążyła legenda, że wszystkie rysunki na ścianach były dziełem mieszkających tu i ówdzie krasnoludków, które nocami, gdy dzieci smacznie śpią, rozstawiają rusztowania i malują aż do świtu.

– O, któż by pomyślał, że Xawery ma takie ukryte talenty – spojrzała na Nelę bardzo znacząco, a ta spłonęła rumieńcem tak czerwonym, że namalowana na ścianie korytarza biedronka wyglądała przy Neli na bardzo wypłowiałą.

– Nela, strzeliłaś takiego buraka, że zaczynam coś podejrzewać...

– Julka, chodź już... – zza pleców dobiegały ją pomruki niezadowolenia i zniecierpliwienia.

Rumieniec nie opuszczał Neli, która otworzyła usta i zamilkła, jakby rozważając w duchu: „powiedzieć czy nie powiedzieć?". Jednak w końcu nie zdradziła się, tylko spytała.

– To co mam powiedzieć ordynatorowi? Zostajemy? Mam prosić Xawerego, żeby przyjeżdżał?

– Niech przyjeżdża – zadecydowała na poczekaniu.

Kochanowskiego przemilczała. Z zazdrości. To ją powinien zapytać o malowanie ścian w ósemce, bo to ona chciała go zobaczyć. Teraz w ogóle nie przeszkadzało jej to, że cały tydzień bała się spotkania z nim.

– Super, dzięki – rozpromieniła się Nela, cmoknęła ją w policzek, odwróciła na pięcie i ruszyła przed siebie, ale po paru krokach zatrzymała się, odwróciła i popatrzyła rozmarzonym wzrokiem.

– Było wszystko – szepnęła dość głośno i znów ruszyła przed siebie.

Spojrzała na przyjaciółkę z zazdrością, ale taką pozytywną. O ile taka zazdrość w ogóle istnieje. Żałowała, że nic nie odpowiedziała, ale po prostu ją zatkało, a gdy odzyskała mowę, usłyszała głosy czekających na nią dzieci.

– Już, już do was wracam...

Też odwróciła się na pięcie, by znów stanąć przed dziećmi. Zaczęła trząść się z zimna, chuchać w niby zmarznięte dłonie, rozcierać zziębnięte policzki i drżącymi dłońmi wyjmować z wyobrażonego koszyczka małe pudełeczka...

– Ale łatwizna! – fuknął Łukasz, dziś to on był najstarszy w grupie. – Dziewczynka z zapałkami – krzyknął głośniej, niż było to konieczne.

– No i po co zgadłeś? – odezwał się jakiś cienki głosik dobiegający z tyłu, po czym z niezadowoleniem dodał: – i teraz będziemy musieli iść już spać.

– Przyjdziesz jeszcze? – zapytała od razu Kasia.

– Oczywiście – odpowiedziała ze śmiechem, ciesząc się z tych słów.

To właśnie pytanie: „przyjdziesz jeszcze?", prowadziło jej kroki w kierunku szpitala. Nawet w te dni, gdy idąc tu, wiedziała, że licho nie śpi...

– Koniec wygłupów, proszę państwa! – w drzwiach świetlicy stanęła siostra oddziałowa i uśmiechem dawała znak, że to już koniec zabawy. – Czas do łóżek! Dobranoc, miłemu państwu, proszę nie zapomnieć o umyciu zębów!

Dzieci posłusznie, choć ociągając się lekko, wychodziły z sali.

– Dobranoc... Cześć. Pa. Do zobaczenia... – żegnała się z każdym z osobna i odprowadzała wzrokiem swoich podopiecznych.

Gdy sala opustoszała, siostra podeszła do okna, by na chwilę je otworzyć. Wieczorne powietrze przyjemnie pachniało już wiosną. Niosło ze sobą wilgoć, bo na zewnątrz padało, ale jednak była to wiosenna świeżość. Zerknęła na stoliki i zaczęła zbierać to, co dzieciaki pominęły przy swoich porządkach. Kilka puzzli z układanki przedstawiającej podwodną podróż Bolka i Lolka w batyskafie, do którego przyczepiła się na ich nieszczęście ogromna ośmiornica. Kilka małych klocków. Czerwona kredka pod stołem. Pluszowa zabawka wciśnięta między nogi dwóch małych krzesełek.

– Dziękuję, że zostaniecie do pomocy w tej ósemce – usłyszała od siostry zamykającej już okno.

– Nie ma sprawy – uśmiechnęła się i podążyła właśnie w tamtą stronę.

Sala ósma znajdowała się w pobliżu drzwi gabinetu Kochanowskiego. Rzeczywiście, była jedyna, której po kapitalnym remoncie oddziału mniej więcej rok temu nie nawiedziły krasnoludki z rusztowaniami. Jej ściany wciąż pozostawały białe.

Tak jak Nela była już bardzo zmęczona. Ale cieszyła się, że to miejsce przywita jutro nowe dziecko kolorem, a nie tylko szpitalnie kojarzącą się bielą. Usiadła na łóżku, które ktoś przesunął na sam środek pomieszczenia, robiąc miejsce przy ścianach. Zerkała w stronę zamkniętych drzwi gabinetu Kochanowskiego i czekała. Gdy patrzyła w tamtą stronę, ciśnienie jej się podnosiło. Po chwili nie była już sama. Aśka, wolontariuszka z akademii medycznej, lekkim kopnięciem otworzyła drzwi i w wielkim kartonie przyniosła wszystko, czego potrzebowali do pracy.

– Umiesz rysować? – zapytała konkretnie.

– Właśnie nie za bardzo – przyznała dla odmiany niemrawo.

– A ktoś jeszcze przyjdzie?

– Nela i Xawery.

– Xawery? – Aśka obdarzyła ją ciekawskim spojrzeniem.

– Chłopak Neli – wyjaśniła z taką dumą, jakby Xawery był jej chłopakiem, ale wolała wyjaśnić sytuację natychmiast, by nie było niedomówień, zwłaszcza że świat wolontariatu w tym szpitalu był bardzo sfeminizowany.

– No coś ty! – zdziwiła się Aśka, zupełnie nie czując niestosowności swego zachowania. – Ludzie, Iskierka ma faceta!

– Ma – odpowiedziała ku swej radości twierdząco.

Iskierki nie skomentowała, gdyż była to ksywka sympatyczna, a w dodatku doskonale pasująca do Neli.

– Cześć, dziewczyny! – w drzwiach stanęła przystojna sylwetka Xawerego, a Aśkę, która zwykle wiedziała, co powiedzieć, zamurowało.

Xawery w czarnych dresach prezentował się imponująco. Patrzyła z uznaniem na chłopaka swej przyjaciółki. Miała przeczucie, że blask w jego oczach należało skojarzyć ze słowami Neli rzuconymi trochę w przestrzeń, ale jednak przede wszystkim do niej.

O, proszę! Nie dość, że wszystko było, to jeszcze wszystko dobrze się udało! – pomyślała i ucieszyła się. Bardzo.

– Gdzie jest Nela? – zapytał od razu Xawery, rzucając Aśce, której nie brakowało ani urody, ani figury, przypadkowe spojrzenie.

– Właśnie nie mam pojęcia – gdy tylko skończyła to mówić, otworzyły się drzwi gabinetu Kochanowskiego i stanęła w nich dziewczyna, na widok której Xawery rozpromienił się szczerze.

Ta to ma szczęście! Jeden patrzy na nią, jakby innych kobiet na ziemi nie było, a drugi to z nią woli rozmawiać – pomyślała, patrząc najpierw na Xawerego, a później zatrzymując na długo spojrzenie na wciąż otwartych drzwiach gabinetu ordynatora.

– Cześć – uśmiech Neli skierowany był tylko do Xawerego.

Nie zdziwiło jej to ani trochę, tylko podkreślało urok chwili, na pewno bardzo ważnej dla zakochanej i wpatrzonej w siebie pary.

– Zaczynamy? – zapytała Aśka, otrząsnąwszy się z szoku, przez który na moment straciła kontakt z rzeczywistością.

– Zaczynamy! – Xawery z miejsca podchwycił zapał do pracy, co nie przeszkodziło mu skraść ukochanej dość gorącego całusa.

Nela oczywiście spąsowiała, gdyż wszystko, co ją aktualnie spotykało, było nowe. To dlatego zachowywała się trochę jak nastolatka przyłapana na pierwszych igraszkach z chłopcem. Ale miała przy tym tyle uroku, że nikt, kto ją widział, nie dziwił się Xaweremu, który oczu od niej nie mógł oderwać.

– Co mam rysować? – zapytał Xawery, patrząc oczywiście na Nelę.

– Ordynator powiedział, że daje nam wolną rękę – Nela, mówiąc to, popatrzyła nie na Xawerego, tylko na nią. – Ale poprosiłam go, żeby wydrukował nam parę różnych rysunków z bajek. Jest na nich kilka postaci z *Pszczółki Mai*. Powiedziałam mu, że to nawet fajnie, bo w innych salach jest dużo czerwonego, to ta będzie dla odmiany bardziej przypominała zieloną łąkę.

Nela podała Xaweremu kilka wydrukowanych w kolorze kartek, ten zerknął na nie bardzo pobieżnie, a później od razu sięgnął do kartonu. Wyciągnął z niego bardzo gruby mazak i uśmiechnął się.

– Super, bardzo porządny, niezmywalny. Dajcie mi chwilę i będziecie miały co malować.

Obserwowała chłopaka Neli i cieszyła się, że jest taki konkretny i zdecydowany. Patrzyła, w jakim skupieniu spogląda na trzymaną w ręku kartkę. Później staje naprzeciwko ściany, tej, przy której zwykle stoi łóżko. Spogląda to na łóżko, to na ścianę, to na trzymaną w ręku kartkę i tak kilka razy, by w końcu postawić na ścianie cztery kropki. Najprawdopodobniej wyznaczały miejsce, gdzie miał powstać rysunek. Potem, nie czekając na specjalne zaproszenie, a także nie dostrzegając podziwu w oczach wpatrujących się w niego przyszłych malarek, zaczął rysować, zerkając co chwila na wydrukowaną przez ordynatora kartkę.

Spod ręki Xawerego w bardzo szybkim tempie wychodziły czarne, wyraźne linie, tworzące znajome wszystkim kształty. Po chwili na ścianie była już uśmiechnięta pszczółka Maja, na razie w czarno-białej sukience. Obok też ekspresowo powstał jej przyjaciel Gucio, śpiący na dużym liściu. Filip uchwycony został w momencie imponująco wysokiego skoku. Natomiast tuż za liściem, na którym smacznie spał Gucio, znalazł się Aleksander z nosem przy ziemi, gdzie leżały jego na szczęście niestłuczone po upadku okulary. Nie wiedziała, jak długo stała jak zaczarowana. W skrajnym osłupieniu śledziła zdecydowane ruchy ręki Xawerego. Nie była odosobniona w swym zachwycie. Żeńskie towarzystwo z uwielbieniem wpatrywało się w jedynego faceta w tej sali. Panowała cisza przerywana tylko charakterystycznym odgłosem markera ślizgającego się po powierzchni już nie białej ściany. Rysunek Xawerego stawał się coraz dokładniejszy. Bogaty w szczegóły. Widziała duże kwiaty z przodu i małe w oddali, gdzie pojawiła się też Tekla na pajęczynie i ze skrzypcami w dłoni.

– Pamięta pan, panie ordynatorze, z jakim trudem za każdym razem umawialiśmy się z tą panią od rysunków na ścianach?

Usłyszała za sobą głos pielęgniarki, która widocznie zrobiła sobie krótką przerwę w doglądaniu małych pacjentów. Spanikowała. Bała się odwrócić, bo już wiedziała, że za jej plecami stoi Kochanowski. Nie wiedziała tylko, jak długo. Xawery, jakby nie słysząc pielęgniarki, nie przeszkadzał sobie w pracy i rysował bez przerwy. Na ścianie pojawiły się kępy trawy, a między nimi zastęp maszerujących ramię w ramię mrówek, za którymi widać było kulę toczoną przez żuka gnojarza. Nela patrzyła na Xawerego, pewnie myśląc, że przez weekend wydarzyło się między nimi już wszystko, a teraz okazywało się, że jeszcze wszystko przed nimi. Zresztą pewnie w życiu nigdy nie jest tak, że wydarza się wszystko naraz... Żeby nie myśleć o tym, kogo ma za plecami, idąc śladem wszystkich tu obecnych, wpatrywała się w ścianę i podtrzymywała wciąż opadającą z wrażenia szczękę.

– Przestaję mieć wyrzuty sumienia, że poprosiłem państwa o pomoc.

Głos Kochanowskiego był jak zwykle konkretny, ale jego melodia różniła się od tej, którą zapamiętała z ich *tête-à-tête*. Ordynator też był pod wrażeniem. Słyszała to wyraźnie.

– Może być? – Xawery na chwilę przerwał rysowanie. Okazało się, że pytanie skierował do siebie, bowiem odszedł na kilka kroków od swojego dzieła, by dokonać dość surowej oceny tego, co udało mu się do tej pory stworzyć. – Chyba może – odpowiedział sobie sam i oderwał wzrok od zarysowanej czarnymi liniami ściany, by spojrzeć tylko i wyłącznie na Nelę.

– Jestem w szoku – powiedziała ta natychmiast. – Nie wiedziałam, że potrafisz tak pięknie rysować.

Pewnie jeszcze wielu fajnych rzeczy o nim nie wiesz... – pomyślała, starając się nie obracać głowy nawet o milimetr, ponieważ groziło to spotkaniem spojrzenia Kochanowskiego.

– Chciałem iść na ASP, niestety pomysł nie spotkał się z aprobatą mojej rodziny, więc pomyślałem, że najpierw się wykształcę, a dopiero później zajmę tym, co sprawia mi przyjemność. To jest chyba dobra droga.

– Nie żałujesz?

Bardzo podobał jej się sposób, w jaki Nela i Xawery ze sobą rozmawiali. To znaczy tak, jakby byli w tej sali sami i jakby nikt im się nie przysłuchiwał. Ich wzajemne towarzystwo w zupełności im wystarczało.

– Niczego – padła natychmiast odpowiedź Xawerego, choć dotyczyła pewnie nie tylko wyboru ścieżki edukacji. – Tu już skończyłem. Teraz przechodzę na drugą ścianę, a panie mogą już zaczynać malowanie.

– Czy od tej pory będę mógł wykorzystywać pana talent? – odezwał się znów Kochanowski.

– Jasne – padła odpowiedź Xawerego, lustrującego z oddali wzrokiem kolejną ścianę sali, która miała szanse stać się najpiękniejszą na oddziale.

– To nie przeszkadzam i życzę państwu miłej pracy.

Kochanowski pewnie właśnie odwrócił się na pięcie i schował w gabinecie. Była na siebie wściekła.

I pomyśleć, że chciałam zapukać do jego drzwi i przeprosić go za tego przeklętego „cyborga". Jestem kretynką! Kretynką i tyle! – ganiła się w myślach, wciąż uważając, by nie obrócić głowy ani o milimetr. Bała się drgnąć ze strachu przed wzrokiem Kochanowskiego.

– Zapomniałbym... – dodał, bo jednak wciąż tu był. – Pani Julio, czy może pani do mnie zajrzeć, jak już państwo skończycie?

Musiała przezwyciężyć paraliżujący ją strach. Zrobiła to. Obróciła się.

– Oczywiście – powiedziała szybko i spotkała jego spojrzenie.

Oblał ją zimny pot. Dobrze, że Kochanowski już na nią nie patrzył, bo zachowywała się jak pensjonarka. Zakochana pensjonarka.

– Czego on od ciebie chce? – zapytała zwykle nieskora do zadawania pytań Nela.

– Bóg raczy wiedzieć – wydęła usta, słysząc karcący głos mamy: „Boga to ty lepiej, dziecko, do tego nie mieszaj!".

– Ciekawe... – szepnęła Nela, nachylając się nad wielkim kartonem w poszukiwaniu farb.

Do sali weszła pielęgniarka i na szpitalnej szafce postawiła duży ocynkowany biały dzbanek, a obok niego kilka jednorazowych plastikowych kubków.

– To jest woda do farb i pędzli, a gdybyście chcieli coś do picia, to zapraszam do mnie.

Patrzyła, jak pielęgniarka puka do drzwi gabinetu ordynatora. Chyba nie czekając na zaproszenie, uchyla drzwi i pyta pewnie jak zwykle: „doktorze, kawę?". Nie słyszała odpowiedzi Kochanowskiego. Za to już zazdrościła pielęgniarce swobody, z jaką rozmawia ze swoim przełożonym. Xawery zarysowywał już drugą ścianę sali, a jej trzęsły się ręce. Myśli też wprawiały ją w drżenie. Dobijały ją. Sama się nimi dobijała.

Julio... Powiedział do mnie: „pani Julio"! Gorzej już być nie może! Mam do niego zajrzeć, dobrze, zajrzę, tylko ciekawe po co. Ciekawe, kto kogo będzie przepraszał? Ja za „cyborga" czy on za pocałunek? Wszystko, tylko nie to! Najlepiej byłoby, gdyby mnie po prostu znów pocałował. Nie musimy nic mówić...

Westchnęła. Oczywiście za głośno. Zresztą nawet gdyby zrobiła to ciszej, to i tak nie umknęłoby to uwadze Neli.

– Czyżbyś chciała zajrzeć do House'a dopiero na śniadanie? – napotkała karcące spojrzenie przyjaciółki, która sugerowała, że zamiast stać bez ruchu, powinna pójść w ślady wyjątkowo sprawnej w malowaniu Aśki i wziąć się do efektywnej pracy.

– Dobry kolor? – zapytała Aśka, nakładając na dość pokaźny brzuszek Aleksandra szary, nawet w niezłym odcieniu.

– Ja dodałbym do niego odrobinę bieli, żeby nie był taki zdecydowany, tylko bardziej... – tu Xawery zawiesił głos i po krótkiej chwili zastanowienia dodał z czarującym uśmiechem – myszowaty.

Nela obdarzyła ukochanego rozmarzonym spojrzeniem.

– To ja się biorę za Maję, a ty Nela za krajobraz – szybko zorganizowała pracę.

Zaczęła malować. Starała się nie myśleć. Skupiała się, by czarne pasy na brzuchu pszczółki były wypełnione farbą bardzo precyzyjnie. Ale skupienie na malowaniu nie wykluczało przecież rozmyślań.

I czemu ten typ do domu jeszcze nie poszedł?! Przecież dyżur dzisiaj ma doktor Leszczyńska – z sympatią pomyślała o pani doktor, za którą dzieci wprost przepadały, ponieważ przypominała ostoję ciepła i spokoju. Była chyba dość nietypowym lekarzem. Nie robiła wrażenia niedostępnej. Wprost przeciwnie. Była otwarta i gotowa nie tylko na długie uspokajające rozmowy z rodzicami, ale też na pełne uśmiechu pogaduszki z pacjentami.

– Po jakiego grzyba on tu wciąż siedzi?

– Co mówisz? – Nela spojrzała podejrzliwie i nic dziwnego, bo kto przy zdrowych myślach chwali się na głos takimi niedorzecznymi pytaniami.

– Nic – utkwiła wzrok w malunku.

– Dałabym głowę, że było coś o grzybach – Nela nie dawała za wygraną.

Normalnie postradam zaraz zmysły! Wszystko przez niego! To przez niego zawsze wyrwie mi się coś durnego! – myślała ze złością, wiedząc już, jak wybrnie z tematu grzybów.

– Pomyślałam, że skoro jest las, to powinny być też grzyby – palnęła naprędce.

– Las jest w oddali. Stąd nie widać grzybów – Xawery rzeczowo skomentował jej pomysł.

– Maja mieszka na łące – z podejrzliwym uśmiechem dodała Nela i jeszcze szepnęła: – Doskonale słyszałam, co powiedziałaś.

– Wielkie halo! – też się uśmiechnęła, udając, że bagatelizuje uwagę przyjaciółki. – Lepiej mi powiedz, czy taki żółty będzie dobry? – zapytała, próbując namalować pierwszy żółty pasek między dwoma czarnymi.

Nela przyglądała się kolorowi, nie kwapiąc się z odpowiedzią.

– To może niech wypowie się mistrz – tym razem postanowiła swymi dylematami w kwestii kolorów obarczyć Xawerego.

– Dodałbym trochę białego – otrzymała szybką ripostę mistrza. Kolejny już raz sugerował dodanie bieli ten, którego z pewnością nie interesowało białe małżeństwo. Ten, który nie przerywał pracy nawet po to, by ocenić efekty pracy reszty zespołu. Rysował doskonale. Sprawnie i tak szybko, że nie musiała się zastanawiać, do kogo i do czego tak mu się spieszyło.

Skończyli. Sala wyglądała imponująco. Nie było drugiej takiej na oddziale. Z zainteresowaniem, podziwem i dumą przyglądała się obrazom, które były efektem zespołowej pracy. Jednak tak naprawdę autorem dzieł mógł się czuć przede wszystkim Xawery. Zlewała kolorową wodę z plastikowych kubków do wielkiego dzbanka. Zajęła się porządkami, a raczej zacieraniem śladów po twórczej atmosferze, która pochłonęła ich bez reszty na prawie trzy godziny. Zbliżała się północ i nie dziwiła się, że została sama na tym artystycznym polu bitwy. Aśka zwinęła żagle przeszło godzinę temu, usprawiedliwiając się, całkiem zresztą sensownie, że mieszka daleko. Zakochani zebrali się jakiś kwadrans temu. Im się też nie dziwiła, bo mieli jeszcze pewnie dużo do zrobienia. Normalnie emanowali seksem. Zwłaszcza Xawery.

A ona? Cóż, wracała do rzeczywistości, myśląc o tym, że jeśli mama do tej pory nie zasnęła jeszcze z nosem w książce, to teraz na pewno rwała sobie włosy z głowy... Ale skoro nie dzwoni, to może jednak zasnęła... Ona też wolała do niej nie dzwonić, bo nie chciała zdenerwować mamy, budząc ją w środku nocy.

Tak źle i tak niedobrze! – pomyślała, nie przerywając porządków. Wszyscy, z którymi dziś pracowała, w pewnym momencie zaczęli tak ziewać, że bała się, iż wyzioną ducha. Jej nie chciało się spać. Im bliżej było końca prac, tym bardziej żegnała się ze snem. Nie czuła zmęczenia, ponieważ odkąd usłyszała z ust Kochanowskiego swoje imię, czuła jednocześnie i strach, i ekscytację. Strach wyrastał z niepewności, gdyż wciąż zastanawiała się, czy spotkanie, które zaproponował ordynator, miało jej pomóc czy zaszkodzić. Podejrzewała, że z tym facetem nic nie było oczywiste. Przecież nic o nim nie wiedziała. Odkąd przychodziła do szpitala, krok po kroku odkrywała prawdę o Kochanowskim. Nie była to prawda ani pewna, ani pełna, ale jedynie fragmentaryczna. Na początku swych wizyt tutaj była tak zaaferowana tym, w co wciągnęła ją Nela, tak na tym skupiona, że zupełnie nie widziała świata poza dziećmi. To dla nich się tu zjawiała i to one były motorem każdej jej myśli, każdego starania i działania. Jej ambicją stało się to, by każda wizyta w szpitalu była owocna, to znaczy, by przynosiła przede wszystkim radość z chwilowego oderwania się od rzeczywistości. Poza tym żywiła przekonanie, że w życiu dzieci powinno być przede wszystkim dużo beztroski. Wierzyła, że dziecięca radość w dorosłości przeradza się w optymizm, niezbędny do tego, by prowadzić dobre życie. Właśnie tak myślała o dzieciach. Spotykała się z nimi czasem na dłużej, choć częściej na krócej. W końcu była typem, który nie potrafił nawiązywać długotrwałych relacji. Zawierała więc raczej spontaniczne znajomości z pacjentami, którzy przebywali w szpitalu tylko chwilę. Gdy miała do czynienia ze stałymi pacjentami, pracowała nad relacjami inaczej. Wymagało to od niej głębszego zaangażowania, więcej czasu i ogromnej odporności na to, by pomimo wysiłków i wzmożonej pracy, w którą wkładała sporo serca, mieć świadomość, że coś może się nie udać. To pewnie dlatego tak późno zauważyła obecność ordynatora na oddziale. Gdyby nie Nela, zrobiłaby to jeszcze później.

– Widziałaś go? – to tak zapytała któregoś wieczoru Nela po wyjściu ze szpitala.

– Kogo? – zapytała beznamiętnie, ponieważ głowę miała jak zwykle zaprzątniętą szpitalnymi historiami.

– Najprzystojniejszego lekarza na oddziale – już wtedy zachwyt Neli wydał jej się trochę podejrzany, ale całkowicie go zbagatelizowała.

A nie powinna była tego robić. Przecież Nela na pytania zwykle nie udzielała szybkich odpowiedzi. Była typem człowieka, który czasu na zastanowienie potrzebował jak ryba wody, jak wiatrak wiatru, jak serce miłości. A tamtego wieczoru: trach! Jest pytanie, jest odpowiedź. Jednak nie byłaby kobietą, gdyby nie chciała przyjrzeć się temu, który w oczach Neli był aż takim wybrańcem losu. To dlatego podczas kolejnych wizyt skupiała się, by wyłowić wzrokiem ordynatora i dokładnie mu się przyjrzeć. Od Neli dowiedziała się, że musi wypatrywać kogoś bardzo wysokiego, szpakowatego, kiedyś pewnie bruneta. Mężczyzny, który zwykł mieć na sobie czarne dżinsy i białą koszulę, czasami granatową kamizelkę, doskonale podkreślającą ciemnoniebieski kolor oczu.

– Nie wierzę... Nie mów. Nie widziałaś? Czy to możliwe, żebyś nie zwróciła uwagi na kogoś, kogo po prostu nie da się nie zauważyć?

– Gdybym cię nie znała, to właśnie w tym momencie pomyślałabym, że straciłaś głowę...

Wtedy Nela zamilkła. Co więcej, straciła ochotę na kontynuowanie tematu, który przecież sama zaczęła...

To przez Nelę zauważyła Kochanowskiego. To przyjaciółka jako pierwsza przedstawiła jej portret pamięciowy lekarza, który prawdopodobnie podobał się wszystkim, a który dziś powiedział do niej *per* „pani Julio". Teraz może czekał na nią za zamkniętymi drzwiami gabinetu, chociaż dobiegała północ, a on nie miał nocnego dyżuru. Tak naprawdę nie pamiętała chwili, kiedy zobaczyła go pierwszy raz. Po jakimś czasie od tamtej wieczornej rozmowy z Nelą zaczęła zauważać jego obecność. Najpierw śnieżnobiałą koszulę, której czasami rzeczywiście towarzyszyła granatowa kamizelka. Później do tego obrazu dołączyła krótka ciemna fryzura, intrygująco poprzetykana ładną siwizną o niebieskawym odcieniu doskonale pasującym do bardzo ciemnych włosów. Najpóźniej chyba dostrzegła twarz Kochanowskiego, bo żeby na niego popatrzeć, musiała po prostu zadrzeć nosa, a tego nie lubiła robić. Co więcej, chorobliwie nie znosiła ludzi, którym przychodziło to bez najmniejszego wysiłku. Miała na nich alergię, w związku z czym omijała ich szerokim łukiem, jeśli to było tylko możliwe.

W końcu skończyła porządki w sali. Zostało jej już tylko wyrzucenie do kosza plastikowych, ubrudzonych kolorowymi farbami kubków i odniesienie do kuchni dzbanka z brudną wodą. Pomyślała, że jej początkowy dystans do Kochanowskiego przez pamiętny pocałunek znacząco się skrócił. To, co pomiędzy nimi było, najbardziej przypominało szaleństwo. Dlatego jak zwykle musiała przyznać, że Nela miała rację. Zachwyt przyjaciółki tym facetem był całkowicie uzasadniony. Ale nie było się czemu dziwić. Nela zawsze miała rację. Widocznie nawet na facetach znała się najlepiej.

Z jej intuicją co do mężczyzn było chyba inaczej. Zawsze widziała tylko to, co widoczne dla oczu. Reszty albo nie dostrzegała, albo mylnie odczytywała. Gdy rozmawiała z Nelą o Kochanowskim, a raczej gdy to Nela o nim mówiła, jakoś tak automatycznie dodała do jego aparycji zadzieranie nosa. Kiedy więc Nela wyspowiadała się przed nią ze słabości do ordynatora, to na tym właśnie zadzieraniu nosa oparła akcję wybijania lekarza Neli z głowy. Myjąc w kuchennym zlewie szpitalny dzbanek, miała niczym nieuzasadnione przekonanie, że właśnie nadszedł czas, by mogła się przekonać, czy Kochanowski rzeczywiście zadziera nosa, czy po prostu sama przykleiła mu taką łatkę.

Na oddziale panowała absolutna cisza. Dobrze, że całkiem inna od tej złowieszczej, o której nie mogła teraz myśleć, by nie zacząć uciekać. Ruszyła powoli, cicho stawiała kroki. Szła w kierunku drzwi, za którymi czekał na nią Kochanowski. Chyba zwariowała. Zatrzymała się przed drzwiami przekonana, że popada w szaleństwo. Zwariowało jej serce lub dusza, nigdy nie potrafiła ich do końca rozgraniczyć. Stała przed drzwiami jak idiotka, jak nieumiejąca zachować się pensjonarka. Oczywiście próbowała się uspokoić, by nie wyjść na pensjonarkę lub idiotkę.

Raz kozie śmierć! – pomyślała, pukając. Zapukała cicho, lecz zdecydowanie. Wytężała słuch, ale nie słyszała zaproszenia.

– Proszę wejść! – usłyszała z głębi korytarza głos siostry dyżurnej. – Doktor mówi „proszę", ale bardzo cicho.

No proszę, jaki delikatny cyborg! – dodała w myślach złośliwie, co miało jej chyba dodać odwagi.

Cóż, widocznie każda metoda jest dobra, żeby...

Nacisnęła klamkę i udając odważną, weszła do środka.

Kochanowski siedział przy biurku. Przed oczami miał ekran laptopa, a na biurku, które zawsze do tej pory widywała puste, zobaczyła zatrzęsienie papierów i grubych książek pootwieranych na różnych stronach.

Czyżbyś miał jakiś egzamin? – zapytała w myślach. Na głos spytała o co innego.

– Nie przeszkadzam?

Nie wiedziała, czy lepiej będzie, jeśli wejdzie, czy może powinna się wycofać albo najlepiej zapaść się pod ziemię. Kochanowski obdarzył ją spojrzeniem, o jakie nie podejrzewałaby cyborga. Od razu przypomniało jej się, po co tu przyszła, bo przecież nie pojawiła się tu dlatego, że ją o to poprosił. Nie był jej matką, więc wcale nie musiała go słuchać.

– Nie – odpowiedział natychmiast, wstał i obszedł biurko. – Zapraszam... – cedził słowa jak zwykle. – I tak miałem już kończyć, już nic mądrego nie wymyślę – odwrócił głowę i spojrzał na stos książek. – Zrobiło się bardzo późno.

To co? Kawka? Herbatka? Płaszczyk? – Stanęła naprzeciwko niego i do głowy przyszedł jej tekst siostry. Wtedy zrozumiała, że musi załatwić to, z czym tu przyszła i brać nogi za pas. Im szybciej, tym lepiej.

– Tak, nawet bardzo – przyznała. – Ale prace malarskie skończone, chyba nie trzeba nawet specjalnie wietrzyć, bo farby mieliśmy super.

– Dziękuję, bardzo dziękuję... Widziałem przed chwilą... Kawał dobrej roboty. Byłem przekonany, że zapomniała pani do mnie zajrzeć.

I w tym momencie mnie nie doceniłeś... – pomyślała z satysfakcją. Lubiła zaskakiwać innych. Taka mała próżność u kogoś, kto nie potrafi zadzierać nosa, czasami ma dużą wartość.

– Nie, nie zapomniałam... – teraz to ona cedziła słowa, bo zaczynało jej ich brakować, więc musiała przejść do meritum. – Nawet gdyby mnie pan nie poprosił, to i tak miałam zamiar przyjść.

Zwróciła się do niego *per* „pan", bo „doktorze" nie przeszłoby jej przez gardło, a o „ordynatorze" w ogóle nie mogło być mowy. Dałaby głowę, że zrobił się czujny. Podobało jej się to. Wszystko w nim jej się podobało. Bardzo. Nie przeszkadzały jej w ogóle cienie pod oczami, wskazujące na zmęczenie. Co z tego, skoro jego oczy były tak intrygujące, że... Lepiej nie zagłębiać się w temat, bo można przepaść z kretesem. Milczał. Patrzył na nią i milczał. Niestety niczego tym spojrzeniem nie ułatwiał. Zawsze myślała, że na taki wzrok zdążyła się bardzo uodpornić. A wszystko dzięki ciotce Klarze, bo ta już nie takie spojrzenia na niej testowała. Tyle że pod wpływem wzroku ciotki Klary często zaciskała dłonie w pięści, a teraz miękły pod nią kolana.

Do rzeczy! – rozkazała sobie zdecydowanie.

– Chciałabym pana przeprosić... – zaczęła, a wzrok Kochanowskiego stał się jeszcze bardziej czujny. Ordynator niestety wciąż milczał.

No pomóż mi, chociaż trochę... – błagała go w myślach, a on nic. Tylko patrzył. Stał przed nią w odległości trzech małych kroków, wyprostowany jak struna, i patrzył.

Skoro tak, to załatwię to bez twojej pomocy – pomyślała z odwagą, zadarła nos i spojrzała mu w oczy, udając, że się nie boi.

– Chcę pana przeprosić za tego nieszczęsnego „cyborga" – wypowiedziała niefortunne słowo.

Nie musiał minąć nawet ułamek sekundy, by zrozumieć, że to dzięki temu słowu tydzień temu całowali się. Może więc określenie to nie było aż tak niefortunne. Kochanowski popatrzył na nią i się uśmiechnął. Ucieszyła się, że potrafi się uśmiechać. I to jak! Bosko, trochę zawadiacko. Uśmiechał się tylko kącikiem ust. Próbował zachować względną powagę.

Zwariowałam! – pomyślała i też się uśmiechnęła, a co tam... Uśmiech pomógł. Zawsze pomagał. Kochanowski otworzył usta, by coś powiedzieć. Na całowanie niestety się nie zanosiło. Było jej żal. Ale cóż, w życiu nie można mieć przecież wszystkiego...

Pewnie uśmiech i pocałunek to za dużo grzybów w barszczu – dywagowała w myślach, cały czas się uśmiechając. W głowie, nie wiedzieć czemu, miała grzyby. Na pewno nie dlatego, że House był starym grzybem. Kiedyś go tak nazwała, by zniechęcić Nelę. Ale to nie była prawda. Nie był starym grzybem, oj, nie był...

– W takim wypadku ja też muszę panią przeprosić...

Nie! – wrzasnęła w myślach. – *Błagam! Tylko nie to! Nie przepraszaj mnie za pocałunek. Nie rób tego! Wszystko, tylko nie to!*

– Przepraszam panią, bo kiedy mnie pani tak nazwała, rzeczywiście zachowałem się jak cyborg. Bardzo panią...

– Nie ma o czym mówić. To był bardzo trudny dzień... – udaremniła mu przeprosiny, gdyż nie chciała o nich słyszeć.

– Ale mam coś dla pani...

Jednak to nie był koniec. Dziś nawet nie przeszkadzało jej zwracanie się do niej *per* „pani". Pewnie dlatego, że towarzyszyło temu miłe spojrzenie, zupełnie nie pasujące do cyborga. Poza tym mimo wszystko dobrze czuła się, mając tak blisko pana doktora. Podobało jej się, że odbywała tak długą rozmowę z kimś, kto na oddziale uchodził za zamkniętego w sobie milczka.

– To lepszy sposób na przeprosiny – powiedział i oderwał od niej wzrok.

Ładne mi przeprosiny! – skwitowała w duchu.

Z miejsca pożałowała, że straciła z nim kontakt wzrokowy. Kochanowski znów ruszył za biurko. Postawił na nim, a raczej na leżących tam mądrych księgach, swoją teczkę i wyjął z niej jej książkę.

I tu mnie masz! – pomyślała i rozpromieniła się na ten widok.

– O Boże! Dziękuję! Byłam przekonana, że ją straciłam.

Już miała książkę w rękach, a Kochanowskiego pół kroku od siebie. Czegóż chcieć więcej?

– Naprawdę dziękuję! – dodała i podniosła na niego wzrok.

Z bliska był jeszcze fajniejszy. Miał ładne usta. Bardzo ładne.

Ciekawe, jak bardzo zyskałbyś przy jeszcze bliższym poznaniu – pomyślała i natychmiast przeraziła się tak daleko idących myśli.

– Czyli wybaczone? – zapytał dość perfidnie, wykorzystując moment jej radosnej ekscytacji.

– Wybaczone – odpowiedziała natychmiast.

Natychmiast również zamarła, gdyż Kochanowski uniósł dłoń i dotknął jej policzka.

– Pobrudziła się pani farbą...

I kto wie, co stałoby się dalej... Niestety do akcji wtrącił się telefon, który miała w kieszeni dżinsów.

Akurat teraz! – ze złością syknęła w myślach. Kochanowski przestał dotykać jej policzka i znów oddalił się od niej na bezpieczną odległość. Telefon dzwonił, a ona nie wiedziała, jak się zachować. Musiał to zauważyć.

– Proszę odebrać – zasugerował cicho.

Posłuchała jego sugestii. Włożyła rękę do kieszeni spodni, zdając sobie sprawę, że ubrudziła nie tylko twarz. Cienki sweter, w który była ubrana, miał na sobie kilka zielonych plam, chociaż rano był tylko i wyłącznie jasnoniebieski.

Westchnęła głęboko, zobaczywszy, że telefonowała mama. Mogła się domyślić.

– Tak? – zapytała zmęczonym głosem, bo dzień był długi i pełen wrażeń, a wciąż się jeszcze nie skończył.

– Czyś ty zwariowała?! – mama krzyczała. – Nie dosyć, że jestem siwa, to jeszcze teraz rwę sobie włosy z głowy. Gdzie ty się podziewasz?!

– Mamo, nie denerwuj się – uspokajała, bojąc się nawet zerknąć na Kochanowskiego. Była pewna, że krzyki mamy docierają do jego uszu. – Mamo, spokojnie, jestem w szpitalu...

– W szpitalu?! – głos mamy przybierał na sile i histerycznym tonie.

– Mamo, w moim szpitalu – zdała sobie sprawę, że to, co powiedziała, zabrzmiało pewnie dziwnie, zwłaszcza że była teraz w gabinecie ordynatora oddziału, który oczu z niej nie spuszczał, czuła to doskonale.

– A masz tam może jakiś zegarek?!

– Mam, mamo, proszę cię, nie denerwuj się. Trochę mi się tu przeciągnęło, ale już naprawdę wracam.

– A jak masz zamiar wrócić?! – mama pomimo próśb denerwowała się coraz bardziej.

– Mamo, nocnym, spokojnie.

– Spokojna to ja będę dopiero w trumnie, jak tak dalej będziesz robić! Czemu nie zadzwoniłaś?! Może taksówkę weźmiesz? Masz jakieś pieniądze?

– Mamo, proszę cię, porozmawiamy, jak wrócę, dobrze? Dam sobie radę. Nie mogę teraz rozmawiać – zerknęła badawczo na Kochanowskiego.

Nie myliła się. Nie spuszczał jej z oczu.

– To pa, mamo. Niedługo będę. Nie denerwuj się już – to mówiąc, szybko rozłączyła rozmowę i uniknęła w ten sposób ciągu dalszego słownego linczu.

Wiedziała, że powiedzenie: co się odwlecze, to nie uciecze, miało w jej przypadku sprawdzić się jeszcze przed wschodem słońca.

– Przepraszam – przepraszająco spojrzała na Kochanowskiego, wsuwając telefon do tylnej kieszeni spodni.

– Gdyby nie moja dzisiejsza prośba, pani mama nie musiałaby się denerwować. To ja przepraszam.

Słyszał wszystko! Jak nic! – przyszło jej do głowy.

Trochę się podłamała. Ale tylko trochę.

– Proszę się nie przejmować. Moja mama zawsze się denerwuje – wytłumaczyła ze stoickim spokojem.

– Mamy tak mają – podsumował, znów się uśmiechając.

Uśmiechał się wciąż tak samo, kącikiem ust. Może uśmiechał się tak zawsze... Chyba się na niego zapatrzyła, dlatego teraz spuściła wzrok. Spojrzała na trzymaną w dłoniach książkę. Uśmiechnęła się. Oboma kącikami ust. Szczerze i radośnie.

– Ale super! – nie pohamowała radości. – Jeszcze raz dziękuję. Ta książka jest dla mnie bardzo ważna.

– Chciałem panią przeprosić już tamtego wieczoru, ale jak się zreflektowałem – zawiesił głos, spojrzał na nią, a ona o mało nie padła trupem – to już pani nie było. Została książka, więc...

– Super, że ją pan wziął, dziękuję – widziała, jak się w nią wpatrywał, dlatego musiała już uciekać, żeby nie zwariować na jego punkcie jeszcze bardziej.

Nie znała Kochanowskiego. Do tej pory tak naprawdę nie miała z nim styczności, a swą znajomość zaczęli raczej nietypowo... Nie mogła wiedzieć, czy patrzy na nią normalnie, czy w sposób szczególny. Oczywiście chciała, i to bardzo, by patrzył na nią inaczej niż na wszystkich innych. Po prostu tego pragnęła i nie miała na to żadnego wpływu. A teraz czuła, że musi brać nogi za pas, bo temperatura uczuć i ciała wciąż rosła.

Trzeba zwiewać! – rozkazała sobie, choć nie chciała się z nim rozstawać.

– Muszę już uciekać.

– Nie ma mowy – zaprotestował ze stoickim spokojem i uśmiechem, to znaczy z uroczym półuśmiechem.

Popatrz, popatrz... – pomyślała, robiąc wielkie oczy.

– Proszę dać mi chwilę. Dosłownie pięć minut. Spakuję się, zamienię słowo z doktor Leszczyńską i odwiozę panią do domu.

– Nie ma mowy – zaprotestowała, modląc się w duszy o to, by miał w nosie ten jej udawany upór, gdyż tak naprawdę była gotowa pojechać z nim wszędzie.

– To polecenie służbowe – usłyszała natychmiast.

Polecenie chyba rzeczywiście było służbowe, ponieważ zabrzmiało tak, iż od razu wiedziała, że nie ma miejsca na dyskusję, a modlić się już dłużej nie musiała, bo jej prośby zostały wysłuchane.

– Ale... – chciała jeszcze trochę poudawać.

– Proszę czekać na mnie przed izbą przyjęć – rzucił jej konkretne rozwiązanie, poparte konkretnym spojrzeniem, niedopuszczającym już konkretnie żadnego protestu.

– Dobrze – odpowiedziała, wychodząc z gabinetu i trzymając się z wrażenia książki, jakby ta była postawnym facetem, dającym solidne oparcie w chwilach niepewności bądź słabości.

Zamknęła za sobą drzwi bardzo cicho. Ale jednocześnie chciała krzyknąć bardzo głośno. Z radości. Oczywiście nie mogła tego zrobić, żeby nie obudzić dzieci i by nie dać Kochanowskiemu do zrozumienia, że zrobił właśnie coś, o czym do tej pory nie odważyłaby się nawet marzyć. Świat jest piękny. Już za chwilę miała siedzieć obok niego. Lubiła, gdy życie ją pozytywnie zaskakiwało, ale takiego aż nadto pozytywnego zaskoczenia nie przeżyła już dawno. Ubierała się w wyjętą spod lady kurtkę i nie mogła uwierzyć w to, co miało ją spotkać już za chwilę. Nagle dotarło do niej, że wszystko, co do tej pory w życiu robiła, było w pewnym sensie stratą czasu. Tej nocy miała się rozpocząć nowa era w jej życiu. Era z Kochanowskim. Stała przed lustrem i zamiast gnać jak na złamanie karku w kierunku wyjścia z izby przyjęć, przyglądała się swojemu prawemu policzkowi, na którym niczym trzciny malowały się dwie zielone kreski, dość cienkie, udające jakby znak równości. Mogła zetrzeć je z policzka. Jednak pomyślała, że lepiej będzie, jeśli tego nie zrobi.

A co mi tam! Już mnie tak widział! – pomyślała, nie chcąc dopuścić do świadomości innej kwestii, dość mocno związanej z zielonym kolorem. Gdy odebrała telefon w gabinecie Kochanowskiego, a raczej gdy usiłowała uspokoić przez telefon mamę, kiedy wyraźnie czuła na sobie jego spojrzenie, zrozumiała, że gdyby przydarzyła im się miłość, której teraz pragnęła ponad wszystko, to ona byłaby w niej zielona. Z kilku prostych powodów. Kochanowski był od niej mądrzejszy, poważniejszy, dojrzalszy, a to wszystko dlatego, że był od niej starszy. Sporo starszy. A ona co? Przy nim była naprawdę zielona, zielona jak szczypiorek na wiosnę.

– O kurczę! – szepnęła z przestrachem, ponieważ zamiast biec, stała przed lustrem, a Kochanowski na pewno już na nią czekał.

Mama też na nią czekała. W drzwiach. A gdyby nie to, że mogłaby natknąć się na jakiegoś szwendającego się po nocy sąsiada, to z pewnością okupowałaby klatkę schodową, by zrobić córce awanturę nie już od progu, tylko jeszcze przed nim.

– Nie wydaje ci się, że to po prostu przesada! Julka! Co się z tobą dzieje?! Czyś ty oszalała?!

– Dobry wieczór, mamo – przywitała się obojętnie, wiedząc, że żadne matczyne krzyki nie są w stanie zepsuć jej nastroju po podróży z Kochanowskim.

– Chyba dobranoc! – mama kipiała ze złości. Nie zapowiadało się na to, by miała spuścić z tonu.

– Tak, mamo, świetny pomysł, dobranoc, padam, jak się zaraz nie położę, to zejdę, po prostu zejdę.

– Ty dziękuj Bogu, że ja nie zeszłam, czekając na ciebie! Bo mało brakowało, a miałabyś mnie na sumieniu.

– Boże, dziękuję ci, że oszczędziłeś dziś moją mamę i pozwoliłeś jej dalej żyć.

Nawiązując do prośby, podniosła wzrok ku sufitowi, bo ku niebu akurat nie mogła, i zwróciła się do Boga, po czym od razu pożałowała, że nie zrobiła tego tylko w myślach.

– Ty coś piłaś? – mama wpatrywała się w nią przenikliwym wzrokiem.

– Jeśli mam być szczera, to dziś wypiłam dużo więcej, niż zjadłam.

– Powiedz mi, Julka, kiedy ty w końcu zmądrzejesz?

Pytanie, które usłyszała, jednoznacznie wskazywało na to, że istnieje realna szansa, by zamiast ciągu dalszego zaplanowanej przez mamę pewnie co do słowa karczemnej awantury usłyszeć jedynie rozprawę z pogranicza psychologii, urozmaiconą w wielu miejscach pedagogicznymi wtrętami. Przesłanie tejże rozprawy miało szansę zamknąć się w górnolotnym stwierdzeniu: „Najwyższy czas, żebyś wzięła odpowiedzialność za siebie i wszystko, co robisz, bo póki co twoje życie, Julka, jest w totalnej rozsypce!".

– Mamo, a mogę do toalety? – zapytała bezceremonialnie, wieszając kurtkę na wieszaku w przedpokoju tak małym i tak wąskim, że musiała przecisnąć się obok mamy. Czuła zapach płynu do płukania, którego aromat unosił się nad świeżo wypranym szlafrokiem mamy w niezbyt twarzowym kolorze zgniłej śliwki.

– To idź! Co się tak patrzysz?! Są sprawy, których choćbym nie wiem jak się starała, to nie uda mi się za ciebie załatwić!

Weszła do toalety i przysiadła na brzegu wanny. Chciała pobyć w ciszy. Musiała jeszcze raz w myślach odbyć tę niestety niezbyt długą podróż, która była dla niej przeżyciem godnym rozpamiętywania przez resztę życia. Pragnęła...

Ale jak to zwykle bywało, gdy czegoś chciała, jej potrzeby schodziły na dalszy plan, ponieważ pragnienia innych musiały być zawsze na pierwszym miejscu. A potrzeby mamy nie miały sobie równych w wybijaniu się na pierwszy plan. Tak jak teraz. Ona chciała myśleć, a mama chciała mówić. Żeby tylko mówić! Mama zapragnęła być pewnym swych racji kaznodzieją, który zamiast grzmieć z ambony, grzmiał prawie przyklejony do drzwi łazienki.

– Ja wszystko rozumiem! Młodość ma swoje prawa! Młodość musi się wyszumieć! Przecież ja ci niczego nie zabraniam. Chcesz wracać późno, bo zawsze coś... Już się przyzwyczaiłam, że ty, Julka, zawsze masz jakieś coś... Ale żeby nie wrócić na czas do domu i nie zadzwonić? Żeby nie pomyśleć, że matka w domu od zmysłów odchodzi? Przy oknie wystaje, wygląda. Myśli w kółko: „Idzie? Nie idzie?". Julka, czyś ty naprawdę na głowę upadła?! Przecież wiesz, jaki jest świat! Ktoś cię walnie po ciemku w głowę, film ci się urwie i nie chcę mówić, co dalej stać się może. Czy ty możesz w końcu zrozumieć, że nie powinnaś sama po nocy do domu wracać?! Poza tym korona ci przecież z głowy nie spadnie, jak mój numer wykręcisz i powiesz matce: „Mamo, wrócę dziś później, bo coś mi wypadło". Przecież ja zrozumiem. Ale ty oczywiście wszystko masz gdzieś! Nie potrafisz ani o mnie pomyśleć, ani zadzwonić, ale sama po ciemku do domu wracać to potrafisz! Szkoda gadać!

Mama mówiła tak szybko, że trudno było uwierzyć, iż pomiędzy wypowiadanymi słowami znajdowała choćby ułamek sekundy, by zaczerpnąć powietrza.

– Mamo, proszę cię... – nie miała siły na pyskowanie.

Zwykle ją miała, a i tak nie pyskowała na głos, tylko dawała upust swej złości w myślach. Wyliczała w duchu wszystkie pretensje, jakie miała do mamy i do całego świata. Tylko zamiast je wykrzykiwać, walczyła z sobą, by zachować zimną krew i milczenie. Wszystkie żale zostawiała dla siebie, choć wiedziała, że nie jest to dobry sposób na utrzymanie psychicznego zdrowia w dobrej kondycji. Ale spokój, który zyskiwała dzięki takiemu zachowaniu, był święty i przez to bezcenny. Cóż miała poradzić na to, że była typem nieznoszącym awantur? Mama często krzyczała na nią, wystając choćby pod drzwiami łazienki, za którymi ona chowała się, by też powrzeszczeć, ale tylko w zaciszu własnej duszy. Często głowa pękała jej od tych niewykrzyczanych ze zdenerwowania słów, ale miała wewnętrzne przekonanie, że tak jest po prostu lepiej. Pewnie nie dla niej, ale to nie jest ważne. Tak było po prostu lepiej.

Dziś było trochę inaczej. Nie chciało jej się krzyczeć tylko w duchu. Wciąż siedziała na brzegu wanny i patrzyła na odbicie swojej twarzy w małym okrągłym lustrze, otoczonym kiedyś pewnie białym, dziś już pożółkłym plastikiem. Patrzyła na siebie i czekała na ciszę. Chciała mieć choć chwilę spokoju, by nie zapomnieć żadnego słowa Kochanowskiego. Po cichu walczyła o ten spokój z niepoddającą się mamą.

– Ty mnie w ogóle słuchasz?!

– Tak, mamo – odpowiedziała.

– A masz zamiar kiedyś stamtąd wyjść?!

– Tak, mamo – odpowiadała niespiesznie.

– To dlaczego nie wychodzisz?

Bo chcę żyć – pomyślała, ale powiedziała co innego.

– Bo marzę, by się wykąpać.

Odkręciła czerwony, nieco już zardzewiały kurek.

– Oczywiście! Ledwo stoi na nogach, ale kąpać się jeszcze będzie po nocy! Jeszcze mi w wannie zaśniesz! Julka, wyłaź! Proszę się teraz nie kąpać! Jutro wcześniej wstaniesz, to się wykąpiesz! Jak chcesz, to cię mogę nawet wcześniej zbudzić!

– Mamo, błagam cię… I tak muszę jutro wcześniej wstać, żeby powtórzyć coś na zajęcia…

– To ty się może wcale nie kładź! Nie śpij! Nie jedz! A zresztą rób sobie, co chcesz. Ale później, jak się wykończysz całkowicie, to kto będzie musiał z tobą po lekarzach biegać? No kto?!

– Mamo, proszę cię, połóż się już. Przecież ty też musisz wstać wcześnie – właśnie strzeliła sobie w kolano. – Za dwadzieścia minut będę już spać. Kąpiel zabierze mi dziesięć minut, powtórka materiału dziesięć minut i idę spać, obiecuję…

– Wiesz, gdzie ja mam te twoje obiecanki?!

Domyślam się! – pomyślała, wiedząc, że gdyby było tak, jak sugerowała to mama, wtedy zarówno jej życie, jak i życie mamy byłyby o wiele łatwiejsze. Ale mama zwykle mówiła jedno, myślała drugie, a robiła trzecie. Z nią było trochę prościej: mówiła jedno, a myślała drugie.

– Zobaczysz, jeszcze kiedyś ta twoja ignorancja wyjdzie ci bokiem! – celnie zauważyła mama.

Bez dwóch zdań! – dodała w myślach, skończywszy się rozbierać. Weszła do wanny, woda była rozkosznie gorąca. Żałowała, że ma tylko dziesięć minut. Mama na pewno już zaczęła odmierzać czas.

– Żyjesz?! Czy już się utopiłaś?

– Żyję, mamo, i proszę cię, idź się już połóż, porozmawiamy jutro, dobrze? – starała się łagodzić przebieg rozmowy, jak tylko potrafiła.

– Jutro, kochana, to ja chcę mieć święty spokój. Przynajmniej przez jeden dzień w życiu chcę mieć spokój!

To zupełnie tak jak ja – pomyślała, ale zamiast się odezwać, uśmiechnęła się tylko. Czekała na spokój i ciszę za drzwiami.

– Idę spać! Ledwo stoję na nogach. Ale kogo to w tym domu obchodzi?!

A kogo w tym domu obchodzi to, czego ja chcę... – cynicznie odparowała w myślach, a odezwała się całkiem spokojnie:

– Dobranoc, mamo.

Zamiast odpowiedzi usłyszała szuranie papci kobiety, która miała uwagi do wszystkich nawet wtedy, gdy na dobrą sprawę nie było się do czego przyczepić. Czepiała się wszystkich, tylko nie ciotki Klary. Tego Julka nie potrafiła zrozumieć od samego początku, gdy tylko zauważyła, że ciotkę Klarę mama traktowała całkiem inaczej. Dlaczego tak było, tego nie wiedziała. Ale na pewno był ku temu jakiś powód. Jaki? Tego się pewnie miała nie dowiedzieć, ale przecież nieraz z ust mamy usłyszała: „Tak się składa, że nie musisz wszystkiego wiedzieć!". Cóż było robić? Należało wybrać najlepsze rozwiązanie, czyli dostosować się. Po prostu się dostosować. Dobrze się składało, gdyż potrafiła to robić bez gadania.

Woda szemrała. Przyjemnie rozgrzewała jej ciało. Zakręciła kurek. Mama przestała szurać. Woda przestała szumieć. W końcu zażywała wyczekanej ciszy. Zanurzyła się tak, że wystawała jej tylko głowa. Zimne do tej pory plecy otuliła fala przyjemnego ciepła. Wynurzyła zgięte kolana z gorąca. Zamknęła oczy, nie obawiała się wcale, że zaśnie. Na sen w wannie nie miała dziś szans, ponieważ tak naprawdę była daleko stąd...

Kochanowski podjechał i stanął na chwilę na kopercie, gdzie w ciągu dnia mogły zatrzymywać się tylko karetki. Otworzyła drzwi do jego samochodu.

– Zapraszam – usłyszała miły głos.

Wsiadła, ciesząc się jak nigdy dotąd. Zapięła pasy, gdy samochód już ruszył.

– Mam wyrzuty sumienia... Jest tak późno, na pewno ktoś na pana czeka... – udawała zażenowaną, jednocześnie usiłując wysondować chociaż trochę jego pozaszpitalne życie.

– Nie jest wcale tak późno – odpowiedział spokojnie, nie patrząc na nią. – Proszę się nie przejmować... Nikt na mnie nie czeka. Gdzie mam panią odwieźć?

Podawała mu adres, a skrzydła, które jej nagle urosły, chciały unieść ją pod samo niebo.

Nikt na mnie nie czeka.

Nikt na mnie nie czeka... – powtarzała w myślach i zerkała na mężczyznę, który sprawnym ruchem odpiął zamek kurtki, sprytnie radząc sobie z pasem bezpieczeństwa. By móc oderwać od niego wzrok, zaczęła obserwować miasto. Rzadko jeździła samochodem. Kiedy była mała, zawsze bardzo chciała zajmować przednie siedzenie obok taty. Wtedy nie mogła, bo była za mała. A gdy dorosła, też nie mogła tego robić, bo taty już nie było...

– To całkiem niedaleko – podsumował.

– Tramwajem sześć przystanków – powiedziała i zapadła cisza.

Tato zawsze słuchał radia w samochodzie. On nie. Pewnie zwykle wychodził z pracy późno. Skoro nikt na niego nie czekał, nie spieszył się do domu. Przesiadywał więc w pracy dłużej, niż było to konieczne. Gdy z niej wychodził, miał pewnie głowę pełną myśli o pacjentach. Zapewne nie miał ochoty wsłuchiwać się ani w muzykę, ani w słowa płynące z radia. Chciała na niego patrzeć cały czas, ale się wstydziła. Najnormalniej w świecie się wstydziła. On na nią nie patrzył. Kierował samochodem, więc chyba nawet na nią nie zerkał. Cisza jej nie przeszkadzała. Milczała więc. Wolała, by myślał o niej jak o dziewczynie, która nie plecie bez sensu.

– Znam tę książkę, której wtedy pani zapomniała... – zaczął rozmowę po chwili.

Dałaby głowę, że mówiąc „wtedy", oderwał wzrok od drogi i spojrzał na nią. Nie patrzyła w jego kierunku, tylko przed siebie, gdyż od tamtej pory myślała o nim bezustannie, to z pewnością dlatego onieśmielał ją jak nikt inny do tej pory. Zwykle w kontaktach z mężczyznami, a raczej z chłopakami, była odważna. Nawet wtedy, gdy jakimś była zafascynowana i gotowa na to, by tę fascynację zmienić w miłość lub z miłością pomylić. Ale widocznie to była prawda, że w życiu zawsze coś się kończy, a coś się zaczyna. To, do czego doszło między nimi, sprawiło, że otworzył się w jej życiu całkiem nowy rozdział zatytułowany: „mężczyzna". Wcześniej zadawała się z chłopakami. Przystojnymi bardziej lub mniej. Wartymi zachodu bądź niewartymi go wcale. Angażowała się całkiem albo w ogóle. Gdy wcale nie wkładała w coś serca, to rozstanie również nie bolało wcale, ale gdy wchodziła w to całkiem, to zamknięcie rozdziału bywało trudne. I tak miała szczęście, że dotychczas to ona zamykała rozdziały. Nikt jeszcze nie postawił jej przed faktem dokonanym, nigdy nie usłyszała słów: „z nami koniec". Sama też tak nie mówiła. Nikomu nie chciała sprawiać bólu. Po prostu zaczynała osłabiać więzi, a z resztą radził sobie czas. Wiedziała, że w tej kwestii był bardzo utalentowanym pomocnikiem.

– To bardzo stara książka – odpowiedziała po dłuższej chwili, natychmiast zdając sobie sprawę z niestosowności swej uwagi.

Powinna była bardziej uważać, ponieważ w jego obecności coś się z nią działo. Nie potrafiła zachować myśli tylko dla siebie. Potrafiła za to bez problemu palnąć głupotę.

– Czytała mi ją moja mama – uratował ją Kochanowski. – Ale przypomniało mi się to dopiero wtedy, gdy przejrzałem tę książkę i natknąłem się na balladę o kraju Makukraju. To charakterystyczne słowo zapadło mi w pamięć.

Gdy to powiedział, zerknęła na niego. Skupiał się na jeździe, choć ona wolałaby, by był skupiony tylko na niej. Dziwiła się, że on, jeśli chce, potrafi wypowiedzieć więcej niż tylko jedno słowo, a nawet zdanie. Może w istocie nie był tak małomówny, jak głosiła szpitalna legenda.

– Też ją lubię. Zresztą wszystkie mi się podobają. Michaś najbardziej lubił tę o złym czarowniku... – powiedziała, znów nie przemyślawszy swych słów, dlatego zamilkła z przestrachem.

Po prostu tak już miało być. Wiedziała, że na myśl o balladzie o złym czarowniku zawsze przypomni jej się Michaś. A jeśli on, to od razu też Kochanowski oraz wyraz jego twarzy z tamtego wieczoru, gdy wyglądał jak najbardziej przegrany człowiek na świecie. Przegrany jak Michaś i jego rodzina. Zwłaszcza mama, która była silną kobietą, ale tylko wtedy, kiedy mogła patrzeć w uśmiechnięte oczy syna. Teraz Julka chciała zapamiętać na zawsze wesołe spojrzenie chłopca i wierzyć w to, że nigdy nie straci tej radości.

– To był bardzo mądry i odważny chłopiec – stwierdził po dłuższej chwili milczenia wyraźnie zmienionym głosem.

– Te wszystkie dzieci są odważne… – podzieliła się spostrzeżeniem, które towarzyszyło jej od pierwszej wizyty w szpitalu.

– Wszystkie – powtórzył z przekonaniem w głosie. Znów po dłuższej chwili milczenia rozwinął myśl: – W porównaniu z nimi zawsze czuję się jak tchórz.

Gdy to usłyszała, przeżyła szok. Nie mogła w to uwierzyć. On potrafił mówić o własnych uczuciach. Potrafił się do nich przyznać, i to w dodatku przed nią, przecież nieznaną mu wolontariuszką. Ale i tak najważniejsze było to, że nikt na niego nie czekał…

W tamtej chwili bardzo chciała na niego patrzeć, by nacieszyć się jego obecnością, jednak wolała tego nie robić. Bała się, że postrada zmysły. Teraz owa obawa wydała jej się nieuzasadniona, bo i tak postradała przez niego zmysły. Całkowicie. Bezsprzecznie. Po prostu pragnęła tego faceta. Pragnęła go do bólu. I co z tego? Miała świadomość, że musi swój stan zachować tylko dla siebie. Jej uczucia musiały stać się jej zakładnikiem. Na razie albo na zawsze. Teraz w wannie marzyła o tym, by owo „na razie" nie trwało już zawsze…

– Mam inne zdanie – powiedziała od razu, oczywiście wiele nie myśląc. – Jestem przekonana, że nie jest pan tchórzem.

– Cieszę się, że pani tak myśli.

– Ja nie myślę, ja to wiem – odparła z uśmiechem.

– Tym bardziej się cieszę – w końcu na nią spojrzał. W jego oczach ujrzała radość, która odbiła się na ustach półuśmiechem. – Nie chciałbym, żeby miała mnie pani wciąż za…

– Proszę! – weszła mu w słowo.

Zrobiła to bardzo zdecydowanie, choć może nie powinna…

Teraz pamiętała, że przeszła jej przez głowę taka myśl, by dać mu skończyć zdanie, by pozwolić mu wypowiedzieć to słowo. Może przypomniałby sobie, co powinno po nim nastąpić. Mógłby po nim przydarzyć im się znów pocałunek, nawet krótki, nawet byle jaki...

– W porządku – odpowiedział szybko na jej może trochę przesadną reakcję i znów się uśmiechnął, jakby trochę wyraźniej niż poprzednio.

I gdy tylko uwierzyła, że będzie mogła kiedyś zobaczyć jego uśmiech w pełnej krasie, ich podróż dobiegła końca. On zatrzymał samochód nieopodal wejścia do bloku, w którym mieszkała.

– Jesteśmy – powiedział dość cicho.

Była tak zaaferowana obecnością współtowarzysza podróży, iż nie mogła uwierzyć, że to już koniec. Żałowała, ponieważ mężczyzna, obok którego siedziała, miał w sobie coś, co sprawiało, że gdyby tylko mogła, to nie rozstawałaby się z nim nawet na chwilę.

– Bardzo panu dziękuję – powiedziała, mając nadzieję, że uda jej się ukryć smutek w głosie.

Nie udało się. I znów miała nadzieję, że jej ton odczytany zostanie jako objaw zmęczenia, a nie czego innego, na przykład tęsknoty. Chciała, by patrzył na nią jak najdłużej, skoro ona nie mogła patrzeć na niego. Pas odpinała, nie spiesząc się. By to zrobić, oderwała dłonie od swej studenckiej torby, którą przez całą podróż nerwowo ściskała. Łudziła się, że tego nie widział.

– Czyli zapominamy o tym, kim byłem...

Kolejny raz nawiązał do chwili, która zmieniła jej życie. Ostatnią kwestię ordynator wypowiedział bardzo wyraźnie i znacząco, ale tym razem się nie uśmiechnął. Był poważny.

– Zapominamy – zgodziła się, kłamiąc, bo wiedziała, że o tym, co się stało, nie zapomni nigdy.

– To dobrze – poważny wyraz jego twarzy się nie zmieniał.

Chciała coś zrobić, coś powiedzieć, żeby chociaż na chwilę się uśmiechnął, by nie był taki poważny. Kiedy się uśmiechał, nie wydawał się taki obcy. Zdawał się bliższy. Ale nie wiedziała, co zrobić, jakich użyć słów. Nic nie przychodziło jej do głowy. Myśli natomiast podpowiadały jej jedno zdanie:

Zapomnę... Obiecuję. Ale pocałuj mnie jeszcze raz... Teraz...

Bała się. Bardzo się obawiała, że jeśli wysiądzie teraz z samochodu, to za tydzień, jeśli go zobaczy w szpitalu, jeśli go w ogóle jeszcze zobaczy, będzie znów dla niego po prostu jedną z wielu wolontariuszek. Bała się, że nie zaszczyci jej ani spojrzeniem, ani tym bardziej uśmiechem. Przecież nie mogła do tego dopuścić. Musiała być odważna. Zwłaszcza że nikt na niego w domu nie czekał. Skoro nikt na niego nie czeka, to przecież może dać mu do zrozumienia, że nie potrafi zapomnieć, że zupełnie nie chce zapominać, że wprost przeciwnie, chce pamiętać o tym, co się między nimi wydarzyło. Musiała się odważyć. Po prostu musiała. Nie miała innego wyjścia.

Otworzyła drzwi. Wysiadła. Nachyliła się tak, by go widzieć i by on też ją widział.

– Poczekam, aż pani wejdzie – odezwał się i uśmiechnął.

– Ale ja... – zaczęła, wiedząc, że musi skończyć rozpoczęte zdanie. – Ja nie potrafię...

Zmienił się na twarzy nie do poznania. To właśnie ta zmiana dodała jej odwagi i wiary w to, że robi dobrze.

– Ja nie jestem w stanie zapomnieć o tamtym pocałunku... Przepraszam... Dziękuję... Dobranoc...

Teraz uśmiechała się do siebie. Czerpała dumę ze słów, na które się odważyła tak całkiem niedawno. Pamiętała, że zamykała drzwi samochodu i starała się zrobić to jak najciszej. Gdy podeszła do drzwi bloku, była na siebie wściekła za to, że powiedziała: „przepraszam". Przecież nie chciała przepraszać za to, że chce pamiętać...

Że też zawsze, gdy zrobi coś, z czego mogłaby być dumna, musi też chlapnąć coś, co przyćmi jej radość. Kiedy otwierała drzwi, usłyszała warkot samochodu. Dotrzymał słowa. Zanim odjechał, poczekał, aż zniknie za starymi jak świat drzwiami, które dziś zamknęły się za nią jakby trochę za szybko. Gdy weszła do windy, serce waliło jej jak oszalałe. Teraz zresztą też. Woda w wannie dawno wystygła. Czekała ją kolejna bezsenna noc, bo zmęczenie nie odgrywało teraz żadnej roli. Buzowały w niej emocje. Miała przed oczami jego twarz. Kiedy się nie uśmiechał, wydawał się bardzo tajemniczy, a gdy to robił, stawał się jeszcze bardziej zagadkowy. Nie potrafiła wyczytać z jego oczu niczego. Wciąż myślała o tym, co jej dziś powiedział. Cieszyła się, że nikt na niego nie czekał. Jej radość nie miała końca.

Przecież nie chciała mieć na sumieniu kogoś, dla kogo jej pocałunek z Kochanowskim mógłby oznaczać zdradę. Zdrada budziła w niej najobrzydliwsze skojarzenia. Pewnie dlatego, że od najmłodszych lat wsłuchiwała się, czasami nawet z wielkim zainteresowaniem, we wszystkie osiedlowe plotki, które do ich domu przynosiła ciotka Klara. Ona zawsze poddawała ocenie życie innych i oczywiście wiedziała wszystko najlepiej. Kto? Z kim? Dlaczego? Kto kogo zrobił w balona? Komu żony doprawiały rogi? Z kim to robiły? Które kobiety mężowie już puszczali kantem, a które dopiero mieli zamiar zostawić? Jasna sprawa, że fakty, a raczej pseudofakty, które znosiła do ich kuchni ciotka, zawsze były poddawane wnikliwej analizie, po czym następowała surowa i – rzecz jasna – sprawiedliwa ocena. Ta zawsze była identyczna i trzymała się konsekwentnie tylko jednej zasady. Bez względu na okoliczności zawsze była winna kobieta. Niezależnie, czy zdradzała, czy była zdradzana. Musiało minąć trochę czasu, by Julka zrozumiała, że ciotka Klara wypowiadała się na wiele tematów, nie zachowując zasad logiki, zdrowego rozsądku, obiektywizmu i sprawiedliwości. Ale skoro sama była chodzącą wyrocznią, to cóż się dziwić...

Teraz wiedziała, że przekonanie, iż to kobiety są wszystkiemu winne, choć odbierała je jako bardzo krzywdzące, tkwiło w niej głęboko. Wspominała wszystkie złe słowa ciotki, których wysłuchiwali też inni dorośli, nie zajmując żadnego stanowiska w sprawie, i nie zgadzała się z nimi. Jednak towarzyszyły jej od tak dawna, że bardzo bała się, iż jej uczucia mogą komuś zaszkodzić lub go skrzywdzić.

Ale skoro powiedział wyraźnie: „proszę się nie przejmować...", to jasne jak słońce wydawało jej się, że nikomu nie robi krzywdy. No może poza samą sobą. Bo tym, co z sobą teraz wyprawiała, jak na razie mogła zaszkodzić tylko sobie. Kochanowski z pewnością nie myślał o niej tyle, ile ona o nim. Poza tym pewnie nie analizował na tysiące różnych sposobów tego, co się między nimi wydarzyło. Miała przekonanie, że jest bardzo osamotniona w swych nieustannych rozważaniach. Co przemawia za? Co przeciw? Póki co ciągłym myśleniem mogła zaszkodzić tylko sobie. Co prawda przyzwyczaiła się do tego, że w relacjach z innymi jej samopoczucie było mało ważne. Tak często słyszała bowiem: „Co ty, Julka, możesz wiedzieć?". „Masz za mało lat, żeby się w tej sprawie wypowiadać". „Pożyjesz trochę dłużej na tym świecie, to zobaczysz, że wszystko wygląda inaczej, niż ci się wydaje". Dosyć tych przemyśleń. Mogła teraz wyjść z wanny, wypuścić z niej zimną już wodę i spróbować zasnąć pomimo tego, że dała Kochanowskiemu do zrozumienia, iż nie potrafi przejść do porządku dziennego nad tym, co z nią zrobił. Takie rozwiązanie było w jej przypadku niemożliwe, gdyż pocałunek Kochanowskiego zachwiał nie tylko jej równowagą za dnia, ale także zaburzył spokój w nocy. Miała się o tym za chwilę przekonać. Nie mogła skupić się na spaniu, kiedy wydawało się, że Kochanowski jest wciąż przy niej jakby na wyciągnięcie ręki, a jego zdecydowane usta wpijają się w jej wargi, co prawda zaskoczone, ale nie obojętne.

Wyszła z łazienki. Ostrożnie zamknęła drzwi. Mama spała. I co z tego, że było cicho? Cisza w domu nie mogła na nią działać kojąco, bo gdy nie nosi się ciszy w sobie, żadna inna nie może ukoić.

– Cześć – usiadła, a raczej przycupnęła przy Neli, dziękując w duchu przyjaciółce za to, że wykazała się przemyślnością i zajęła jej miejsce na wykładzie, który cieszył się ogromną popularnością. Starała się uspokoić przyspieszony po biegu oddech. Biegła, ponieważ wiedziała, że jeśli się spóźni, nie wejdzie do sali. Wykładowca nie znosił spóźnialskich, ponieważ go rozpraszali, dlatego od razu po rozpoczęciu wykładu zamykał drzwi na klucz. Zupełnie mu się nie dziwiła. Mógł sobie na to pozwolić, ponieważ na swoich zajęciach i tak miał zawsze nadkomplet.

– Rzutem na taśmę – uśmiechnęła się Nela w serdecznym powitaniu.

– To jakiś koszmar. Gdzie Xawery?

– Musiał odpuścić. Właśnie odwozi rodziców na lotnisko. Zafundowali sobie tygodniowe wakacje. Zawsze tak robią w rocznicę ślubu. Bosko, nie?

– No! – rozpromieniła się na myśl, że niektórzy mają naprawdę fajne życie. – To macie z Xawerym wolny pałac, bo chatą tego nazwać nie można.

Nela nie zdążyła ustosunkować się do jej zaczepek, ponieważ do sali wszedł wykładowca, który mocą swego autorytetu uciszył panujący wokół szum. Studenci śledzili powolne ruchy już niemłodego i bardzo skromnie ubranego mężczyzny. Nie mogły dokończyć rozmowy, ale nie przeszkadzało im to, ponieważ wykład, który się właśnie rozpoczynał, za każdym razem był emocjonujący, wyczerpujący i pełen przykładów przemawiających do wyobraźni i korespondujących bezbłędnie z omawianymi właśnie zagadnieniami. Zapomniała o zmęczeniu. Skupiła się na tym, co mówi wykładowca.

Już od pierwszego zdania ją zafascynował. Z ogromną przyjemnością chłonęła piękną polszczyznę wykładowcy i starała się zapisać każde jego zdanie, ponieważ profesor nie używał słów przypadkowych. Był człowiekiem wielkiego formatu o mikrej posturze. Wiek emerytalny nie przeszkadzał mu w utrzymaniu pozycji gwiazdy nie tylko na wydziale, ale na całej uczelni. Póki co młody narybek nie zagrażał mu wcale. Co więcej, wykładowca umiał wpływać na młodych i dobrze wykorzystywać ich potencjał, bo adiunkci, którzy z nim współpracowali, robili wszystko, by ćwiczenia i seminaria przez nich prowadzone dorównywały poziomem wykładowi. To dzięki człowiekowi, na którego teraz wciąż zerkała, zrozumiała, że psychologia kliniczna jest tą drogą, którą powinna obrać. Fascynowało ją wszystko, o czym mówił ten wpatrujący się teraz w zachwycony tłum psychiatra i terapeuta w nurcie psychoanalitycznym. Była zachwycona jego osobą nie tylko ze względu na doświadczenie i prostudenckie podejście. Przede wszystkim ujmowała ją troska o drugiego człowieka, którą reprezentował. Niezależnie od tematyki, jaką podejmował, bez względu na to, czy mówił o koncepcji normy lub patologii psychicznej, z jego przekazu biła wielka kultura i bardzo poważne spojrzenie na człowieka. Wszystko to sprawiało, że podczas ćwiczeń z przedmiotu, kiedy dochodziło do debat psychologicznych, rozwiązywania testów i kwestionariuszy dotyczących na przykład depresji i zaburzeń lękowych, panowała bardzo naukowa atmosfera. Żadnym uczestnikom, nawet tym, którzy dali się poznać na innych zajęciach jako mocno rozrywkowi, nie przychodziło do głowy, by w ten sposób komentować różne filmy i nagrania, po których dochodziło do omówienia tematu właśnie pod kątem psychologii klinicznej. Fascynował ją ów człowiek, który teraz mówił, nie korzystając z mikrofonu, choć sala była ogromna.

Nie musiała zerkać na Nelę, by wiedzieć, że ta też spija każde słowo z ust prowadzącego. Lubiły ten wykład z jeszcze jednego powodu. Zawsze wprawiał je w dobry humor i nie miały żadnych wątpliwości, że wybrały jedyną słuszną drogę kształcenia. Poza tym po wykładzie miały jedyne w planie zajęć okienko, trwające w dodatku aż dwie godziny, które wykorzystywały na wspólne zjedzenie obiadu i to, co lubiły najbardziej, czyli swobodną rozmowę. Odkąd w życiu Neli pojawił się Xawery, zaszły co prawda pewne zmiany w ich przyjacielskich rytuałach, ale Julce nie przeszkadzało to wcale. Nie miała nic wspólnego z przysłowiowym psem ogrodnika. Nie była zaborcza. Co więcej, cieszyła się, że Xawery znalazł Nelę. Taki chłopak mógł spełnić marzenia każdej dziewczyny. Był przystojny, mądry, dobry, bogaty i oby stały w uczuciach. Neli też niczego nie brakowało. Już teraz miała wszystko. Jedyne, czego jej czasem brakowało, to pewności siebie, ale ten brak czynił z Neli bardzo wartościowego człowieka, który nie rzuca słów na wiatr i stara się, by nigdy nie robić innym przykrości. Dziś Julkę nawet ucieszył fakt, że nie ma z nimi Xawerego, bo ostatnimi czasy regularnie podkradał jej przyjaciółkę. Musiała się nią z kimś dzielić, stanowiło to dla niej pewną nowość. Najważniejsze było jednak to, że robiła to w imię dobra sprawy. Rozumiała to, ale cieszyła się, że dziś mogą stąd wyjść razem, zadowolone i mądrzejsze o wiele treści przydatnych nie tylko w przyszłym życiu zawodowym, ale też w ogóle w życiu. Już niedługo będą mogły swym zwyczajem przysiąść w blaszaku i zjeść razem obiad. Porozmawiają bez świadków, pozbawione męskiego towarzystwa tak jak kiedyś, gdy ich myśli nie zaprzątali żadni mężczyźni. Teraz faceci zajmowali poczesne miejsce w sercu każdej z nich.

Po sali już któryś raz z kolei przetoczył się pomruk zadowolenia i podziwu, bo prowadzący jak zwykle posłużył się prostym przykładem obrazującym skomplikowane zagadnienie teoretyczne.

– Kocham go – szepnęła z uwielbieniem w głosie Nela.

– Skup się lepiej na Xawerym, bo ten jest dla ciebie zbyt leciwy – zażartowała.

– Możesz być spokojna. Zapamiętałam dobrze to, co mi kiedyś powiedziałaś...

Zerknęła na Nelę z zainteresowaniem.

– Tylko mi nie mów, że zapomniałaś... – Nela wlepiła w nią wielkie oczy.

– Powiedziałam ci już w życiu tyle mądrych rzeczy, że chyba się nie dziwisz, że sama się w nich gubię – uśmiechnęła się dumna ze swej nadzwyczajnej skromności.

– Dużo starszy facet to przeszłość, która na pewno nie pomaga nowemu związkowi – Nela miała doskonałą pamięć, nie tylko pamiętała jej słowa, potrafiła je nawet zacytować. Niestety!

Patrzyła na minę przyjaciółki i wiedziała, że uśmiech Neli świadczy o tym, że z perspektywy czasu uznała wypowiedziane przez nią kiedyś słowa za mądre i prawdziwe. Co więcej, potraktowała je bardzo poważnie.

– Nie myślę już o nim. Wcale. Wyleczyłam się.

– To Xawery cię wyleczył – szepnęła szybko i poczuła słodki smak satysfakcji.

– Gdyby nie ty i twoje suszenie głowy, to nie wiem, czy Xawery miałby szansę przebić się przez moje zauroczenie tamtym.

Gdy usłyszała o „tamtym", poczuła, że jeśli zaraz nie zmienią tematu, to zemdleje albo oszaleje.

Kto pod kim dołki kopie... – pomyślała gorzko. Kopała, więc sama wpadła, i to po uszy. Kopała pod nim dołki, bo chciała, by wpadł w jej zasadzkę i dzięki temu zniknął z oczu Neli. Zaplanowała to dobrze. Nad wyraz dobrze. W myśl powiedzenia, że co z oczu, to z serca, Nela zapomniała o nim i skupiła się na kimś zupełnie innym. A House? To nie on tkwił w dole. To ona w niego wpadła i błagalnie wyciągała ręce ku górze, marząc, by to właśnie on pomógł jej się z niego wydostać. Interesowała ją tylko jego pomocna dłoń. Żadna inna. Potrzebowała silnego męskiego ramienia. Kochanowski takie miał. Wiedziała o tym i marzyła, by się utwierdzić w tym przekonaniu. Chciała dotknąć kiedyś jego ramion. Chciała dotykać całego jego ciała. A gdyby miało zdarzyć się tak, że on nie zechce jej uratować i wyciągnąć pomocnej ręki w jej kierunku, to nie miała po co wydostawać się na powierzchnię. Nie było po co się wysilać. Nie widziała sensu, by wychodzić z dołka. Rzeczywistość bez Kochanowskiego jej nie interesowała. Życie bez niego nie miało sensu.

Westchnęła ciężko.

– Wszystko dobrze? – zapytała Nela, nie przerywając notowania.

– Tak – skłamała. – Zgubiłam się tylko w notatkach – skłamała znowu.

Tak naprawdę to skłamała tylko połowicznie, o ile tak się w ogóle da. Na wykładzie, w którym uczestniczyła, nie gubiła się nigdy. A w życiu? W nim bywała zagubiona, ale zawsze czuła się w miarę bezpiecznie, ponieważ miała świadomość, że znalezienie drogi powrotnej zależy tylko od niej. Od tego, jak mocno skupi się na sprawie, która wytrąca ją z równowagi. Równowaga była tym, co uwielbiała czuć. Teraz wszystko się zmieniło. To on zmienił wszystko. Dlatego potrzebowała go, by się odnaleźć. Niestety czuła, że nie może na niego liczyć. Pochodzili z różnych światów, chyba też z różnych czasów. Myśl ta doprowadzała ją do szaleństwa. By okiełznać szaleństwo i osiągnąć spokój, potrzebowała spojrzeń, półuśmiechów, pocałunków i dotyku. Na żaden z tych cudów nie miała szans. Dlatego siedziała teraz na swoim ulubionym wykładzie, usiłowała notować, ale i tak tkwiła w głębokim, ciemnym i wilgotnym dole.

– Dlaczego płaczesz? Co się dzieje? – usłyszała tuż przy uchu wystraszony szept Neli.

– Mam doła... – przyznała się do swego położenia i notowała słowa wykładowcy, by uwierzyć, że życie i tak toczy się dalej.

– Pogadamy przy obiedzie, dobrze? – głos Neli był bardzo łagodny.

Jednak troska przyjaciółki nie pomogła. Dół się pogłębiał. Samotność również. A wszystko dlatego, że była przerażona. Ogarnął ją żal nad sobą i nad tym, że jeśli nie mogła o czymś porozmawiać z Nelą, to nie może liczyć już na nikogo. Pierwszy raz zapędziła się w taki kozi róg, że nie mogła opowiedzieć o tym Neli. Do tej pory nie miała przed nią tajemnic. Żadnych. Kochanowski naprawdę zmienił jej świat, a ona tym razem musiała z tą zmianą poradzić sobie w pojedynkę. Mama do pewnych rozmów nie nadawała się ani trochę. Justyna miała swoje życie i zwykle z trudem dochowywała tajemnic. Gdy dawała się ponieść negatywnym emocjom, potrafiła wykrzyczeć podczas niedzielnego obiadu nie tylko swoje tajemnice, ale też cudze... Janek był wielbiony przez wszystkich, ale pozostawał jednak wielkim nieobecnym. Naprawdę została sama. Jedyną osobą, którą mogła wtajemniczyć w swe dylematy, była ciotka Marianna, ale ona w takiej rozmowie pozostałaby jedynie słuchaczem, który boi się wypowiedzieć swe zdanie, by nie doradzić źle albo nie urazić swoim punktem widzenia. Osobą, z którą chciała porozmawiać, której chciała przyznać się do tego, co czuje, był... Kochanowski. To z nim chciała rozmawiać. Na niego patrzeć. Jego dotykać. Czuć wciąż jego obecność...

– Może wyjdziemy wcześniej? – zaproponowała coraz bardziej zaniepokojona Nela, pewnie pamiętając, że to nie takie proste, bo drzwi do sali były zamknięte.

– Najbardziej chcę wyjść z siebie – szepnęła, używając zwrotu adekwatnego do wielu zagadnień z zakresu psychologii klinicznej.

– Idziemy? – Nela była w gotowości, przerwała notowanie i zamknęła długopis.

– Nie... Jeszcze chwila i się uspokoję...

Nela podsunęła jej pod zapłakane oczy chusteczkę, tak samo jak ostatnio Kochanowski. Na razie taka pomoc musiała jej wystarczyć. Inna miała w ogóle nie nadejść...

Za kilka dni miała szansę, by go znów zobaczyć. Tylko czy był to powód do radości?

– Stało się coś złego – stwierdziła Nela, patrząc na nią znad talerza, na którym w czerwono-pomarańczowym sosie dryfowały małe kawałki boczku i apetyczna dorodna fasolka.

Nela była wielką fanką potraw jednogarnkowych. Miłość do takowych wyniosła z rodzinnego domu, w którym – jak to zwykła sama określać – było „dużo gęb do wykarmienia". Julka patrzyła w oczy przyjaciółki. Od dnia śmierci Michasia czuła się tak, jakby na jej szyi coraz dotkliwiej zaciskała się pętla. Zaczynała się dusić, chociaż przecież powietrza jej nie brakowało.

– Powinnaś coś zjeść. Martwię się. Jesteś jakaś inna. I podejrzewam, że tym razem chyba nie chodzi o sytuację w domu.

Gdy chciała skwitować chwilowe załamanie nastroju, które przechodziło najczęściej dość szybko, bagatelizowała je machnięciem ręki i stwierdzeniem, że coś nie gra w domu. Robiła to zwłaszcza wtedy, gdy miała możliwość poza domem odetchnąć pełną piersią. Za zamkniętymi drzwiami rodzinnych czterech ścian zostawiała złe humory. Przyzwyczaiła się, że podły nastrój innych członków rodziny zawsze wpływa na obniżenie jakości jej życia. Tylko jej humorami jakoś nikt się nie przejmował. Jej humory się nie liczyły. Ona nie miała prawa do szczęścia.

Tym razem sprawy miały się inaczej. Tego, co w sobie nosiła, nie mogła zostawić za progiem domu. Nie potrafiła nabrać dystansu do spraw, które burzyły jej spokój. Niepewność, która ją nękała, z biegiem czasu wrastała w nią coraz bardziej i zatruwała każdą myśl. Była na siebie zła. Zastanawiała się, jak mogła być taka nierozważna. Jak mogła do tego dopuścić? I to ona, która umiała trzymać swe uczucia i emocje w ryzach. Potrafiła przemilczeć słowa, które mogłyby jej zaszkodzić. Nie pokazywała uczuć, by nie osłabiać swej pozycji. W relacjach damsko-męskich wolała być zagadką, a nie rozwiązanym zadaniem, w którym brakowało niewiadomych. A teraz wszystko wzięło w łeb.

Patrzyła na Nelę, zastanawiając się, ile w tym, co teraz czuje, było winy przyjaciółki. Kto wie, jak potoczyłyby się sprawy, gdyby nie wysłuchiwała peanów Neli na temat Kochanowskiego. Co z tego, że kontrowała te zachwyty, ucinała te zapędy, wykazywała Neli idiotyczność sytuacji? Co z tego?! Nela była mądra. Poradziła sobie z bałaganem w sercu. Chociaż nie wiadomo, jak by się to udało, gdyby nie Xawery. Ona natomiast nie wiedziała, co wydarzyłoby się, gdyby Kochanowski nie zapragnął udowodnić jej, że jest mężczyzną. Obwiniała go o wiele. To przez niego nie wiedziała, czy punktem zwrotnym był pocałunek, czy coś między nimi było już wcześniej. Przecież gdy zobaczyła go w drzwiach mieszkania Justyny i Krzycha, też zabrakło jej tchu. Mało nie wyzionęła ducha. Nie ze strachu, ale z wrażenia. Całkowicie się pogubiła. Nie potrafiła odpowiedzieć sobie na pytanie, kiedy to wszystko się zaczęło. A przecież musiało się kiedyś zacząć, bo wszystko na świecie ma swój początek. Czy to możliwe, że go przegapiła? Nie była przecież gapą. Gdyby nią była, Nela, przecież bardzo inteligentna dziewczyna, nie polegałaby na niej w tylu różnych sprawach. Mogły na siebie liczyć, mówić sobie o wszystkim, nie bojąc się niezrozumienia. Dziś wiedziała, że patrząc w zmartwione i wystraszone oczy Neli, lepiej zrobi, jeśli nic nie powie. Bała się. Nawet nie wiedziała do końca czego, ale była pewna, że Kochanowski jest tematem, którego z Nelą poruszać nie należy. Szkoda tylko, że był to teraz temat przewodni, choć sama nie wiedziała od kiedy. Lubiła wszystko wiedzieć, więc ta niewiedza doprowadzała ją do szewskiej pasji, a skoro pasja nie znajdowała ujścia, rozpalała jej ciało i czyniła spustoszenie w umyśle.

– Masz rację. Chyba jednak coś sobie kupię – postanowiła zadbać przynajmniej o swoje ciało, bo tę opcję łatwiej było wprowadzić w życie. – Dobre? – zapytała, patrząc na fasolkę po bretońsku.

– Może na to nie wygląda, ale pyszne – Nela nie potrzebowała wiele czasu, by ocenić walory smakowe potrawy. – Kupuj, zobacz, akurat nikogo nie ma przy barze.

Wstała od stolika.

– Poczekam na ciebie – zaproponowała Nela, przerywając jedzenie.

– Ani się waż! – zagroziła z uśmiechem i z nadzieją, że najbliższy czas nie zmieni niczego w ich wzajemnych kontaktach. – Jedz, póki ciepłe!

Gdy wróciła do stolika z własną porcją fasolki, zauważyła, że Nela, która zwykle zjadała wszystko, co miała na talerzu, w zawrotnym tempie, teraz narzuciła sobie dyscyplinę i przeżuwa jedzenie powoli niczym niejadki opisywane w gazetach dla młodych mam.

– Nie słuchasz mnie! Źle na tym wyjdziesz. Zobaczysz! – czasami w relacjach z Nelą lubiła używać sformułowań swojej mamy, ponieważ wiedziała, że wprowadzają przyjaciółkę w przyjemne rozmarzenie, bliskie tęsknocie za rodzinnym domem.

– Nie słucham, ale się staram – Nela uśmiechnęła się ciepło.

– Tere-fere kuku – podała w wątpliwość starania Neli.

– Kukułeczka kuka, chłopiec panny szuka – zaśpiewała Nela.

Śpiewała pięknie, miała bardzo dźwięczny głos. Niestety jej piosenka była trafiona. To chłopcy szukali panien. Do tej pory właśnie tak było w jej życiu. Nie musiała się starać. To ktoś zabiegał, a ona te zabiegi doceniała bądź też nie. A teraz zwariowała i na przekór ludowej mądrości z dnia na dzień coraz bardziej rozmyślała o Kochanowskim, który chłopcem był, ale dawno temu, podczas gdy ona dokładnie teraz, nawet w mniemaniu ciotki Klary, była panną na wydaniu.

– Może weźmiesz udział w jakimś telewizyjnym *show*? Zaśpiewasz, ja powysyłam na ciebie SMS-y bez względu na koszty i zostaniesz wielką gwiazdą – zaproponowała urzeczona głosem przyjaciółki.

– Naprawdę byłaby ze mnie wielka gwiazda, tylko kamerzyści mieliby trudny orzech do zgryzienia, jak taką wielką gwiazdę zmieścić w kadrze – mówiąc to, Nela zajadała się fasolką już tak, że uszy jej się trzęsły. – Ale dobry ten chleb. Spróbuj chociaż. Ugryź! Jest taki świeży, że rozpływa się w ustach.

Posłuchała sugestii Neli i ugryzła kromkę chleba spoczywającą do tej pory na serwetce tak cienkiej, że pewnie można było patrzeć przez nią jak przez szkło.

– Rzeczywiście, dobry – przyznała Neli rację.

Ten kęs chleba był jej pierwszym dzisiejszym posiłkiem. Nie miała apetytu. Kochanowski powodował u niej wiele dolegliwości, w tym zaburzenia łaknienia.

– Nie chciałabym naciskać, ale gdybyś się komuś wygadała, na przykład mi, to świat stałby się znośniejszy.

– Żeby się wygadać, to trzeba mieć o czym gadać – podsumowała propozycję, bardzo zdołowana.

– Chyba nie myślisz, że uwierzę w to, iż nic cię nie gryzie – ton Neli był tak dobrotliwy, że musiała się odnieść do jej słów.

– Coś tam gryzie – odparła przyjaciółce niezbyt szczegółowo.

– To jakaś tajemnica? – zapytała Nela, a jej uśmiech naprawdę zachęcał do otwartości w rozmowie.

Innym razem uległaby mu. Bezapelacyjnie. Ale nie teraz. Nie w sytuacji, gdy tematu nie można było poruszyć, nie wspominając o Kochanowskim.

Tajemnica? – zapytała w myślach. – *Chyba nie* – odpowiedziała sama sobie, wiedząc, że plecie bzdury. Ale wiedziała też, że każdy kij ma dwa końce, a każdy medal dwie strony. Kochanowski nie mógł pojawić się w ich rozmowie, ponieważ... Po prostu nie mógł. Nie umiałaby o nim rozmawiać z Nelą tak, jakby tego chciała. Poza tym trudno przecież opisać problem, którego się samemu nie rozumie. W ciągu jednego dnia albo nawet w czasie jednej godziny myślała na ten temat tak diametralnie różnie. Jednak nie mogła udawać, że nie dostrzega wzroku Neli. Był wnikliwy i zafrasowany. Wiedziała, że Nela ma ochotę o coś spytać, chociaż nie lubiła tego robić. Zadawała pytania tylko wtedy, gdy była to ostateczność. Teraz widocznie była.

– Ktoś ci zrobił krzywdę?

Chyba robi mi krzywdę, nic nie robiąc. A może to ja sama wyrządzam sobie krzywdę? – pytała się w myślach, zamiast odpowiedzieć Neli. Ale musiała się uspokoić, ponieważ pogrążała się w dole coraz bardziej, a Nela... Jeszcze chwila i mogła się wszystkiego domyślić. Julka miała jednak nadzieję, że przyjaciółka nie wpadnie na trop Kochanowskiego.

– Nie! No coś ty! – zaprzeczyła zdecydowanie i ratowała sytuację, wkładając sobie do ust łychę pełną jedzenia.

Z dwojga złego wolała jeść, niż mówić. Tak samo jak podczas rodzinnych obiadów. Nie mogła w to uwierzyć, ale Kochanowski odbierał jej przyjaciółkę. Stało się coś strasznego. Nigdy nie myślała, że do tego dojdzie. Przecież przy Neli mogła zachowywać się inaczej niż w domu, w którym tylko w myślach miała zapewnioną swobodę wypowiedzi. Przecież Neli mogła powiedzieć wszystko. Zawsze. Teraz boleśnie na własnej skórze przekonywała się, że wszystko ma swój kres. Chyba pierwszy raz w życiu pragnęła czegoś niemożliwego. Wysłała rozsądek i pragmatyzm na urlop. Chciała miłości Kochanowskiego i przyjaźni Neli. Jednocześnie. Tak samo bardzo. Tak samo mocno. Nie wyobrażała sobie dalszego życia bez tych osób i bez ich uczuć. I choć jej wyobraźnia zwykle nie szwankowała, to w tej chwili odmawiała posłuszeństwa. Co gorsza, zupełnie się temu nie dziwiła...

– Coś czuję, że niestety sobie dzisiaj nie pogadamy. Gdybym cię nie znała, pomyślałabym, że się na mnie obraziłaś. Ale ty, Jula, przecież nie umiesz się obrażać, przynajmniej na mnie, prawda?

Chcę obrazić się na siebie! – wrzasnęła w myślach. Krzyknęła na siebie i szybko odpowiedziała na pytanie Neli.

– Na ciebie? Nie!

Specjalnie odpowiedziała na pytanie przyjaciółki prosto z mostu. Ponieważ Nela znała ją bardzo dobrze, wiedziała, że obrażanie się było jej specjalnością. Może nie obrażała się, lecz potrafiła ignorować. To na pewno było dużo gorsze od obrażania się, bo oznaczało brak okazywania emocji, a brak emocji to obojętność. Zdolność do ignorowania była jej mocną stroną, o ile w ogóle można to nazwać zdolnością.

– Skoro nie na mnie, to na kogo? – Nela niestety drążyła temat, choć pewnie kosztowało ją to wiele.

– Trudno powiedzieć – odparła zgodnie z prawdą, w dodatku bez chwili namysłu, po czym podmuchała na strawę na łyżce, zanim włożyła ją do ust.

– Ale nie wiesz, co powiedzieć czy jak to powiedzieć? Bo to zasadnicza różnica – Nela była twardym graczem, który umiał się bardzo delikatnie uśmiechać.

– Zasadnicza – potwierdziła zdanie Neli. Starała się nie zignorować pytania przyjaciółki i zastanawiała się, jak z niego wybrnąć...

Nie wiem ani co powiedzieć, ani jak to zrobić – póki co odparła tylko w myślach, ale ta odpowiedź nie zadowoliłaby Neli. Z przyjaciółką musiała być bardziej szczera.

– Po prostu żeby nie tracić tego, co mamy, nie będę mówiła nic. Wybacz, proszę – wybrnęła z sytuacji chyba w miarę dobrze i uśmiechnęła się trochę niemrawo.

– Rozumiem, rozumiem... – uśmiech Neli był natomiast bardzo wyraźny. – Masz dość tego, że ktoś wtyka nos w nie swoje sprawy, ponieważ przerabiasz to na co dzień w domu, a teraz jeszcze ja nie umiem się zachować. Przepraszam, już tak nie będę – zapewniła wyrozumiale Nela. – Od dziś udaję, że niczego nie widzę, proszę cię tylko, żebyś podzieliła się ze mną problemem, jak sprawa dojrzeje, dobrze? – uśmiech zniknął z ust Neli, zatem musiała potraktować słowa przyjaciółki bardzo poważnie.

Nie miała innego wyjścia, gdyż Nela była coraz poważniejsza i ze spokojem czekała, patrząc na nią prosząco.

– Postaram się... – odpowiedziała, usiłując jednocześnie nie zaprzeczyć temu w myślach.

Nela rzadko ją o coś prosiła, a jeśli już to robiła, to tylko w sprawach bardzo ważnych. A ona była ważna dla Neli. Wiedziała o tym doskonale. Były ważne dla siebie nawzajem. To właśnie ten fakt sprawiał, że czuła się teraz okropnie. Ale cóż, nie było niczego odkrywczego w tym, że by oszukiwać, nie trzeba wcale uciekać się do kłamstwa. Była pewna, że największych oszustw w życiu ludzie dopuszczają się w milczeniu, a ono niczego nie usprawiedliwia, chociaż czasami twierdzi się, że jest złotem.

Przez chwilę jadły w milczeniu. Niestety to milczenie im nie służyło. Ani jej, ani Neli. Cisza wystarczyła, by milczący zwykle Kochanowski wszedł w jej życie. Dokonywał i cudów, i spustoszeń. Milczał, a narzucał jej swoją obecność, swoje zwyczaje, swoje oczy, swoje usta. Była na niego zła, że ma na nią tak wielki wpływ. Natomiast na siebie była wściekła, że na to pozwala.

– Tylko powiedz, że to nie są narkotyki... – odezwała się Nela.

Julka zerknęła na nią, nie mając pewności, czy przyjaciółka żartuje. Oczy Neli na szczęście błyszczały żartobliwie.

– Bo wiesz, w takim wypadku nie mogłabym czekać, bo czas byłby bardzo ważny. Liczy się chyba najbardziej.

– Czas zawsze się liczy – odpowiedziała bez zastanowienia, a widząc minę Neli, dodała szybko: – Przecież nie sposób go zatrzymać – twarz przyjaciółki była wciąż zasępiona, dlatego dodała szybko i całkiem poważnie: – Możesz być spokojna, to nie narkotyki. Na narkotyki to ja za biedna jestem. W domu nie ma zbytków, a to, co jest, raczej nie znalazłoby kupca – obrazowo przedstawiła swą sytuację.

– To przynajmniej jeden problem mamy z głowy – Nela znów się uśmiechała, czujnie, ale uśmiechała.

– To już coś! – w końcu też się uśmiechnęła.

W uśmiechu tym wielki udział miał profesor, którego wykładu wysłuchała godzinę temu. Wykładowca podkreślał, że należy unikać błędów, a jeśli już się przydarzą, to trzeba się z nich cieszyć, ponieważ bez nich nie ma mowy o osiągnięciu doskonałości. Człowiek powinien w życiu dążyć w wielu kierunkach, tych znanych i nieznanych. Powinien też mieć świadomość, że każdy błąd jest krokiem do doskonałości. Wiedziała, że zapamięta to na zawsze, chociaż wszystko ma swój kres. To też już wiedziała.

– Czy ty, Julka, słyszysz, co ja do ciebie mówię?!

Mama jak zwykle tylko twierdziła, że mówi, a tak naprawdę krzyczała. Do tego tak głośno, by w końcu jej udająca przygłuchą córka raczyła pojawić się na niedzielnym śniadaniu.

Cóż poradzić, że nie miała ochoty na śniadanie. Chciała się wyspać. Marzyła o tym, by odespać. Zwłaszcza że dzisiejszej nocy sen pojawił się dopiero nad ranem i to właśnie wtedy, kiedy miejski hałas zaczął wdzierać się we względną ciszę nocną. Zasnęła, gdy zaczęły odzywać się tramwajowe dzwonki. Spała krótko, ale jak kamień. Teraz głowę miała równie ciężką co kamień, dlatego z ociąganiem usiadła na łóżku. Tuż przedtem do pokoju wparowała mama. Po pierwsze, była wyspana, po drugie, bardzo radosna jak na siebie. Podejrzanie radosna.

– Zgadnij, kto dołączy do nas na obiad? – zapytała, odsłaniając firanki w oknie i wpuszczając do pokoju słońce.

Od razu zamknęła oczy, wręcz do bólu oślepione nieoczekiwaną jasnością.

Wiesz, jak tego nie lubię! – krzyknęła w myślach i nie tylko zamknęła powieki, bo to nie wystarczyło, ale zakryła oczy dłońmi.

– Ciekawa jestem, czy zgadniesz – mama próbowała zmusić ją do intelektualnego wysiłku, jakby nie dostrzegając, że córka nie ma ochoty na wstanie z łóżka, a co dopiero na zgadywanki.

– Jaki masz plan na poniedziałek?

Zobaczyć Kochanowskiego – pomyślała natychmiast.

– Jeszcze nie wiem – skłamała niezwłocznie.

– To już wiesz! Pójdziesz jutro do lekarza, bo wyglądasz jak śmierć na chorągwi. Boże! Młoda dziewczyna, a wygląda jak chodząca śmierć! Julka! Co to za worki pod oczami? Dziewczyno, co się z tobą dzieje?!

– Jestem zmęczona – przyznała się. – Chciałabym się w końcu wyspać – zasugerowała mamie idealne lekarstwo na worki pod oczami, choć wiedziała, że zaraz za swe słowa zbierze baty.

– To dlaczego czytasz po nocach?! Kiedy położyłaś się ostatnio o normalnej porze? Przecież tak nie można! Studia i praca są ważne, rozumiem, ale po co ty się po tych szpitalach rozbijasz?!

– Do szpitala chodzę tylko raz w tygodniu. Wciąż do tego samego – chciała uciąć temat, który od czasu gdy się tylko pojawił, stał się bardzo drażliwy.

Nie wiadomo dlaczego, ale mama nie chciała słyszeć o wolontariacie. Zresztą często nie chciała słuchać o sprawach ważnych dla swej córki. Wiele z nich bez skrępowania kwitowała: „kolejny cudowny pomysł". Ale córka jakby o tym nie pamiętała i wciąż popełniała ten sam błąd, dzieląc się z mamą swoim życiem.

– To powinnaś to zmienić i zacząć tam chodzić codziennie. Przynajmniej jak padniesz ze zmęczenia, to będziesz miała pomoc pod ręką. Może wtedy zaczniesz się lepiej czuć. I lepiej wyglądać – mama zamiast po prostu pozwolić jej się wyspać, kpiła, nie zachowując w tym ani trochę umiaru.

To jest myśl! – przyszło jej do głowy. Matczyny cynizm udzielił jej się po cichu. Mimo to od razu poczuła ciepło w sercu. Perspektywa, że mogłaby widywać Kochanowskiego częściej, zmieniła jej zapatrywania na rozpoczynający się dzień.

– Julka, nie siedź tak! Wstań, ogarnij się jakoś! Śniadanie zjedz! Zaraz do kościoła idziemy, a potem musimy szybko poradzić sobie z obiadem, bo zapowiada się, że dziś przy stole usiądą wszystkie moje dzieci.

– Naprawdę? – rozpromieniła się w końcu jak słońce, już przebijające się promieniami wiosny przez wciąż zimowy brud na oknach.

Chwała Panu! – pomyślała, gdy mama w końcu wyszła. Została sama. Patrzyła na słońce, żałując, że w oknie wisi firanka. Gdyby to od niej zależało, zdjęłaby ją już w tej chwili. Ale to przecież nie był jej dom. To mama decydowała o tym, czy firanka ma wisieć, czy też nie. Zatem firanka zostaje! Miała zasłaniać niebo. Gdyby nie ten byle jaki podziurawiony kawałek sztucznego materiału, mogłaby zerkać na niebo, kiedy tylko chce, bez żadnych przeszkód.

Gdy była mała, bardzo lubiła obserwować niebo. Wpatrywała się w chmury przybierające przeróżne kształty. Lubiła odgadywać, co przypominają. Mogła długo siedzieć po turecku na biurku stojącym od lat przy oknie i nakrywając sobie głowę znienawidzoną firanką, nie patrzeć, tylko wgapiać się w niebo. Wodziła wzrokiem za białymi tworami wędrującymi na koniec świata albo i dalej... Chmury płynęły nad horyzontem szybko lub, wręcz przeciwnie, zupełnie leniwie. Kiedyś obserwowanie nieba było dla niej najlepszą zabawą, teraz czynność tę uważała za przedni odpoczynek. A dziś nie mogła o nim nawet pomarzyć, ponieważ mama znów otworzyła drzwi pokoju.

– Chyba słyszałaś? Pierwszy raz od czterech miesięcy przyjeżdża do domu twój brat, więc może w końcu wyjdziesz z tego barłogu i się ogarniesz, bo ja nie wiem, w co ręce włożyć. A chciałabym jeszcze upiec placek drożdżowy. Mam w zamrażalniku pełen pojemnik jagód z lata. Janek tak bardzo lubi drożdżówkę z jagodami, szkoda tylko, że truskawek już nie mam. Jagody i truskawki naraz to byłby dopiero rarytas. Janek obiecał, że tym razem nie będzie gonił jak na złamanie karku. Posiedzi z nami na spokojnie – mama była radośnie podekscytowana. – Na noc tylko zostać nie może, bo go obowiązki wzywają.

– To może lepiej będzie, jak do kościoła pójdziemy wieczorem? – zaproponowała.

Podejrzewała, z jakim „entuzjastycznym" przyjęciem spotka się jej propozycja, jednak dzień zapowiadał się tak niecodziennie, że należało chwytać się każdej możliwości, by nie musieć się teraz spieszyć. Bowiem na pośpiech, zwłaszcza w kuchni, nie miała siły.

– Przecież wiesz, jak nie znoszę chodzić do kościoła wieczorem! – zgodnie z przeczuciem została zgromiona matczynym spojrzeniem.

Szkoda, bo ja uwielbiam... – rozmarzyła się, wierząc, że kiedyś na pewno nadejdą w jej życiu takie czasy, że będzie mogła do kościoła chodzić wieczorem, że w ogóle będzie mogła planować swe dni, nie bacząc na czyjeś oczekiwania.

– Pójdziemy rano i będziemy miały z głowy – mama wyrecytowała swój przepis na idealny dzień święty.

Boże! Błagam Cię, wybacz to podejście mojej mamie... – pomyślała, wiedząc, że ona, w przeciwieństwie do mamy, mogłaby chodzić do kościoła wieczorem, nie czując przy tym przez całą niedzielę żadnej presji. Ale nie miała się czemu dziwić. Różniła się od mamy w wielu życiowych kwestiach, w tym oczywiście w kwestii wiary. Z pokorą przyjmowała i tę różnicę, dlatego nie podejmowała z nią żadnej dyskusji. Wiedziała, że dostosowanie się do matczynej wizji dnia świętego jest jednym z warunków koniecznych, by zachować szansę na spędzenie w miarę dobrego dnia w świętym spokoju. Warunków było oczywiście więcej, ale akurat ten był niezbędny.

– Nie siedź, tylko się ruszaj. Czas leci! Nie będzie na ciebie czekał!

Czas... czas... czas... – powtarzała w duchu, po cichu drocząc się z mamą i za nic mając sobie zegarki nie tylko w tym domu, ale i na całym świecie. Czas według mamy potrafił płynąć w różnym tempie. Najczęściej jednak leciał – szybko niczym ptak. Tak jak ptak nie podlegał żadnym ograniczeniom. Nikt nie mógł mieć na niego wpływu. Czasami zaś płynął niczym jakiś wielki wodny stwór. Potrafił pożreć wszystkich, którzy nie zdążyli przed nim uciec. Był bezlitosnym drapieżnikiem, może rekinem? Ale czasem potrafił też kapać leniwie jak deszcz, który nie może się zdecydować: przestać padać czy kropić dalej? Czas potrafił wszystko. Robił z ludźmi dziwne rzeczy.

Mama często plotkowała z ciotką Klarą, oczywiście utwierdzając ciotkę w przekonaniu, że jej gadanie ma sens. Powtarzała wtedy jak mantrę: „co ten czas z ludźmi robi?" albo „z czasem nie wygrasz!" lub „czas zwariował". Czyli czas miewał też nierówno pod sufitem. Przypominał zatem człowieka z jego zdolnościami, słabościami i ograniczeniami. Na szczęście człowiek był od niego lepszy. Doskonalszy. Człowiek potrafił się przed czymś cofnąć. Czas nie cofał się nigdy. I dlatego mama w rozmowach z córką wspominała ten aspekt czasu. Do znudzenia potrafiła powtarzać: „Julka! Kiedy ty w końcu zrozumiesz, że czasu nie da się cofnąć? Jeśli go dobrze nie wykorzystasz, to koniec, amen, umarł w butach". Mama była bardzo dobra w wytykaniu słabych punktów. Robiła to wobec wszystkich i wszystkiego, więc czasu też nie oszczędzała. Zatem wyżywała się na nim, gdy tylko pojawiała się taka sposobność. Wyżywała się na czasie, a by nie czuł się osamotniony, to dostawało się też innym. Dostawało się przede wszystkim jej. Wciąż musiała wysłuchiwać: „Marnuj czas, marnuj! Ależ proszę cię bardzo. Tylko żebyś później, jak się już opamiętasz, nie mówiła, że cię nie ostrzegałam. Julka! Ty chyba nie myślisz, że mi to gadanie w kółko jakąś przyjemność sprawia. Po dziurki w nosie już tego mam. Z waszej trójki to tylko Janka pilnować w niczym nie musiałam. Ten to od maleńkości wiedział, że czasu marnować nie należy. Za to Justyna, o, z nią to było skaranie boskie! Ta to za nic czas miała. Ale z ciebie, Julka, też przykładu brać nie należy!".

Ziewnęła, przerywając dywagacje na temat czasu, który w niedzielę rano gnał chyba szybciej niż w pozostałe dni. Zupełnie jakby jej na złość. A nocami, gdy wyczekiwała snu, ciągnął się niemiłosiernie.

Mamy już nie było u niej w pokoju. Sądząc po hałasach dochodzących z kuchni, to tam aktualnie walczyła z czasem, łudząc się, że go okiełzna.

– Wstałaś?! – usłyszała dochodzący z kuchni krzyk.

Mama miała podzielną uwagę. Potrafiła jednocześnie zmagać się z czasem, a także z poranną opieszałością córki.

– Wstałam – skłamała, zrywając się z łóżka, by zgrzeszyć tylko kłamstwem, a nie lenistwem.

Odsłoniła firankę. Popatrzyła w niebo. Było czyste, nie wisiała na nim ani jedna chmurka. Na nieboskłonie nie działo się nic. Skierowała zatem swój wzrok w dół. Zobaczyła plac zabaw, na którym spędziła sporą część swego dzieciństwa w towarzystwie odrapanych huśtawek i zasmarkanych kolegów, bo do koleżanek jakoś przed Nelą nigdy szczęścia nie miała. Plac otaczały jaskrawo żółcące się forsycje, upiększając znacznie osiedlową brzydotę. Zwykle zauważała, gdy forsycje zaczynają kwitnąć. W tym roku zatraciła swą uważność. Nic dziwnego. Miała za sobą trudną sesję i piękne przeżycie. Na nieszczęście wszystko zaczęło się pewnego okrutnego dnia i dało początek udręce nie mniej okrutnej. Skupienie, rozsądek, zaufanie do życia, dystans do facetów – to straciła w jednej chwili. Wszystko się zmieniło. Sama się zmieniła. Winę za to wszystko ponosił tylko jeden człowiek. Kochanowski.

– Julka! – mama znowu wparowała do pokoju. – Zasłoń to okno!

Natychmiast wykonała polecenie mamy. Pokój stracił swój blask. Bałagan znów stał się widoczny. Nic go już nie przyćmiewało.

– Julka! Mamy czterdzieści pięć minut do wyjścia. Zdążysz zjeść śniadanie i doprowadzić się do porządku?

– Mogę przecież iść do kościoła wieczorem. Powiedz, co mam zrobić, to już się za to zabiorę – próbowała przekupić mamę swą usłużnością.

– Zobacz, jaka ty jesteś! – jęczała mama.

Wyrzuty czas zacząć! – myślała i czekała. Oczywiście na mamę nie trzeba było długo czekać.

– Myślałam, że w drodze powrotnej z kościoła ja zajdę po ciotkę Klarę, a ty po ciotkę Mariannę. Żebyśmy mogły spokojnie porozmawiać, zanim przyjdą dzieci.

Chyba żeby ciotunia Klarunia mogła sobie spokojnie pogadać!

Myśli przybrały kształt słów i wyrwały jej się na głos.

– Przecież wiesz, że jak pojawi się Janek, to będzie tu jak w ulu.

No właśnie! Pogadać? Spokojnie? W obecności ciotki Klary? Dobre sobie!

Zamiast wstać, kpiła w myślach, i to patrząc mamie prosto w oczy. To zerkanie jej chyba pomogło, bo mama znów wyszła z pokoju. Skoro przekazała ważne i istotne zalecenia, nie musiała już tu wystawać. Julka też powinna się stąd ruszyć i pożegnać się z łóżkiem. Całe szczęście nikt nie mógł jej zmusić do rozstania się z myślami. W domu rozmyślanie wychodziło jej najlepiej. Mogła to robić bez obaw. Tutaj myśli nigdy nie wyrywały się z jej ust w postaci niekontrolowanych słów jak przy Kochanowskim. Gdy nie było go w pobliżu, mogła mieć nawet nieprzyzwoite myśli, a i tak należały tylko do niej. Do jej świata i czasu. Przy Kochanowskim było inaczej. Przy nim funkcjonowała w innym świecie. Czas też jakby upływał inaczej niż zwykle. To zwalniał, to pędził. Oszukiwał ją. Zatem musiała mieć się na baczności. Nie ze względu na czas. Ze względu na Kochanowskiego, który miał w sobie coś takiego, co sprawiało, że rodziła się w niej ochota, by każdą myślą się z nim dzielić. To było niebezpieczne. Bardzo niebezpieczne. Wiedziała już o tym. Wiedziała doskonale. Dlatego nie chciała przy nim myśleć. Chciała z nim rozmawiać.

– Julka!

No dobrze! – poddała się, oczywiście w myślach. Wstała z łóżka i zdobywając się na dziarski krok, ruszyła do łazienki. Jak zwykle musiała robić to, czego oczekiwała mama, czyli wprowadzać w swoje życie jej plany. Spełniać oczekiwania, by w rezultacie i tak wysłuchiwać gorzkich słów wiecznej krytyki. Tęskniła za Kochanowskim i za niezależnością. Za ordynatorem tęskniła w sposób szczególny. Chciała wiedzieć, gdzie jest, co akurat robi. Mówił niezbyt dużo, więc chciała też wiedzieć, o czym myśli. Rozmyślała o nim nieustannie i wierzyła, że telepatia nie jest wymysłem wariatów. Jeśli istniała, to Kochanowski na pewno myśli też o niej.

Choćby minutę dziennie… – poprosiła w myślach. Prosiła w nich jeszcze o to, by nie zapomniał o pocałunku. Miała nadzieję, że to, iż zdobyła się na odwagę i powiedziała mu o tym, jakie jest jej stanowisko w tej sprawie, okaże się pomocne. Kochanowski musiał, po prostu musiał wiedzieć, że ona o niczym nie zapomni. Czasami po prostu nie ma szans, by zapomnieć.

– Julka! Jedno mówisz, a robisz drugie! Jak zwykle. Księżniczko, obudź się! Bo jeśli tego nie zrobisz, nigdy sobie królewicza nie znajdziesz! Albo go prześpisz, albo przegapisz! W twoim przypadku obie możliwości wydają się tak samo prawdopodobne!

Prawdziwemu królewiczowi sen księżniczki niestraszny! – odkrzyknęła w myślach na zaczepkę mamy. Słowa, które pozwoliła sobie powiedzieć, nie były tak śmiałe.

– Już, już! Idę do łazienki! – rzuciła i chwilę potem znalazła się w łazience.

– Tylko się nie utop! I pomaluj się chociaż trochę, żebyś ludzi w kościele nie wystraszyła.

Zawsze myślała, że rozsądnie myślące matki odradzają makijaż swym młodym córkom. Ona jednak na wyraźne polecenie mamy musiała dodawać sobie urody. Skoro miała dziś udawać uroczą panienkę, to musiała się odpowiednio przygotować. Poza tym przecież już jutro jest poniedziałek. Może nazajutrz też powinna coś ze sobą zrobić? Podrasować nieco urodę? Może upiększać się powinna nie tylko od święta, ale i w dzień powszedni. Nela się trochę podmalowywała, więc musiała brać z niej przykład. Zwłaszcza że Nela jest osobą, z której brać przykład jest naprawdę wskazane. Szczególnie gdy się jest Julką. „Przynajmniej rzęsy będę miała kruczoczarne" – tak mówiła Nela i robiła delikatny makijaż na co dzień. Może coś w tym jednak jest? Pewnie idąc do szpitala, nie powinna wyglądać, jakby wstała z łóżka. Mama i Justyna też korzystały z dobrodziejstw makijażu. Ciotka Klara też, ale w jej przypadku oczywiście o jakimkolwiek upiększeniu nie było mowy. Ciotce z pewnością nie pomogłaby nawet operacja plastyczna, gdyż tego, co Klara miała najszkaradniejsze, nie dało się załatwić nawet skalpelem, a co dopiero byle jakim makijażem.

Myjąc zęby i oglądając się w lustrze, zastanawiała się, jakie kobiety podobają się Kochanowskiemu. Czy wolał brunetki, czy blondynki? Może takie jak ona? Nie była ani brunetką, ani blondynką. Była szatynką, chyba dość ciemną, w dodatku bez makijażu. Ciotka Marianna zawsze powtarzała: „Dziecko, ty masz taką wyraźną urodę, że Pana Boga poprawiać nie musisz. Usta i oczy jak namalowane...". Miała świadomość, że powinna słuchać ciotki Marianny. Gdy słuchała jej rad, zawsze na tym dobrze wychodziła. Teraz też miała taki zamiar. Miała gdzieś jakieś indiańskie praktyki malowania twarzy, zwłaszcza w obliczu pośpiechu przed niedzielnym obiadem. Musiała się szybko wykąpać, chociaż oczywiście gnębiły ją pytania dotyczące Kochanowskiego. Denerwowało ją to, ponieważ nie lubiła funkcjonować w warunkach niepewności. Ale to pytanie, które postawiła sobie dziś, wytrącało ją z równowagi w sposób szczególny. Co więcej, potęgowało poczucie bezradności i irracjonalnego strachu. Sama sprawiała sobie ból. Chciała być z nim, a myślała o tych, które były ucieleśnieniem jego marzeń i pragnień. Znów zwariowała. Odkąd ją pocałował, wariowała każdego dnia i to już od wczesnych godzin porannych. Popadała w szaleństwo, bo chciała być jedyną kobietą w jego życiu. Chciała, by to ją kochał niezależnie od tego, jaka jest, i niezależnie od tego, z jakimi kobietami był do tej pory. Nie znała ich, ale już im zazdrościła. Nie mogła o nich dłużej myśleć, żeby nie zwariować jeszcze bardziej.

Tym razem mama nie krzyknęła, tylko po prostu zapukała kilka razy do drzwi łazienki z wyraźnym impetem. Zdecydowanie. Tak zdecydowanie, jak pocałował ją Kochanowski. Dotknęła swych ust. A wszystko po to, by roztęsknić się na całego.

A niech to!

Na stole królował półmisek z kawałkami popisowo wyrośniętego placka drożdżowego z jagodami na wierzchu. Dzięki Bogu, mama postanowiła w końcu zasiąść przy stole i to jej odstąpić przywilej dalszego usługiwania gościom, najedzonym już do granic ludzkiej wytrzymałości.

– Komu kawy, komu herbaty? – zapytała konkretnie.

– Kawę – szepnął z uśmiechem Janek.

– Ja też poproszę kawę – odezwał się z podłogi Krzychu, nie przerywając zabawy samochodami, które chłopcy dostali od Janka.

– I ja – Justyna przez podniesienie ręki dołączyła do grona kawoszy, po czym rozsiadła się w fotelu, nie posiadając się z radości, ponieważ jej synowie mieli pełne brzuchy, ręce pełne roboty i w końcu tatusia do dyspozycji, pierwszy raz w tym tygodniu na dłużej niż godzinę.

– A ty, mamo? Czego się napijesz? – zapytała grzecznym tonem.

Musiała się trochę zrehabilitować, bo nie była dla niej dziś zbyt miła. Trudno zachować konwenanse, gdy myśli w głowie kłębią się nieprzerwanie, a ręce muszą być wciąż czymś zajęte.

– Sama, dziecko, nie wiem – sapnęła zmęczona mama.

– To czego panie się napiją? – spojrzała na siedzące w rogu ciotki, którym zajmowanie takiego miejsca przy stole niczym nie groziło, bo i tak były już starymi pannami.

Co innego ona... Miała zakaz siedzenia na rogu. Zresztą podobny zakaz mieli kiedyś Justyna i Janek. I jak się okazało, tenże zakaz poskutkował. Mąż Justyny baraszkował na podłodze niczym rówieśnik swych synów. Miał obrączkę na dłoni, codziennie otwierał ową zaobrączkowaną ręką pewnie kilka jam brzusznych, a teraz bawił się połyskującym czerwonym ferrari. Janek też już ślubował. Zatem przyszła kolej na nią, i jak to bywało z najmłodszą z rodzeństwa, wszystko przypadło jej na szarym końcu.

– A czego to napije się nasz Chamberlain? – zapytała Janka ciotka Klara, widocznie nie dosłyszawszy wcześniej, że siostrzeniec już złożył zamówienie.

– Ja? – zapytał skromnie Janek, poprawiając sobie koloratkę odcinającą się na tle czerni koszuli, którą miał na sobie. – Ja, ciociu, napiję się kawy.

– To może i ja z tej okazji chlapnę sobie kofeinki na podniesienie ciśnienia – to mówiąc, ciotka Klara zerknęła znacząco w kierunku swej najmłodszej siostry.

– Mam koniak, oczywiście, że mam – odparowała ciotce od razu mama. – Ale nie dam ci go, choćby nie wiem co! Nie po to cię po lekarzach prowadzam i nie po to leki na nadciśnienie bierzesz, żeby się teraz kawą albo koniakiem raczyć. Julka, ciotce to herbaty zrób. W dodatku owocowej, bo i bez kawy ma takie ciśnienie, że rumieni się jak malina.

– Obiad był gorący – poskarżyła się ciotka – i ciepło mi się zrobiło. Nie musisz mi od razu przy ludziach chorób wyliczać – nabzdyczyła się ciotka zupełnie nie przyzwyczajona do tego, że ktoś ma czelność nie zastosować się do jej zarządzenia.

W tej chwili rozumiała doskonale matczyną konsekwencję. Wiedziała, że w kwestii zdrowia ciotek mama zawsze była nieugięta.

– A ty, ciociu, czego się napijesz? – tym razem skierowała pytanie do ciotki Marianny, ponieważ ta nie miała zwyczaju odzywać się niepytana, a biorąc pod uwagę bladość na jej twarzy, to akurat jej lampka koniaku z pewnością by nie zaszkodziła.

Ale skoro ciotka Klara miała dziś nie umoczyć języka w wysokoprocentowym płynie w herbacianym kolorze, to chyba jasne, że nikt z towarzystwa nie mógł delektować się jego smakiem.

– A ja poproszę cię, Juleczko, o jakąś małą herbatkę.

– Jak sobie życzysz, ciociu – odpowiedziała z uśmiechem, ponieważ uwielbiała być miła dla ciotki Marianny i traktować ją jak kogoś bardzo wyjątkowego, bo ciotka w istocie była wyjątkowa.

Gdy zebrała już kompletne zamówienie, mogła pójść do kuchni. Sama skusiła się na herbatę. Kawa o tej porze mogłaby spowodować bezsenność, a nie o to przecież chodziło. Chciała mieć spokojny i cichy wieczór. Marzyła o tym, by nikt nie przeszkadzał jej w rozmyślaniach na wiadomy temat. Nalewała wody do czajnika, słysząc, jak ciotka Klara namawia jej brata na przeróżne opowieści, zupełnie nie przejmując się tym, że Janek porównania z Chamberlainem znosił niezbyt spokojnie. Choć oczywiście na pierwszy rzut oka jej brat był oazą spokoju i jego spokoju ducha zburzyć nie mogła nawet ciotka Klara swym gadaniem od rzeczy.

Ta to miała krótką pamięć! Teraz stan duchowny Janka był powodem do dumy. Ale wtedy, gdy okazało się, jakie powołanie w swym życiu odnalazł, nic nie było takie jasne. „Oj, to się dziewczyny zapłaczą, że się taki chłopak pod sutanną chce schować. Taki mądry, taki przystojny..." Właśnie takie androny plotła kiedyś ciotka Klara, zupełnie jakby do kapłaństwa nadawali się tylko nieudacznicy. Czas wiele zmienił. Dziś Janek był Chamberlainem, czyli księdzem, dla którego, oczywiście w mniemaniu ciotki Klary, każda katoliczka mogła stracić głowę, nie zważając na swój stan cywilny. Ciotka Klara była kiedyś wielką fanką serialu *Ptaki ciernistych krzewów*, stąd odkąd Janek został księdzem, stał się dla niej uosobieniem głównego bohatera, którego grał Richard Chamberlain, więc ciotka, nie zważając na kontrowersyjną fabułę filmu, ochrzciła tak swego siostrzeńca. Janek stał się bezpowrotnie Chamberlainem. Dlaczego? Bo ciotka Klara była uparta jak osioł, a wszystko, co wymyśliła, musiało być oczywiście genialne.

Czasami, gdy sama wpatrywała się w brata, dostrzegała jego atrakcyjność. Janek miał oczy w kolorze nieba. Jasne włosy podkreślały subtelność rysów twarzy, które w połączeniu ze skromnością czarnej sutanny albo koszuli sprawiały wrażenie, że Janek, choć ksiądz, to też bardzo przystojny mężczyzna.

Przygotowując kawę i herbatę, uśmiechała się pod nosem. Cieszył ją uśmiech Janka i wspomnienie uśmiechu Kochanowskiego. W radości nie przeszkadzała jej nawet przekrzykująca innych ciotka Klara. Dla własnego dobra wolała nie koncentrować się na słowach staruszki. Myślała o czym innym. Znała swojego brata dość dobrze i przypuszczała, że skoro pojawił się w domu rodzinnym, i to nie z okazji świąt, to mogło oznaczać, że tę wizytę zaplanował w konkretnym celu. W życiu Janka nie było miejsca na spontaniczne posunięcia. Wszystko miał zaplanowane. Tę wizytę w rodzinnym domu z pewnością też. Przygotowała wszystko i weszła do pokoju.

– Proszę bardzo – uważała, by nie nadepnąć na żaden pojazd na autostradzie zaimprowizowanej przez Krzycha z jej najdłuższego niebieskiego szalika. – To dla ciebie, mamo, herbata – postawiła przed mamą filiżankę. – To dla cioci – kolejna rozgrzana filiżanka z porcelany powędrowała na stół, tym razem przed ciotkę Mariannę. – Tu następna herbata, proszę bardzo…

To dla ciebie, ty paskudna gaduło – dodała, oczywiście w myślach, ale i tak od razu jej się dostało.

– Ależ Julio! Przecież mówiłam, jaki ma mieć kolor! – ciotka zaglądała do filiżanki z niezadowoleniem.

– Ależ ciociu – nie dawała się sprowokować – jeśli nie podoba ci się kolor herbaty, zrobię ci drugą, a tę z chęcią wypiję sama.

– No już dobrze, dobrze... Wypiję taką, jaka jest, żeby nie było, że robię kłopoty.

Pomyślałby kto! – stwierdziła w duchu, ale obdarzyła ciotkę sympatycznym spojrzeniem. Potem rozstawiła na stole resztę filiżanek, już się nie odzywając, nie licząc zwyczajowego „proszę bardzo". Gdy usiadła, a raczej wcisnęła się pomiędzy ciotkę Mariannę a mamę, poczuła, że jedyną rzeczą, o której teraz marzy, jest krótka drzemka. Dlatego przymknęła oczy. Tylko na moment.

– Jak się czujesz, Juleczko? – od razu usłyszała przy uchu troskliwy szept ciotki Marianny.

– Dobrze, ciociu.

Od razu otworzyła oczy i zobaczyła zaniepokojony wzrok ciotki Marianny. Niestety musiała zmienić plany. Drzemka przy rodzinnym stole nie była trafionym pomysłem, zwłaszcza że mama już gromiła ją spojrzeniem nakazującym odpowiednie zachowanie.

– Na pewno? – ciotka Marianna wolała się upewnić, dostrzegając z pewnością, że siostrzenica kłamie jak z nut, bo jakże mogło w jej życiu być dobrze, skoro zaraziła się na amen uczuciami, które w jednej chwili cieszyły, a w innej doprowadzały do szewskiej pasji.

– Rzeczywiście, coś ty, Julka, jesteś taka niewyraźna? – wypaliła bezmyślnie Justyna.

– Nie przesadzaj! – od razu odparowała siostrze.

Miała do niej żal, ponieważ Justyna wiedziała na pewno, że nie ma nic gorszego od rozpoczynania tematu zdrowia w obecności ciotki Klary, która od razu wchodziła w rolę nieocenionego lekarza rodzinnego, ale tylko z zamiłowania, a nie wykształcenia.

– Jak młoda dziewczyna zaczyna źle wyglądać, to albo anemia, albo ciąża – ciotka Klara natychmiast wykorzystała okazję, by postawić nieomylną diagnozę.

Słowa ciotki wystarczyły, by poczuła na sobie wzrok wszystkich zebranych. Nawet Krzycha, który przez dyrdymały ciotki spowodował wypadek na szalikowej autostradzie, a Tymek natychmiast rozpłakał się najwyraźniej znudzony już zabawą.

– Mamo, mamy chyba prezent w majtach – poinformował Justynę Krzychu, a atmosfera szybko się rozluźniła.

Justyna poderwała się od stołu i rzuciła w jej kierunku wyszeptane „*sorry*", ale co z tego, skoro mama wgapiała się w nią jak sroka w gnat, odkąd nad stołem, z którego ubywało placka drożdżowego, zawisła groźba ciąży.

– Mówiłam! – mama pogroziła palcem, patrząc na nią jak na krnąbrną smarkulę. – Jutro, najpóźniej pojutrze chcę zobaczyć twoje wyniki!

– Dobrze, mamo – przytaknęła od razu, chcąc zamknąć temat, mimo że była wściekła.

– Dajcie dziewczynie spokój – usłyszała ciepły głos Janka.

Starszy brat zawsze brał ją w obronę. Mogła na niego liczyć. Teraz, gdy spojrzała na niego, dziękując mu wzrokiem, chyba trochę pożałowała, że został księdzem. Może gdyby się ożenił i miał dzieci, mieszkałby gdzieś w pobliżu. Męski głos w rodzinnych rozmowach nadawałby im większego sensu.

Przynajmniej od czasu do czasu... – pomyślała i uśmiechnęła się do naprawdę szczerego uśmiechu brata. Z jej pokoju, w którym teraz Justyna oporządzała młodszego syna, dochodził straszny wrzask. Natomiast ruch na autostradzie wzmógł się do tego stopnia, że Krzychu przeniósł się do przedpokoju, dzięki czemu tu zrobiło się ciszej i spokojniej. Popatrzyła na Janka i wiedziała, że brat wykorzysta tę ciszę. Nie myliła się.

– Kochani, chciałem wam o czymś powiedzieć – Janek zaczął zdecydowanym tonem, podobnym do tego, jakim wygłaszał kazania do wiernych.

Lubiła słuchać swojego brata również wtedy, gdy stał za ołtarzem, ponieważ Janek niezależnie od miejsca i okoliczności zawsze brzmiał tak samo. Ton, którym mówił do wiernych, nie różnił się od tego, którym rozmawiał z bliskimi podczas niedzielnego obiadu. Janek po prostu mówił normalnie. Nie aktorzył w kościele i nie stosował denerwujących zaśpiewów. Nie modulował sztucznie głosu. Był swoim chłopem, swoim bratem i swoim księdzem.

– Minęły właśnie dwa lata, odkąd wróciłem z Rzymu – kontynuował. – W tym czasie promotor mojego doktoratu został szefem ważnej dykasterii watykańskiej i poprosił biskupa, któremu podlegam, żeby mnie wysłał do pomocy w Watykanie na dwa lata – tu Janek zawiesił na chwilę głos.

Ten to umie tak zbudować napięcie, że nawet ciotkę Klarę zatkało – pomyślała z uwielbieniem, patrząc w błękitne roześmiane oczy Janka i już ciesząc się, że brat niechybnie awansował, ponieważ w hierarchii kościelnej, na której oczywiście nie znała się nic a nic, hasło „Rzym" musiało oznaczać awans.

Zwał jak zwał, ważne, że Janek się cieszy – podsumowała w myślach, patrząc na sympatyczny uśmiech Janka, z którym w konkury stawać mógł jedynie uśmiech ciotki Marianny.

– Nie mam zamiaru ukrywać, że dobra wiadomość jest taka, że właśnie wczoraj biskup wyraził zgodę na oddelegowanie mnie do Rzymu. Bardzo cieszę się z tej zgody, ponieważ – Janek znów zawiesił głos, tym razem na krócej, po czym dodał odrobinę ciszej – kocham to miasto.

– Ale super! – natychmiast głośno i spontanicznie wyraziła swą radość.

– Ma się rozumieć, że super – zgodziła się z nią jak nigdy ciotka Klara. – Przecież to wielki zaszczyt. Byle kogo do Rzymu nie zapraszają. Jedź, Jasiu, jedź. Zdobywaj świat, to może kiedyś okaże się, że mój siostrzeniec głową Kościoła zostanie.

Janek, słysząc herezje głoszone przez naczelną heretyczkę rodziny, roześmiał się głośno i serdecznie. Tylko mamie nie było do śmiechu.

– To znowu cię przez dwa lata nie zobaczę? – zapytała płaczliwie.

– Mamo, a czy ty mnie kiedyś nie widziałaś przez dwa lata? – zapytał rzeczowo Janek.

Miał rację, bo zwykle niezależnie od tego, czy był w Polsce, czy w Rzymie, bardzo starał się przyjeżdżać do domu regularnie.

– Tak się tylko mówi, a serce matki cierpi, kiedy ma dziecko daleko od siebie.

– A przestańże bzdury wygadywać – zgromiła swą siostrę ciotka Klara.

Znawczyni bolączek matczynego serca się znalazła! – pomyślała złośliwie, mając ochotę wstrząsnąć ciotką i to z całej siły. Chociaż mama nie miała najłatwiejszego charakteru, to w tej chwili jej współczuła. Wiedziała, że gdyby była taka możliwość, to właśnie mama wybudowałaby sześciopiętrowy pałac i rozdzieliłaby piętra między tu obecnych, aby mieć wszystkich blisko. Chciała wywierać wpływ na życie dzieci, które już opuściły rodzinne gniazdo, a także mieć możliwość kontrolowania życia swych sióstr. Na szczęście bogactwo mamie nie groziło i musieli tłoczyć się przy niezbyt dużym stole w małym pokoju, już przy pustym talerzu, na którym po kruszonce nie został nawet ślad.

– To z tej okazji dokroję ciasta – postanowiła uratować atmosferę przy stole i podniosła się, by przejść do kuchni, w której wciąż czekała druga połowa ciasta.

– Coś mnie ominęło? – spytała zaciekawiona Justyna, zabawnie podrygując w przedpokoju z Tymkiem przyklejonym do ramienia.

– Janek wyjeżdża na dwa lata do Rzymu – poinformowała siostrę i uśmiechnęła się radośnie.

Choć ją i Janka dzieliła spora różnica wieku, to rozumieli się doskonale. W wielu życiowych kwestiach byli do siebie podobni. Różnili się na pewno tym, że ona nie potrafiłaby poświęcić się wyłącznie Bogu, i to nie dlatego, że miała diabła za skórą, tylko dlatego, że bardzo pragnęła prawdziwej ziemskiej miłości, miłości Kochanowskiego.

– Tak to już bywa. Jedni mają Wieczne Miasto, inni mają…

– Inni mają cud macierzyństwa! – dokończyła z radością zdanie siostry rytmicznie bujającej swojego synka.

– Wszystko słyszałem – odezwał się spod drzwi wejściowych Krzychu.

– I dobrze! – odparowała szwagrowi, nie wiedząc nawet, do której z nich skierował swe pełne podejrzeń słowa. – Bądź dla mnie miły, to zostanę z waszymi dziećmi, kiedy tylko będziecie chcieli, a wy bujniecie się do jakiegoś kina albo teatru – zaproponowała, zdając sobie sprawę, że Justyna i Krzychu byli mało rozrywkowym małżeństwem. Odkąd na świecie pojawiły się ich dzieci, to – jak mawiał Krzychu – „skończyło się rumakowanie".

– To może lepiej wynajmiemy sobie jakiś pokój na godziny – zaproponował mało romantycznie Krzychu.

– Chyba godzinę albo nawet mniej – palnęła też dość bezpośrednio Justyna.

Uśmiechnęła się do szwagra, a później z tym samym uśmiechem wpatrywała się w siostrę.

– To już wszystko o nas wiesz – skwitowała Justyna.

– Wszystko, czyli nic – wybrnęła z sytuacji filozoficzną uwagą.

– Nic to raczej ja nie wiem – Justyna podłapała jej myśl. – Lepiej powiedz, co z tą ciążą.

– Uczucia mi ciążą – stwierdziła zgodnie z prawdą.

– Niemożliwe! – Justyna z miejsca zanegowała to stwierdzenie, ponieważ znała siostrę i jej dość mocno zdystansowane podejście do facetów.

– Właśnie dlatego tak ciąży – podkreśliła znów, zupełnie nie wstydząc się tego, iż w końcu wyznała komuś, co tak naprawdę czuje.

– No niemożliwe! Czyżby się jednak taki urodził? – Justynie nie trzeba było niczego tłumaczyć, od razu domyśliła się wszystkiego.

Urodził, w dodatku dużo wcześniej niż ja... – pomyślała, nie wiedząc, czy to dobrze, czy to źle, czy może bardzo źle. Zresztą nic już nie wiedziała.

– To jeśli mogę ci coś doradzić, to proszę cię, wstrzymaj się z ciążą, bo dzieciaki są fajne, ale... trochę ciążą – mówiąc to, Justyna zerknęła na Tymka.

– W dodatku sapią i się ślinią, jak widzę.

Spojrzała na siostrzeńca z miłością. Wolała przestać myśleć, ponieważ wciąż krążyła wokół jednego tematu – Kochanowskiego. Marzenie. Ale marzenia nie są od tego, by się nimi katować. Dlatego wolała nie myśleć, a tym bardziej nie marzyć.

– Kto to? – zapytała Justyna, nie kryjąc ciekawości, która na szczęście nie miała nic wspólnego ze wścibstwem.

– Facet – odpowiedziała idiotycznie.

– No brawo! – skrzywiła się Justyna wyraźnie nieusatysfakcjonowana taką odpowiedzią. – Brawo! Jesteś normalna, więc będziesz miała lekko w tej rodzinie – rodzina też została podsumowana, w dodatku dość celnie.

– Sama widzisz – wzięła się w obronę.

Siostra na razie odpuściła i skierowała się do jej pokoju, by położyć małego w wózku jak zwykle wciśniętym pomiędzy meble.

– Julka?! Za morze się wyprawiłaś po to ciasto? – usłyszała naganę w głosie mamy, dlatego weszła do kuchni i od razu chwyciła za nóż.

Kroiła ciasto, czując, jak starsza siostra, która położyła z ulgą swego młodszego syna spać, wlepia wzrok w jej plecy.

– To co? Zamierzasz nabrać wody w usta? – usłyszała dość zaczepnie brzmiące pytanie.

– Tak będzie chyba najlepiej – odpowiedziała wymijająco.

– Przepraszam, dla kogo? – prychnęła z niezadowoleniem Justyna.

– Dla wszystkich – odpowiedziała enigmatycznie.

– Ale to nie jest Krzychu? – siostra zapytała dość głupkowato.

– Zwariowałaś! – podniosła głos.

– No wiesz... Różne rzeczy już widziałam, i to w najlepszych rodzinach – mina Justyny była bardzo poważna.

– Nasza akurat nie jest chyba najlepsza – podsumowała bardzo surowo.

– Widziałam gorsze – Justyna broniła rodzinnego stada.

– Przecież żartuję – odwróciła kota ogonem, nie chcąc zabrnąć w ciemną uliczkę, ponieważ tego bała się od zawsze.

– Ale się ciebie ciotka i mama uczepiły, i to przeze mnie... Wiesz, odkąd tu nie mieszkam, straciłam czujność i wydaje mi się, że mogę mówić, co chcę – Justyna usprawiedliwiała się, i to bardzo sensownie.

– Wyluzuj! – od razu wybaczyła siostrze brak czujności. – To żadna nowość – stwierdziła całkiem spokojnie.

Była przyzwyczajona do tego, że sama zwykle nie wypowiada się na tematy, które jej nie dotyczą, ale wszyscy inni w tej rodzinie na jej temat mogą wypowiadać się do woli.

Takie życie... – pomyślała, bez trudu akceptując rzeczywistość. Ten brak buntu wynikał z rezygnacji.

– To super, że tak do tego podchodzisz – Justyna wyraźnie odetchnęła.

– Ciekawe dla kogo – skwitowała nie jak zwykle po cichu w myślach, tylko na głos do Justyny.

– Daj spokój. Wytrzymaj jeszcze trochę. Skoro kogoś poznałaś, to może akurat okaże się tym właściwym, wyjdziesz za mąż, wyprowadzisz się i będziesz to wszystko wspominać z uśmiechem na ustach jak... – Justynie najwidoczniej zabrakło słowa, bo zamilkła na chwilę – ... jak jakiś folklor.

– Nie jestem tego taka pewna – podała w wątpliwość przewidywania siostry.

– Męża czy folkloru? – dopytywała Justyna.

– Teraz są takie czasy, że człowiek nie może być niczego pewny – starała się zignorować pytanie siostry.

– Boże, co z tobą? Mówisz jak stara baba! – skrzywiła się Justyna. Mina siostry nawet jej nie zdziwiła.

– Z kim przestajesz, taki się stajesz – podparła się odpowiednim powiedzeniem.

– I tu masz trochę racji – przyznała Justyna.

– Julka! Ciasto! – mama nie prosiła, mama krzyczała.

– Trochę? – spojrzała na siostrę wymownie, ponieważ miała dowód na to, że racji to ona wcale nie miała trochę, tylko cały ogrom.

W związku z tym, że była posłuszna, chwyciła talerz z kawałkami ciasta i minęła siostrę opierającą się o framugę kuchennych drzwi, których od lat w kuchni nie było.

– A za przepowiednię dziękuję – szepnęła w pośpiechu.

Całkiem fajna – dodała w duchu, ciesząc się, że przyjdzie taki czas, iż nie będzie musiała wciąż stać na baczność i reagować na krzyki, rozkazy, nakazy. Zaczęła wierzyć, że nadejdzie czas wolności i niezależności, ale póki co…

– Proszę bardzo – postawiła talerz z ciastem na stole, a mama, nie pytając, kto ma ochotę na kolejny kawałek, rozdysponowała drożdżowy placek między wszystkich.

Jak mus, to mus… – pomyślała, zerkając na talerzyk i pozwalając myślom płynąć swobodnie. – *W tym domu nawet jeść trzeba wtedy, kiedy każą. Jednak taki pewnie jest dużo lepszy od tego, gdzie nie wtrącają się do niczego, bo wszystko mają gdzieś… I nie potrafią upiec takiego ciasta…*

Jak zwykle przed wejściem na oddział czuła ekscytację i lekkie zdenerwowanie. Już jakiś czas temu przeszedł jej przemożny stres, który dopadał ją, gdy poczuła charakterystyczną atmosferę szpitala. Dziś ten strach wrócił. Cała praca nad sobą na nic. Wszystko przez Kochanowskiego. W dodatku, jakby tego było mało, Neli miało dziś nie być. Leżała uziemiona w łóżku, na nieszczęście nie z Xawerym, tylko z zapaleniem ucha opornym na antybiotyk, który zaaplikował przyjaciółce lekarz. Winę za stan Neli ponosił początek kwietnia, przeplatający zimę i lato. Cztery dni ciepłe, po czym jeden zimowy, prawie mroźny, wystarczyły, by potwierdzić powiedzenie, że pogoda jest zawsze dobra, tylko ubiór bywa nieodpowiedni. Właśnie tak było z Nelą. Gdy zapytała przyjaciółkę, gdzie się tak załatwiła, odpowiedziała: „Po prostu za bardzo się wyletniłam". W związku z tym weszła dziś na oddział sama. Drzwi gabinetu ordynatora były zamknięte. Jak zwykle. Mijając je, zwolniła kroku. To znaczy myślała, że zwolniła kroku, a w istocie po prostu przystanęła.

– Ordynatora nie ma – usłyszała od razu od przechodzącej obok salowej.

– Jest na tomografii – uzupełniła informację uśmiechnięta pielęgniarka, zdążająca w przeciwnym kierunku.

A co to mnie obchodzi? – pomyślała ze złością. Złościła się nie tylko na siebie.

Czy naprawdę nie można przystanąć na szpitalnym korytarzu, nie budząc żadnych podejrzeń?!

Było z nią coraz gorzej. Pomstowała na Bogu ducha winne kobiety, chociaż pewnie chciały dobrze, a ona nawet im nie podziękowała, co gorsza, nie przywitała się z nimi choćby uśmiechem. Obie znała z widzenia i doskonale wiedziała, że żadna z nich nie zasługuje na takie traktowanie. Pomyślała, że najlepiej zrobi, jeśli szybko uda się do dzieci i wśród nich odzyska względną równowagę. Dzień jednak był dla niej niełaskawy. W sali zabaw dzieci tłoczyły się wokół Aśki i jej koleżanki. Nic dziwnego, ponieważ malowanie styropianowych jajek to bardzo atrakcyjne zajęcie, w dodatku zdarza się tylko raz w roku. Właśnie zaczynał się Wielki Tydzień, a wraz z nim szaleństwo towarzyszące zawsze świątecznej atmosferze niezależnie od tego, czy chodziło o święta Bożego Narodzenia podczas mrozu, czy Wielkiejnocy wśród pierwszych oznak wiosny. Postanowiła nie wchodzić w paradę dziewczynom bawiącym się z dziećmi. Przeszła się po oddziale, zaglądając to tu, to tam. Na razie nie była potrzebna, ponieważ mali pacjenci, którzy nie mogli uczestniczyć w zabawie, przebywali w towarzystwie rodziców. Poczuła się zbędna. Nawet trochę zagubiona. Tym razem drzwi gabinetu minęła szybciej niż inne. Miała podły nastrój, a spotkanie z Kochanowskim mogło go tylko pogorszyć. Postanowiła, że przeczeka ten kiepski moment. Mogła to zrobić przy szatniarce na dole, ale nie miała dziś nastroju na wysłuchiwanie jej historii rodzinnych. Nie były wcale nudne. Nigdy. Dzisiaj jednak chciała przysiąść gdzieś w ciszy, po prostu posiedzieć w milczeniu i nie musieć nikogo słuchać.

Tak rzadko zdarzała jej się samotność. Może inaczej, samotna czuła się często, ale rzadko zdarzało jej się odosobnienie. W domu prawie nigdy. Na uczelni też nie. Skierowała zatem swe kroki w głąb szpitalnego korytarza. Tak naprawdę nogi same poniosły ją ku drzwiom, za którymi były schody. Dziś tak samo jak wtedy ruszyła nie w górę, ale w dół. Ale już po pokonaniu dwóch stopni stchórzyła. Nie miała siły na to, by znaleźć się w tamtym miejscu. Nie miała odwagi, by zbliżyć się do tamtego parapetu, a co dopiero na nim usiąść. Przed chwilą pragnęła samotności, a teraz patrzyła na pustkę przy oknie i nie mogła się przełamać. Za szybą w okiennej ramie rysował się niewyraźnie krajobraz, bo przesłaniał go rzęsisty deszcz, na który zbierało się już od samego rana. Wtedy pomyślała, że akurat w tym miejscu nie chce być samotna. Myśl ta zatrzymała ją na schodach. Usiadła więc. Zerknęła na zegarek w komórce i dała sobie dwa kwadranse na to, by posiedzieć tu przed wieczornym czytaniem bajek. Gdyby okazało się to dziś niekonieczne, po prostu wyjdzie ze szpitala. Taka sytuacja w jej wolontariackiej posłudze zdarzyłaby się po raz pierwszy. Żałowała, że wbrew porannym namowom mamy nie wzięła parasola. Gdyby go miała, z pewnością przeszłaby się kilka przystanków tramwajowych w stronę domu. Lubiła deszcz za to, że obmywał świat. Oczyszczał atmosferę. Wilgotne powietrze, które mu towarzyszyło, sprawiało, że ilekroć tylko mogła spacerować w deszczu, zawsze to robiła. Wydawało jej się, że oddech, którego w innych warunkach nie zauważała, w deszczu sprawiał jej wielką przyjemność. Poczuła się zmęczona dniem, który niebawem miał dobiec końca. Był nijaki. Pewnie dlatego, że pozbawiona towarzystwa Neli czuła się nijako. Nawet dobrze się złożyło, że „burdelarze" w tym tygodniu odwołali sprzątanie, ponieważ z powodu zbliżających się Świąt Wielkanocnych zafundowali sobie wycieczkę na – nomen omen – Wyspy Wielkanocne.

Niektórzy to mają fantazję – pomyślała z cynizmem, czując zazdrość, której wstydziła się sama przed sobą. Jednak brak piątkowego sprzątania, choć jego bolesnym skutkiem było wyraźne zubożenie portfela, i tak ją w sumie cieszył. Po pierwsze, nie musiała mocować się z Nelą o to, by już koło środy, korzystając z dni rektorskich, spokojnie wyjechała do domu, aby pod troskliwym okiem bliskich, zwłaszcza mamy, wyleczyć do końca bolące ucho. Po drugie, nie musiała wysłuchiwać kazań mamy ani ciotki Klary. Ciotka postanowiła bowiem, o zgrozo, już od piątku pomagać mamie w przygotowaniach do świąt. Kazania wielkotygodniowe mamy oraz ciotki Klary zawsze były do siebie podobne. Ich motywem przewodnim było stwierdzenie: „Jezus w grobie leży, a ty, Julka, latasz z odkurzaczem po cudzej chałupie, tak jak przez resztę roku. Żadnego poszanowania dla świętości!".

Zarówno mama, jak i ciotka jak zwykle były w błędzie, z którego nie chciało jej się ich wyprowadzać. Zawsze miała w sobie mnóstwo szacunku do świętości, chociaż było to trudne, ponieważ duża część rodziny od lat robiła wszystko, by tę świętość jej zohydzić. Na szczęście miała swój rozum i coraz częściej wyrażała własne zdanie. Tak jej się przynajmniej wydawało.

Jej świąteczne dywagacje przerwał odgłos kroków na schodach, kroków powolnych, ale zdecydowanych. Niespiesznych, ale energicznych. Poczuła zdenerwowanie. Miała złe przeczucia. W niewyraźnym świetle w oknie poniżej rysowała się męska sylwetka. Mężczyzna przerwał wędrówkę i zatrzymał się. Odwrócił się przodem do okna. Patrzył przed siebie. Nie widziała twarzy, ale jej serce się nie myliło. Sylwetka i ubiór nie pozostawiały wątpliwości. O parapet, który dziś postanowiła ominąć, opierał się on. Wpatrywał się w ulewę, będącą już teraz w swoim żywiole. Zapomniał się w tym spojrzeniu. Patrzył gdzieś w dal. Ona też zamarła, nie wiedząc, co robić. Najlepiej byłoby, gdyby się bezszelestnie ulotniła. Nie potrafiła tak. Zatem wpatrywała się w jego wyprostowane plecy, narażając się na to, że ich właściciel poczuje się obserwowany i odwróci się w jej kierunku, by potwierdzić swe przeczucia. Ale póki co on nie wykonywał żadnych ruchów. Chyba myślał intensywnie. Czas mijał, a ona nie miała pomysłu, jak wyjść z sytuacji, w której się znalazła.

Co robić? Siedzieć tu? Uciekać? – pytała się w myślach, ale żadne sensowne rozwiązanie nie przychodziło jej do głowy. Nagle czas się skończył. Kochanowski zrobił krok w bok. Odwrócił się. Oparł się o ścianę między dwoma oknami i spojrzał na nią jakby nigdy nic. Chyba nawet nie zdziwiła go jej obecność. Zupełnie jakby drugi schodek od góry był jej stałą miejscówką. Patrzył, jak baraniała, usiłując ukryć przed nim swoje zdenerwowanie. A on nic. Po prostu patrzył. Wprost na nią. Widziała jego twarz bez wyrazu, ale bardzo skupioną, dziś chyba bardziej niż zwykle. Zapragnęła się odezwać.

– Dobry wieczór – wyręczył ją.

– Dobry wieczór – odpowiedziała, ale uśmiechnąć się nie dała rady.

– Zły dzień? – zapytał od razu.

– Raczej nijaki – podsumowała beznamiętnie swoje wcześniejsze przemyślenia.

– To jest pani w dużo lepszej sytuacji niż ja.

– Miał pan zły dzień? – zapytała.

Nie posiadała się z radości. Oczywiście nie dlatego, że on miał zły dzień, tylko dlatego, że rozmawiali ze sobą. Tak po prostu. Jak małżeństwo opowiadające sobie na koniec dnia wrażenia.

– Koszmarny – odpowiedział bez ogródek.

Miała ochotę go pocieszyć. Chciała wstać, podejść do niego i przytulić go mocno, mocniej, najmocniej. Przytulić go tak, że już bardziej się nie da.

– Tomografia? – zapytała, domyślając się powodu tego koszmarnego samopoczucia.

– Trzy tomografie – odpowiedział takim tonem, że ciężar minionego dnia powiększył się co najmniej trzykrotnie.

Wpatrywała się w niego. W jego oczy uniesione nieznacznie ku niej. Nie wiedziała, co powiedzieć, o co zapytać w tej sytuacji.

– Wszystkie beznadziejne – kolejny raz podczas tej rozmowy ją wyręczył, tym razem w zadawaniu pytań. Wyręczył, ale i pozbawił złudzeń.

– Podziwiam pana za to, że ma pan siłę przychodzić tu prawie codziennie – powiedziała, co czuje, mając wrażenie, że tak jest po prostu najlepiej. Zwłaszcza że on był mężczyzną, któremu chciała mówić, co czuje.

– Często nie mam siły, by stąd wyjść – też był szczery.

Wiedziała o tym. Czuła też, że przyznał jej się właśnie do swej niemocy, którą czuł pewnie nie tylko dzisiaj. Patrzyła mu prosto w oczy i znów miała ochotę go przytulić, pocałować w policzek i zrobić coś jeszcze, cokolwiek, by dodać mu otuchy.

– Na dziś to już koniec? – zapytała. Zasugerowała się tym, że miał koszmarny dzień, a skoro tak, to może właśnie chce w końcu wyjść ze szpitala.

– Tak – odpowiedział i po chwili dodał ciszej, jakby tylko do siebie – na szczęście.

Postał jeszcze chwilę i ruszył przed siebie. Pomyślała, że jeśli minie ją na tych schodach, jeśli zostawi ją tu samą, to serce jej pęknie. Ale co miała robić, skoro właśnie ją mijał? Widziała jego zamszowe buty. Granatowe, doskonale pasujące odcieniem do koloru kamizelki.

– A pani na dziś skończyła? – zapytał, odwracając się w jej kierunku i chwytając za klamkę.

Odwróciła głowę. By zajrzeć mu w oczy, musiała podnieść wzrok.

– Najprawdopodobniej – odparła niepewnym tonem, gdyż nie wiedziała, co pod jej nieobecność działo się na oddziale.

– To może napiłaby się pani ze mną czegoś? Tu niedaleko w Kalorii.

Wymienił nazwę kawiarni, którą zawsze z Nelą omijały szerokim łukiem z powodu zamożności klienteli oraz niezamożności własnego portfela. W końcu miały ograniczony budżet, który przeznaczały miesięcznie na przyjemności. Kaloria uchodziła za bardzo luksusowe miejsce tylko dla wybrańców losu, przynajmniej w ich mniemaniu. Gdyby nie usłyszała nazwy tak wyraźnie, pomyślałaby, że się przesłyszała. Jednak wcale się nie przesłyszała. Kochanowski patrzył na nią zmęczonym koszmarnym dniem wzrokiem. Czekał, a ona milczała, nie mogąc uwierzyć w to, że jeszcze przed chwilą nazwała kończący się dzień nijakim.

– Może uda się chociaż trochę uratować ten dzień... – zasugerował obiecująco, zupełnie nie zdając sobie sprawy, że poszłaby z nim wszędzie, a najchętniej tam, gdzie nikt inny poza nimi nie miałby wstępu.

– Może... – odpowiedziała nie od razu i niejednoznacznie, chociaż już przebierała nogami. W wyobraźni siedziała naprzeciwko niego przy romantycznym stoliku z białego postarzanego drewna, czekając, by dotknął jej leżącej obok filiżanki dłoni.

– Czyli jednak dzień nie skończy się miłym akcentem – zrezygnował z wizyty w Kalorii niespodziewanie szybko.

– Może to dobry pomysł... – zawalczyła o marzenie.

– Czasami takie miewam – ewidentnie się wysilił, by nadać swej wypowiedzi lżejszy niż do tej pory ton.

– Dobrze – zgodziła się, ponieważ nie lubiła w życiu lawirować ani w sprawach poważnych, ani w błahostkach.

– To umówmy się za dwadzieścia minut. Tam gdzie ostatnio.

Z wrażenia nie mogła wstać. Najpierw popatrzyła przed siebie. Później znów zerknęła w jego kierunku. Była rozanielona faktem, że jego słowa: „tam gdzie ostatnio", zabrzmiały bardzo poważnie. Jakby umówili się na randkę.

– Przed izbą przyjęć – wyjaśnił.

Nic dziwnego, że to zrobił, bo pewnie miała idiotyczną minę. Boski facet zapraszał ją na... Nie wiadomo na co, a ona zamiast zachować się odpowiednio, robiła z siebie nieumiejącą się zachować idiotkę.

– Tak, tak... – wyskoczyła w górę, jakby do tej pory siedziała zamknięta w pudełku, niczym pajacyk na sprężynie.

Jestem zidiociałą kretynką! – podsumowała w myślach swe zachowanie.

– W takim razie do zobaczenia – Kochanowski otworzył przed nią drzwi i jak na dżentelmena przystało, puścił ją przodem.

Puścił mnie przodem, dobrze, że nie kantem – przyszło jej do głowy, ponieważ zastanawiała się, czy to jest typ, który umie puszczać kantem. Nie wyglądał na takiego. Wyglądał na dobrego, porządnego... Mogłaby go tak komplementować jeszcze długo. Tworzyła jednocześnie na swój użytek obraz faceta doskonałego. Przecież takiego szukała, nie różniąc się w tych poszukiwaniach od innych kobiet. Niestety dotychczas rzeczywistość nie pozwalała jej na to, by znaleźć w nim chociaż część cech, którymi go obdarzyła w swych wyobrażeniach. Prawda jest taka, że nie znała go prawie wcale. Wiedziała, że na pewno był zamknięty w sobie, małomówny, niedostępny i... szedł teraz za nią. Miała nadzieję, że był typowym facetem i nie zauważał zupełnie tego, w co była ubrana. Nie oceniał jej wyglądu, bo jej ubranie, czyli sprane dżinsy i najzwyklejszy na świecie błękitny sweter, nie mogło sprawić, by zachwycił się jej elegancją, wyczuciem smaku czy kobiecością. Szła przed siebie, obiecując sobie, że już od jutra zacznie zwracać większą uwagę na to, jak wygląda, w co się ubiera, od jutra w ogóle się ogarnie. Może nawet, stosując się do wskazówek mamy, zacznie się malować. Po prostu musiała coś zrobić, bo nie dość, że była od niego sporo młodsza, to jeszcze wyglądała jak małolata...

– Coś dzisiaj wychodzi pani chyba wcześniej niż zwykle – stwierdziła zdziwionym głosem szatniarka szykująca się właśnie do opuszczenia miejsca pracy.

– Może trochę – odpowiedziała, z trudem panując nad poruszeniem i zdając sobie sprawę, że przez swe zamyślenie nie zauważyła, kiedy zgubiła za sobą Kochanowskiego.

Szatniarka podała jej rzeczy, których nie zdążyła jeszcze wcisnąć pod ladę. Ona ubierała się szybko, nie zważając na fakt, że gotowa do wyjścia pani Gienia czeka na nią. Szpital opuściły razem.

– Idzie pani na przystanek tramwajowy? – zapytała pani Gienia, otwierając ogromny parasol, pod którym oprócz nich zmieściłyby się jeszcze co najmniej dwie osoby.

– Nie – zaprzeczyła szybko.

Miała pewność, że lepiej będzie, jeśli zmoknie, a raczej przemoknie do suchej nitki, aniżeli powie pani Gieni, dokąd zmierza, gdyż pani Gienia z braku innych zajęć zwykła śledzić nie tylko życie całej swojej bardzo licznej rodziny, ale także życie, zwłaszcza towarzyskie, szpitalnego personelu, i to nie tylko lekarzy. A skoro wiedziała i widziała wszystko, to fakt, że młoda wolontariuszka w tak rzęsistą ulewę wsiada do samochodu ordynatora onkologii, mógł okazać się najgorętszym newsem najbliższych dni, a nawet tygodni. Dlatego musiała temu zapobiec.

– Ale jak to?

Pani Gienia zamiast iść przed siebie, stała w miejscu. Trwała na posterunku, jakby nie chcąc przegapić jakiejś pikantnej gratki.

– Muszę jeszcze coś załatwić w izbie przyjęć – powiedziała prawie prawdę, przeklinając w duchu nie ulewny deszcz, tylko opieszałość szatniarki.

No idź już! Proszę cię! – wysyłała w myślach błagalne komunikaty w obawie, że on, nie zastawszy jej „tam gdzie ostatnio", dojdzie do wniosku, że się rozmyśliła.

– To chodź, dziewczyno, to cię tam szybko podprowadzę, przecież zanim dojdziesz na izbę bez parasola, to się utopisz.

– Ależ nie! – zaprotestowała głośno. Głos miała miły, ale do głowy przyszły jej słowa tak niemiłe, że aż bała się myśleć. – Dam sobie radę, naprawdę – tym razem zdecydowała się na ton, którego nie lubiła używać, zwłaszcza wobec osób starszych.

Pani Gienia patrzyła na nią i zamiast iść w swoją stronę, uśmiechnęła się. A ona przeraziła się, ponieważ oprócz tego uśmiechu kątem oka widziała, że jego samochód podjeżdża powoli w ich kierunku, po czym parkuje na białej kopercie przeznaczonej dla transportu medycznego.

– O, i pan ordynator się napatoczył – podsumowała pani Gienia, która jak się właśnie okazywało, oprócz spraw osobistych personelu znała również marki samochodów, którymi jeździł. – Ten to ma zdrowie! Zamiast wracać o tej porze do domu, to… O proszę…

Drzwi samochodu otworzyły się i…

Proszę… – zaklinała go w myślach, żeby wsiadł z powrotem, a panią Gienię, żeby już sobie poszła i nie utrudniała i tak skomplikowanej sytuacji.

– Dobry wieczór paniom – powiedział ordynator.

Jakby wiedząc, co może się wydarzyć, jeśli zgarnie ją teraz do swojego samochodu, minął je. Dotknął klamki u drzwi szpitala i popatrzył na nią wiele mówiącym spojrzeniem, przekazując jej tylko jedno słowo: „spokojnie". Tak, to chyba było to.

– Paskudna pogoda – stwierdził, wchodząc do środka.

– Właśnie, właśnie, panie ordynatorze, mówię dziewczynie, że ją podprowadzę do izby przyjęć, bo ma tam coś do załatwienia, a przecież do suchej nitki bez parasola przemoknie, i normalnie mówię jak dziad do obrazu, a obraz do mnie ani razu.

– Młodość ma swoje prawa – skwitował na poczekaniu, po czym rzuciwszy jej ukradkowe spojrzenie, pożegnał się cichym „dobranoc paniom" i zniknął za drzwiami szpitala.

Nie! – zaprotestowała w myślach. Zrobiła krok do przodu, by wyjść spod parasola i podnieść zrozpaczony wzrok ku niebu. By w końcu poczuć na twarzy, że od dobrych kilkunastu minut stoi na ulewnym deszczu, który w świetle zapalonych latarni wygląda bardzo romantycznie.

– Chodź, dziecko, chodź. Co ty wyrabiasz? Kto to widział, tak moknąć specjalnie. Niech stracę, ale podprowadzę cię na tę izbę – pani Gienia była nieugiętą samarytanką i dlatego wieczór wcale nie miał zakończyć się romantycznie.

– Zmieniłam plany, pani Gieniu – palnęła na odczepnego, starając się nie być niegrzeczna. – Pójdę na autobus.

Musiała uwolnić się od pani Gieni. Zresztą i tak nie miała iść sama. Krok w krok za nią szedł jej pech. Specjalnie wybrała autobus, którego przystanek był dalej i w dodatku znajdował się w przeciwnym kierunku niż tramwajowy. Chciała się rozmówić ze swym pechem. Musiała to zrobić bez świadków, ponieważ miała ochotę podczas tej rozmowy nie szczędzić wulgaryzmów. Taki miała nastrój. Chciało jej się wyć. Ominęła oniemiałą panią Gienię i idąc w ślad za ordynatorem, rzuciła jej szybkie, ale niezbyt głośne: „dobranoc, pani Gieniu". Potem nic nie robiąc sobie z lejącego deszczu ani z tego, że pani Gienia miała jeszcze coś do powiedzenia, ruszyła przed siebie. Walczyła ze sobą o to, by wyć tylko w duszy, a nie w głos. Płakać mogła do woli i oczywiście już to robiła. Jednak taki byle jaki upust emocji w sytuacji, w której się znalazła, był niewystarczający. Kaptur kurtki, którą miała na sobie, jakby wszystkiego było mało, jak na złość co chwilę spadał jej z głowy. Doszła więc do wniosku, że nie będzie go wciąż poprawiać, bo woda wlewa jej się do rękawa, a włosy i tak zdążyły już zmoknąć. Wyglądała jak zmokła kura opłakująca swój przechlapany los. Nie bez powodu zaczęła kichać. Raz, drugi, na trzeci musiała jeszcze trochę poczekać. Tymczasem robiła wszystko, by nie dopuszczać do siebie w myślach wszystkich komentarzy mamy, których miała jeszcze dziś wysłuchać w pokornym milczeniu. Ale teraz było jej wszystko jedno. Nie przerażała jej nawet wizja wysłuchiwania mamy przez całą noc.

A miało być tak pięknie... – pomyślała, nie mając nawet zbytnich pretensji do losu, bo zdążyła się już przyzwyczaić, że za pięknie być nie może. Zwykle tak bywało. Gdy miało ją spotkać coś pięknego, to i tak wychodziło jak zawsze. Dziś też. Cud miał się nie wydarzyć.

Zamiast Kalorii czeka mnie gorąca kąpiel. Dobre i to – pomyślała gorzko i miast jak normalny człowiek schować się pod daszkiem przystanku autobusowego, stanęła obok, wybierając przemoknięcie do suchej nitki. Chciała zaprotestować. Pokazywała właśnie losowi, że w nosie ma jego kpinę. Mokła, a gdy nadjeżdżający autobus o numerze oczywiście innym niż ten, na który czekała, ochlapał ją szerokim strumieniem kałuży, była twarda. Nie cofnęła się przed falą wody. Ani o krok.

Mam to wszystko gdzieś... Mam to wszystko gdzieś... Mam to wszystko... – powtarzała w myślach swą modlitwę kogoś, kto przyzwyczaił się do niepomyślności losu. Miała gdzieś to, że mokła. Miała gdzieś to, że znów wszystko się nie udało. Miała gdzieś to, co usłyszy od mamy. Miała gdzieś to, że mama jeszcze długo przy każdej nadarzającej się okazji będzie przypominać jej ten dzisiejszy koszmar. Miała gdzieś to, że siedząca na przystanku pijaczka patrzyła na nią z wyraźnym współczuciem. Miała gdzieś wszystko. Po prostu wszystko. Bez wyjątku. Miała gdzieś to, że została tak wychowana, iż liczą się wszyscy inni, tylko nie ona. Miała gdzieś to, że nigdy nie miała kasy na ciuchy i wyglądała jak sto nieszczęść. Miała gdzieś to, że dzwonił jej telefon. Dziwiła się tylko, że jeszcze nie zamókł. Miała gdzieś to, że lało coraz bardziej. Miała gdzieś to, że gdzieś nad nią oberwała się chmura. Miała gdzieś to, że chociaż nie odbierała tego cholernego telefonu, mama i tak już perswadowała jej w myślach, że zamiast włóczyć się po szpitalach, powinna lepiej pomóc w domu. Powinna obierać włoszczyznę i ziemniaki, chodzić do ciotki Klary, żeby prasować, sprzątać, wynosić śmieci, robić zakupy i w końcu zacząć pomagać naprawdę, a nie na niby. Miała dosyć słuchania bzdurnych mądrości ciotki. Miała to wszystko gdzieś. Chociaż nie wiedziała, jak to możliwe, bo przecież ona, Julia Kolska, córka Heleny i Romana, nie mogła mieć wszystkiego gdzieś, ponieważ musiała nawet myśleć tak, jak jej kazano. Nie mogła myśleć po swojemu. Przecież to dopiero byłaby samowola, idiotyzm, niewdzięczność i brak szacunku. I tak miała to gdzieś. A, i jeszcze jedno. Facetów też miała gdzieś. I to, że żaden nie był w stanie jej pokochać, to też miała gdzieś. Oraz to, że nie udało jej się dojrzeć numeru kolejnego ochlapującego ją kałużą autobusu, też miała gdzieś. I to, że jakiś kretyn ochlapał ją, przejeżdżając obok samochodem, też miała gdzieś. Po prostu wszystko, wszystko, wszystko miała gdzieś.

Zajęta swymi myślami, które zwykle były waleczne i rewolucyjne, ale chyba jeszcze nigdy tak jak teraz, patrzyła, jak jakiś idiota, który ochlapał ją jako ostatni, wysiada z samochodu, obchodzi go, brodząc w kałuży i już przemoknięty otwiera przed nią drzwi.

– A jednak panią znalazłem – zobaczyła przed sobą mokrą twarz Kochanowskiego.

Kocham życie! – pomyślała, uśmiechając się do słońca, które właśnie wzeszło tylko dla niej. Bez słów wsiadła do samochodu w przemokłych adidasach, w których aż chlupało.

Wyglądam naprawdę bosko! – zdążyła jeszcze pomyśleć.

Nie chciała myśleć o tym, jak wygląda. Takie posunięcie w obecnej sytuacji było bardzo niebezpieczne. Wiedziała, że jedno spojrzenie na siebie mogłoby ją teraz zabić. A chciała żyć, ponieważ obok niej siedział Kochanowski. W dodatku przypadkowo musnął jej mokrą dłoń swą też mokrą, szukającą drążka skrzyni biegów. Już żałowała, że takie dotknięcie mogłoby się nie powtórzyć. Miał samochód z automatyczną skrzynią biegów.

Życie jest piękne… – przyszło jej do głowy.

Nie zdążyła pomyśleć, jakie jeszcze potrafi być życie, bo wieczór, podczas którego to ordynator odzywał się pierwszy, miał mieć swój ciąg dalszy.

– Miała pani iść do izby przyjęć – spojrzał na nią bez śladu wyrzutu.

Nie wiedziała, co powiedzieć. Półuśmiech, który już widziała, onieśmielał ją całkowicie.

– Chyba zniszczę panu tapicerkę – palnęła, od razu łajając się w duchu za wypowiedziane słowa.

Jak nie wiesz, co powiedzieć, to siedź cicho! – nakrzyczała na siebie, dyscyplinując się jedną z ulubionych kwestii swojej mamy. Kochanowski oderwał wzrok od przedniej szyby, której wycieraczki nie nadążały z pracą, i popatrzył na nią, a raczej na siedzącą obok siebie topielicę. Jakby nie słyszał, co powiedziała, a raczej palnęła bez sensu, odezwał się znów bardzo spokojnym i głębokim głosem.

– Na przystanku tramwajowym też pani nie znalazłem.

Szukał mnie! Panie Boże! On mnie szukał! – radośnie krzyknęła w myślach.

– Byłam wściekła na panią Gienię, że wszystko zepsuła... – odparła i zamiast skończyć takimi słowami, jak zaplanowała, dodała asekuracyjnie: – Poza tym w końcu pogodziłam się z tym, że ten dzień jest jednak beznadziejny i na złość losowi postanowiłam zmoknąć – to mówiąc, dotknęła końcówek włosów, z których wciąż spływały kropelki deszczu, tylko po to, by natychmiast wsiąkać w kurtkę, a zaraz potem zmoczyć nie tylko sweter, ale też bieliznę. Tak, przemokła do suchej nitki.

– Zawsze jest pani taka odważna? – zażartował i wytarł dłoń o nogawkę bardzo dobrze skrojonych dżinsów.

– Ja? Odważna? – zapytała, dziwiąc się, jak to możliwe, by ktoś, jak się domyślała, o ponadprzeciętnej inteligencji mógł pomylić jej beznadziejną postawę z odwagą.

– Kobiety chyba nie lubią deszczu... No wie pani... Fryzura, makijaż...

Nie mogła uwierzyć w to, co słyszy. Nie mieściło się w głowie, że rozmowa, w której uczestniczy, ku jej wielkiej uciesze zmierza w tak nieformalnym kierunku. Kochanowski ją zaskakiwał. Podobał jej się sposób, w jaki prowadził rozmowę. Musiała z tego skorzystać. Postanowiła więc przestać zachowywać się byle jak i od razu wykorzystać sprzyjające warunki, by skrócić dystans i by Kochanowski przestał myśleć o niej jak o kimś, kto miał czelność nazwać go cyborgiem. Bardzo chciała, by myślał o niej dobrze. Tylko i wyłącznie dobrze.

– Pewnie tak – uśmiechnęła się. – Ale ja specjalnie nie znam się ani na fryzurach, ani na makijażu. Nie mam na to czasu – przyznała bardzo szczerze, przypominając sobie słowa ciotki Marianny, która wzięła ją pewnego razu w obronę przed ciotką Klarą. Kiedyś na zaczepkę ciotki Klary, nadużywającej od lat czaru makijażu, dotyczącą tego, że się nie maluje, odpowiedziała tymi samymi słowami jak teraz: „nie mam na to czasu". Wtedy ciotka Marianna podsumowała sprawę, mówiąc: „Dobrze, Juleczko, że nie masz czasu na makijaż, bo na makijaż to masz jeszcze czas".

– Ładnie pani bez makijażu – skwitował.

Niestety nie przypieczętował komplementu spojrzeniem, ale i bez niego miała ochotę zemdleć z wrażenia i z cierpliwością czekać na resuscytację w jego wykonaniu.

– Czy moglibyśmy skończyć z tą panią? – zapytała bezceremonialnie i nie czekając na reakcję Kochanowskiego, nadała rozmowie odpowiedni ton. – Mam na imię Julia, ale lubię, jak się do mnie mówi Jula.

– Jula? – zapytał, tym razem patrząc na nią, by uzyskać potwierdzenie tego, że dobrze zrozumiał.

– Tak – zapewniła bez wahania. – Po prostu Jula.

– Łukasz – powiedział wprost, uszczęśliwiając ją brakiem ceregieli.

Takie podejście do życia lubiła najbardziej, ponieważ w jej otoczeniu niestety często było więcej ceregieli niż sensu. Zatrzymał samochód. Ani się obejrzeli, a znaleźli się na parkingu przed Kalorią. O dach auta dudniły krople ulewy. Przez obmywaną deszczem szybę samochodu zobaczyła wielkie okna Kalorii. Widziała ubranych elegancko ludzi siedzących przy stolikach i zwątpiła w to, że wejście tam, nawet z Kochanowskim, to dobra myśl.

– To chyba zły pomysł – stwierdziła, wpatrując się w to, co działo się w Kalorii.

– Dlaczego? – zapytał od razu.

– Spójrz na mnie, proszę – mówiąc to, zaproponowała, by zszedł na ziemię.

– Spojrzałem i nie widzę przeszkód, byśmy nie mogli napić się gorącej herbaty albo czekolady i zjeść coś pysznego. Mają wyśmienity sernik wiedeński. Naprawdę…

Wciąż nie mogła uwierzyć, że ten oszczędny w słowach mężczyzna stawał się tego bardzo deszczowego wieczoru gadatliwym Łukaszem. I możliwe, że to dla niej się zmieniał, dla niej stawał się kimś innym, niż był dotychczas. Chyba dla niej… Albo był taki już wcześniej, tylko go wcale nie znała. Nie miała teraz czasu na rozmyślania, gdyż on wpatrywał się w nią tymi swoimi intrygującymi oczami, które w tej chwili całkowicie przyćmiewały swym granatowym blaskiem ledwo widoczny uśmiech. Nie miała pojęcia, czy jest sens dalej się opierać. Jednak czuła poważny dyskomfort. Chociaż w samochodzie było ciepło, to jej mokre, przylegające do ciała ubranie sprawiało, że robiło się jej coraz zimniej. Wzrok Kochanowskiego, rosnący chłód i do tego jeszcze dzwoniący telefon. Przed oczami miała wizję mamy siedzącej w kuchennym oknie i wypatrującej powrotu córki. W takich warunkach zupełnie nie mogła się skupić.

– Mama? – zapytał od razu.

Skinęła głową, nie sięgając do torby po telefon.

– Na pewno? – dopytywał.

– Na sto procent.

– Nie odbierzesz? – zadał jej kolejne pytanie.

Była gotowa zemdleć, nie posiadając się z radości, że odezwał się do niej jak do kogoś bliskiego. Zaczęła szukać w torbie telefonu, zresztą nie chciała też wyjść na złą córkę. Gdy go znalazła, odebrała natychmiast, nawet nie zerkając na to, kto dzwonił.

– Halo? – odezwała się cicho, a mama jak zwykle.

…

– Tak, mamo, nie martw się, nie zmokłam – kłamała jak z nut, zupełnie nie wiedząc, dlaczego to robi.

…

– Tak, mamo, jestem u Neli.

…

– Jeszcze nie wiem, może umówmy się, że jeszcze się odezwę?

…

– Dobrze, jak nie przestanie padać, to zostanę, obiecuję.

…

– Dobrze, mamo, wiem, następnym razem wezmę, to pa, mamo.

Skończyła rozmowę i z niechęcią wrzuciła telefon z powrotem do torby. Bała się podnieść wzrok.

– Nie zmokłaś – usłyszała dość wesoło brzmiące stwierdzenie.

– Jak widać – dotknęła swej mokrej głowy i pozwoliła dłoni ześlizgnąć się po włosach na przemokniętą do cna kurtkę.

Kichała. Raz za razem. Przeprosiła niezwłocznie. Nie za te wszystkie kłamstwa, tylko za kichnięcia właśnie.

– I jesteś u Neli? – tym razem Kochanowski nie stwierdzał, tylko pytał.

– Tak się złożyło… Nie chciałam zmoknąć… – uśmiechnęła się, brnąc w tę niemądrą, ale bardzo przyjemną rozmowę.

Podobało jej się, że mówi przy nim to, co myśli. Jednak jeszcze bardziej podobał jej się spokój zawarty w wypowiadanych przez niego zdaniach. Nie wierzyła, że to, co się dzieje, dzieje się naprawdę.

– I co teraz? – zapytał i spojrzał na nią wyczekująco.

– Mam nadzieję, że położy się spać.

– Jest szansa, bo robi się coraz później. Jeszcze trochę i zamkną nam Kalorię…

Na Kalorię nie miała ani odpowiedniego wyglądu, ani zbytniej ochoty. Poczuła się zmęczona. Zamknęła oczy i oparła mokrą, marznącą głowę o samochodowy zagłówek.

– Gdzie mieszka Nela? – zapytał dość cicho.

Nie odpowiedziała.

– Zawieźć cię do niej?

Chcę być teraz z tobą, a nie z Nelą – pomyślała, podnosząc głowę z zagłówka.

– Nela jest chora.

Wiedziała, że tę informację o Neli powinna zostawić dla siebie, a jemu opowiedzieć o swoich pragnieniach. Ale jak zwykle robiła wszystko na opak, a zamiast mówić, tylko myślała.

– To do mamy? – zapytał takim tonem, jakby kierował pytanie do dziecka.

Może podobnym tonem rozmawiał z pacjentami. Paradoksalnie, dzieci go lubiły, chociaż nie był postacią z bajki.

– Tylko nie tam... – poprosiła cicho, a raczej głośno wypowiedziała swą myśl.

Popatrzył na nią uważnie i nie mówiąc ani słowa, wycofał samochód. Ruszył w całkiem przeciwną stronę niż do jej domu. Jego zdecydowanie było imponujące. Spodobało jej się również to, że nie zapytał, dlaczego w taką psią pogodę nie chce znaleźć się w ciepłym domu. Jednak najbardziej ujął ją tym, że nie pytał o nic, a w związku z tym nie musiała niczego tłumaczyć. Nawet na nią nie popatrzył, by choćby spojrzeniem próbować czegoś się domyślić. Po prostu podjął tylko sobie wiadomą decyzję i jechał przed siebie. Bardzo powoli, ponieważ inaczej się nie dało. Samochód musiał pokonywać kolejne zasłony deszczu, utrudniające im drogę. Znów kichnęła i to wystarczyło, by poczuła na sobie wściekły wzrok mamy i usłyszała jej zdenerwowany głos: „Święta za pasem, a ty latasz po mieście i znowu choróbsko do domu przyniosłaś. Jak ja mam na śniadanie wielkanocne ciotki i dzieci zaprosić?!".

– Chyba się przeziębiłaś – powiedział spokojnie.

Dałaby głowę, że choroby, które dawało się łatwo wyleczyć, nie robiły na nim żadnego wrażenia. Nie dziwiła się temu ani trochę. Na pewno już tyle w życiu widział, że mógłby z tych obrazów stworzyć imponującą galerię prezentującą obrazy najstraszniejszych ludzkich dramatów. Katar był pewnie dla niego tak naturalny jak cząsteczka tlenu w atmosferze. Natomiast dla mamy stanowił zagrożenie większe niż powietrze zatrute czadem. Nie wiedziała, dokąd jechali, ale nie bała się. Ufała mu. Bezgranicznie. Miał dobre oczy. To właśnie im ufała najbardziej.

– Jesteśmy – poinformował, chociaż nie zatrzymał jeszcze samochodu.

Nie zapytała gdzie.

– Zła wiadomość jest taka, że znów trochę zmokniemy.

– Po mnie i tak wszystko spłynie – uśmiechnęła się, czując bardzo nieprzyjemny chłód na plecach.

Gdyby nie obecność Łukasza, ten chłód byłby nie do wytrzymania. Miała wrażenie, że jeżdżą w kółko. Zwłaszcza że znała drogę, po której się poruszali. Wszystkie uliczki prowadzące do Rynku były wąskie i nie dziwiła się, że o miejsce do parkowania w tej okolicy i o tej porze nie było łatwo.

– Jest.

Usłyszała ulgę w jego głosie, a niesamowicie szybki i precyzyjny ruch kierownicą pozwolił mu zaparkować samochód. Wyłączył silnik.

– Będziemy musieli trochę podbiec – stwierdził przepraszająco.

– Umiem biegać – otworzyła drzwi, zdając sobie sprawę, że nie przerażał jej lejący deszcz, jedynie chłód, ponieważ zrobiło się bardzo zimno.

– To chodź szybko – szepnął i pociągnął ją za rękę.

Z wrażenia o mało nie padła trupem. Na szczęście nie miała czasu na przedwczesną śmierć. Biegli przed siebie. Trzymali się za ręce i biegli. Deszcz zalewał jej oczy. Nic nie widziała. Okazało się, że to niedaleko. Gdy się zatrzymali, puścił jej rękę. Niestety. Prędko wstukał kod na domofonie pięknej kamienicy, którą z widzenia znała bardzo dobrze. Drzwi otworzyły się szybko i lekko, choć wyglądały na bardzo masywne. Jasno oświetlone wnętrze przestraszyło ją trochę. Na chwilę musiała zamknąć przyzwyczajone do ciemności oczy.

– Jeszcze tylko schody – powiedział, zerkając na nią ze współczuciem.

Jego spojrzenie nie zdziwiło jej ani trochę. Co prawda nie widziała się w tej chwili, ale miała pewność, że wygląda jak sto nieszczęść. Ale nie to było teraz najważniejsze. Skoro tak beznadziejnego dnia zaszła tak daleko, oznaczało to, iż powinna walczyć dalej.

– Ja mieszkam na szóstym piętrze – uśmiechnęła się.

– A ja na poddaszu, czyli jakby na czwartym.

– To ja wygrałam.

– Tak – oddał jej rację, po chwili jednak dodał: – Bo masz windę – jego głos zabrzmiał ciut zaczepnie.

– Często chodzę pieszo – wytłumaczyła.

– Dla zdrowia? – zapytał, puszczając ją przodem.

– Raczej dla zebrania myśli. To taki mój trening uważności – przyznała się i poczuła trochę nieswojo, ponieważ wolałaby, żeby szedł obok, a nie za nią.

Schody, po których wchodzili, były dużo wygodniejsze od tych, do których przywykła. Były szerokie i miały piękną ażurową konstrukcję. Po raz pierwszy takie widziała. Nie mogła uwierzyć, że za chwilę znajdzie się w mieszkaniu kogoś, kto jeszcze niedawno nic dla niej nie znaczył. Teraz to nic dziwnym zbiegiem okoliczności i uczuć zamieniło się we wszystko. Po prostu wszystko uległo zmianie. Uwielbiała takie zmiany. Uzmysławiały jej coś bardzo optymistycznego, a mianowicie to, że nie potrzeba wiele czasu, by odmienić swoje życie. To naprawdę była napawająca optymizmem myśl. Gdy pojawiają się dobre uczucia, całe życie zmienia się na dobre. To jasne. Jednak same uczucia, choćby najlepsze, mogą nie wystarczyć. Oprócz nich musi pojawić się jeszcze odwaga, by pozwolić im dojść do głosu. Miała w sobie taką odwagę i nadzieję, że tym razem jej życie ma szansę zmienić się na lepsze. Przecież gdyby rano ktoś powiedział jej, że wieczorem będzie czuła znów tak wyraźnie zapach perfum ordynatora, nie uwierzyłaby. Na pewno nie uwierzyłaby.

– Ostatni zakręt – poinformował bez śladu zadyszki w głosie.

Ją wspinaczka trochę zmęczyła, ale to katar sprawił, że nie mogła oddychać pełną piersią i pochwalić się bardzo dobrą kondycją. Znów kichnęła. Otworzył przed nią drzwi. Bardzo skromne, ale ładne. W przeciwieństwie do innych, które mijali, nie miały tabliczki informującej, kogo można za nimi znaleźć.

– Wejdź, proszę.

Pozwolił jej wejść pierwszej. Wyczuwała pewne napięcie, którego tego wieczoru do tej pory między nimi nie było, dlatego zawahała się przez moment, ale jedno spojrzenie dobrych oczu pozbawiło ją obaw. Weszła więc. On za nią. Przekręcił zamek w drzwiach. Na pewno odruchowo. Zaświecił światło. Jej oczom ukazało się mieszkanie na poddaszu, o jakim nawet marzyć nie śmiała. Mieszkanie bez ścian. Prawie bez ścian. Z białymi, drewnianymi belkami podtrzymującymi konstrukcję dachu. Widziała dość prosty i skromnie wyposażony aneks kuchenny. W centrum dużego pomieszczenia stał czarny imponujący rozmiarem narożnik. W najbardziej oddalonej od wejścia części mieszkania znajdowało się łóżko, szerokie, wsunięte pod ostro opadający dach. W połowie drogi między aneksem kuchennym a łóżkiem stał stół. Okrągły, otoczony tylko czterema krzesłami, chociaż zmieściłoby się przy nim jeszcze raz tyle. Łukasz się rozbierał, a ona stała jak wryta. Gdy zatrzymała wzrok na parze drzwi na jedynej prostej ścianie w tym dużym pomieszczeniu, z zamyślenia wyrwało ją pytanie.

– Mogę? – zapytał.

– Oczywiście – oprzytomniała natychmiast.

Położyła swoją przemokniętą torbę na podłodze. By odpiąć kurtkę, musiała mieć wolne ręce. Pomógł jej ją zdjąć, a i tak poczuła, jak ciężkie zrobiło się jej wierzchnie okrycie, przemoczone deszczem. Wziął kurtkę z jej rąk i szybko zdjął buty. Był w lepszej sytuacji. W odróżnieniu od niej ubranie pod kurtką miał suche, podczas gdy jej mokry sweter oblepiał ciało, nie pozostawiając żadnych tajemnic, jak rysuje się jej sylwetka od pasa w górę.

– Musisz to zdjąć – uciekł najpierw wzrokiem od jej ciała, po czym zrobił krok w kierunku jednych z dwojga drzwi.

Otworzył je, a światło w pomieszczeniu zaświeciło się samo. Jej oczom ukazała się łazienka. Zawsze myślała, że łazienki w mieszkaniach na poddaszach nie są większe niż klitki w bloku. Ta była inna. Bardzo duża. Z daleka lśniła czystością i miała dwa bardzo duże kaloryfery, na których Łukasz właśnie rozwieszał ich kurtki. Korzystając z jego nieuwagi, zdjęła buty i od razu skarpetki, bo na pewno pomoczyłaby nimi wyczyszczoną na wysoki połysk podłogę z ciemnego, pewnie egzotycznego drewna. Przemoczonymi i przemarzniętymi stopami dotknęła drewna podłogi i od razu wydało jej się przyjemnie ciepłe.

– Poszukam czegoś, w co mogłabyś się przebrać – stwierdził, unikając spojrzeń w jej stronę.

Otworzył szafę zmyślnie wkomponowaną w ścianę, na której znajdowały się drzwi łazienki i te drugie. Po chwili podał jej szlafrok, starannie złożony. Dotknęła miękkiej flaneli w biało-niebieskie pionowe paski. Przeraziła się, a jej przestrach nie umknął jego uwadze.

– Przecież musisz wysuszyć ubranie – popatrzył na jej spodnie, których dżins poniżej bioder był zupełnie przemoczony. Zażenowana wcisnęła mokre skarpetki do kieszeni spodni. W końcu wzięła szlafrok z jego dłoni. Bała się spojrzeć mu w oczy. Zachowywała się jak pensjonarka, ale tak naprawdę to chyba trochę nią była.

– Chyba się mnie nie boisz? – zapytał.

Wcale – pomyślała, ale nie była w stanie wydusić z siebie ani słowa, ponieważ czuła, z jaką uwagą lustrował jej przemoczoną garderobę. Wolała się nie odzywać i nie patrzeć mu w oczy. Ruszyła w stronę otwartych drzwi łazienki i szybko je za sobą zamknęła, usłyszawszy przedtem jego pytanie:

– Gorąca czekolada czy herbata?

– Wolałabym herbatę – odpowiedziała natychmiast.

Patrzyła na pedantycznie urządzoną łazienkę. Jedynym elementem nie pasującym do wnętrza były teraz dwie suszące się na kaloryferach kurtki. Przyłożyła nos do pachnącego świeżością szlafroka. Gdyby miała w sobie choć odrobinę odwagi, to uszczypnęłaby się, by potwierdzić realność sytuacji, w której się znalazła. Ale nie chciała sprawdzać, czy to, co się dzieje, dzieje się naprawdę. Nawet jeśli był to sen, to chciała, by mógł trwać nadal. Rozbierała się w domu ordynatora. W łazience, w której nie było śladu kobiety. Innej kobiety. Widziała same męskie kosmetyki. Jedną szczoteczkę do zębów. Elektryczną. Wodę kolońską w eleganckiej butelce. Golarkę. Też elektryczną. Nowoczesną umywalkę, a pod nią dwie szklane półki z białymi perfekcyjnie poskładanymi ręcznikami. Widziała wannę i kabinę prysznicową. Mydło w płynie było tylko pod prysznicem. Przeszedł ją dreszcz na myśl o tym, jaki widok musiał odbijać się w dużym lustrze, do którego teraz zerkała, gdy Łukasz zażywał kąpieli. Lustro było podłużne, sięgało prawie od podłogi do samego sufitu. Skromna srebrna rama była wyjątkowo elegancka. Rozebrała się, a raczej odkleiła od siebie mokre ciuchy. Powiesiła na grzejniku całkiem przemoczony sweter. Po chwili obok niego zawisły też spodnie. Pomyślała, że z ogromną przyjemnością rozgrzałaby swe przemarznięte ciało gorącą wodą, ale nie miała tyle swobody, by bez pytania skorzystać z zachęcającej szklanej kabiny prysznicowej.

– Wszystko w porządku? – usłyszała głos, który nieźle ją przestraszył.

– Tak – odpowiedziała pospiesznie, czując, że pod wpływem ciepła domowego powietrza włosy zaczęły jej wysychać.

W łazience chyba nie było suszarki. Pewnie dlatego, że on jej nie potrzebował. Zawsze miał krótko i klasycznie obcięte włosy. Klasycznie, ale w miarę modnie. Najbardziej podobały jej się jego szpakowate skronie. Miał ładną siwiznę, jakby lekko błękitną. Popatrzyła w lustrze na siebie i na swą bieliznę. Też błękitną, prawie suchą. Szybko zarzuciła na nią szlafrok, który udało jej się sprytnie zawiązać w pasie białym wąskim paskiem. Zerknęła na swoje odbicie i uśmiechnęła się nie do siebie, tylko do szlafroka. Był bardzo twarzowy.

Jestem w pana ramionach, panie ordynatorze. Co pan na to? – zapytała w myślach. Położyła dłoń na klamce i... zaczęła się bać. Dobry humor ją opuścił. Sama nie wiedziała, czy dopadł ją strach, czy poczuła wstyd, czy to pierwsze objawy zawału. Co prawda miała na sobie szlafrok. Pod nim bieliznę. Ale była w mieszkaniu w sumie obcego faceta, który czekał na nią z herbatą. A jeśli czegoś do niej dodał? I jeśli chciał zrobić z nią nie wiadomo co?

– Na pewno wszystko w porządku? – znów usłyszała pytanie wypowiedziane bardzo spokojnym tonem.

– Tak – odpowiedziała tak samo jak za pierwszym razem.

Raz kozie śmierć! – pomyślała odważnie i odrobinę drżącą ręką otworzyła drzwi. On stał bardzo blisko z kubkiem herbaty w dłoni.

– Co prawda zabrakło sernika wiedeńskiego, ale herbatniki mam zawsze. Herbatniki i biszkopty – uściślił, przyglądając jej się uważnie. – Może chciałabyś skorzystać z suszarki? – zapytał, lustrując jej kręcące się trochę pod wpływem wilgoci włosy.

– Nie, dziękuję, jeszcze chwila i same wyschną – odruchowo przeczesała fryzurę dłońmi, które stawały się coraz cieplejsze za sprawą szlafroka błogo rozgrzewającego jej ciało, w dodatku na widok Kochanowskiego przestały drżeć.

Podeszła do stołu, który jeszcze do niedawna stał pusty, teraz gościł dwa naczynia. Postawiono na nim szklaną miseczkę z okrągłymi biszkoptami, takimi, jakie Justyna miała zawsze dla swoich chłopców, oraz podłużny talerz, na którym ułożone były herbatniki. Odwróciła się w stronę Łukasza, bo szedł tuż za nią. Niósł kubek z herbatą. Oparła się o stół i wpatrzyła w biel jego koszuli, na której nie było już kamizelki. Pod spodem chyba nic nie miał. Podobał jej się. Szalenie. Los postanowił z niej zakpić. Dać jej nauczkę. Ukarać ją solennie. Tak bardzo podobał jej się ktoś, o kim wygadywała straszne bzdury, kogo oceniała bardzo niesprawiedliwie. Teraz dostawała karę za każde nieprzemyślane i wyrzucone z siebie bez sensu słowo. Kochanowski był w tej chwili oszałamiająco pociągający. Tak bardzo się myliła, nazywając go starym dziadem…

Wstydziła się tego, że stoi przed nim w szlafroku, i tego, że nie znajdowała w sobie sił, by oderwać od niego swój wygłodniały wzrok.

– Proszę – stanął naprzeciwko niej i dość zdecydowanym ruchem wyciągnął w jej kierunku dłoń z kubkiem.

Drgnęła. Minimalnie. Zauważył to i cofnął rękę. Też minimalnie.

– Chyba się mnie nie boisz? – zapytał po raz kolejny, ale dużo poważniejszym tonem niż za pierwszym razem.

W jego głosie usłyszała smutną nutę.

– Nie – zaprzeczyła szybko.

Tym razem nie mogła pozostawić pytania bez odpowiedzi. Choć powinna wyciągnąć ku niemu rękę, nie zrobiła tego. Zamiast tego poszukała dłońmi oparcia na okrągłym blacie stołu. Potrzebowała równowagi. Herbata w trzymanym przez niego kubku parowała. Pewnie dlatego atmosfera stawała się coraz bardziej gorąca. Było jej coraz cieplej. Bo herbata, bo szlafrok, bo on, bo jego dłonie, bo nic pod koszulą... Jego spojrzenie parzyło ją, choć sama już na niego nie patrzyła. Zatrzymała swój wzrok na kubku, którego ucho wypełniała męska dłoń. Łukasz na pewno widział, co się z nią działo, ale milczał. A skoro się nie odzywał, to chyba czekał. Może teraz była jej kolej.

– Po prostu... – zaczęła bardzo powoli – dziś rano ani po południu, ani nawet dwie godziny temu przez myśl by mi nie przeszło, że ten dzień tak się skończy.

– Jeszcze się nie skończył – jego uśmiech był tak realny, że nie miała żadnych wątpliwości. To się dzieje naprawdę.

To nie był sen. Gdyby to był sen, obudziłoby ją właśnie w tej chwili spojrzenie wyśnionego mężczyzny.

Coś sugerujesz? – pomyślała odważnie, ale to by było na tyle, ponieważ odezwała się już zupełnie nieśmiało.

– W moim życiu... – nie wiedziała, jak ująć w słowa wszystkie uczucia, które ostatnimi czasy się w niej kotłowały. – Jakby to powiedzieć... – lawirowała między swymi myślami, a było ich trochę. – Nie dzieje się nic szczególnego, nic...

... ekscytującego – rozpoczęte zdanie dokończyła w myślach. Nie miała odwagi, by wprost nazwać chwilę przeżywaną właśnie dzięki jego obecności, obecności na wskroś ekscytującej.

– Nie wierzę – odezwał się po krótkiej chwili, podczas której wpatrywał się uważnie w jej twarz.

Herbata w jego dłoni parowała coraz mniej zauważalnie.

– Nie kłamię – powiedziała na swą obronę szybko, dobitnie i na pewno przekonywająco.

– Jesteś taka młoda... – zrobił krok do przodu, a ona ucieszyła się, że kubek z jej herbatą był wciąż w jego dłoni, bo gdyby to ona go trzymała, z pewnością stłukłby się właśnie w tej chwili o podłogę.

– Niestety nie kłamię – powtórzyła. – Moje życie rzadko zaskakuje mnie tak jak dziś. Wszystko jest przewidywalne, zaplanowane, podporządkowane codzienności i oczekiwaniom bliskich. Nuda, po prostu nuda...

Zrobił jeszcze krok w jej stronę, co prawda mniejszy niż poprzednio, ale był już całkiem blisko.

– Napij się – podał jej kubek, który przejęła, czując pod palcami jego gorącą dłoń. – Wciąż ci zimno? Masz lodowate dłonie – zdziwił się.

– Już teraz są gorące – uśmiechnęła się do niego i upiła łyk herbaty. – Earl grey – rozpromieniła się. – Moja ulubiona – zaczęła pić, nie mogąc oderwać ust od napoju o doskonałej temperaturze i uspokajającym aromacie, w końcu jednak musiała to zrobić, bo w kubku zaczęło być widoczne dno.

– Może chcesz jeszcze? – zapytał.

– Chcę – odpowiedziała i zamiast włożyć kubek w wyciągniętą już w jej stronę dłoń, nieco się odwróciła i odstawiła kubek na blat stołu.

Postawiła go na samym brzegu. Powoli wróciła do wcześniejszej pozycji, mając nadzieję, że w jego uszach wciąż brzmiało jej ostatnie słowo. Bała się. Walczyła z obawami, ale spojrzała w jego oczy. To wystarczyło. Nie musiała już nic mówić ani robić. Był blisko.

Stał tuż-tuż. Czuła na twarzy jego oddech. Ale jeszcze jej nie dotykał. Tylko patrzył, ale tak, że już czuła dotyk jego ust na swoich.

Deszcz nie uderzał o szyby dachowych okien, tylko walił w nie niemiłosiernie z taką siłą, jakby chciał, by rozprysły się w drobny mak. Jednak hałas ulewy nie dał rady zagłuszyć jej telefonu, który dzwonił jej w torbie.

Szkoda, że nie zamokłaś, zmoro jedna! – pomyślała, wściekając się na naprawdę wredny przedmiot.

– Nie odbierzesz? – zapytał, niestety zwiększając dystans.

– Nie – odparła, żałując, że ktoś na odległość chce jej wszystko zepsuć i nie pozwala, by uwierzyła w końcu, iż życie oprócz tego, że płata figle, to potrafi jeszcze sprawiać niespodzianki. – To na pewno znów mama. Albo Nela chce zapytać, gdzie się podziewam, bo mama nie byłaby sobą, gdyby do niej nie zadzwoniła i nie sprawdziła u źródła, czy aby na pewno tam jestem. Dobrze to znam.

– A często Nela musi kłamać?

Pytanie zabrzmiało bardzo poważnie.

– Jeżeli sprawdził się przewidziany przeze mnie scenariusz wydarzeń, to Nela skłamała dziś po raz pierwszy. Mówiłam przecież, że moje życie jest nudne – podparła się wcześniejszym zwierzeniem.

– Jak myślisz, skłamała? – lekki uśmiech wrócił na jego twarz.

– Mam nadzieję – odpowiedziała, zasępiwszy się nieznacznie.

Po krótkiej chwili ciszy telefon znów się rozdzwonił.

– Odbierz – szybko poprosił. – Może ktoś się o ciebie martwi. Albo to coś ważnego.

Pomyślała, że on z pewnością zawsze odbierał telefony. Przecież tryb jego pracy na pewno sprawiał, że pod telefonem był bezustannie. Nie miała zatem wyjścia. Musiała zastosować się do jego sugestii. Musiała odejść od stołu, tracąc taką doskonałą miejscówkę, idealny punkt obserwacyjny oraz szansę na bliskość, o której marzyła.

Wyminęła go, kontrolując poły szlafroka. Tymczasem mokra torba leżała jak zbity pies obok przemoczonych butów. Sięgnęła po nią, by przekonać się od razu, że to Nela chciała sprawdzić, gdzie jest, i przekonać się, czy nic złego się nie dzieje.

– Tak? – odebrała szybko. – Nic się nie stało – informowała wyraźnie zaniepokojoną Nelę.

Czuła na plecach jego wzrok. Mieszkanie zostało tak zaprojektowane, że trudno było się w nim ukryć.

– Wszystko dobrze, naprawdę, możesz być spokojna – mówiąc to, miała nadzieję, że Nela nie spyta ją o to, gdzie się zgubiła, lecz niestety zapytała. – W bezpiecznym miejscu – odpowiedziała szybko.

Powiedziała cicho „pa" i wyłączyła telefon. Całkiem. Nie chciała, by ktoś im przeszkadzał. Niech nikt nie waży się im przeszkadzać. Chciała być z nim sam na sam. Dziś nikt nie mógł mieć nad nią kontroli. Nawet obecny tu Łukasz. Odwróciła się. Stał naprzeciwko.

– W bezpiecznym miejscu – powtórzył cicho i patrzył na nią wyczekująco.

– Mam nadzieję, że się nie mylę – wypowiedziała głośno swą pełną nadziei myśl.

– Czyli jest szansa, że nie uważasz mnie już za cyborga? – zapytał całkiem poważnie.

A w niej ożyły wspomnienia, którymi karmiła się nieustannie, każdego dnia i każdej nocy. Od świtu do zmroku. Od zmroku po świt.

– Już nie – uśmiechnęła się. Do niego i wspomnień.

Nawet gdyby chciała kolejny raz przeprosić za tamte myśli i słowa... Nie mogła. Chyba nie miał zamiaru jej na to pozwolić. Podszedł bardzo powoli. Inaczej niż wtedy. Wszystko było inaczej niż wtedy. Już był bardzo blisko. Patrzył tak, że wiedziała, iż tym razem będzie chciał jej udowodnić, że nie jest cyborgiem. Już wiedziała, że nie był. Ale chciała, by ją o tym przekonał osobiście jeszcze raz.

Zaczął...

Potrafił inaczej...

Choć inaczej to nadal doskonale. Idealnie. Udowadniał jej, że spokój i poczucie bezpieczeństwa pozwalały na to, by okazał się przeciwieństwem cyborga. Całował ją powoli. Było tak, jakby złączyli usta pierwszy raz. I chyba trochę tak było... Całował i jednocześnie kroczył powoli, kierując ich ku najbliższej ścianie. Choć w istocie nie potrafiła stwierdzić, czy czasem sama nie zaczęła tej wędrówki. Nie wiedziała, które z nich wpadło na ten pomysł. Gdy poczuła za plecami twardą ścianę, gdy się o nią oparła, dopiero wtedy doszło do niej, z jaką siłą Łukasz na nią napiera, a jak bardzo delikatnie przy tym potrafi całować. Miała zamknięte oczy. Chciała pozbyć się wszystkich myśli, a skupić na chwili, która miała być tylko jej własnością. Mogła się nią podzielić jedynie z nim. Z nikim innym. Czas mijał. Nie musiała się nikomu z niczego tłumaczyć. Była poza kontrolą. Poczuła się wolna. Przyciskał ją do ściany. Mocno. Podobało jej się to nieprawdopodobnie. Czuła na sobie całe jego ciało. Całe. Bez wyjątku. Był gotowy na miłość. Ona też. Była na nią gotowa. Już od dawna. Na karku poczuła jego mocne dłonie. Na ustach delikatność. Wciąż spowalniającą delikatność. Całował ją coraz wolniej, jakby chciał jej uzmysłowić, że za chwilę zatrzyma się czas. Mogą przed nim uciec i schować się w sobie. W pewnym momencie zdała sobie sprawę, że już jej nie całuje, tylko dotyka jej ust swoimi wargami, zupełnie nie zmęczonymi dotychczasowym pocałunkiem.

– Chyba nie powinienem... – wyszeptał, chcąc wrócić do rzeczywistości.

Nie miała zamiaru mu na to pozwolić. Nie mogła pozwolić mu na niepewność. Musiał być pewien. Musiał wiedzieć, że robi dobrze. Właśnie to, na czym jej zależy. To, o czym marzy.

– Powinieneś – wypowiedziała swą myśl i marzenie, mając na ustach wciąż jego wargi, delikatnie się rozchylające, bez wstydu i bez zastanowienia.

– Ale… – nie dawał za wygraną i szeptał, nie przerywając tego jakby zawieszonego pocałunku.

– Żadnego ale – zarządziła.

Zdała sobie sprawę, że teraz ona powinna go całować. Przecież to ona była dziś stroną, która nie miała żadnych wątpliwości. Nawet minimalnych. On je miał. Czuła to. Dlatego musiała się nim zająć. Musiała udowodnić mu, że robią dobrze i że ma co do tego całkowitą pewność.

– Nic o mnie nie wiesz… – znów przerwał na moment pocałunek, kiedy to jej usta wyraźnie zaczynały być siłą sprawczą.

– Jesteś dobry. To wystarczy. Już nic nie mów – uśmiechnęła się, a on ten uśmiech natychmiast zakrył swoimi ustami.

Nie poznawała się. Nigdy nie podejrzewała, że ma w sobie taką odwagę, która pozwalała jej teraz się tak zachowywać. Pragnęła go tak mocno, że nie miała zamiaru udawać, że to on powinien pragnąć bardziej. Miłość, którą przy nim i z dala od niego odczuwała, nie była grą. Była potrzebą jej duszy. Teraz okazywało się, że ciała również. Wciąż natrafiała na jego niepewność, jakby opory przed tym, co się działo. Ale właśnie to podniecało ją jeszcze bardziej. Postanowiła zawalczyć o tak bardzo wyczuwalny dar losu. Chciała całą sobą docenić niespodziankę, którą nareszcie los jej zgotował. Miała zamiar pokazać, że ją prawidłowo ocenia. Musiała udowodnić, że potrafi się nim cieszyć, dlatego że Łukasz był dla niej najważniejszy, nie tylko teraz, ale w każdym momencie. Ważniejszy od losu i całej reszty. Chciała, by należał wyłącznie do niej. Właśnie teraz nastał taki czas, że Łukasz mógł być tylko jej. Nie musiała się nim z nikim dzielić. Nie chciała się zastanawiać nad tym, co będzie nazajutrz. W tej chwili w nosie miała jutro. Musiała go tylko jakoś przekonać, że powinien pójść w jej ślady i zapomnieć o wszystkim. Wiedziała, że by móc się zatracić w uczuciu, oboje musieli zapomnieć o wszystkim. Chciała mu o tym powiedzieć, ale gdy poczuła, że jego dłonie po omacku szukają paska szlafroka, zrozumiała, że nie musi już marnować czasu na słowa. Usta Łukasza oderwały się od jej ust i podążały w dół. Nie mogła trwać w biernym oczekiwaniu. Musiała zająć się jego ubraniem. Różnica wzrostu sprzyjała, sprzyjała bardzo. Delikatnie, zupełnie nie mając w tym wprawy, zaczęła wyciągać koszulę wetkniętą za pasek jego spodni. Pomógł jej w tym. Pewnie powinna się zawstydzić, bo on był wciąż kompletnie ubrany, podczas gdy ona... już nie miała na sobie szlafroka. Był jej niepotrzebny, bo nagle zrobiło się gorąco. Łukasz znów jej pomagał. Nie uzgadniali ze sobą niczego, ponieważ nie było o tym mowy. Nie musiała mówić, gdyż bez słów udało jej się przekonać go, że zabrnęli w marzenia tak daleko, iż powinni im ulec. Dlatego po prostu odpinała mu koszulę. Zaczęła od góry, wiedząc, że za chwilę będzie mogła dotknąć jego dłoni. Słyszała, co teraz nimi robi, i przyprawiło ją to o zawrót głowy. Usłyszała, jak odpina pasek. Metaliczny dźwięk sprawił, że jej ciało już zaczęło drżeć. Dopominało się rozkoszy. Widocznie instynkt nie kłamał. Mogła przydarzyć im się jeszcze większa przyjemność. Jej ciało niecierpliwiło się coraz bardziej. Już zdejmowała mu koszulę. Łukasz jej pomagał. Jak zwykle. Szybko odpinał guziki rękawów. W końcu koszula wylądowała na podłodze tak samo jak szlafrok...

Nareszcie mogła dotknąć jego skóry. Choć się spieszyła, robiła to powoli. Tak bardzo, że wstrzymała oddech. Musiał to usłyszeć.

– Boisz się? – zapytał natychmiast szeptem, który nie pozostawiał żadnych złudzeń.

Oboje chcieli tego samego.

– Niczego – odpowiedziała nie szeptem.

Poczuła wielką radość i jednocześnie dumę. Nie udawała. Mówiła, co czuje. Zachowywała się tak, by nie musiał jej prosić ani zdobywać... Jeszcze mu się nie oddała, ale już była cała jego. Już ją miał. Już należała tylko do niego.

– Jesteś pewna? – znów szeptał, pytając, czy może posunąć się dalej.

– Jak nigdy niczego innego – wypowiadanie przy nim własnych myśli nie stanowiło dla niej najmniejszego problemu.

W jego obecności uwierzyła w moc swojego charakteru i w to, że może odzywać się do innych zdaniami, które wcześniej układa w duchu. To piękne, kiedy tak można, gdy nie trzeba żyć w ciągłym oszustwie.

– Jesteś taka młoda... – szeptał jej do ucha, kiedy nie miała na sobie już prawie nic.

– To źle? – zapytała, nie wiedząc, czy może zrobić z rękami to, na co miała od dłuższego czasu ogromną ochotę.

Zdecydowała się na to i wiedziała, że dobrze zrobiła.

– Chodź... – szybko chwycił jej rękę i pociągnął za sobą.

Deszcz lał nieprzerwanie. Kuchenne światło docierało w postaci lekkiej poświaty do miejsca, w którym ją położył, i zaraz potem znalazł się znów bardzo blisko. Był nad nią. Tuż nad nią. Patrzyła na jego twarz i nie mogła uwierzyć, że była tak blisko z mężczyzną, który przez tyle czasu przemykał szpitalnym korytarzem zupełnie przez nią nie zauważany. Jak mogła być taka ślepa? Jak mogła nie poczuć siły przyciągania, którą miał w sobie ten patrzący w jej oczy mężczyzna?

– Na pewno? – znów pytał, chcąc chyba, by oszalała z pożądania.

– Nie bój się – odezwała się ostatkiem sił, gdyż chciała w końcu poczuć to, od czego nie było odwrotu.

Odezwała się zupełnie tak, jakby to ona była doświadczona w tych sprawach. To zdanie w końcu wystarczyło. Łukasz nareszcie pozbył się nękających go obaw i zachował się, jak na prawdziwego mężczyznę przystało. Prawdziwego, doświadczonego mężczyznę. To musiała mu przyznać. Przyznawała mu to ostatkiem świadomości. Całe szczęście nie musiała już nic mówić. Nie musiała myśleć. Musiała kochać. Nie, nie musiała kochać. Chciała kochać, bo on ją kochał. Miłością, jakiej doświadczała po raz pierwszy. Miłością, której do tej pory nie znała. Czuła, że należał teraz tylko do niej. Ją też zagarniał tylko dla siebie. Należała tylko do niego. Miał ją na wyłączność. Chciała być mu podległa bez przerwy i bez końca. Pragnęła, by ta noc nie skończyła się szybko, by nie skończyła się nigdy. Nie chciała nadejścia dnia, bo obawiała się, że ukradnie jej to bezcenne poczucie jedności.

– Ale dobrze…

To były jego słowa. Ona nie miała siły, by się odezwać. Ale były to słowa, których nie usłyszała. To było zdanie, które utonęło w jej ustach. Niestety nie mogła się z nimi na głos zgodzić. Ale najważniejsze teraz i tak było to, że ich ciała były zgodne co do tego… I wszystkiego innego również…

Nadszedł dzień. Niestety. A jej sen się nie skończył. Na szczęście. Wciąż trwał. Słyszała oddech. Słyszała też wyraźne bicie serca. Obejmowało ją męskie ramię. Lekko otworzyła powieki, bojąc się, że codzienność zniweczy tę nieziemską chwilę. Jeszcze nigdy nie zaczynała dnia tak bosko. Otwarte powieki zamknęły się natychmiast, rażone nie tyle codziennością, ile słońcem. Burza, która przez większość nocy towarzyszyła ich rozkoszy, niestety się skończyła. Pasowała do ich nocy. Teraz to słońce oddawało nastrój jej rozświetlonej miłością duszy. Podniosła głowę, by upewnić się, że Łukasz jeszcze śpi. Po tym, co się między nimi stało, nie mogła już nazywać go ordynatorem. Dzięki nocy, którą miała za sobą, zrozumiała, że osobowość ordynatora była tylko jednym z odcieni wrażliwości Łukasza. Już nie spał. Napotkała jego spojrzenie. Najpierw spojrzenie, a zaraz po nim uśmiech. Po uśmiechu usłyszała bardzo mile brzmiące: „dzień dobry". To ono sprawiło, że nie zdążyła nawet pomyśleć, czy powinna zawstydzić się na myśl o tym, co sobie dali tej nocy i co dzięki temu przeżyli. Miniona noc była doskonała, ponieważ oboje byli równie mocno zaangażowani i chcieli dać sobie nawzajem tyle samo rozkoszy. Łukasz zaoferował jej wiele, a ona nie pozostała mu dłużna. Nawet nie wiedziała, że tyle potrafi.

– Dzień dobry – odpowiedziała cichym szeptem.

Nie wiedziała czemu, ale uciekła przed jego wzrokiem, spoglądając na duże dachowe okno tuż nad łóżkiem. Zdziwiła się, jak mogła go wczoraj nie zauważyć. Może nic dziwnego, skoro mężczyzna, którego ciało wciąż miała obok, przysłaniał jej świat nawet wtedy, gdy nie byli tak blisko.

Chwila... chwila... chwila... – pomyślała intensywnie. Dałaby głowę, że ich miłość rozpoczęła się na czarnym, bardzo wygodnym narożniku, a teraz leżeli na łóżku, dzięki czemu mogła oglądać duży prostokąt nieba, którego błękitu nie przesłaniała ani jedna chmura. Najwyraźniej nocą wszystkie chmury spadły z nieba. Dla niej jednak to niebo zrobiło wyjątek i spadło na ziemię.

– I co teraz? – usłyszała ciche pytanie, które mogłaby zinterpretować na milion różnych sposobów.

– Teraz już mogę umrzeć – odpowiedziała bardzo poważnym tonem i spojrzała w piękny granat utkwionych w niej oczu.

– Nie mów tak... Bo ja teraz w końcu mogę zacząć żyć. Ty też musisz...

– Nawet nie zdajesz sobie sprawy, ile ja w życiu muszę... – wyszeptała z niezadowoleniem.

– Ale wolontariuszką nie zostałaś z przymusu, jak rozumiem... – stwierdził tonem, jakiego u niego jeszcze nie słyszała.

– To Nela mnie namówiła... – poinformowała go, ciesząc się ogromnie, że o poranku potrafili tak normalnie rozmawiać, chociaż przeżyli ze sobą wyjątkową noc.

Noc, która skończyła się przed chwilą wraz z otwarciem oczu, na pewno pozwoliła im się poznać. Całkiem dobrze. Jednak był to szczególny rodzaj poznania, w którym dominującą rolę odgrywał język miłości. Teraz musieli nadrobić wszystkie poważne braki, porozumiewając się już inaczej.

– Pamiętam dzień, w którym pierwszy raz cię zobaczyłem.

Oniemiała, słysząc jego słowa.

– To był twój pierwszy dzień na oddziale.

– Nigdy go nie zapomnę – szepnęła, nie usiłując nawet ukryć wrażenia, jakie zrobiły na niej jego słowa i szczerość, z jaką je wypowiedział.

– Byłaś ubrana w białą bluzkę.

Oniemiała po raz wtóry.

– Bo miałam tamtego dnia egzamin. Ustny. Przed południem.

– Zdałaś go? – zapytał.

Nie mogła wydusić z siebie słowa, gdyż zaczął delikatnie wodzić palcem w okolicach jej obojczyka. W świetle dnia jego pieszczoty obezwładniały ją chyba jeszcze bardziej niż w nocy.

– Egzamin tak, ale wizytę w szpitalu oblałam na całej linii. Gdyby nie pomoc Neli i jej wiara w moje możliwości, to byłby mój pierwszy i ostatni raz na oddziale.

– Całe szczęście pomogła ci i dzięki temu mogliśmy się poznać.

– Wczoraj też pomogła – podkreśliła.

– Wczoraj też – powtórzył po niej miło, bo z sympatyczną radością w głosie.

– Ale się narobiło – westchnęła, wciąż nie mogąc otrząsnąć się z szoku.

– Ale nie żałujesz? – zapytał tak niepewnym głosem, że zrobiło jej się go żal.

– Nie rozumiem, dlaczego miałabym żałować – odparła wprost.

Możliwe, że wprawiła go tym stwierdzeniem w zakłopotanie, ponieważ zamiast coś powiedzieć, tylko westchnął ciężko. Wyciągnęła dłoń i zaczęła głaskać jego policzek. Pod palcami wyczuwała sztywny zarost drażniący bardzo przyjemnie opuszki palców, a szczególnie wnętrze jej dłoni, jak się okazywało, bardzo czułe na takie doznania. Spodobało jej się bardzo, że przy Łukaszu mogła wciąż uczyć się siebie.

– Nie martw się. Niczego nie żałuję. Wprost przeciwnie. Cieszę się. Że jestem tutaj. Że jestem z tobą. Odkąd mnie wtedy pocałowałeś, to... – zamilkła, nie mając pewności, czy powinna mu się teraz przyznawać do swych marzeń, skoro i tak się ziściły.

– To...? – ciepłym i bardzo męskim głosem nakłaniał ją do zwierzeń.

Zastanawiała się, czy robił to celowo, że nadawał swojemu głosowi tak głębokie i męskie brzmienie. A może po prostu cały był taki męski?

– To myślałam o tobie cały czas... Nawet byłam na siebie za to wściekła – przyznała się, hołdując zasadzie, że w miłości nie należy niczego zatajać ani udawać.

Wystarczyło, że w życiu udawała aż nadto. Często udawanie stanowiło sporą część jej życia. Dlatego teraz, gdy tak czule ją obejmował, postanowiła, że z nim tak nie będzie. Obiecała sobie, że z nim będzie inaczej. Prawdziwie. Bez udawania. Bez oszustw. Przy nim pragnęła być sobą. Chciała mówić, a nie tylko myśleć. Tak po prostu.

Milczał. Podobało jej się to, że nie mówił zbyt dużo. Kiedy mówił, oznaczało to, że miał coś ważnego do powiedzenia. Przywiązywała wielką wagę do jego słów. Nie dlatego, że wiedziała, jakie są ważne na oddziale, na którym pracował. Zwracała uwagę na to, co mówi, ponieważ zakochała się bez pamięci nie w kimś, kto świetnie całuje. Nie w kimś, przy kim nareszcie poczuła się kobietą. Zakochała się na zabój w mądrym mężczyźnie. Takim, który jej imponował.

– A ty...? – zapytała w końcu.

Była trochę zdziwiona tym, że poranek powszedniego dnia mijał, a oni nie kontrolowali czasu. Nie patrzyli z popłochem na zegarek, by sprawdzić, ile czasu upłynęło od wschodu słońca. Nie wyskakiwali z łóżka i nie nabierali charakterystycznego dla ranka pośpiechu.

– Co ja? – usłyszała tuż przy uchu zmysłowy szept.

Łukasz miał piękny głos. Wydawało jej się, że dużo bardziej seksowny od Hugh Lauriego, który grał serialowego House'a.

– Myślałeś o mnie po tym pocałunku cyborga?

– Myślałem o tobie już dużo wcześniej – przyznał wprost.

Oniemiała kolejny raz. Nie mogła uwierzyć w to, co słyszy.

– Nie wierzę – szepnęła.

– Dlaczego miałbym kłamać? – pocałował jej czoło, próbując przekonać ją do swojej prawdomówności, ale i tak nie mogła uwierzyć.

– Po prostu nie wierzę... – powtórzyła.

Chrząknął znacząco, gdy to mówiła, dlatego postanowiła zacząć jeszcze raz.

– Nie dziw się, proszę, ale trudno mi dać wiarę, że taki facet jak ty zwrócił uwagę na taką szarą mysz jak ja.

Określiła się w ten sposób nie po to, by zaczął przekonywać ją, że tak nie jest. Nazwała się tak, ponieważ właśnie w ten sposób o sobie myślała.

– Mnie przeceniasz, a siebie nie doceniasz – stwierdził z charakterystycznym dla siebie spokojem. – Chyba będę musiał nad tobą trochę popracować – zaproponował zupełnie niedwuznacznie, choć ona w jego słowach doszukiwała się dwuznaczności, gdyż chciała, by ranek stanowił choć krótkie nawiązanie do minionej nocy.

– A po pocałunku... Co myślałeś po pocałunku? – uściśliła pytanie.

– Byłem na siebie wściekły. Na to, jak się zachowałem... – myślała, że to już koniec jego wypowiedzi, ale on postanowił jeszcze coś dodać: – A jeszcze bardziej na to, że dałem aż tak zawrócić sobie w głowie – powiedział i znów ją pocałował, tym razem w usta, bardzo delikatnie.

– Nie lubisz, jak dziewczyny zawracają ci w głowie? – zapytała wprost i natychmiast pożałowała tego pytania, ponieważ przed oczami stanęły jej tabuny kobiet pragnących zawrócić w głowie mężczyźnie, który pieścił teraz jej dłoń.

– To nie o to chodzi... – odpowiedział wymijająco, choć zwykle był bardziej konkretny.

– Nie rozumiem... – chciała skłonić go do zwierzeń, ale bez ciągnięcia za język mogło się nie udać.

– Bo to trudno zrozumieć...

– Ale co?

– Chyba kogo – naprowadzał ją.

– Kogo? – zapytała, początkowo nie rozumiejąc. Wystarczyła jednak chwila, by doznała olśnienia, dlatego dodała szybko: – Kobiety?

Nie potwierdził, czy dobrze myśli. Jednak jego ciężkie westchnienie było bardzo wymowne. Stanowiło najlepszy dowód na to, że się nie myliła.

– Mam nadzieję, że jestem pierwszą wolontariuszką, którą udało ci się zaciągnąć do łóżka – palnęła bezmyślnie, ale nie żałowała swych słów.

– Pierwszą – potwierdził szybko. – I pierwszą kobietą od dawna, którą pocałowałem...

– Nigdy w życiu w niczym nie byłam pierwsza, a tu proszę, dwie wygrane konkurencje – uśmiechnęła się bardziej do siebie niż do Łukasza.

Zamiast się odezwać, znów westchnął. Widocznie teraz to ona mogła wykorzystać czas poranka.

– A skoro już tak sobie porządkujemy rzeczywistość i zdradzamy statystyki, to może powiesz mi, którą kobietą jestem w twoim życiu? Tylko mi nie mów, że pierwszą, bo mimo tego, że jestem naiwna, mogę nie uwierzyć... – udawała luz, ale bała się tego, co mogła usłyszeć, i to na własną prośbę.

– Nie jesteś naiwna – stwierdził, ziewając.

– Pytanie dotyczyło czego innego... – nie dawała się zbyć i ciągnęła wątek pomimo obaw.

– Trzecią – usłyszała konkretną odpowiedź i zupełnie nie wiedziała, co zrobić z tą wiedzą. Ucieszyć się czy załamać?

– Ale nie będziemy teraz rozmawiać o twoich byłych, prawda? – zapytała, ratując się z opresji.

– Nie musimy – powiedział szybko, ale jak zwykle bardzo spokojnie.

Znali się krótko, a zdążyła się już przyzwyczaić do jego spokoju. Lubiła tę cechę, chociaż domyślała się, że była bardziej wypracowana niż darowana przez naturę.

– Szkoda, że nie możemy przeleżeć całego dnia – szepnęła, mając do siebie natychmiast żal o to, że sama pcha się, a raczej wpycha ich dwoje w sztywne ramy codzienności.

– Tak w sumie to... – chyba był od niej mniej spięty, ponieważ potrafił na chwilę odłożyć na bok czekające go obowiązki.

– To nie wiemy, która jest godzina... – sama nie wiedziała dlaczego, ale jej myśli znów krążyły wokół porannej prozy życia.

– Wiemy – zerknął w bok.

Dopiero teraz zauważyła, że na niskiej komodzie pod ścianą naprzeciwko nich stoi delikatnie podświetlony zegarek elektroniczny. Świeciły się na nim trzy cyfry: osiem, jeden, osiem. Była ósma osiemnaście.

– Powinnaś teraz gdzieś być? – zapytał, patrząc na nią z czułością.

– Mamy wtorek – zaczęła odnajdywać się na nowo w swoim życiu. – Zwykle o tej porze jestem w drodze na wykład, ale teraz mamy dni rektorskie, więc jestem wolnym człowiekiem. To znaczy w miarę wolnym – poprawiła się, wiedząc, że jej życiowa wolność jest zwykle mocno ograniczona.

– Fajnie jest być studentem – stwierdził, nie kryjąc tęsknoty za czasami, które już dawno miał za sobą.

– Jeszcze to pamiętasz? – zapytała, rozbawiając go tym pytaniem.

– Coś tam pamiętam... – wesołość w jego głosie była dla niej czymś nowym. – Nie jestem jeszcze taki stary – wszedł w wyraźną dyskusję z własnym PESEL-em.

– Ile masz lat? – zapytała zatem, nie powstydziwszy się swojej bezpośredniości.

Oderwała ciało od jego ciepła i zakrywając swą nagość szeroką kołdrą, usiadła po turecku i spojrzała na niego z góry. Tylko taką przewagę mogła mieć. Przewaga wieku należała do niego.

Od razu dłonie założył za głowę. Patrzył na nią. Uśmiechał się jak to on, jednym kącikiem ust bardziej niż drugim, i milczał.

– Tylko nie każ mi zgadywać, proszę...

– Czterdzieści trzy – odpowiedział spokojnie, zupełnie nie bojąc się tego, że mogłaby zacząć zgadywać i dać mu więcej lat, niż ma w rzeczywistości.

– A w jakim miesiącu się urodziłeś? – zapytała, uzupełniając jego dane osobowe.

– Ostatniego dnia listopada.

– To w tym roku skończysz czterdzieści cztery? – uparcie drążyła temat.

– Nie. Czterdzieści trzy.

– To dlaczego się postarzasz?

– Czterdzieści dwa, czterdzieści trzy... Co to za różnica...?

– Masz rację – zgodziła się szybko z przyjętym przez niego punktem widzenia. – W sumie żadna...

Wciąż patrzyła na niego z góry. Podobał jej się w każdej pozycji. Wpatrywali się w siebie nawzajem. Miała nadzieję, że widok, jaki miał, cieszył go przynajmniej w połowie tak jak ten, który rozciągał się przed jej oczyma. Wciąż nie mogła uwierzyć w to, co się stało, w to, do czego między nimi doszło.

– Nie musisz iść dziś do szpitala? – zapytała z nadzieją w głosie.

– Muszę – odpowiedział natychmiast.

– Jesteś już spóźniony? – spytała znów, bo nie znała godzin jego pracy.

Jeszcze wiele rzeczy o nim i jego życiu nie wiedziała, a chciała wiedzieć wszystko.

– Nie jestem.

Podobało jej się, że szybko odpowiadał na pytania. Choć był oszczędny w słowach, to i tak świetnie się rozumieli. Wychowywała się i żyła w męczącym ją słowotoku, dlatego teraz potrafiła docenić tę inną jakość. Osobą z jej otoczenia, która mówiła najmniej, była ciotka Marianna. Nela też mówiła mało, ale i tak była bardziej rozgadana niż Łukasz.

– Nie chcesz wiedzieć, ile ja mam lat? – zapytała, pragnąc w dalszym ciągu cieszyć się tym konkretnym mężczyzną, na którego patrzenie sprawiało jej nieziemską przyjemność.

– Wiem, ile masz lat – odpowiedział i uśmiechnął się tak, jakby ta wiedza była równoznaczna z posiadaniem nadludzkich zdolności albo niebotycznego majątku.

– Skąd wiesz? – zapytała, podejrzliwie marszcząc czoło.

– Mam wgląd w dane wolontariuszy przychodzących na mój oddział.

– O, proszę! – cmoknęła z uznaniem. – To co pan jeszcze o mnie wie, panie Sherlocku?

– Wiem, gdzie mieszkasz…

– I... – ciągnęła go za język, chociaż przypuszczała, do jakich jeszcze informacji miał dostęp.

– Znam datę twoich urodzin. I to dokładną – uściślił ku jej radości. Podobało jej się, że był tak dobrze przygotowany do rozmowy.

– I...?

– Wiem, że masz ładny charakter pisma – brnął, chyba nie chcąc zdradzać się dalej, że kiedyś dokonał tak dokładnej inwigilacji.

– Coś trzeba mieć ładnego – zażartowała.

Niestety żart nie rozbawił go wcale, choć była pewna, że tak się stanie.

– Skoro tak uważasz... – zaczął bardzo poważnie i objął wzrokiem fragmenty jej ciała, nie dające się teraz nakryć kołdrą, którą trzymała na wysokości biustu – ... to zmieniam zdanie. W stosunku do całej reszty pismo masz, dziewczyno, okropne.

Wszystko to powiedział nad wyraz poważnie. Jednak nie przeszkodziło jej to roześmiać się i ucieszyć z tego, że chyba ją podrywał. Było to oczywiście zbędne, ponieważ i bez tego gotowa była skoczyć za nim w ogień, on nie musiałby nawet kiwnąć palcem. Podrywanie było zatem zbędne, ale nad wyraz przyjemne.

– Kiedy się śmiejesz, jesteś jeszcze ładniejsza...

Usłyszała te słowa przez swój śmiech.

– Zdarza mi się czasem śmiać – podsumowała, powoli odzyskując powagę.

– Wiem. Dzieci w szpitalu bardzo cię lubią. Myślę, że między innymi za ten uśmiech – to mówiąc, wyjął zza głowy rękę i dotknął jej ust, które zdążyły odpocząć po nocy i znów stały się głodne pocałunków.

Rozchyliła je nieznacznie. Zaczęła całować jego palce.

– Nie rób tego... – zabronił od razu, ale ton jego głosu nie był wcale kategoryczny, tylko wyraźnie proszący.

– Dlaczego? – zapytała łagodnie i zabawiając się jego rosnącym pożądaniem, powtórzyła pocałunek, przedłużając go nieco, by dać wpatrującemu się w nią mężczyźnie do zrozumienia, że nie zawsze będzie ulegała jego prośbom, a nawet naleganiom.

– Jeżeli nie przestaniesz, to oszaleję – szepnął namiętnie.

– To mogłoby być interesujące – uśmiechnęła się.

Patrząc z góry, czuła, że ma nad nim pewną przewagę.

– Chcesz sprawdzić? – zapytał, nie zmieniając tonu głosu, a jej przewaga zaczęła maleć.

– Chyba się trochę boję. W końcu słabo się znamy i mało o tobie wiem. Wolontariuszki nie mają wglądu w dane osobowe szpitalnych szych.

– Szpitalnych szych? – powtórzył z uśmiechem.

– Oczywiście – potwierdziła bez wahania. – Powiedziałabym nawet, że szpitalnych legend.

– Co? – tym razem szeroko otworzył oczy.

– Tylko mi nie mów, że nie wiesz, jakim guru jesteś dla tych wszystkich pielęgniarek, lekarek i wolontariuszek – dodała z rozmysłem, otwierając mu oczy na szpitalne opowieści.

– Nie wiem – odparł przekornie. Okazało się, że tak też potrafi. – Ale widać, że to, co mówi się o współczesnej młodzieży, to wszystko prawda... – zażartował.

– Zmieniasz temat – zauważyła błyskotliwie i obdarzyła go szczerym uśmiechem.

– Zaraz zmienię pozycję – groźnie cedził słowa. – I nie będzie ci już do śmiechu – dodał głosem brzmiącym równie groźnie.

– Nie obiecuj... – perfidnie go podjudzała.

– Słuchaj... – zaczął.

– Dzieweczko! Ona nie słucha – z wielką przyjemnością nie dała mu skończyć.

– To dzień biały! – spojrzał w okno nad nimi. – To miasteczko! – dodał, wykazując się znajomością romantyzmu.

Patrzyła na niego, mając świadomość, że mógł się wykazać jeszcze nieraz znajomością tematów, o których ona nie miała pojęcia. Dzieliła ich spora różnica wieku. Dwadzieścia lat. Dwie dekady. Łukasz żył o dwadzieścia lat dłużej niż ona. Miał nie tylko więcej lat. Miał za sobą więcej przeżyć, doświadczeń, radości i pewnie smutków, ale patrzyła na niego i była przekonana, że pozostał młody duchem. Właśnie dlatego przebywając z nim, zupełnie nie czuła, że dzieli ich tak duża różnica wieku. Najbardziej podobało jej się, że obcując z nią, nie widział w niej kogoś od siebie dużo młodszego i głupszego. Wprost przeciwnie, zachowywał się tak, że w jego obecności zaczynała się czuć dojrzalej, lepiej. Przy nim czuła się mądrą kobietą. Wiedziała, że może mieć swoje zdanie w każdej sprawie. Nie wiedziała, co robił, że właśnie tak się przy nim czuła. Ale to nie było ważne. Ważne, że takim podejściem ją zdobywał, przekonywał do siebie. A różnica wieku? W ich relacji nie miała nic do rzeczy. To cieszyło ją prawie najbardziej.

Oczywiście najbardziej radowała ją miłość, którą do niego czuła. Jak było z jego uczuciami? Tego nie mogła wiedzieć. Musiała wykazać się cierpliwością. Patrząc w oczy Łukasza, w końcu zrozumiała to, co kiedyś w chwili słabości, która ją dopadła, powiedziała jej ciotka Marianna. „Juleczko, by w życiu do czegoś dojść, nie trzeba siły, tylko wytrwałości". Teraz, gdy czuła na sobie ciepłe spojrzenie Łukasza, wierzyła w swą wytrwałość. Wierzyła w sens tego powiedzenia, ponieważ zawsze wiedziała, czego chce od życia. W tym momencie do swych niewielu oczekiwań dodała jeszcze jedno, ale za to najważniejsze. Chciała usłyszeć z ust, które właśnie zaczynała całować, zapewnienie o miłości. Chciała usłyszeć tylko dwa bardzo konkretne słowa: „Kocham cię". Sama takie wyznanie mogłaby złożyć już dziś. Teraz jednak było to niemożliwe, bo Łukasz spełniał swą obietnicę i zmienił pozycję tak, że znalazł się nad nią, a ona mogła spojrzeć mu głęboko w oczy. To były oczy pełne młodzieńczego blasku. Nie odbijał się w nich jego wiek, ale blask, który cieszył ją teraz bardziej niż to, co wydarzyło się w nocy przerastającej jej najśmielsze marzenia. To był blask pożądania. Takiemu spojrzeniu nie mogła się oprzeć. Nie mogła. Nie potrafiła. Nie chciała.

Kocham cię… – pomyślała jeszcze, zanim straciła resztę rozsądku. Pierwszy raz w życiu czuła, że ciało wyprzedzało myśli. Dotychczas to słowa zawsze zajmowały pozycję lidera. Dziś ciało wyprzedziło wszystko i było jej z tym dobrze. Bardzo dobrze. Coraz lepiej…

Znów miała mokre włosy, a ciało gorące, owinięte wilgotnym ręcznikiem. Dopiero co wyszła spod prysznica. Teraz pierwszy raz w życiu prasowała koszulę z ogromną przyjemnością. U „burdelarzy" taka radość była nie do pomyślenia. Usiłowała skupić wzrok na bieli materiału. Przecież umiała prasować. W pracy zwykle prasowały z Nelą na zmianę. Ale Nela lubiła to bardziej i oczywiście robiła to lepiej. W tej chwili była z siebie dumna, że Łukasz pójdzie dziś do pracy w koszuli wyprasowanej przez nią. Żelazko, które trzymała w dłoni, sprawnie ślizgało się po mankietach. Ale od czasu do czasu odrywała wzrok od wykonywanej czynności. Deska do prasowania była pewnie stałym elementem wyposażenia łazienki Łukasza. Dlatego teraz miała przed oczami to biel prasowanej koszuli, to lustro, w którym odbijała się zgrabna sylwetka nagiego mężczyzny. Szklane ściany kabiny prysznicowej były zaparowane, ale i tak udawało jej się dostrzec wszystko, co chciała. Widziała to na tyle wyraźnie, że po raz kolejny od chwili, gdy zajęła się prasowaniem, nie mogła się oprzeć myśli, iż jej życie wywinęło niezłego fikołka i zamiast wrócić do pozycji wyjściowej, zawisło w wyśnionej przez nią przestrzeni. Prasowała kołnierzyk i czuła obawę, że jeśli wykona jakiś nieprzemyślany ruch, to straci tę równowagę bezpowrotnie. Musiała zrobić wszystko, by jej nie zaprzepaścić, by nie wrócić do swej byle jakiej rzeczywistości. Szum wody był kojący, a zapach męskich kosmetyków drażnił jej zmysły i pobudzał wyobraźnię. Miała ciało wykochane do granic fizycznych możliwości. W nocy i o poranku poznała się od takiej strony, której u siebie nie podejrzewała.

Była z siebie zadowolona. A to nie zdarzało się często, ponieważ stawiała wysokie wymagania zarówno swemu ciału, jak i duchowi. Nocą udowodniła sobie i Łukaszowi, że umie być oddana i odważna. Teraz, gdy słyszała syk rozgrzanego żelazka, zaczęła bać się momentu, w którym on wyjdzie spod prysznica, białym ręcznikiem wytrze ciało, a ona poda mu koszulę i będą musieli wyjść z mieszkania. Zdążyła je bardzo polubić. Już zastanawiała się, jak po tym, co się wydarzyło, będzie potrafiła odnaleźć się w swym dotychczasowym, jak się właśnie okazało, bardzo ubogim w uczucia i doznania świecie. Czuła, że niepotrzebnie się nakręca. Martwi na wyrost. Panikuje na zapas. Ale to było silniejsze od niej. Nie chciała okazać się tylko przelotną przygodą w życiu Łukasza. Przygodą na jedną noc. Chciała być życiową historią, która nie kończy się o poranku, która nie kończy się nigdy. Była jak mama i ciotka Klara. Dostała palec, a chciała mieć całą rękę. Ta jedna krótka noc wystarczyła, by zrozumieć, że bez niego już dalej nie da rady pójść sama.

– O czym myślisz? – usłyszała głos Łukasza.

Zdziwiła się, bo wcześniej nie usłyszała, że szum wody ustał.

– Mogę cię o coś zapytać? – postanowiła utwierdzić się w przekonaniu, że jej wcześniejsze myśli były tylko wytworem chwilowego czarnowidztwa.

– Tak... – Łukasz uśmiechnął się na widok dłoni wyciągniętej w jego kierunku, w której trzymała jeszcze ciepłą koszulę. – Dziękuję. Bardzo nie lubię prasować.

– Ale za to lubisz sprzątać – rozejrzała się po bardzo widnym za dnia mieszkaniu, wciąż nie mogąc wyjść z podziwu nad porządkiem, do którego żadnych uwag nie miałaby nawet mama.

– Też nie lubię – przyznał się szybko.

Powoli zapinał guziki koszuli, która zakrywając jego nagi tors, uzmysłowiła jej, jak wielką przyjemność czerpała z obcowania z jego ciałem.

– Porządek to zasługa pani Bogusi – przyznał z uśmiechem.

– Tej pani Bogusi? – zapytała podchwytliwie, mimo że dokładnie wiedziała, którą z pań salowych oboje mieli teraz na myśli.

Pani Bogusia na oddziale była znana z zamiłowania do porządku i dobrego serca. Również z tego, że jak nikt inny potrafiła skłonić do jedzenia nawet najoporniejszych niejadków, a takich na oddziale było co nie miara.

– Właśnie tej – potwierdził Łukasz.

– To już wszystko rozumiem – odparła z uśmiechem.

Ratowała się, jak mogła, wciąż walcząc z obawą o to, co się stanie, gdy wyjdą z mieszkania. Co się wydarzy, kiedy będą musieli się rozstać? Gdy każde z nich pójdzie w swoją stronę? Na samą myśl o rozstaniu miała ochotę beczeć jak oddziałowy niejadek nad talerzem, na którym rozlewa się kałuża szpinaku o podejrzanej konsystencji. Już nawet nie chciała zadawać Łukaszowi trudnego pytania, na które zgodził się odpowiedzieć. Nie chciała już nic. Pragnęła tylko, by był przy niej. By nigdzie nie odchodził. Jednak wiedziała, że to niemożliwe. Łukasz był teraz potrzebny nie tylko jej.

– Dlaczego jesteś smutna? – zapytał troskliwym tonem.

– Bo nie chcę stąd wychodzić – stwierdziła, nie chcąc wtajemniczać go w zawiłości swoich strachów.

– Przecież możesz zostać – zaproponował spokojnie, zupełnie jak wczorajszy wieczór w Kalorii, który na szczęście nie doszedł do skutku.

– Chyba żartujesz?

– Ani trochę – spoważniał.

Westchnęła, wiedząc, że jego poważne podejście do jej pragnień na obecną chwilę mogło nie wystarczyć.

– Nie lubię, gdy się smucisz – odezwał się cicho.

– A co lubisz? – zapytała, wyrażając gotowość spełniania jego potrzeb, zachcianek, życzeń, marzeń.

– Lubię wszystko, co jest związane z tobą – musnął rozchylonymi ustami jej wargi, zupełnie nie przygotowane na tak niespodziewany pocałunek.

Patrzyła mu w oczy. Nieprzerwanie czuła napięcie wyzwalane przez wzajemne spojrzenia i postanowiła spytać go o coś jeszcze.

– Możesz uwierzyć w to, co się stało?

– Pamiętasz wieczór, kiedy Krzysiek zadzwonił do mnie z Barcelony i poprosił, żebym zbadał jego syna? – odpowiedział pytaniem na pytanie.

– Pamiętam – odparła, umierając z ciekawości.

– Kiedy zobaczyłem cię wtedy w mieszkaniu Krzyśka, taką zestresowaną i zmęczoną, przestraszoną na mój widok, już wtedy miałem ochotę cię przytulić i spędzić z tobą noc – przyznał z rozbrajającą szczerością.

Już myślała, że nic nie jest w stanie jej zdziwić. A jednak! Znów nie mogła uwierzyć w to, co słyszy. To było jak bajka. Nie wiedziała, co powiedzieć. Zatem milczała, patrząc w jego bardzo poważne oczy.

– Później poczułem to samo wtedy, na półpiętrze. Ale wiedziałem, że nie mogę posunąć się dalej. Nie zauważałaś mnie. Chwilami miałem nawet wrażenie, że gdy mnie w końcu dostrzegasz, to unikasz kontaktu wzrokowego. Nie odbierałem z twojej strony żadnych sygnałów, że…

– Że coś do ciebie czuję? – pomogła mu w sytuacji trudnej do wyrażenia słowami.

– Julka! Ja odkąd zobaczyłem cię pierwszy raz, tego dnia po twoim egzaminie, od razu myślałem o tobie jako o kimś, kogo nie chciałbym wypuścić ze swojego mieszkania.

Patrzyła na niego, czując, jak smutek, który zdążył się w niej zgromadzić przez jej idiotyczne myśli, powoli niknie w oddali.

– To dlaczego wcześniej nie...

– To skomplikowane – wszedł jej w słowo.

Nie musiał przytaczać żadnych dalszych argumentów, ponieważ już wiedziała, że to, co się między nimi wydarzyło, było, dokładnie rzecz ujmując, bardzo skomplikowane. Nie wątpiła w to ani trochę. Patrzyła na niego, nie wiedząc, czy powinna się odezwać, czy lepiej zrobi, jak będzie milczeć i poczeka. Miała wrażenie, że chciał jeszcze coś dodać do swej niezbyt rozbudowanej, lecz aż nazbyt treściwej odpowiedzi. Musiał dostrzec wyczekiwanie w jej wzroku, ponieważ otworzył usta i westchnął.

– To trudne...- zaczął po raz kolejny. – Zobaczyłem cię i zachwyciłem się twoją skromnością, nieporadnością, ale też prostolinijnością, z jaką traktowałaś dzieci i wszystkich wokół siebie. Wszystkich oprócz mnie. Tym mnie zaintrygowałaś. Z początku próbowałem wybić sobie ciebie z głowy, bo jesteś taka młoda... Nie potrafiłem stwierdzić, czy schodzisz mi z drogi, czy mnie po prostu nie zauważasz...

Docierało do niej, że wszystko, co do niej teraz mówi, było prawdą. Wszystko się zgadzało. Traktowała go tak, ponieważ ją onieśmielał. Nie mogła zrozumieć jego fenomenu. Słyszała, jak wszyscy wokół, pomimo jego widocznej na pierwszy rzut oka mrukowatości, jakimś cudem wyrażają się o nim z szacunkiem i uznaniem. Jak rozmawiają z nim tylko na tematy służbowe, unikając choćby najmniejszych dygresji. Jak zastanawiają się pod jego drzwiami, czy wejść i przeszkodzić mu w pracy, czy może lepiej tego nie robić. Wiele razy widziała, jak rodzice chorych dzieci wychodzą z jego gabinetu w tak poważnych i grobowych nastrojach, przytłoczeni bagażem słów, który stamtąd wynosili, a którym obarczał ich nie los, tylko Łukasz. Przynajmniej wtedy miała takie wrażenie.

Teraz patrzyła na niego. Widziała mężczyznę w białej koszuli. Miała przed sobą kogoś, kogo znała z widzenia z oddziału. Żałowała, że nie potrafiła sobie przypomnieć chwili, w której zobaczyła go po raz pierwszy. Chodziła do szpitala, a on tam po prostu był. Omijała go wzrokiem, bo nie widziała powodu, dla którego miałaby się w niego wpatrywać. Był dla niej przemykającą po korytarzu postacią w białej koszuli lub granatowej kamizelce odcinającej się wyraźnie na tle tej bieli. Coś się zmieniło dopiero wtedy, gdy Nela uzmysłowiła jej swój stosunek do House'a. To Nela zwróciła na niego uwagę. To przyjaciółka otworzyła jej oczy i jak zwykle musiała przyznać Neli rację.

Patrzyła. Wciąż patrzyła na niego, czekając na to, by dodał coś do tej pewnie niełatwej dla niego opowieści.

– Wolałem trzymać się od ciebie z daleka. I było to bardzo łatwe, bo traktowałaś mnie jak powietrze...

Już był prawie kompletnie ubrany. Powoli, nie patrząc na nią, zapinał pasek spodni, który odpinał wczoraj w gorączce podniecenia.

– Dlaczego? Dlaczego trzymałeś się z daleka? – zapytała z bólem w głosie.

Myślała, że na odpowiedź będzie musiała poczekać, ale usłyszała ją od razu.

– Bo każda kobieta, do której się zbliżam, staje się przeze mnie nieszczęśliwa – powiedział poważnie.

Zrobiło jej się zimno. Przestraszyła się.

– Chcesz mnie przestraszyć? – zapytała od razu, czując, że najwyższa pora się ubrać.

– Nie – zaprotestował natychmiast. – Ale wszystko potoczyło się tak szybko, że...

– To, że potoczyło się szybko, nie oznacza, że szybko się rozpadnie – stwierdziła, broniąc się przed jego pesymizmem, którego źródła nie mogła się domyślić.

– Chcę w to wierzyć – odpowiedział z nadzieją w głosie.

– Ja też – przytaknęła z przekonaniem.

Wierzyła, że miłość, którą odnalazła, to nowe możliwości, a nie dodatkowe ograniczenia. Ale już teraz czuła przez wciąż nagą skórę, że codzienność nie będzie jej rozpieszczać tak jak minionej nocy.

– Muszę już wyjść – popatrzył na nią tak, że wiedziała, iż słowo „muszę" wypowiada z dużą przykrością.

Wyszli z łazienki. Ominął ją szybko. Z dużej komody stojącej niedaleko drzwi wejściowych wyjął coś małego. To coś mieściło mu się w dłoni. Tak jak przed chwilą ona podawała mu wyprasowaną koszulę, tak teraz on też wyciągnął w jej kierunku otwartą dłoń, by mogła zobaczyć, co w niej miał. Leżały tam klucze. To je zobaczyła najpierw. Potem dostrzegła zachęcające, pełne blasku spojrzenie.

– Są twoje. Weź je, proszę... – dodał, bo nie zareagowała od razu.

Nie dotykając jego dłoni, wzięła klucze.

– Jesteś pewien? – zapytała, czując, że zmiany w jej życiu tak naprawdę dopiero się rozpoczynają.

– Nie robię w życiu rzeczy, których nie jestem pewien – zdecydowanym głosem potwierdził jedną z cech swego charakteru, i to akurat tę, która wywierała na niej największe wrażenie.

– To się trochę różnimy – bez obaw odkrywała przed nim swoje słabości.

– Możesz przychodzić, kiedy chcesz – wytłumaczył się ze swojego szczerego gestu.

Stała w miejscu, nie mogąc się poruszyć, ponieważ szczerość Łukasza była najprawdziwsza na świecie. Dlatego zamknęła w dłoni ten niewielki, ale wiele znaczący podarunek i dziękując mu w myślach za to, co dla niej robi, wydusiła z siebie jedno słowo. Na pewno zrobiła to za cicho.

– Zapamiętam...

– Mam nadzieję – podchwycił od razu i zapiął kurtkę, po czym ujął jej twarz w bardzo ciepłe dłonie.

Zdążyła się już tak przyzwyczaić do tego gestu, że nie wyobrażała sobie, by zdarzyły się w jej życiu takie dni, kiedy nie poczuje na sobie jego dotyku.

– Kiedy się znów zobaczymy? – zapytał i nie dając jej czasu na odpowiedź, dopowiedział szybko: – Musimy porozmawiać, musimy się poznać...

– Zobaczymy... – powiedziała wymijająco.

Odpowiedziała tak oględnie, ponieważ nie potrafiła podać konkretnego terminu spotkania, o którym już marzyła. Pocałował ją. Zrobił to tak, że chciała, by kolejne spotkanie rozpoczęło się właśnie w tej chwili. Jednak było to niemożliwe. Czas, który wczoraj nie miał dla nich żadnego znaczenia, dziś już im nie sprzyjał. Ani im, ani pocałunkowi, bo ten stawał się coraz subtelniejszy, by zostać w końcu tylko wspomnieniem na ustach. Najpierw gorącym, a za chwilę już tylko letnim.

– Zadzwonię wieczorem – spojrzał na nią już zza progu mieszkania.

– Będę czekała...

Żegnała go z drżeniem. Obawiała się, że sen dobiega właśnie ku końcowi, a gdy się przebudzi, nie zostanie jej już nic.

– Późnym wieczorem… – uściślił.

– Wiem – odpowiedziała, zdając sobie sprawę, jak wyglądają jego dni na oddziale i w jak nieprzewidziany sposób zmieniają się godziny jego pracy.

Od pielęgniarek można było dowiedzieć się wszystkiego, i to w całkiem zwyczajnych codziennych rozmowach. To były bardzo dobre i niezwykle oddane kobiety, które nieraz szeptały o tym, ile nocy ordynator potrafi spędzić w szpitalu, nie śpiąc, tylko czuwając przy dzieciach bądź ślęcząc nad medyczną dokumentacją.

Jeszcze jedno spojrzenie. Ostatnie już dzisiaj. Bajeczne. I kroki na schodach. Najpierw wolne. Później coraz szybsze, aż w końcu niesłyszalne. Cicho zamknęła drzwi. Skierowała się do łazienki. Drugie drzwi, sąsiadujące z łazienką, pozostawały zamknięte. Korciło ją, by za nie zajrzeć, ale jedno spojrzenie na zegarek, a drugie na nieporządek na okrągłym stole uzmysłowiły jej, że czas obudzić się ze snu. Zrzuciła z siebie ręcznik. Szybko naciągnęła zdjęty z grzejnika w łazience suchy jak pieprz sweter. Rozglądała się za jakąkolwiek częścią bielizny, wciągając na siebie wysuszone na wiór dżinsy. Dziwnie czuła się bez bielizny, ale nigdzie nie mogła jej znaleźć. Nie miała teraz czasu na poszukiwania, machnęła więc ręką, wierząc, że i tak odzyska dwa skrawki błękitnego ulubionego kompletu. Szybko sprzątnęła talerze ze stołu. Okruchy po pysznych tostach zebrała mokrą ściereczką i wrzuciła je do kuchennego zlewu, w którym umyła kubki po kawie i talerze. Nie była przyzwyczajona do zmywania tylko kilku naczyń. W mieszkaniu Łukasza życie wydawało jej się nie tylko przyjemniejsze, ale i łatwiejsze. Choć się spieszyła, dokładnie pościeliła łóżko. Wciąż pachniało mężczyzną. Może też kobietą, ale ten zapach nie robił na niej żadnego wrażenia. Była do niego przyzwyczajona. Zapach Łukasza sprawiał jej fizyczną przyjemność, ale nie mogła się nim teraz nacieszyć, ponieważ musiała się odnaleźć w odmienionym wczoraj życiu. Omiotła wzrokiem mieszkanie. Wyglądało dokładnie tak jak wieczorem, gdy weszła tu po raz pierwszy, zupełnie nie przypuszczając, że ten pierwszy raz przyniesie im… pierwszy raz…

Zastanawiała się, jak to możliwe, ale odnosiła dziś wrażenie, że noc przyniosła jej wszystko, co w życiu możliwe, a ona i tak chciała więcej. W skrytości ducha wiedziała, czego chce jeszcze, czego chce więcej. Ale na razie nie chciała tego mówić głośno, bo i tak wszystko działo się w zawrotnym tempie. Okazywało się właśnie, że lubi taki bieg wydarzeń. Jednak lubiła też rozumieć wszystko, co się z nią dzieje. Teraz, gdy musiała wyjść do świata po tak ogromnej zmianie w swym życiu, miała mętlik w głowie. Nie znosiła uczucia zagubienia. Zwłaszcza że teraz pogodzenie jej normalnego życia z tym, którego tak niespodziewanie zasmakowała, wydawało się arcytrudne. Wychodząc z mieszkania Łukasza i przekręcając klucz w zamku, czuła, że nieodzownie potrzeba było czasu, by połączyć jej życie z życiem Łukasza. Schodząc po schodach, wciąż czuła zagubienie, które przybierało na sile. Nie wiedziała, gdzie w pierwszej kolejności skierować kroki. Zastanawiała się, dokąd pójść. Do domu? Czy lepiej zrobi, jeśli najpierw odwiedzi Nelę? Wybór był chyba prosty. Wybrała lepszy świat. Bardziej przychylny i skory do zrozumienia. Wsiadła więc do autobusu, który już w dziesięć minut mógł ją do tego świata zawieźć. Chciała się znaleźć u Neli i…

Ale co ja jej powiem…? – pomyślała z przerażeniem. Nie znajdowała żadnej sensownej odpowiedzi. Pytanie, które sobie zadała w duchu, było przerażające. Tym bardziej że nad uchem usłyszała nie tak jak w nocy męski, przyjemny głos, ale damskie, nieco skrzekliwe: „Proszę przygotować bilety do kontroli”.

– Chryste Panie!

Od progu usłyszała bogobojny okrzyk Neli, chociaż przyjaciółka nie zwykła wymieniać boskich imion nadaremno, ale chyba była wciąż nie w formie. Mimo dość późnego poranka nadal leżała w łóżku, w dodatku nakryta kołdrą po same uszy.

– Niech będzie pochwalony! – skłoniła głowę, odnajdując się w religijnej konwencji narzuconej przez przyjaciółkę.

– Ty chyba zwariowałaś? – Nela była bardziej zmartwiona niż zdenerwowana.

– Nie mylisz się – utwierdziła ją w trafnych podejrzeniach. – Zwariowałam, sfiksowałam, oszalałam, rozum straciłam – wyrecytowała, choć ta wyliczanka tylko po części oddawała rzeczywisty stan jej duszy.

Słowa te bowiem były zbyt łagodne, aby wyrazić to, co teraz działo się w jej sercu, duszy, myślach. Wszystko jej się mieszało.

– Dlaczego masz wyłączony telefon? – zapytała Nela, wciąż usiłując zachować spokój. – Twoja mama nie może się do ciebie dodzwonić i zgadnij: do kogo wydzwania? W dodatku chyba już przeczuwa, że u mnie cię nie ma.

Nela starała się to ukryć, ale była wyraźnie spanikowana. Może nawet odrobinę zniesmaczyła ją sytuacja, w którą została wmanewrowana bez uprzedniego omówienia szczegółów przyjętej taktyki. Nela niestety była profesjonalistką w każdym calu, nienawykłą do odgrywania zupełnie niewyreżyserowanych ról.

– Kiedy dzwoniła? – zapytała rzeczowo.

– Jakieś dziesięć minut temu – odpowiedziała przyjaciółka, wzrokiem domagając się jakiegokolwiek wytłumaczenia.

– I co powiedziałaś?

– Skłamałam, że wyszłaś do sklepu po bułki.

– Uff – odetchnęła z ulgą, a widząc minę Neli, dodała z pełną świadomością: – Normalnie nie wiem, jak ci się odwdzięczę! Dzięki! Bardzo!

– Ja też nie wiem, jak mi się odwdzięczysz – uśmiechnęła się Nela.

Zaraz potem zarumieniła się i gdyby mogła, wyszłaby z siebie, i to ze wstydu. A wszystko dlatego, że do pokoju wszedł Xawery w półnegliżu, w dodatku ze szczoteczką do zębów w ręku. Współlokatorki Neli już w minionym tygodniu, wyprzedzając sporo rektora swej uczelni, przyznały sobie dni wolne i wyjechały na święta. Z pewnością gdyby nie choroba, Neli też nie byłoby już w akademiku, a dokładnie rzecz ujmując, w nadwyrężonym nocną miłością łóżku. Jedno spojrzenie na rozpromienionego Xawerego wystarczyło, by pojąć, że nocą zastosowano tu kurację prowadząca Nelę ku zdrowiu na równi z tą antybiotykową. O ile nie lepiej...

– Cześć – przywitał się Xawery i szybko wciągnął na nagie przedramiona szarą sportową bluzę z kapturem.

– Hej – odpowiedziała na luzie i padła jak długa na jedno z dwóch wolnych łóżek, należące do koleżanki medyczki, oczywiście wzorowo zaścielone nie przez jego właścicielkę, tylko przez Nelę.

Poczuła się bardzo zmęczona i choć było pewnie dopiero około południa, może nieco wcześniej, miała ogromną chęć, by udawać, że jest środek nocy. Jednak tylko zamknęła oczy, a skowronek zamknięty w telefonie Neli zaśpiewał, nakazując szybki powrót do rzeczywistości.

– Tak, już jest, już ją daję – ulga w oczach Neli, gdy podawała jej swój telefon, była ogromna.

– Tak, mamo. Dzień dobry – przywitała się, maskując chrypkę w głosie, która jak na złość wzięła się pewnie z niewyspania i w tak ważnym momencie znacząco utrudniała mówienie.

– Masz chrypkę – skonstatowała od razu mama, nie witając się ani słowem.

– Nie, to tylko... Tak jakoś... – tłumaczyła się, chociaż nie znosiła tego robić.

– Znowu będziesz chora – zapadł wyrok oparty jedynie na poszlakach.

– Nie, mamo, nie martw się, nie będę – odparła z przekonaniem w głosie.

Wierzyła, że nadmiar „witaminy m", przyswojony przez jej organizm tej nocy, nie pozwoli się jej tak po prostu rozchorować. Musiała jednak przyznać, że czuje dość nieprzyjemne mrowienie w nosie i w uszach, a w gardle póki co delikatne pobolewanie.

– Kiedy zamierzasz pojawić się w domu?! – z ust mamy padło nie pytanie, tylko bardzo poważnie brzmiący wyrzut.

– Zaraz się jakoś ogarnę i...

– Na stole w kuchni zostawiłam kartkę, co masz zrobić – mama nie pozwoliła jej skończyć, była wściekła.

Nastrój rodzicielki nie zapowiadał dobrego dnia ani w ogóle nie zwiastował nic dobrego. Już wyobrażała sobie, że po powrocie do domu w kuchni na stole nie znajdzie małej karteluszki z trzema zapisanymi zadaniami, tylko papier podaniowy. Pewnie jak to papier przyjął każde słowo mamy, mające na celu uprzykrzyć dzień nieodpowiedzialnej i wciąż jeszcze niepoważnej córce, która zamiast w świątecznym czasie pomagać, to...

– Dobrze, mamo. Wszystko zrobię – jak zwykle niemądrze zgadzała się w ciemno, nie wiedząc, na jaki zakres prac się godzi, i nie próbując, choćby z racji wieku, negocjować zmniejszenia kary za swą niesubordynację.

– Ja wrócę do domu nie wcześniej niż o dwudziestej pierwszej. Krzychu ma dyżur, a Justyna idzie z Szymonem do dentysty, bo mały od wczoraj narzeka, że go boli ząbek. Muszę zostać z Tymkiem – mama lubiła pomagać, ale lubiła też opowiadać głośno o swej pomocy na prawo i lewo.

– Dobrze, mamo, do zobaczenia wieczorem – obiecywała tym samym, że wieczorem stanie do raportu.

Miała świadomość, że dziś to będzie ją dużo kosztować. Już wiedziała, że gdy zapadnie zmrok, będzie miała ochotę na to, by wyjść z domu i wbiec po schodach odrestaurowanej kamienicy z bijącym sercem, które w mieszkaniu na poddaszu mogło tylko przyspieszać swój rytm. Niestety rzeczywistość przypuściła swój atak. Zmuszała jak zwykle nie do posunięć przyjemnych i szalonych, tylko do przyziemnych i takich, które ograniczały jej wolność osobistą.

Z wielką ulgą oddała telefon Neli, która pożerała właśnie wzrokiem Xawerego. Chłopak był już chyba gotowy do wyjścia, co ewidentnie nie spodobało się jego dziewczynie. Widząc zakochaną minę przyjaciółki, postanowiła zachować się empatycznie, więc zerwała się na równe nogi z łóżka, na którym leżała, z pokorą przyjmując sesję matczynego coachingu.

– Ale Xawery, nie wygłupiaj się, zostań, ja już i tak muszę wyjść.

– Ja niestety też – Xawery chyba rzeczywiście wychodził nie przez jej nagłe najście. – Muszę odebrać tatę z lotniska.

Westchnęła, wiedząc doskonale, co czuje teraz Nela, Xawery zresztą też.

– To pa – Xawery pożegnał Nelę czułym słowem i spojrzeniem. Nela odwdzięczała mu się jedynie spojrzeniem, ale za to takim, które zupełnie nie potrzebowało potwierdzenia w słowach. Gdy za Xawerym zamknęły się drzwi, w pokoju zapadła cisza. Na chwilę.

– Chcesz coś zjeść? – zapytała dość szybko Nela.

– Sama nie wiem… – odparła, zupełnie nie czując głodu. – Raczej wolałabym się czegoś napić – stwierdziła, czując, jak bardzo chciałaby przepłukać obolałe gardło obojętnie jakim płynem, byleby tylko był przyjemnie ciepły.

– Nastawisz wodę? – zapytała Nela, która póki co chyba nie mogła wyjść spod kołdry.

Dałaby głowę, że przyjaciółka podobnie jak ona nie ma na sobie żadnej bielizny. Wyszła z pokoju, by nalać wody do czajnika. Gdy wróciła, Nela wciąż tkwiła w łóżku i nadal przykryta pod samą szyję przyglądała się jej w milczeniu.

– A tak w ogóle to ty masz na sobie jakieś fatałaszki? – zapytała.

Była w bardzo trudnej sytuacji. Bardzo chciała być z Nelą szczera, jak zawsze do tej pory. Ale czuła, że akurat dziś nie powinna przyznawać się Neli, że ktoś, kogo sama mianowała starym ramolem, właśnie dziś w nocy udowodnił jej, że ciała i jego sprawności mógłby pozazdrościć mu z pewnością niejeden dwudziestolatek.

– Tak się składa, że niespecjalnie – zgodnie z prawdą odparła Nela, rumieniąc się tak, że jej włosy na krótką chwilę straciły swój dość intensywny miedziany blask.

– To pięknie – westchnęła, powtarzając za ciotką Klarą jeden z jej komentarzy, co jak się miało za moment okazać, nie popłaciło jej wcale.

– Ale ty chyba też nie jesteś dziś kompletnie ubrana…

To było do przewidzenia, że bacznej uwadze Neli nie umknie fakt, iż pod cienkim swetrem ma tylko i wyłącznie nagie ciało, wciąż pamiętające każdy delikatny i każdy bardziej zdecydowany dotyk Łukasza. Patrzyła na przyjaciółkę, zdając sobie sprawę, że do pewnych szczegółów minionej nocy zasada prawdomówności nadal nie ma zastosowania.

– Tak się złożyło, że gdzieś w natłoku zdarzeń zapodziała mi się bielizna – palnęła prosto z mostu.

– Bielizna? – powtórzyła Nela, jakby dopiero teraz rozumiejąc, że jej przyjaciółka nie bez powodu spędziła noc pod nieznanym adresem z nie wiadomo kim. Za to wśród tych wszystkich niewiadomych oczywisty wydał się fakt, co się wydarzyło.

– Głupia sprawa – przyznała natychmiast. – Majtek też nie mam – dodała z frywolnością nierozgarniętej małolaty, która częściej używa walorów ciała niż rozumu.

– Co ty robiłaś? – Nela tym pytaniem i zaszokowanym wzrokiem dała wyraz wcale nie swej ciekawości, tylko bezgranicznemu zdziwieniu.

– Sądząc po tym, co zastałam w tym pokoju po przyjściu, myślę, że robiłam w nocy to samo co ty – odparła, nie mając zamiaru udawać świętoszki ani tym bardziej kogoś, kto będzie teraz utrzymywał, że nie jest w stanie wysnuć wniosków z zastanych na miejscu przesłanek.

Nela chrząknęła. Chrząknięcie oznaczało raczej, że się zawstydziła, a nie że chciała zdyscyplinować przyjaciółkę. Patrzyły na siebie. Badawczo. Nela z pewnością nie wiedziała, co powiedzieć, ona natomiast miała ochotę wyśpiewać przyjaciółce całą prawdę. Wszystko. Wszystkie szczegóły grające w jej rozśpiewanej duszy, ponieważ w niuanse przeżyć cielesnych wolała raczej się nie zagłębiać, gdyż i tak nie potrafiłaby teraz opowiedzieć o tym, co się stało z jej ciałem. Oraz z ordynatorem, który nocą przeobraził się w Łukasza. We własnym domu, we własnym łóżku był kimś całkiem innym. Kimś, kto w niczym nie przypominał mężczyzny pracującego w szpitalu.

– Nie wiem, co powiedzieć – Nela pierwsza przerwała milczenie, mówiąc bardzo powoli. – Oczywiście oprócz tego, że jeśli jest tak, jak się domyślam, to takie zachowanie jest do ciebie zupełnie niepodobne.

– I właśnie dlatego to wszystko jest takie ekscytujące – odkrywała przed Nelą karty, wiedząc, że najważniejszą figurę, króla, będzie musiała zostawić tylko dla siebie.

– Ale mam nadzieję, że wiesz, co robisz? – pytanie Neli było wyraźnie podszyte troską.

– Chyba pierwszy raz w moim pełnym samokontroli życiu zrobiłam coś, czego po prostu bardzo chciałam. I nie chcę teraz myśleć o tym, czy postąpiłam dobrze, czy źle. Czy tak można, czy nie można? Czy to się komuś spodoba, czy wprost przeciwnie? Najważniejsze, że mnie się spodobało i dzięki temu teraz czuję się nieziemsko.

– A jeśli czar pryśnie?

Pytanie Neli nie zdenerwowało jej zupełnie, mimo że wykazywało spore podobieństwo do uwag, których zwykła wysłuchiwać w domu. Było pesymistyczne. Wiedziała, że Nela mówi tak nie po to, by ją przestraszyć. Pyta dlatego, że sama bardzo chciałaby wiedzieć, co dalej. Nela nie chciała jej dobić, ale okazać jej swą troskę. Nela zawsze myślała o innych równie dużo co o sobie. Patrzyła teraz przyjaciółce w oczy i wiedziała, że Nela zastanawia się nad jej życiowymi posunięciami tak jak nad swoimi. Jej pytanie było dowodem przyjaźni i oddania, a nie braku zaufania.

– Łudzę się, że nie pryśnie – stwierdziła, mając wielką nadzieję, że tak się stanie.

Łukasz miał tyle lat, że czas poszukiwania wrażeń miał już chyba za sobą. Poza tym na co dzień był naprawdę bardzo zajętym człowiekiem. Chciała wierzyć, musiała wierzyć w to, że nie był łowcą przygód. W nocy odniosła wrażenie, że szukał miłości. Tym się chyba od niego różniła. Ona czekała na miłość, ale jej nie szukała. Jakoś tak się stało, że to miłość ją znalazła. Przecież nie modliła się ani o faceta, ani o żaden związek. W przeciwieństwie do swoich koleżanek z roku wcale nie robiła żadnych ambitnych planów znalezienia partnera na życie albo przynajmniej na dziś. Nie szukała. Ani w teatrze, ani w kinie, ani tym bardziej na dyskotece. Nie rozglądała się tęsknym wzrokiem po przystankach ani po ulicach. Nie stroiła się w pawie piórka, by wyróżnić się wśród innych dziewcząt. W przeciwieństwie do nich nie zarzucała haczyka. Nie dbała przesadnie o markowe ciuchy, fryzury czy inne wabiki, by wzbudzić zainteresowanie mijających ją mężczyzn.

Nela patrzyła przez okno, podczas gdy ona w głębokim zamyśleniu zalewała wrzątkiem liściastą herbatę. Innej nie było. Zastanawiała się, jak można pić coś tak fusiastego.

– Nie będę cię o nic pytać, nie bój się – zaczęła Nela.

– Nie boję się – skłamała gładko.

– Powiedz tylko, czy postradałaś rozum dla kogoś, dla kogo warto to zrobić? I już o nic nie zapytam, bo nie chcę się martwić.

– Tak właśnie myślę – powiedziała z pewnością w głosie, w sercu też.

Łukasz był dobry i to z pewnością było nie tylko jej subiektywne zdanie. Miała pewność, że gdyby mogła teraz powiedzieć Neli, a raczej pochwalić się jej, z kim spędziła minioną noc, przyjaciółka również nie miałaby żadnych wątpliwości co do dobrych zamiarów House'a. Przecież to właśnie swą dobrocią ordynator zawrócił Neli w głowie. Był dobry dla wszystkich, z którymi pracował.

Wymagający, ale dobry. Może nie wylewny czy nadzwyczaj sympatyczny, ale mimo to lubiany, a przede wszystkim szanowany. Neli to wystarczyło. Jej chyba też. Chociaż teraz nie umiała powiedzieć, czy zwróciłaby na niego uwagę, gdyby Nela wcześniej tego nie zrobiła.

– To mogę być spokojna – stwierdziła z dość wyraźną ulgą Nela.

W przeciwieństwie do mnie… – pomyślała, mimo wszystko ciesząc się, że Łukasz zburzył jej życiowy spokój. Była to wyjątkowa demolka, niezwykła, bo paradoksalnie, właśnie budująca.

– Kiedy wyjeżdżasz do domu? – zapytała, kończąc temat uczuć.

– Jutro rano – odpowiedziała Nela, trzymając już w dłoniach kubek z gorącą herbatą.

– Cieszysz się?

– Bardzo…

Neli nie udało się ukryć faktu, że rodzinne powitanie czekające ją już jutro musiało być okupione dzisiejszym pożegnaniem, które choć pewnie słodkie, było Neli nie w smak.

Cóż, w życiu nie można mieć wszystkiego… – pomyślała, wiedząc już co prawda, że zdarzają się takie godziny, minuty bądź choćby sekundy, kiedy człowiek wierzy, że ma już wszystko. Właśnie miała za sobą takie chwile i już teraz modliła się w duchu, by przydarzały jej się coraz częściej, ponieważ dzięki nim wszystko inne nabierało głębszego sensu. Nawet to, do czego miała się zabrać po powrocie do domu. Mogła urobić sobie ręce po łokcie, nabawić się odcisków na dłoniach, zakwasów w mięśniach, bólu głowy, mogły spotkać ją dziś wszelkie niedogodności cielesne, a w duszy i tak grałoby jej radośnie. Przecież wieczorem miał do niej zadzwonić. Usłyszy jego głos. Spokojny i zdystansowany. Nie musiała się już przejmować tym dystansem, gdyż bliskość i namiętność zaoferowane jej minionej nocy były ważniejsze od wszystkiego innego. Były najważniejsze. Dla niej.

Kiedy weszła, a raczej wdrapała się po schodach do mieszkania, bo windę chyba ktoś przytrzymywał kilka pięter wyżej, potwierdziła swe wcześniejsze przypuszczenia. Mama nie lubiła, gdy jej córka nocowała poza domem. Mimo że była już dorosła, miała ponieść karę za swoją niesubordynację. Pozostawiona przez mamę lista przerosła jej najbardziej pesymistyczne wyobrażenia. Zwłaszcza że nie zawierała wszystkich tych pozycji, których wykonanie wpadało w oko tuż po przekroczeniu progu mieszkania. Odkurzacz wystawiony na środek przedpokoju krzyczał do niej głosem mamy: „Mieszkanie ma być odkurzone!". Piętrzące się w zlewie brudne gary również spoglądały w jej kierunku, milcząc niesympatycznie. Rozstawiona naprzeciwko telewizora deska do prasowania, zasypana stertą pościeli i obrusów, mówiła sama za siebie, a piernaty zrzucone z łóżek na podłogę nie musiały nic mówić, by domyśliła się, na co czekają w wymownym milczeniu. Oprócz tego miała jeszcze listę. Analizowała ją właśnie bardzo uważnie. Ale nic, po prostu nic nie było w stanie jej dobić. Żadna proza życia nie była w stanie zabić w niej liryki nocy, którą wciąż w sobie miała pomimo upływającego czasu. Stała w kuchni i patrząc na listę, rozbierała się pospiesznie. Polecenia oczywiście oddawały bojowy nastrój zleceniodawczyni i zamiast miło brzmiących osobowych form czasownika zawierały rozkazujące bezokoliczniki: umyć, wytrzeć, poobierać, przygotować, ugotować. Wzdychała nad swym bardzo skrupulatnym planem dnia i myśląc o bezdusznie wyłączonym wczoraj telefonie, z rozmysłem postanowiła nie przywracać go do życia, by uniemożliwić mamie rozbudowywanie listy obowiązków na odległość i kontrolowanie postępów prac. Przecież Łukasz miał odezwać się dopiero wieczorem. Dzięki tej myśli nabrała chęci do życia, do sprzątania, do bycia posłuszną córką i do włączenia telefonu dopiero wtedy, gdy zapadnie mrok.

Dobrze, że w łazience nie ma okna – pomyślała z radością i zakasała rękawy swetra, pod którym nie miała biustonosza i póki co chciała, by właśnie tak zostało...

Usiadła w ulubionym fotelu mamy. W głowie jej się kręciło. Z głodu, wysiłku, ze zmęczenia. Mama miała pojawić się w domu za pół godziny. Czyli córka zdążyła przed czasem. Mieszkanie lśniło i pachniało czystością. W piekarniku podpiekało się szpinakowe lazanie, już prawie gotowe do podania. Potrawę przygotowała z własnej woli, bo ta pozycja nie znalazła się w spisie rzeczy wymaganych. Zapach unoszący się po całym mieszkaniu sprawiał, że ślinka jej ciekła. Zerknęła przez okno i poczuła się nieswojo. Od razu domyśliła się, skąd to uczucie. Ale gdy tylko zerwała się z fotela, by włączyć telefon, usłyszała dobrze znany odgłos przekręcania klucza w zamku. Mama wróciła wcześniej. Z ulgą położyła na podłodze tuż obok drzwi pełne siaty, swe odwieczne towarzyszki. Radość wynikająca z pozbycia się przytachanego ciężaru przerodziła się szybko w pojękiwania towarzyszące zdejmowaniu wiosennych butów.

– Jesteś? – usłyszała zasapane pytanie, które ani ją ziębiło, ani grzało.

– Jestem, jestem... – odpowiedziała ciepło, starając się swym głosem przekazać, że choć napracowała się co niemiara, to nie widzi choćby najmniejszych powodów do dąsów.

– To dlaczego nie włączysz tego cholernego telefonu, a domowego nie odbierasz?

– A dzwoniłaś? – zapytała, bojąc się tego, że Łukasz też mógł już próbować się z nią skontaktować.

– Bez przerwy!

Mama weszła do pokoju. Szła jako druga, bo przed nią kroczył groźny, paskudny stwór zwany złym humorem. Towarzyszyła jej też oczywiście przesada na ustach.

– Przepraszam, zapomniałam – wciąż mówiła dobrotliwym tonem, zupełnie ignorując stwora odbijającego się w tej chwili w oczach mamy.

– Jestem wykończona – mama popatrzyła na nią, nie licząc specjalnie na zrozumienie, tylko na ustąpienie miejsca godnego osoby noszącej koronę w tym lśniącym na wysoki połysk królestwie.

Natychmiast zerwała się z miejsca i od razu poczuła w kościach mordercze tempo i liczne kilometry wyrobione dziś na bardzo małym metrażu.

– Zrobiłaś wszystko?

– Tak – odpowiedziała bez dumy w głosie, dodając szybko: – Lazanie ze szpinakiem też upiekłam.

– To zjem chętnie, bo u Justyny kluski śląskie zrobiłam, ale nawet ich nie spróbowałam, bo spieszyłam się, żeby sprawdzić, co się z tobą dzieje.

– Zaraz wyjmę z piekarnika, to zjemy, tylko telefon włączę.

Musiała, po prostu musiała to zrobić, żeby nie zemdleć z nerwów i podekscytowania. Bardzo chciała usłyszeć głos Łukasza. Pragnęła potwierdzenia tego, co dziś podczas wykonywania prac domowych wydawało jej się po prostu przepięknym snem, nie mającym nic wspólnego z rzeczywistością.

– Teraz już nie musisz – machnęła ręką mama.

Muszę... – pomyślała zarówno z radością, jak i obawą. Radością, że zadzwoni. Obawą, że już próbował to zrobić. Oczywiście jak na złość nie mogła znaleźć w swej torbie telefonu, jednocześnie czując, że lazanie nie wytrzyma już dłużej wysokiej temperatury.

Jesteś! – przywitała telefon miłą myślą. Zupełnie jak kogoś bliskiego po długim okresie rozłąki. Włączyła komórkę i...

– A co ty jesteś taka rozpalona? – mama zawisła nad nią niespodziewanie.

– Nie jestem – zanegowała od razu wcale niegłupie matczyne spostrzeżenie.

– Mnie nie oszukasz – orzekła mama, bo jak się okazywało, nie potrafiła kłamać i poniosła fiasko na całej linii.

– Po prostu zmęczona jestem – odparła, przypominając sobie całą długą listę, którą z poczuciem dobrze spełnionego obowiązku i z ogromną przyjemnością tuż przed powrotem mamy porwała na maleńkie kawałeczki i wyrzuciła do kosza.

– To chodź, zjemy – mama skierowała się do kuchni, ale nie przeszkodziło jej to rzucić szybkiego polecenia: – Zostaw ten cholerny telefon!

Nie miała wyjścia. Musiała posłuchać. Położyła telefon w przedpokoju na szafce, zdążywszy uprzednio pogłośnić dzwonek w komórce, który w normalnych warunkach zwykle bywał prawie wyciszony. Z bijącym sercem stanęła przed piekarnikiem. Oczywiście przez mamę i lazanie nie wiedziała, czy Łukasz już dzwonił. Otworzyła drzwi piekarnika, czując na twarzy uderzenie gorącego, ale wykwintnie pachnącego powietrza. Jednak to gorąco nie umywało się do rozgrzanych ust Łukasza, za którymi tęskniła boleśnie.

– Ładnie pachnie – skomplementowała zapach mama, oczywiście w sposób bardzo oszczędny, bo lazanie pachniało oszałamiająco, a ser, pod którym obficie rozlewał się beszamel, nawet nie przypiekł się zbyt mocno.

Ale i tak komplement w ustach mamy był ewenementem. Dlatego miała powód do radości, i to chyba podwójny, bo lazanie ze szpinakiem było jednym z popisowych numerów mamy. Szybko ukroiła najpierw sporą porcję dla mamy, w drugiej kolejności dla siebie, marząc o tym, by przygotować kiedyś coś tak dobrego dla Łukasza. Chciała, by zdarzył im się taki dzień, w którym śniadanie będzie jego początkiem, a kolacja wcale nie końcem, tylko znów początkiem, tyle że nocy.

– Bardzo dobre – mama musiała być bardzo głodna, ponieważ zapominając o etykiecie, jadła dość łapczywie. – Zrób coś do picia.

– Na co masz ochotę? – zapytała uprzejmie i wstała od stołu, nie próbując nawet makaronowej zapiekanki, której małą porcję położyła sobie na talerzu.

– Obojętnie.

Nastawiła wodę w czajniku i przygotowała dwa kubki, które za chwilę miał wypełnić aromat malin przełamany nutą kardamonu. Znów usiadła przy stole i gdy zbliżyła do ust kęs lazanie, zadzwonił telefon. Była gotowa do sprinterskiego biegu.

– Siedź! Zjedz w spokoju, dziewczyno! – usłyszała polecenie, które podcięło jej skrzydła.

Nie chciała tego słuchać. Nie chciała siedzieć, nie chciała jeść, nie chciała za wszelką cenę walczyć o święty spokój.

– A jeśli to coś ważnego? – zapytała szybko, bo telefon wciąż dzwonił.

– A coś ty się nagle taka obowiązkowa zrobiła? Ja cały dzień wydzwaniam i masz to gdzieś, a teraz nagle spokojnie zjeść nie możesz?! Uspokój się i jedz! Jak kocha, to zadzwoni jeszcze raz! Jedz, mówię! – mama palnęła, nawiązując do znanej prawdy, że miłość powinna być cierpliwa.

Słowa matki nigdy nie dotykały jej jakoś szczególnie. Ale dziś tak. Pewnie dlatego, że pasowały do sytuacji jak ulał.

– Jedz! – powtórzyła mama wielce autokratycznym tonem.

Zaczęła jeść. Usiłowała przekonywać się w duchu, że idiotyzmem byłoby doszukiwanie się związku pomiędzy żarliwością uczucia a czasem trwania dzwonka telefonu, który właśnie umilkł. Próbowała uwierzyć, że to, iż Łukasz już nie dzwonił, nie oznaczało wcale, że zafundował sobie ekstatyczną noc z kolejną przypadkowo pocałowaną wolontariuszką. Nie poznawała się. Nie rozumiała się ani trochę. Nie wiedziała, dlaczego dołuje się niedorzecznymi myślami. Przecież zwykle potrafiła zachować trzeźwość umysłu. Teraz traciła głowę. I to przez co? Przez milczący telefon!

Musisz się uspokoić! Nie daj się ponosić emocjom! Daj sobie czas! – fundowała sobie w myślach ekspresową terapię. Przecież wiedziała, jak wygląda koniec dnia na oddziale. Domyślała się też, jak wygląda zakończenie dnia Łukasza. Wszyscy to wiedzieli. Zamiast iść do domu, zamykał się w swoim gabinecie i analizował. Czytał mądre książki, wciąż poszukiwał odpowiedzi na trudne pytania, którymi wiecznie zaskakiwała go i zasypywała szpitalna rzeczywistość. Czasami coś pisał. Wiedziała o tym wszystkim od pielęgniarek. Bardzo o niego dbały. Wieczorem zawsze zanosiły mu herbatę, kawę, coś słodkiego, a później szeptały po kątach: „znowu czyta te cegły", „dziś pisze", „stoi i patrzy w okno", „przegląda dokumentację", „o Boże, jaki on smutny, taki ekstrafacet, a taki smutny". I tak w kółko. Łukasz zamykał się w swoim gabinecie pewnie po to, by mieć spokój. Może potrzebował zachować zawodową tajemnicę, bo przecież w jego zawodzie nie można było o tym zapominać. Skoro nie musiał pędzić do domu... Uśmiechnęła się do swych myśli, wiedząc już, że nie oszukał jej, mówiąc, iż nikt na niego nie czeka. Dlatego wierzyła w jego słowa. Ufała mu. Tłumaczyła sobie teraz, że nie może się denerwować. Wmawiała sobie, że musi być cierpliwa, bo jak powtarzała bodajże po Horacym ciotka Marianna: „Cierpliwość czyni lżejszym to, czemu nie można zaradzić". Musiała wypracować w sobie tę cierpliwość i myśląc ciepło o Łukaszu oraz o ciotce Mariannie, jadła lazanie. Nie wsłuchiwała się zupełnie w to, o czym cały czas trajkotała mama, bo dostała od losu prezent. Otrzymała coś, co pozwolało jej wierzyć, że jej życie zmierza teraz w doskonałym kierunku. Znów zadzwonił telefon. Była już prawie po kolacji, zatem przeprosiła mamę i odeszła od stołu. Chciała biec z prędkością światła, nie napotykającego żadnych przeszkód. Szła jednak spokojnie, błogosławiąc w duszy mikroskopijny metraż rodzinnych kątów, dzięki czemu od telefonu dzieliło ją zaledwie parę kroków.

– Słucham... – odezwała się dość cicho, wiedząc, że już za chwilę usłyszy jego głos.

– Dobry wieczór – przywitał się spokojnie i dość oficjalnie, ale i tak jego głos poruszał ją do głębi, dotykał jej ciała.

– Dobry – odpowiedziała i uśmiechnęła się.

Po cichu zamknęła drzwi do swojego pokoju. Chciała być z Łukaszem sam na sam, tak jak nocą.

– Martwiłem się – nie zmienił podejrzanie oficjalnego tonu.

– Po prostu zapomniałam włączyć telefon – tłumaczyła się dzisiaj już drugi raz.

– Aha.

Znów usłyszała pozbawiony emocji głos. Pozbawiony uczuć, jak dom ograbiony przez złodziei. Brzmiał strasznie. W nocy poznała Łukasza od całkiem innej strony. Choć teraz nie była już niczego pewna... Przecież mogła się mylić. Pomyłki jej się zdarzały.

Często. W nocy zwróciła największą uwagę na jego oczy. Na oczy, usta, dłonie, na całe jego ciało. Jednak chyba najbardziej zakochała się w szepcie, ponieważ to on był najbliższym towarzyszem jej rozkoszy. A teraz co? Słyszała głos nieznajomego. Zadawał kłam namiętności, w którą teraz nie mogła już uwierzyć.

Pewnie dlatego rozpłakała się, wiedząc, że nie chce już słuchać tych obojętnie brzmiących słów. Nie wiedziała, co powiedzieć. Już zdążyła zbudować w sobie przekonanie, że lepiej zrobi, jeśli przestanie się odzywać. Chciała przemilczeć uczucia, o których przed chwilą mogła nie tylko opowiadać, ale nawet śpiewać. Teraz chciała milczeć, by nie musieć wsłuchiwać się w oschły głos, bez krztyny uczuć. W niczym nie przypominał tego, który nocą napawał pewnością, że w końcu przydarzył jej się w życiu ktoś, kto zrozumie, obdarzy dobrocią, przytuli, gdy będzie źle, i pokocha bez stawiania warunków. Ktoś, kto nigdy nie powie: „Bo jak nie, to...".

– Dlaczego się nie odzywasz? – znów usłyszała lodowaty ton, którego obawiała się najbardziej.

Bała się, że już przemyślał to, co się stało. Obawiała się, że już tego żałował. Może dlatego jego głos brzmiał teraz tak obco? Może bał się jej o tym wszystkim powiedzieć. Być może chciał oznajmić jej to, że popełnił błąd, że to, do czego między nimi doszło, było pomyłką. Może chciał się usprawiedliwić i wytłumaczyć jej, że nie ma w zwyczaju zaciągać do łóżka młodych, nieświadomych i naiwnych dziewczyn. A może wprost przeciwnie? Może dla takich dziewczyn potrafił przeistaczać się z ordynatora w Łukasza. Ale tylko na jedną noc. Być może teraz nie było dla niego ważne, że ta noc uczyniła z niej kobietę.

Wylewała z siebie łzy, ale słowa więziła, ponieważ bała się, że znów usłyszy jego głos. Inny niż chciała. Brzmiący obco.

– Co się dzieje? – zapytał wciąż tym samym tonem.

Nie lubię rozmawiać z tobą przez telefon – wysnuła w duchu szybki wniosek, którym nie chciała się podzielić, ponieważ ogarnął ją strach.

– Żałujesz? – zapytał.

W jego głosie było więcej pewności niż wahania. Nie wiedziała, czy bał się tego, że mogła żałować, czy czekał na jej żal, by przyznać się wtedy, że czuje podobnie. Na pewno chciał przyznać się do popełnienia błędu. Nie mogła do tego dopuścić. Musiała zachować twarz.

– Nie dzwoń do mnie… – odezwała się nagle i przeraziła się tych słów, powinna była je przemilczeć.

– Dlaczego? – zapytał natychmiast.

Miał lodowaty ton. Ale gdyby miała głowę na karku, zauważyłaby, że w tym głosie słychać było nutkę strachu. Ale nie miała głowy na karku. Straciła ją dla niego w nocy. Teraz też traciła dla niego głowę.

– Bo nie lubię rozmawiać z tobą przez telefon – odpowiedziała.

Po czym szybko i bez wahania niczym bezduszny kat, którego obowiązkiem było pozbawianie ludzi głów, po raz kolejny w ostatnim czasie straciła głowę i wyłączyła telefon. Nawet nie przerwała rozmowy, tylko wyłączyła komórkę. Cisnęła nią o podłogę, by zaraz potem uderzyć w płacz, tłumiony przez poduszkę. Zwariowała. Gorzej, straciła głowę. Dla niego. Przez niego. Zrobiło jej się zimno. Koszmarnie zimno. Krew chciała się zatrzymać.

– Co z tobą, Juleczko? – ciotka Marianna zajrzała nieśmiało do jej pokoju.

– Źle się czuję – odpowiedziała, marząc, by kiepskie samopoczucie się skończyło, choćby tragicznie.

A skoro jej marzenia spełniały się rzadko, a tak dokładniej to prawie nigdy, to o zgonie mogła rzeczywiście tylko pomarzyć.

– Mogę wejść? Na chwilę? – nieśmiało zapytała ciotka.

– Oczywiście – odparła, odwracając się od ściany, w którą z małymi przerwami wgapiała się przez cały Wielki Czwartek, Wielki Piątek, Wielką Sobotę i wreszcie Niedzielę Wielkanocną.

Wypłakanymi do cna oczami patrzyła, jak ciotka odsuwa krzesło od biurka i powolnym ruchem siada, zwracając się w jej stronę. Dobre i łagodne spojrzenie ciotki wytrzymała tylko przez chwilę, pomimo tego, że w niczym nie przypominało napastliwego mamy i wścibskiego ciotki Klary. Zamiast patrzeć ciotce w oczy, utkwiła wzrok w jej papciach, które nawet podczas nieobecności ciotki swym wesołym wzorem w kolorową kratkę przypominały, że jest ona domownikiem, i to najbliższym jej sercu.

– Coś mi się, Juleczko, wydaje, że twoja grypa ma jakieś grubsze przyczyny – stwierdziła ciotka, wzdychając współczująco.

Ma – w myślach odpowiedziała bardzo jednoznacznie. Na głos jednak odezwała się całkiem inaczej.

– Chciałabym zaprzeczyć.

– Ja też chciałabym, żebyś zaprzeczyła – odparła ciotka, dając jej tym samym do zrozumienia, że dociera do niej trochę więcej niż do reszty świątecznych gości zajadających się od rana wielkanocnymi smakołykami. – Co się stało? – głos ciotki był tak dobrotliwy, że zapragnęła opowiedzieć jej o wszystkim, ale nie wiedziała, od czego zacząć.

– Skomplikowałam sobie życie – przyznała załamanym głosem, obwiniając za to, co się stało, oczywiście siebie.

Wiedziała doskonale, że zakopana po uszy w pościeli wygląda jak zbity pies. Tak też się czuła. Za drzwiami jej pokoju zapanowała cisza. W końcu. Justyna z Krzychem już wyszli, czyniąc dom bardziej znośnym, zwłaszcza że chłopcy jak na złość byli dziś nieokiełznani. Zarówno jeden, jak i drugi. Ale i tak nie umywali się do ciotki Klary, która bez taryfy ulgowej traktowała ich rodziców. Dla dzieci też była jak zwykle niemiła.

Cieszyła się, że nie musi uczestniczyć w rodzinnym świętowaniu, a przedtem w gotowaniu jak dla wojska. Wiedziała, czym to się skończy, ale nawet najgorsze matczyne wyrzuty, które ją czekały, były niczym w porównaniu z tym, co przeżywała od kilku dni. Grypę udawała. Ciało miała zdrowe, ale jej serce bardzo chorowało. Bez względu na to wiedziała, że jutro musi pójść do szpitala. Obiecała to Neli, gdy żegnając się, wymieniały wielkanocne serdeczności. Jeszcze wtedy myślała, że Pana Boga za nogi chwyciła. Wydawało jej się, że życie nabrało kolorów, a los ofiarował nareszcie coś, co było ją w stanie napełnić zadowoleniem. Przyrzekła Neli wizytę w szpitalu, ponieważ obie wiedziały, że świąteczny czas dla dzieci przykutych do szpitalnych łóżek jest większym piekłem niż ogień choroby. Wiedziała też, że dla Neli każdy dzień spędzony z rodziną stanowi największy skarb. A skoro grypa, którą umiejętnie markowała dzięki bezbrzeżnemu przygnębieniu, wcale jej nie dokuczała, nic nie mogło przeszkodzić temu, by stawiła się jutro na oddziale jak w każde inne poniedziałkowe popołudnie. Co prawda mogła tam natknąć się na ordynatora. Łukasz znów stał się dla niej ordynatorem. Jego zimne słowa, obcy, zdystansowany ton, który niestety usłyszała podczas rozmowy telefonicznej, zabraniał jej myśleć o nim jako o Łukaszu. Zresztą w obecnej sytuacji jego pojawienie się w jej życiu wydawało się wymysłem jej wyobraźni. Fantazją od początku do końca. Od pierwszego męskiego pożądliwego spojrzenia na jej mokry sweter bezwstydnie opinający biust do porannego delikatnego pocałunku na do widzenia.

Leżała w łóżku, wiedząc, że to wszystko jej wina. Nie powinna zachowywać się tak naiwnie. Przecież powinna zabronić sobie bycia łatwowierną Lolitą. Była przekonana, że to wcale nie przez niego płacze teraz w obecności ciotki Marianny, w ogóle nie czując wielkanocnej radości.

Ciotka milczała. Jak zwykle w trudnych chwilach. Jej empatia zawsze objawiała się w ten sposób. Ciotka w odróżnieniu od swych sióstr pozwalała przeżywać. Zwykle nawet podczas siostrzanych kłótni milczała, zamiast brać w nich udział.

Od najmłodszych lat pamiętała, że zapalnikiem tych spięć była mama, która nie wytrzymywała presji trudnych sytuacji. Oliwy do ognia bez zastanowienia zawsze dolewała ciotka Klara. Natomiast ciotka Marianna jakby na przekór kłótliwym zapędom, zwłaszcza swej starszej siostry, zamiast gasić swą mądrością rozpalone ogniska sporu między kobietami, milczała, licząc pewnie na to, że rodzinne pożary strawią w końcu wszystkie złe emocje, wypalą je do cna. Raz na zawsze.

Teraz w milczeniu ciotki nie wyczuwała ani obojętności, ani współczucia, nie było też tam zrozumienia czy troski. Ciotka patrzyła na nią i nic nie mówiła. Nie chciała jej wspierać. Nie chciała mówić: „Nie płacz, dziecko... Wszystko będzie dobrze, zobaczysz...". Dobrotliwość ciotki przywodziła jej na myśl okno życia. I pomyśleć, że zobaczyła je dzięki ciotce Klarze, która pewnego razu wymyśliła sobie, że na swe problemy z sercem na gwałt potrzebuje pewnych ziółek. Zielarski specyfik można było kupić tylko w specjalnym sklepie na drugim końcu miasta. A że wszystkie rozliczne dolegliwości ciotki Klary wymagały uwagi całej rodziny oraz poświęceń zwłaszcza ze strony najmłodszej siostrzenicy, zatem pewnej słonecznej soboty to ona została wysłana po owe ziółka. W miejscu, w którym kończyło się miasto, tam, gdzie nie dojeżdżał już żaden autobus ani tramwaj, tam, gdzie coraz częściej zdarzały się zaniedbane przez właścicieli domy, w długim ceglanym zmurszałym murze, za którym ukrywało się zgromadzenie sióstr zakonnych, zobaczyła takie okno. Wyjątkowe. Otwierało się je też od zewnątrz. Było plastikowe i brązowe. W jego wnętrzu dostrzegła przezroczysty, prostokątny pojemnik, wyściełany błękitnym miękkim kocykiem, na którym leżała też błękitna maleńka poduszeczka.

Oczy wpatrzonej w nią teraz ciotki Marianny przywiodły jej na myśl tamto okno życia, i to wcale nie ze względu na błękit. To okno mogło uratować życie jakiemuś maleństwu, którego z różnych powodów matka nie mogła obdarzyć matczyną miłością. Może to okno ratowało też życie matki, która podejmowała dramatyczną decyzję o pozbawieniu swego dziecka własnej miłości. Być może było to też rozwiązanie problemu, jaki sprawiało niechciane dziecko. Okno życia rozwiązywało życiowe trudności, o których niewtajemniczony w to zagadnienie człowiek nie mógł mieć bladego pojęcia. Wiedziała, że o człowieku i jego psychice nigdy nie dowiemy się wszystkiego. Nawet wtedy, gdy wydaje nam się, że coś znamy dobrze, że wiemy o czymś wszystko, to dopiero wówczas jesteśmy w błędzie, błądzimy w ciemności i chodzimy po omacku jak we mgle.

Ciotka milczała. Była jak puste okno życia. Gotowa nieść pomoc w każdej chwili, ale tylko temu, kto ma odwagę z niej skorzystać. Wzrok ciotki oferował pomoc, ale ona nie była gotowa na to, by ją przyjąć. Nie chciała nic mówić. Chciała tylko płakać i rozmyślać. Tęsknić. Oskarżać się o naiwność, głupotę i każde inne życiowe upośledzenie, które teraz nie pozwalało jej normalnie funkcjonować.

Nagle otworzyły się drzwi pokoju.

– Marianka? A ty co? – usłyszała głos mamy, który sprawił, że zupełnie nie musiała podnosić zapłakanych oczu, by oczami wyobraźni zobaczyć jej wykrzywioną złością minę. – Chyba jedna chora w święta nam wystarczy! Chcesz się zarazić?

Ku jej zdziwieniu okazało się, że złowrogie słowa skierowane były do ciotki. Ona natomiast usłyszała:

– Julka! Chcesz czegoś?!

Nawet tym razem złość nie ustąpiła miejsca trosce.

Miłości… – pomyślała i użaliła się nad sobą kolejny już raz dzisiaj.

– Nie, dziękuję – odpowiedziała cicho, nie ruszywszy nawet głową.

– Gorączkę mierzyłaś?

– Tak – skłamała. – Już nie mam.

– To przestań się już mazać i śpij. Jeszcze niejedne święta przed tobą. Nie bucz, tylko śpij, bo sen to zdrowie!

Ta specyficzna empatia mamy doprowadzała ją do szaleństwa. Ale posłusznie zamknęła oczy, udając, że słucha cennych wskazówek.

– Marianna! A ty się w nią nie wgapiaj! Niech śpi! Może następnym razem, jak matka jej każe wziąć parasol, to raczy posłuchać, a nie…

– To do zobaczenia, Juleczko, wracaj do zdrowia.
Usłyszała ciepły głos swojego okna życia.
– Pa, ciociu – szepnęła, nie otwierając oczu.
Poczuła w końcu, że świadomość, iż może liczyć na pomoc dobrej duszy, ciotki Marianny, pozwoli jej w końcu zasnąć, chociaż od wczoraj sen jak na złość nie chciał przyjść i za nic nie dawał się zaprosić.

Dobiegający z kuchni trzask metalowych garnków zbudziłby nawet umarłego. Z nią poszło dużo łatwiej. Pomimo braku chęci do życia nadal żyła. Nie była z tego zadowolona. Podobnie jak z krzątaniny mamy, przez którą znów musiała wrócić do rzeczywistości. Otworzyła jedno oko i od razu dostrzegła, że było jeszcze bardzo wcześnie. W pokoju panował wielce łaskawy dla zapłakanych oczu półmrok. Ciepełko kołdry stawało się jeszcze przyjemniejsze w zetknięciu z odgłosem deszczu uderzającego o blaszany parapet i szyby umytego przedwczoraj okna.

Prawdziwy lany poniedziałek – pomyślała, zamykając znów oko. Rumor w kuchni uspokoił się, więc nie musiała nawet naciągać kołdry na głowę.

– Julka!

Usłyszała bezlitosne matczyne nawoływanie. Od razu pożałowała, że nie skorzystała z kołdry, która mogłaby choć częściowo stłumić dochodzące dźwięki.

– Julka, żyjesz?!

Mama nawet w święta nie miała dla niej litości.

Niestety tak... – pożałowała w myślach, zastanawiając się, dlaczego tak się działo, że ciotka Marianna potrafiła odnosić się do niej z czułością, a własna matka traktowała ją momentami jak psa. Ta metafora była zresztą trafiona, bo czuła się jak pod psem. Bliżej jej było do zdechnięcia niż do pilnowania dobytku gospodarzy.

– Dlaczego się nie odzywasz?!

Mama stanęła w drzwiach pokoju z kuchenną ścierką w ręku i pretensją na ustach.

– Nie zdążyłam – odpowiedziała grzecznie, mając ochotę raz na zawsze pozbyć się tej nieszczęsnej grzeczności.

– Dziś już pewnie niewiele zdążysz zrobić, zresztą tak samo jak wczoraj!

Mama stała już nad nią i bez śladu czułości badała jej czoło mokrą dłonią.

– Gorączki już nie masz.

– Która godzina? – zapytała.

Odkąd była w separacji z własnym telefonem, nie miała kontroli nad upływającym czasem. Nic ją nie interesowało. Czas przepadał w tej jej nicości.

– Kilka minut po szesnastej. Może w końcu coś zjesz?

– Co?! – usiadła na łóżku.

Gdy usiadła, dopiero poczuła, że stara koszulka Janka, którą miała na sobie, była całkiem mokra. Musiała wyglądać tak, jakby zamiast spać, spacerowała po parapetach bloku, i to od zewnątrz.

– Idź do łazienki, wykąp się i przebierz. Przyjrzyj się sobie! Jak ty wyglądasz?!

Rodzicielka strofowała ją jak co najmniej agentka modelkę przed pokazem, do którego ta nie była jeszcze gotowa, choć wybieg już wzywał. Zdecydowanym ruchem wstała z łóżka. Mama odsunęła się o krok, przyglądając się z rezerwą komuś, kogo jeszcze przed chwilą pytała o to, czy żyje.

– Muszę wyjść! – palnęła bez sensu, zamiast najpierw pomyśleć.

Chyba nie czuła się jeszcze całkiem dobrze, bo popełniała błędy mogące utrudnić jej dzień, który co prawda nie zaczynał się – jak przed chwilą myślała – ale już powoli kończył.

– Co?! – mama zbaraniała, co nie było dla niej zachowaniem typowym, nawet biorąc pod uwagę wielkanocną atmosferę.

– Muszę wyjść! – po raz drugi powiedziała prawdę, czyli popełniła błąd karygodny w tym domu.

– Zwariowałaś?! – krzyk mamy nie był pytaniem o kondycję psychiczną córki, tylko głośnym i zdecydowanym brakiem przyzwolenia na jej popołudniowe plany.

– Nie – odpowiedziała spokojnie. – Po prostu muszę coś załatwić.

– Chryste Panie! Julka, ile ty masz lat?! Całe święta zdychasz, a teraz wyskakujesz z łóżka jak filip z konopi, w dodatku mokra i zmaltretowana. Myślisz, że pozwolę ci wyjść w taką pogodę, żebyś się na nowo załatwiła? Zwariowałaś!

– Mamo! – przerwała mamie początek wykładu, którego każde stwierdzenie, tezę i antytezę znała na pamięć. – Ile ja mam lat? – powtórzyła treść pytania mamy.

Mama stała, przyglądając się, jak jej już od dawna pełnoletnia córka szykuje garderobę, by wyjść z domu pomimo niesprzyjającej aury i rodzicielskiego zakazu, który rzadko spotykał się z tak jawnym brakiem poszanowania.

– I co z tego, że masz tyle lat, skoro zachowujesz się jak postrzelona nastolatka?

Chciałabym nią teraz być! – zamarzyło jej się całkiem serio.

– Wcale tak nie uważam – odparła, chcąc wyminąć mamę w drodze do łazienki.

Ta jednak, jak było to do przewidzenia, nie mogła po prostu machnąć ręką i pozwolić jej robić to, na co miała ochotę.

– Szkoda, że się nie widzisz. Powinnaś jeszcze co najmniej dwa dni z łóżka nie wychodzić. Musisz się kurować. Ale po co matki słuchać, skoro się wszystkie rozumy pozjadało, prawda? Przecież to ty jesteś najmądrzejsza na świecie! Co cię to obchodzi, co ja mówię? Skoro coś nagle do łba wpadło, to trzeba to od razu zrealizować. I co z tego, że studiujesz psychologię, skoro tak się zachowujesz?

Błagam, skończ jak najszybciej. I nie próbuj mnie teraz analizować – prosiła, nie, błagała w myślach.

– Mamo, proszę cię, zależy mi na czasie – prosiła dość uprzejmie, spolegliwie, tonem usiłującym za wszelką cenę zażegnać awanturę.

– Ale dokąd to się wybierasz? Przecież leje. Są święta. Dzisiaj to nawet żadne tramwaje ani autobusy nie jeżdżą. Znowu się będę o ciebie martwiła.

– Mamo, proszę cię, przestań się już o mnie martwić. Ja naprawdę jestem już dorosła. Jak zrobię jakieś głupstwo, to ja będę za nie odpowiadać, nie ty.

– To chociaż mi powiedz, kiedy wrócisz.

– Nie wiem – krzyknęła już zza drzwi łazienki, gdyż jakimś cudem udało jej się tam przemknąć.

Odkręciła kran, by utrudnić mamie przemowę. Zdjęła z siebie przepoconą koszulkę. Zerknęła w lustro i zaskoczyła się dość pozytywnie. Biorąc pod uwagę to, co przeżywała od kilku dni, wyglądała dość dobrze. Widocznie prawie cała doba snu zrobiła swoje. Reszty miała dopełnić kąpiel i czyste ciuchy wybrane z umiarkowaną starannością. Woda lała się do wanny szerokim strumieniem, a ona, starając się nie myśleć o Łukaszu, by nie stracić odwagi do pełnienia wolontariatu, szorowała zęby.

– Julka, wodę zakręć! Po co jej aż tyle lejesz?!

Mogła się tego spodziewać. Zakręciła wodę i od razu chciała odkręcić ją z powrotem. Pragnęła zagłuszyć zarówno swe myśli, jak i matczyne słowa.

– Posłuchaj – mama jak zwykle mówiła przez drzwi. – Idę do ciotki Marianny na herbatę i ciasto. Obiecaj, że zanim wyjdziesz, zjesz obiad. Wszystko zostawiłam ci na stole w kuchni. I przyrzeknij, że nie będziesz sama wałęsać się po nocy.

– Obiecuję! – krzyknęła na odczepnego.

Choć to nie było konieczne, z premedytacją spłukała wodę w ubikacji, by nie słuchać kolejnych wytycznych na temat wieczoru, który zaplanowała nie po myśli mamy. A jak coś szło nie po myśli mamy, to było złem wcielonym. Tak to już było.

Tego jej było trzeba. Nie na darmo wolontariat, w którym uczestniczyły z Nelą, nazywały czasami między sobą „bajkowymi spotkaniami". Niektórzy wolontariusze z ich ekipy, jeśli można tak powiedzieć, odwiedzali dzieci na różnych oddziałach. Nie przywiązywali się do żadnego. Bywali na endokrynologii, kardiologii czy hematologii. Ona związała się z oddziałem, który teraz ratował jej życie, ponieważ tak naprawdę był to wybór Neli. Nigdy z nią nie rozmawiała o tym, dlaczego swą pomoc niosły akurat tutaj, a nie gdzie indziej. Po prostu to tu przyszła kiedyś z Nelą pierwszy raz i to tu później zaczęły zaglądać regularnie. Dziś stawiła się tutaj sama. Ale ani przez chwilę nie poczuła się samotna. Łukasza chyba nie było. Trudno jej to było stwierdzić, ponieważ ze strachu sama nie wiedziała, czy chce go spotkać, czy nie. Przemykała po korytarzu, wstrzymując oddech, jakby to mogło pomóc, gdyby drzwi do gabinetu otworzyły się. Dzięki Bogu, póki co pozostawały zamknięte.

Na oddziale panował spokój z domieszką charakterystycznego dla świąt rozleniwienia. Zastanawiała się, dlaczego Nela lubi przychodzić wciąż na ten sam oddział, i doszła do jednego wniosku. Nela lubiła budować relacje z dziećmi i przygotowywać się do pracy z konkretnymi pacjentami. Onkologia była oddziałem, na którym pacjenci przebywali trochę dłużej niż na innych. Tu można było dobrze poznać ulubione zabawy dzieci, dało się kontynuować rozpoczęte tematy rozmów. Tu z pewnością można było poznać się lepiej niż gdzie indziej. Dzisiaj w nawiązaniu do świąt przeczytała dzieciom bajkę o tym, jak to jajko było mądrzejsze od kury. Miała w pamięci swą dzisiejszą scysję z mamą, więc czuła solidarność z bajkowym jajkiem, które miało się za mądrzejsze od swoich przodków.

Dziś na oddziale panowała trochę inna atmosfera niż zwykle. Jakaś szczególna. Dzieci nie było dużo. Zostali z nimi rodzice. Bawili się wszyscy razem, starając się zapomnieć, że muszą spędzić święta poza domem. Lubiła wykonywać z podopiecznymi prace plastyczne, ponieważ dzięki temu dzieci mogły zachować efekty swych prac na dłużej, mogły zabrać swoje dzieła do domu lub też obdarować nimi bliskie osoby. Za każdym razem, gdy patrzyła na lwa zajmującego honorowe miejsce na regale w jej pokoju, miała łzy w oczach, a w pamięci uśmiech Michasia. Chłopiec zajmował w jej sercu szczególne miejsce. Michaś jakimś cudem był zawsze blisko niej. Nie musiała się z nim żegnać. Śmierci dzieci nie rozumiała. Wiedziała, że medycyna idzie do przodu i coraz częściej wygrywała ze śmiertelnym wyrokiem. Jednak gdy śmierć się zdarzała, tego po prostu nie rozumiała... Starała się ze wszystkich sił o tym nie myśleć. Pamiętała Antosię, bardzo urodziwą dziewczynkę, z którą zrobiły kiedyś zabawnego stworka z kolorowej skarpetki w paski. Stwór stał się ulubioną przytulanką dziewczynki, która towarzyszyła dziecku podczas wizyt na oddziale. Dzieci, z którymi pracowała, a raczej bawiła się w najlepsze, miały nieograniczoną wyobraźnię. Odnosiła wrażenie graniczące z pewnością, że pobyt w szpitalu rozwijał tę cenną zdolność jeszcze bardziej.

Często czuła, że to właśnie ona czerpie z pomysłów dzieci najwięcej. One za to mogły mieć poczucie, że zrealizowały dany pomysł od początku do końca same. Jej natomiast zostawały doświadczenia i pomysły na zabawy w przyszłości. Najbardziej jednak uwielbiała rozmowy podczas prac ręcznych – tak nazywała wszystko, co wiązało się z lepieniem, naklejaniem, wydzieraniem, malowaniem i tworzeniem czegoś z niczego. Dzieci zwykle zupełnie nie zdawały sobie z tego sprawy, ale w trakcie takich warsztatów plastycznych otwierały się przed nią, chociaż była dla nich obcą osobą. Często spotykały się z nią po raz pierwszy. Czasami myślała, że z tej obcości wbrew pozorom może czerpać sporo, ponieważ pacjenci, zwłaszcza ci trochę starsi, mogli poruszać z nią te tematy, o których nie chcieli rozmawiać z mamą czy z tatą. Rodzice bowiem bardzo różnie odnajdywali się w tej arcytrudnej życiowej sytuacji, na życiowym zakręcie, w nieszczęściu, w walce z krwiopijcą, w starciu ze złym czarownikiem – określeń na złowieszczą chorobę było mnóstwo.

Dziś dzieci tworzyły dzieła ze styropianowych jajek, których było w świetlicy wciąż mnóstwo. Rozumiała doskonale, że podczas zabaw najlepiej mogła wsłuchiwać się w dziecięce emocje. Odkrywała, czy pacjenci sobie z nimi radzą dobrze, czy raczej kiepsko. Sprawdzała, czy wystarczy im odrobina zrozumienia w postaci uśmiechu, dobrego słowa i gestu, czy należy zorganizować im fachową pomoc.

Właśnie teraz z gromadką dzieci robiła ludziki z jajek. Jeden z chłopców, którego spotkała dziś po raz pierwszy, tworzył właśnie całą rodzinkę. Powstała mama, tata oraz synek. Malec wciąż upierał się, by synek nie miał włosów, a na twarzy zamierzał narysować mu wielkie łzy. Nie chciał się bawić, dopóki nie dorysował tych kilku łez. Gdy już to zrobił, bawił się ludzikami, choć zabawa przebiegała w bardzo dziwny i szczególny sposób. Synek wciąż uciekał i chował się, a rodzice, głównie mama, cały czas musieli go szukać.

Ta scena poszukiwań nie opuszczała jej nawet teraz, kiedy czytała na dobranoc już trzeciemu dziecku. Wiedziała, że musi swe obserwacje dotyczące nietypowego zachowania chłopca przekazać dyżurującemu lekarzowi, by ten z kolei powtórzył je pani psycholog obecnej na oddziale. W tym przypadku tylko ona potrafiła ocenić sytuację nowego pacjenta i zaopiekować się nim, a także jego rodzicami.

Czytała cicho. Jednocześnie rozmyślała nad tym, że dziecięca ciekawość, życiowa mądrość, radość i rozpierająca energia, które obserwowała u swych podopiecznych, były czymś, z czego ona, dorosła, mogła tylko brać przykład. Wiedziała, że w obliczu wszystkich problemów, z którymi borykały się poznawane przez nią dzieci, jej osobiste kłopoty tak naprawdę stawały się zaledwie drobnymi niedogodnościami. Dzięki małym pacjentom, których spotykała i poznawała dość dobrze, miała idealne warunki, by kształtować w sobie racjonalne podejście do życia, losu i czasu. Oczywiście raz wychodziło jej to lepiej, a innym razem dużo gorzej. Gdy ręce jej opadały i żyć się nie chciało, przypominała sobie małą dziewczynkę w ażurowej czapeczce na głowie, spod której nie wyzierały żadne niesforne loki. Jej imienia niestety nie zapamiętała. Podopieczna była osłabiona po przyjęciu leków i szła, a raczej walczyła ze sobą o każdy krok w drodze do pokoju pielęgniarek na zmianę opatrunku. Doskonale pamiętała, jak bardzo wzruszyła ją duma dziewczynki, gdy dotarła do celu. Mała zrobiła coś ponad swoje siły. Wiedziała, że powinna brać przykład z tego dziecka i iść przed siebie mimo wszystko. Na przekór wszystkiemu, co odbiera siłę. Na tym właśnie opiera się dobre życie.

Czytała coraz ciszej, a w duchu przywoływała się do porządku. Upraszała się o to, by nie myśleć, czy za drzwiami gabinetu jest ktoś, kto zburzył jej względny życiowy spokój. Czytała małej, przysypiającej już momentami Karolince, wtulonej w różowo-bordowego misia. Zastanawiała się bardzo poważnie, czy Łukasz zburzył ład w jej życiu, czy wprost przeciwnie, to przez niego, a raczej dzięki niemu zaczęła budować w sobie przekonanie, że najwyższy już czas, by sobie w końcu jakoś to życie poukładać. By nareszcie zacząć myśleć o sobie, a nie o wszystkich dookoła. Zwłaszcza że nieraz już przećwiczyła to na własnej skórze, że chociażby góry przenosiła, to w jej rodzinie i tak nic by to nie zmieniło. Bowiem spełnienie wymagań na danym poziomie od razu powodowało podniesienie poprzeczki. Miała już dość tej lekkoatletycznej olimpiady. Była zmęczona ściganiem się sama ze sobą w obliczu wciąż rosnących oczekiwań.

Szeptała. Po chwili przestała szeptać. W sali zapadła cisza. Nie zdążyła wstać i pójść dalej, a usłyszała cichą, nie całkiem wyraźną prośbę.

– Jeszcze...

Spełniła ją od razu. Po cichu. Zaczęła znów czytać cicho dokładnie od miejsca, w którym przed momentem przerwała czytanie.

Co rano
z wieży schodził o świcie
z ogromnym,
pustym worem.
Gdzieś, przez dzień cały,
krążył po świecie.
A wracał
późnym wieczorem.
Po schodach
w górę
z trudem niemałym biegł,
jakby go kto ścigał!
A schody
jeszcze bardziej trzeszczały,
bo w worze
ciężkiego coś dźwigał.

Skoro schody ponurej wieży w balladzie bardzo trzeszczały, przestała czytać. Tym razem dziewczynka na pewno już spała. Ona natomiast poczuła przygniatający ją ciężar, zupełnie jakby zły czarownik z ballady położył jej na sercu swój wielki wór. Powinna wstać i pozaglądać do sal. Dobrze byłoby sprawdzić, czy jeszcze któreś dziecko pomimo późnej pory ma kłopot z zaśnięciem bądź po prostu zmaga się z samotnością. Jednak nie poruszała się. Siedziała, bojąc się, że okaże się, że wszystkie dzieci już śpią otoczone czułą opieką rodziców, a drzwi gabinetu ordynatora są zamknięte. Co wtedy zrobi? Wiedziała, że będzie musiała wyjść ze szpitala i skazać się na kolejny tydzień bez Łukasza. Brała pod uwagę też inną możliwość. Bała się, że jednak uda jej się go spotkać. Jakimś cudem. A on potraktuje ją jak każdą inną krzątającą się po oddziale wolontariuszkę lub pielęgniarkę. Obawiała się, że przejdzie obok jak ktoś dotknięty amnezją, nie rozpoznający najbliższych osób.

Wyszła z sali. Przymknęła drzwi i od razu przyszła jej do głowy myśl, by skierować swe kroki na półpiętro, które odmieniło jej życie. To tam przeżyła pocałunek, o którym nawet upływ czasu nie pozwalał jej zapomnieć. Podczas kolejnej wizyty spotkała tam Łukasza tylko po to, by... Chyba tylko po to, by teraz mieć za sobą spędzoną z nim noc i móc zastanawiać się, czy skosztowanie czegoś dobrego choć przez chwilę osładza życie człowieka, czy wprost przeciwnie, utrudnia momenty pozbawione tejże słodyczy. Nie chciała, by czas się cofnął. Nie chciała cofnąć tego, co już się wydarzyło. Myślała tylko o jednym. Gdyby okazało się, że to, do czego doszło między nią a Łukaszem, miało się już nie powtórzyć, to co wtedy zrobi? Jak będzie dalej żyć...?

Stała przytulona do ściany korytarza oddziału, zakrywając sobą jakiś kolorowy malunek przedstawiający motyla. Nie wiedziała, w którą stronę pójść. Nie wzięła z domu telefonu.

I dobrze... – pomyślała, ciesząc się, że nikt nie może teraz wywierać na niej żadnej presji. Nie wisiała nad nią groźba matczynych wyrzutów. Zapomnienie było wybawieniem, uwolnieniem od dręczących ją myśli. Ale w tym przypadku o zapomnieniu nie było mowy. W końcu, nie mając więcej sił na zastanawianie się i bicie się z myślami, ruszyła w stronę nie półpiętra, tylko głównego wyjścia z oddziału. Im była bliżej drzwi gabinetu ordynatora, tym była bardziej pewna, że obrała zły kierunek. Ale na zmianę było już za późno. Drzwi były uchylone. Jak nigdy. Jasne światło z gabinetu sączyło się do półmroku korytarza. Tworzyło coś w rodzaju szlabanu, stanowiącego dla niej barierę nie do przejścia. Zwolniła tempo, choć do tej pory i tak szła dość wolno. Zawahała się, co robić, gdy naruszyła swym ciałem wyobrażony szlaban, ale nic się nie stało. Na korytarzu panowała cisza. Oprócz jej wewnętrznego alarmu żaden inny się nie uruchomił. Zbliżyła się do drzwi, za którymi też było cicho. Do jej uszu docierała za to rozmowa z pokoju pielęgniarek.

– ... I tak mu powiedziałam, ale co ja na to poradzę, że on wszystko, co do niego mówię, ma gdzieś...

– Tym się akurat nie przejmuj, bo ja mam to samo...

Jakoś jej się udało. Przeszła przez cały korytarz. Otworzyła drzwi i nie wiedząc, czy czuć się wygraną, czy przegraną, nie zdążyła zrobić kroku w przód.

– Zamierzasz wyjść? Tak po prostu?

Zamarła. Wszystkiego się mogła spodziewać. Wszystkiego, tylko nie tego, że on wyjdzie z twierdzy i zupełnie nie bacząc na to, czy ktoś go usłyszy, czy nie, da jej do zrozumienia...

Właśnie... Co jej dawał do zrozumienia? Nie wiedziała. Nie wiedziała, co ma teraz zrobić. Co ze sobą począć? Nic nie wiedziała, za to mocno czuła. Czuła więcej, niż wiedziała. Poczuła na plecach jego wzrok i to przez to obejmujące ciało spojrzenie odwróciła się natychmiast. Zrobiła to, by go zobaczyć, by napotkać jego ciepłe spojrzenie i półuśmiech. Patrzyła na co innego. Widziała bardzo poważne oczy i usta bez uśmiechu. Dostrzegła jakby zastygłe w emocjach rysy twarzy i sylwetkę tak wyprostowaną i tak przystojną, że zabrakło jej tchu. Biała koszula zakrywała ciało, które już znała. Jednak teraz nie mogła uwierzyć w to, że była tak blisko z mężczyzną, który patrzył na nią z cierpliwym wyczekiwaniem. Była z nim tak blisko, że nie mieściło jej się to w głowie.

– Wejdziesz? – zapytał dość chłodno.

Chyba był na nią zły.

Lepsza złość niż obojętność – pomyślała, wiedząc, że w relacjach z mamą zawsze stawiała na obojętność, która jej nie pomagała. Wprost przeciwnie, bardzo utrudniała jej życie.

– Tak – odpowiedziała.

Było jej słabo ze zdenerwowania, ponieważ sytuacja przerastała jej możliwości. Lecz ton jej głosu ani trochę nie oddawał rzeczywistego niepokoju. Wróciła. Przeszła obok niego, reagując na jego bliskość, tak jak opiłki metalu reagują na chociażby mały magnes. Chciała się na niego rzucić. Chciała przylgnąć do jego ciała. Chciała być jego częścią, jak mech porastający drzewa od północnej strony.

Zamknął drzwi. Tym razem wszystko było jak zwykle. Zawsze je zamykał. Podeszła do jego uporządkowanego biurka. Oparła o nie dłonie. Słyszała ciszę. Nie wiedziała, gdzie się podziewa. Czy jest tuż za nią, czy gdzie indziej. Bała się odwrócić. Czuła, że jej lęk jest bardzo irracjonalny. Obawiała się, choć nie wiedziała czego.

– Usiądź, proszę.

Chyba stał wciąż przy drzwiach. Nie posłuchała jego prośby. Nie chciała usiąść przed biurkiem. Nie była przecież pacjentką. Ruszył ku niej. Usłyszała najpierw jego kroki. Później oddech. Stał tuż za nią. Zamiast ciemnego okna wolała mieć przed sobą jego oczy. Dlatego odwróciła się i podniosła wzrok. Popatrzyła mu prosto w oczy. Odważnie, ale nie potrafiła odczytać w nich niczego poza zmęczeniem.

– Jesteś zmęczony? – zapytała, choć znała odpowiedź na zadane przez siebie pytanie.

Ale przecież nie mogła zapytać go o to, czy ją kocha... Przecież to, jak przeżywała ostatnie dni, było dowodem na to, że nie ma jednoznacznych odpowiedzi na wszystkie pytania rodzące się w jej głowie na temat mężczyzny, który patrzył na nią teraz w bardzo niejednoznaczny sposób. Nie chciał jej pewnie ani przytulić, ani pocałować, ale nie miał też zamiaru wypraszać jej z gabinetu, skoro ją do niego przed chwilą zaprosił. Patrzył na nią i milczał. Po dziurki w nosie miała tego milczenia. Jego spojrzenia – wręcz przeciwnie – nie miała dość. Ono podobało jej się bezgranicznie.

– Coś się stało? – zapytał w końcu.

– Nie – odpowiedziała od razu, szkoda tylko, że całkowicie nieszczerze.

Tak – pomyślała całkiem szczerze. – *Poszłam z tobą do łóżka, udowodniłam sobie, że się zakochałam, i chciałam, byś powtarzał miłość z tamtej nocy każdej następnej, ale wszystko zepsułeś. Zadzwoniłeś i mówiłeś do mnie tonem zaprogramowanego na obojętność robota. Robot? Cyborg? Jeden diabeł!* – dodała na koniec rozemocjonowanej myśli dość bezduszny fragment.

– To dlaczego tak się zachowujesz? – zapytał po męsku.

Zadał pytanie zrodzone w centrum męskiego świata, w którym nie było miejsca na domysły i przypuszczenia. W tym świecie funkcjonowały tylko fakty, realia i pewniki.

– Jak? – zapytała, wiedząc i czując, że zachowuje się nieodpowiednio, ale nie była jedyną winną tej sytuacji, w której znaleźli się oboje.

Gdyby nie twój obcy ton w telefonie, tej rozmowy by nie było – mówiła do niego, przekazując mu w myślach swe cenne spostrzeżenia. Szkoda tylko, że nie posługiwała się słowami.

– Jakby nic się nie stało. A przecież się stało.

I nie mogłeś mówić takim tonem, gdy do mnie zadzwoniłeś? – myśli miały tę zaletę, że nie przeszkadzały im zaciśnięte usta. Właśnie zacisnęła usta w linijkę. A on dotknął jej policzka dłonią.

– Nie chcę, żebyś była przeze mnie nieszczęśliwa – odezwał się cicho, cierpliwie, tonem bardzo dobrego człowieka.

– To rozmawiaj ze mną tak jak teraz, a nie jak wtedy przez telefon.

Tym razem wypowiedziała swą myśl na głos, w ogóle nie obawiając się tego, że jej słowa mogą wydać mu się trochę dziwne i wyrwane z kontekstu.

– Miałem wtedy taki zły dzień, że jedynym dobrem, jakie mogło mnie spotkać, był twój głos i świadomość tego, że byliśmy razem...

Kolejny raz pozazdrościła mu jego szczerości, a raczej umiejętności wypowiadania myśli bez obaw, że mogą zostać źle zrozumiane.

– Ale mówiłeś do mnie tak obcym tonem... Wystraszyłam się, że... – umilkła, czując, że znów brakuje jej słów.

– Wystraszyłaś się? – zapytał głosem, z którego wywnioskowała, że zrozumiał w tej chwili większość jej przemyśleń zebranych przez te kilka dni.

Wyglądał tak, jakby naprawdę zrozumiał, że myślała o nim różnie, czyli też jak o łajdaku, który zrobił jej krzywdę... Który zrobił to tylko dlatego, by się zabawić, poczuć lepiej, by rozładować kumulujące się napięcie.

– Tak – odpowiedziała cicho.

Chyba się nawet trochę ucieszyła, bo istniało prawdopodobieństwo, że znalazła faceta, któremu nie będzie musiała tłumaczyć swoich odczuć. Już miała nadzieję, że nie będzie musiała w trudnych sytuacjach opisywać mu ze szczegółami tajników swego kobiecego świata. Nie chciała porównywać go w nieskończoność z męskim punktem widzenia, w którym nie było miejsca na zbędne elementy.

– To znaczy, że wystraszyliśmy się nawzajem – odpowiedział po dłuższej chwili wpatrywania się w jej oczy.

Oczywiście podobało jej się to, jak na nią patrzył. Spoglądała mu w oczy i wiedziała, że intensywnie myśli. Robił wrażenie kogoś, kto umie doskonale zauważać nie tylko zachowania, lecz również uczucia z charakterystycznymi dla nich niuansami.

– Nie planowałam tego – usprawiedliwiła się natychmiast, zrzucając z siebie poczucie winy.

– A ja nie zaplanowałem tego, że zaciągnę cię do łóżka.

Powiedział to takim tonem, że gdyby nie przeżyła z nim tej właśnie nocy, której – jak się okazało – nie zaplanował, a którą mieli za sobą, to nabrałaby pewności, że jest mężczyzną, z którym chciałaby pójść do łóżka, nawet nie wiedząc o nim nic. Zrobiło jej się gorąco na myśl o tym, że to już się stało, że była z nim w łóżku, choć żadne z nich tego nie zaplanowało z zimną krwią. Zachowanie zimnej krwi było w ich przypadku po prostu niemożliwe, ponieważ jedno spojrzenie podgrzewało atmosferę. Na jego widok krew w niej zawrzała. Patrzyła na niego. Dostrzegała teraz w jego oczach prawdę, chociaż oprócz niej widziała tam jeszcze pożądanie. Zapamiętała to spojrzenie z tamtej nocy. Nauczyła się go i już nigdy nie potrafiłaby pomylić go z innym. To było spojrzenie wyjątkowe, nie sposób było go nie rozpoznać.

– Taką właśnie miałam nadzieję – powoli odzyskiwała zdolność mowy.

Dzięki jego prostodusznemu spojrzeniu nie musiała trzymać myśli na uwięzi ze strachu przed niezrozumieniem.

– Posłuchaj mnie teraz uważnie – powiedział i cofnął swą dłoń.

Pożałowała tego od razu. Wciąż czuła jej przyjemne ciepło na policzku. Ale wiedziała, że zrobił to, by nic nie przeszkadzało jej wysłuchać tego, co właśnie miał zamiar jej powiedzieć. Przybrał poważną minę, ponieważ miały paść słowa ważne.

– Nie jesteś pierwszą kobietą w moim życiu.

Zaczął tak strasznie, że zadrżała. Zrobiło jej się niedobrze ze zdenerwowania. Było jej słabo na myśl o tych, które już kiedyś miał, i na myśl o tym, dlaczego nawiązywał do nich akurat teraz. Bała się, że jak poprzednie, o których nie bał się teraz mówić, przejdzie do historii, skoro – jak jej teraz uzmysławiał – o byłych nie zapominał.

– Wiem – szepnęła bez zrozumienia. Pierwszy też raz uciekła wzrokiem w stronę regału, na którym w ogromnym porządku stały opasłe tomiszcza w języku ojczystym Jacka Londona opisujące paskudne choróbska.

– Popatrz na mnie – poprosił łagodnie.

Od razu spełniła jego prośbę. Spojrzała na niego z podziwem, ponieważ była pewna, że znaczną część swego życia spędzał nad książkami, od których była zmuszona oderwać wzrok. Ale nie mogła inaczej. Wiedziała od dawna, że gdy mądrzy ludzie o coś proszą, należy ich posłuchać. Widziała mądrość w jego oczach. Była gotowa go wysłuchać i uwierzyć w jego słowa, chociaż intuicyjnie wyczuwała, że to, co ma usłyszeć, nie będzie przypominało miłej dla ucha opowiastki.

– Musisz wiedzieć o tym, że każdą kobietę, z którą do tej pory byłem, unieszczęśliwiłem.

To, co powiedział, było straszne, ale na pewno wyznawał jej prawdę. Zresztą dałaby głowę, że już jej o tym wspominał. Była przekonana, że mówi prawdę, i przez to poczuła się tak, jakby odczytał właśnie wyrok sądu najwyższej instancji, skazujący ją na dożywotnie nieszczęście. Postanowiła się bronić. Sama. Musiała się obronić. Nie miała innego wyjścia, ponieważ chciała, by ją pokochał. Miał ją kochać, a nie straszyć. Zwłaszcza że takich, którzy woleli ją straszyć, niż kochać, miała już w swoim otoczeniu po dziurki w nosie.

– Nie wierzę – użyła pierwszego argumentu, który przyszedł jej do głowy.

– Naprawdę.

Ta metoda nie zdała egzaminu. Musiała postarać się bardziej.

– Boję się zapytać o cokolwiek – wyznała mu swe obawy.

Poczuła dumę, że nie bała się tego zrobić. Skoro miał w sobie coś, co sprawiało, że potrafiła być przy nim sobą i nie udawać nawet w obliczu strachu, może powinna też postarać się o odwagę. Nawet teraz. W tak trudnej chwili. Milczał. Patrzył na nią i milczał. Zupełnie jakby czytał w jej myślach i czekał teraz na akt odwagi z jej strony. Widocznie musiała udowodnić coś nie tylko sobie, ale i jemu. Nie chciała słuchać o kobietach, które miał przed nią. Ale skoro i tak już o nich myślała, a znając siebie, wiedziała, że to myślenie może ją na początku zamęczyć, później zatruć, a w konsekwencji zniszczyć, to może nie opłacało jej się teraz chować w swojej skorupie. Pewnie powinna zachować się zgoła inaczej. Może powinna wierzyć, że nic jej się nie stanie, jeśli Łukasz opowie jej o tym, kogo już w swoim życiu kochał. Na przykład wtedy, gdy miał tyle lat, ile ona teraz. Chciała wierzyć, że to, do czego ją teraz zmuszał, nie było żadną formą asekuranctwa. Ufała, że nie robił tego tylko po to, by za jakiś czas powiedzieć: „przecież cię ostrzegałem".

Znów zerknęła w stronę regału. Zupełnie jakby mogła w pozamykanych książkach szybko znaleźć odpowiedzi na wszystkie swe obecne dylematy. Księgi, choć mądre, milczały. Łukasz też. Jednak jego milczenie pobudzało jej ambicję, a ta nie mogła w życiu występować w pojedynkę – potrzebowała wsparcia w postaci odwagi.

– Opowiedz mi o nich.

– Jesteś pewna? – zapytał ze zdziwieniem.

Nie – pomyślała, ale na głos uciekła się do wygodnego kłamstwa.

– Tak – szepnęła cicho, by kłamstwo nie wyszło na jaw.

– Pierwszą zostawiłem dla drugiej – zaczął, cały czas patrząc jej w oczy.

Już po jego pierwszym zdaniu żałowała swej decyzji. Pomimo tego, że patrzył na nią takim wzrokiem, jakby żadnych kobiet przed nią ani nie miał, ani nie zauważał.

– Druga była na tyle mądra, że zostawiła mnie, mając dość mojego egoizmu. Po prostu zdradziła mnie z kimś, kto…

Nie chciała go popędzać, ale wolała mieć to już za sobą. Miała wrażenie, że właśnie w tej chwili przeszedł do części opowieści, która kosztowała go najwięcej. Jego wysiłek wzmagał się, podobnie jak jej zazdrość.

– Zdradziła mnie, ponieważ ja regularnie zdradzałem ją z tym miejscem – rozejrzał się po gabinecie.

Jego spojrzenie było tak silne i zdecydowane, że potrafiłoby przebić ściany tego pomieszczenia, w którym uwięziła ich ta przerażająca rozmowa. Spojrzała mu w oczy i zrozumiała, że pora już skończyć. Wiedziała już wszystko, a nawet jeśli nie, to wiedziała już wystarczająco dużo. Mógł przestać męczyć siebie i ją. Nie musiała przecież wiedzieć, z kim zdradziła go ta druga. Nie obchodziło jej to zupełnie. Może powinna nawet zacząć myśleć o niej z sympatią, bo dopuszczając się zdrady, uczyniła Łukasza mężczyzną dla niej. Popatrzyła na jego usta, ponieważ w końcu udało jej się oderwać wzrok od jego oczu.

– Ale to jeszcze nie…

– Żadnego ale... – szepnęła namiętnie i podjęła decyzję, że to już właśnie koniec zwierzeń.

Jak się okazało, nie potrafił zawalczyć o koniec swej opowieści. I dobrze, bo miała jej już dosyć. Nie interesowały jej już żadne byłe, żadne związane z nimi mrożące krew w żyłach opowieści nie miały teraz szans, bo akurat w jej żyłach krew krążyła coraz szybciej i zaczynała wrzeć. Czym była jego przeszłość, skoro znów czuła na sobie jego usta i dłonie, wbijające się teraz całkiem zdecydowanie w sekretne zakamarki jej ciała? Była bliska postradania zmysłów. On też. Miała na to namacalne dowody. On stracił resztki zdrowego rozsądku, ponieważ nie przestał dotykać jej swymi dłońmi nawet wtedy, gdy ona zamarła, słysząc pukanie do drzwi.

– Panie ordynatorze?

Drzwi się uchyliły. Całe szczęście tylko odrobinę. Nikt nie mógł ich zobaczyć. Położył palec na jej wilgotnych ustach. Zrobił to tak, że jej ciałem wstrząsnął bardzo przyjemny dreszcz. Od zewnątrz i od środka.

– Jeżeli to nic ważnego, to proszę mi nie przeszkadzać – rozkazał głosem, który znała doskonale ze słuchawki telefonu.

Był to głos zimny, rzeczowy, nie pozostawiający wątpliwości, kto tu rządzi.

– Kawa? – zapytał ktoś bardzo cicho.

– Nie, dziękuję – odpowiedział całkiem innym tonem. Był niczym niewzruszony i nie zdradzał się z tym, co przed chwilą robił.

– To przepraszam – drzwi zamknęły się powoli i bezdźwięcznie.

Mogła zatem z powrotem zacząć oddychać. Coraz szybciej. Podobnie jak Łukasz, który udowadniał jej, że kawa nie była mu teraz w głowie. W głowie nie miał ani kawy, ani otaczającego go świata, ani tym bardziej nieskazitelnego porządku na swym biurku, który zburzył właśnie z ogromną przyjemnością, robiąc miejsce dla przyjemności jeszcze większej. Całkiem zaskoczona tym, co się działo, tempem, namiętnością, zaborczością, chciała zakryć dłonią swe usta. Nie zdążyła. Był pierwszy. Dobrze się stało, bo to jego usta stłumiły jej krzyk. Chyba krzyk. Raczej krzyk. W każdym razie odgłos, którego do tej pory nie wydała z siebie ani razu w życiu. Nie miała się dowiedzieć, jak brzmiał ten głos, gdyż mężczyzna, który ją zdominował, stłumił jej okrzyk. Wchłaniał jej głos, ją całą i każdy jej ruch. A skoro już jej nie było, to wszystko przestało się liczyć. To znaczy prawie wszystko, bo liczyło się to, co robili. A raczej to, co on jej robił. Udowadniał jej w tej chwili, że jest tylko ona. Żadnych przed nią i żadnych po niej. Teraz nie miała co do tego nawet najmniejszych wątpliwości. Nareszcie to ona była najważniejsza. Dlatego każdy jego oddech i każdy ruch oczyszczały jej serce z zazdrości. Uwalniało ją to od złych uczuć. Były to najbardziej pożądane porządki pod słońcem, które od dawna tkwiło za horyzontem, a i tak czuła na sobie jego zbawienne ciepło. Rano, gdy padał deszcz, była tak osłabiona, że kręciło jej się w głowie. Teraz działo się inaczej. Widziała słońce i znów kręciło jej się w głowie, ale w zupełnie inny sposób niż rano. Miłość to chyba rzeczywiście huśtawka, a w niektórych przypadkach to nawet karuzela…

– O kurczę! – jękła i spojrzała w kierunku drzwi.

Niech to szlag! – pomyślała, ale nie pozwoliła wściekłej myśli wydostać się na zewnątrz. Pukanie niestety się powtórzyło. Musiała zareagować. Żwawo przeskoczyła przez rozstawiony w przedpokoju duży żółty odkurzacz. Zdecydowanie otworzyła zamek w pancernie wyglądających drzwiach, a za chwilę same drzwi.

– A niech cię! – syknęła na widok przyjaciółki, czując, jak napięcie nagle się rozładowuje, a ona od razu opada z sił.

– Też się cieszę, że cię widzę – odparła z uśmiechem Nela promienna jak dzień, który się właśnie rozpoczynał.

– Co ty tu robisz?! Przecież miałaś być dopiero jutro – zamykała drzwi, wiedząc, że ostatnią rzeczą, jaką powinna teraz robić, jest marnowanie czasu na rozmowę.

– Wyobraź sobie, że w tym mieście mieszkają również tacy, którzy na mój widok reagują z większą radością – podkreśliła Nela, oczywiście z ogromnym wdziękiem i bez śladu cynizmu.

– *Sorry, sorry, sorry*... – powiedziała szybko, unosząc ręce, ale opuściła je jeszcze szybciej, bo były już bardzo obolałe. Sprzątanie nie było jej żywiołem, ale gdy na szafce leżały zielone, świeże, jakby przed chwilą wyplute przez bankomat pieniądze, w obecnym czasie finansowego zastoju bardzo dla niej wartościowe, to właśnie sprzątanie okazywało się jej pasją, dla której gotowa była przeobrazić się z lenia w pracusia, w dodatku takiego z ogromną skłonnością do pedanterii. Od dwóch godzin walczyła z nieporządkiem u pary „burdelarzy", którzy mogli pojawić się tu w każdej chwili, gdyż święta wielkanocne dziś już dobiegły końca. Parka, ze ślubem czy też bez niego, choć wcześniej porządków nie chciała, to w późnych godzinach wieczornych lanego poniedziałku zmieniła jednak plany i poprosiła o sprzątanie.

Nela nie patrzyła na nią, tylko rozglądała się badawczo, co jeszcze jest do zrobienia. Jednocześnie rozbierała się z bardzo ładnego nowiusieńkiego płaszcza, uszytego na kształt litery „A", czyli pasującego idealnie do jej figury. Krój płaszcza był doskonały, a kolor jeszcze lepszy. Nowy ciuch miał barwę młodej trawy, potrafiącą rozjaśnić nawet zapracowany poranek.

– Alleluja! – zerknęła na rozebraną już przyjaciółkę. – Ale zielone cudo!

– Co? – Nela stanęła jak wryta, ale zdziwienie nie przeszkadzało jej zakasywać rękawów.

– No, płaszczyk! – odparła szybko. – Takie cudo, że Prada wysiada!

Uśmiech Neli uzmysłowił jej, że bardzo stęskniła się za tym swoim ukochanym rudzielcem.

– I tu się mylisz. Z wiejskim bazarem nic się nie może równać. Ale co tam szmatki, dawaj szmatę!

– To może weź się do roboty w kuchni, bo w zlewie coś chyba nawet zakwitło.

– Dobra – odparła Nela, zbliżając się już do ogrodu, w którym oprócz plechowców pewnie jakiegoś kropidlaka też znaleźć miała.

Nie było teraz czasu na rozmowy. Sprzątała jak automat, modląc się, by właściciele mieszkania nie napatoczyli się zbyt szybko. Nela nuciła w kuchni.

Znała całą pieśń, która w bardzo melodyjny i urokliwy sposób wypływała z zapewne uśmiechniętych ust przyjaciółki.

Nie chciała dołączać się do nucenia Neli, by nie zagłuszać jej pięknego głosu. Wolała śpiewać w zakamarkach własnej duszy.

Wesoły nam dzień dziś nastał,
Którego z nas każdy żądał,
Tego dnia Chrystus zmartwychwstał.
Alleluja, Alleluja.

Głos Neli sprawiał, że się uspokajała. Spięcie i pośpiech ustępowały miejsca radości i spokojowi. Uwielbiała w Neli to jej pokojowe nastawienie do świata i obowiązków. Wojenne nastroje nie przydarzały się Neli nigdy. Spokój był jej życiową dewizą, co oczywiście nie oznaczało, że nie potrafiła się denerwować, oczywiście czasem też jej się to zdarzało. Ale nawet gdy się zdenerwowała, robiła to w sposób kontrolowany, jakby wyważony. Nucenie Neli nie ustawało i nadawało rytm pracom nie tylko w pleśniowym ogrodzie, ale zaczęło zawiadywać płynnością ruchów również w przedpokoju. Tam lustro, w którym bez przeszkód mógłby przejrzeć się słoń, i to od stóp do głów, stawało się kryształowo czyste. Uśmiechała się, wiedząc, że jeśli sama nie zacznie rozmowy na temat dzisiejszego ekspresowego sprzątania, to Nela nie zapyta o to, dlaczego musiała szukać jej akurat w mieszkaniu „burdelarzy". Ona natomiast umierała z ciekawości, jak Nela ją tu znalazła. Od rozpoczynania większości tematów w ich przyjaźni była właśnie ona. Dlatego już żałując, że gdy się odezwie, ustanie powtarzana przez Nelę melodia, wzięła na siebie obowiązek poprowadzenia rozmowy.

– Nie zapytasz, dlaczego dziś sprzątam?

– Nie – odparła szybko Nela i wróciła do nucenia.

– Chociaż raz mogłabyś poudawać pannę ciekawską – zasugerowała przyjaciółce, że jest gotowa odpowiedzieć na wszystkie pytania.

– Ciekawskość to moja słaba strona – skonstatowała cicho Nela.

– Ale ty mnie o nic nie pytasz, a ja mam wyrzuty sumienia, że sprzątasz ze mną, zamiast spotkać się z Xawerym. Rozumiem, że to dla niego wróciłaś wcześniej, niż planowałaś...

– Ty to potrafisz człowieka przejrzeć – Nela kpiła, ale z ogromnym wdziękiem. – Nie musisz mi niczego tłumaczyć, przecież wiem, jak szybko nasi pracodawcy zmieniają zdanie. Kiedy powiedzieli, żebyśmy nie przychodziły w Wielki Piątek, to i tak wiedziałam, że wymyślą coś innego, i to na ostatnią chwilę. Jedno jest pewne, mając doświadczenia z tej pracy, kiedyś w liście motywacyjnym będziemy mogły pochwalić się cenioną wszędzie dyspozycyjnością.

– A jak ucho? – zaczęła nowy temat, bo w starym Nela jak zwykle wykazała się doskonałym przeczuciem.

– Tak jak przypuszczałam. Wróciłam do domu i wszystko mi przeszło, nawet się zastanawiałam, czy nie przerwać kuracji antybiotykiem, ale mama postanowiła mnie dopilnować. A jak twoje święta?

– Wyjechałaś, a ja pogrążyłam się w rozpaczy – palnęła zgodnie z prawdą, zupełnie nie zastanawiając się nad tym, że jest to temat, którego z Nelą poruszać nie powinna.

– Coś się stało... – głos Neli był bardziej przestraszony niż pytający.

– Już teraz wiem, że nic, ale przez całe święta myślałam, że się strasznie pomyliłam – lawirowała umiejętnie.

Wyobrażała sobie oczy Neli, patrzyła na przyjaciółkę, zupełnie nie wiedząc, co powiedzieć. Nela przecież nie zmuszała jej do spowiadania się z trosk i kłopotów.

– Miłość... – powiedziała w końcu filozoficznie Nela.

– Raczej niedoświadczenie w miłości – znów chlapnęła, nie myśląc wiele.

Nie była przyzwyczajona do tego, by kontrolować swe słowa w obecności przyjaciółki. Musiała to zmienić, ale zmiana ta bardzo ją dołowała i dużo kosztowała. Całe szczęście nie zabrnęła jeszcze zbyt daleko. Na razie przyznała się tylko do swego braku umiejętności w zrozumieniu męskiego świata. Do tej pory nie miała ambicji rozszyfrować tego zagmatwanego zagadnienia, ponieważ nigdy wcześniej nie widziała sensu, by porywać się z motyką na słońce.

– Co ty powiesz? – szczerze zdziwiła się Nela.

Nela miała doskonałą pamięć, więc pewnie wciąż pamiętała każdą próbę swej najbliższej przyjaciółki, by pojąć męski punkt widzenia. Miała ochotę się wytłumaczyć. Czuła, że musi to zrobić.

– Po tym wszystkim, co się stało... – zawiesiła głos, wiedząc, że Nela po ich ostatniej rozmowie uzmysławiała sobie, do czego dochodzi między kobietą a mężczyzną, gdy w deszczową noc trafiają do nastrojowego mieszkania w przemoczonych do suchej nitki ubraniach – ... zadzwonił do mnie kilkanaście godzin później i rozmawiał ze mną takim tonem, że nie miałam wątpliwości, że mnie wykorzystał, a ja popełniłam błąd, pozwalając mu na to.

Nela wbiła w nią spanikowany wzrok.

– Spokojnie... – od razu uspokoiła przyjaciółkę. – Okazało się, że miał koszmarny dzień, natomiast ja oczywiście pomyślałam sobie za dużo, w dodatku za szybko i trochę się zagalopowałam, na domiar złego przez telefon... Zresztą pewnie wiesz, o czym mówię... – podniosła głos, gdyż Nela wciąż zmywała, a ona musiała podłączyć żelazko do prądu.

Niestety czekała na nią sterta ubrań do znienawidzonego wyprasowania. Ale cieszyła się, że będzie się mogła chociaż trochę wygadać podczas pracy. Choć trochę. Bo przecież nie do woli. Niestety nie mogło obyć się bez tajemnic. Znała Nelę i wiedziała, że ta nie zapyta o tożsamość mężczyzny, który potrafił zniewalać jednym spojrzeniem, nie tylko w przenośni, ale i w rzeczywistości.

Sama natomiast nie miała tyle odwagi, by się przyznać, że mężczyzną doprowadzającym ją zarówno na skraj depresji, jak i na wyżyny uniesień jest ordynator. Facet o wielu spojrzeniach. Potrafił patrzeć bezosobowo lub elektryzująco. Ale ciało miał zawsze takie samo: męskie i wysportowane, i doprowadzające ją do szaleństwa.

– To dlatego nie mogłam się do ciebie dodzwonić – stwierdziła bez śladu zdziwienia w głosie Nela.

– Dzięki Bogu, mój telefon przeżył, choć jak się pewnie domyślasz, miałam ochotę go ukatrupić. Ale wyobraź sobie, jak minęły mi święta... – przerwała, by cofnąć się w czasie. – Udawałam grypę i umierałam emocjonalnie. Zdychałam przez całe święta, ale przynajmniej miałam spokój. Nikt mi nie truł nad głową, nie pouczał bez sensu. Zawsze to jakiś plus... Ale za to ile naryczałam się nad własną głupotą i łatwowiernością! A w poniedziałek, narażając się na niezrozumienie ze strony mamy, delikatnie rzecz ujmując, poszłam do szpitala poczytać dzieciom i... – przerwała na moment, chcąc dodać swej opowieści dramatyzmu – los się odwrócił.

Musiała kontrolować swą skłonność do paplania bez zastanowienia, która przy Neli odzywała się zawsze, a przy mamie nigdy. Gdyby miała pewność, że prawda dotycząca Łukasza nie zaboli Neli, że teraz, kiedy jest zakochana w Xawerym, i to zakochana z wzajemnością, to potrafiłaby bez emocji wysłuchać historii o innej miłości, powiedziałaby jej o wszystkim.

Wiem, że trudno ci będzie w to uwierzyć, ale facet, o którym już trochę ci opowiedziałam, to House... – pomyślała, ale niestety nie miała pewności, że przyszedł odpowiedni czas na takie wyznanie... Niestety myśl, że wypowiada teraz te słowa, paraliżowała jej język. Uniemożliwiała szczerość wobec Neli, szczerość, z którą dotychczas nie miała żadnych kłopotów. Milczała zatem, nie mogąc pogodzić się z faktem, iż ukrywa coś przed przyjaciółką. Dużo ją to kosztowało. Ale cena ta była z pewnością mniejsza od ryzyka. Przynajmniej na razie. Miała przeświadczenie oparte na intuicji, że w tym przypadku czas działa na jej korzyść. Pewnie miało być tak, że im bardziej ona będzie angażować się w relację z Łukaszem, tym bardziej Nela będzie zapominać o facecie, który zawrócił jej kiedyś w głowie.

– Xawery wie, że przyjechałaś? – zapytała, ratując się z opresji.

– Nie, to ma być niespodzianka – odpowiedziała Nela pewnie z uśmiechem, którego nie mogła teraz zobaczyć, jednak miała pewność, że był obecny na ustach przyjaciółki.

– A skąd wiedziałaś, gdzie mnie szukać?

– Komórki jak zwykle nie odbierałaś, więc zadzwoniłam na domowy. Trochę się zdziwiłam, gdy odebrała ciotka Klara. Myślałam, że spędza u was raczej popołudnia.

– Co ty powiesz? – też się zdziwiła. – Widocznie stało się coś, co nie mogło poczekać. Ciotka taka już jest. Jak sobie coś ubzdura, a to dzieje się niestety dość często, to musi się tą bzdurą niezwłocznie podzielić z moją mamą. Gdyby tego nie zrobiła, chyba by pękła. Dla bezpieczeństwa ciotka musi dawać upust swym idiotycznym pomysłom. Czasem myślę, że gdybym chciała zacząć je spisywać, to życia by mi na pewno zabrakło, nawet gdybym była długowiecznym żółwiem.

– Daj spokój ciotce, to przecież już starowinka.

– Ładna mi starowinka! Bronisz jej, bo nie wiesz, jak potrafi zaleźć za skórę.

– Nie bronię – zaoponowała od razu Nela. – Po prostu wiem, że wygodniej jest zaakceptować, niż iść na wojnę.

W odpowiedzi na niezaprzeczalną rację Neli fuknęła nad deską do prasowania, nie zdając sobie sprawy, że akurat w tej chwili mogło to być słyszalne w kuchni.

– Ale nie wiem, po co ci to mówię. Przecież ty to wiesz.

Nela jak zwykle, gdy rozmawiały o wyskokach ciotki Klary, usiłowała tłumaczyć, że wykazywanie się mądrością w towarzystwie głupków nie powinno kosztować mądrych ani trochę wysiłku. Jednak w tym przypadku nigdy się z Nelą nie zgadzała, ponieważ złośliwość ciotki była powalająca, a im Klara była starsza, tym owa złośliwość większa. Była przekonana, że ktoś, kto stwierdził, że tylko dwie rzeczy są nieskończone, to znaczy kosmos i złośliwość ludzka, nie mylił się wcale.

– Wiem, że nic nie wiem – powtórzyła za Sokratesem Nela, wyłgując się w ten sposób od odpowiedzi.

Nela chwilami była bardzo trudnym partnerem do rozmów. Nie dosyć, że unikała zadawania pytań, to jeszcze gdy ktoś pytał ją o coś, unikała jednoznacznych odpowiedzi.

– Ciekawe, czy zdążymy – zapytała, dolewając wody destylowanej do żelazka.

– Wszystko zależy od tego, kiedy wrócą – stwierdziła spokojnie i niezbyt odkrywczo Nela.

– Tego właśnie nie wiem, wiem tylko tyle, że dziś.

– Spokojnie, przecież nie zostało już dużo.

Lubiła, gdy Nela ją uspokajała. Czasami jedno słowo przyjaciółki wystarczało, by potrafiła zażegnać zdenerwowanie. Również jedno słowo ciotki Marianny wystarczało, by odzyskiwała wiarę w ludzi, którą mogła stracić po jednej uwadze ciotki Klary, a czasami też mamy. Zawsze określała swój stosunek do innych ludzi na podstawie tego, co mówili i jak się zachowywali. Rzadko zdarzało się tak, że nie miała własnego zdania o osobach, które pojawiały się w jej życiu. Prasując męską koszulę, myślała o Łukaszu. To jego koszulę chciałaby prasować każdego ranka, mając na sobie ślady nocnej miłości, ale musiałby mieć wtedy odwagę do tego, by zmienić swe dotychczasowe życie. Byłaby zmuszona powiedzieć mamie, że spełniła jej oczekiwania i w końcu poznała kogoś, z kim chce się związać. Niestety już dziś wiedziała, że gdyby to zrobiła, rozpętałaby się wojna. I to nie tylko światowa, to mało powiedziane. Rozpętałaby się wojna dwóch światów, bo ciotka Marianna z pewnością nie zajęłaby stanowiska w sprawie, wychodząc z założenia, że skoro inni mają swój rozum, to dlaczego akurat ona miałaby narzucać istotom rozumnym swe zdanie. Lubiła takie rozumowe podejście do życia i było jej żal, że siostry ciotki Marianny miały całkiem inne. Prasowała, czując, że spokój, którym umiała napełniać ją Nela, zaczynał uchodzić z niej szybko jak powietrze z przekłutego szpilką balonu. W jej przypadku rolę szpilki pełniła wyobraźnia. Gdyby mogła, to zrugałaby ją teraz jak hycel nie dającego się złapać psa. Wiedziała też, że za swe durne myśli powinna teraz zrugać sama siebie. Lecz zamiast to zrobić, rozmyślała dalej. Wprowadzała się w nastrój zwątpienia i niepewności, zadając sobie bolesne pytania.

Dlaczego to robisz?! Po co zastanawiasz się, co będzie dalej, skoro to wszystko się dopiero zaczęło? Zresztą wiesz, co będzie dalej. Przecież wiesz, że choćbyś do domu przyprowadziła przystojnego jak ordynator równolatka, mądrego jak House faceta, tylko odrobinę od siebie starszego, gościa bogatego i z ugruntowaną pozycją, to i tak żaden z nich nie przeszedłby rekrutacyjnego sita. Przecież zdajesz sobie sprawę, że niezależnie od tego, kto zjawiłby się na rozmowie wstępnej z kobietami z twojej rodziny, to i tak zostałby wysłany do diabła. Nie byłby wystarczająco dobry, mądry, przystojny, wykształcony, urodziwy. Po prostu nie byłby dla „naszej Julki".

Nasza Julka! – prychnęła w myślach z odrazą. To dopiero było określenie, swoista kategoria własnościowa, która doprowadzała ją do szaleństwa. W durnych założeniach tejże kategorii była bytem należącym do kogoś, nie należała do samej siebie. Zawsze była zależna i to od tego, kto akurat miał ochotę ją sobie zawłaszczyć. Nasza Julka...

Wciąż pamiętała sytuację, kiedy Justyna pierwszy raz przyprowadziła do domu Krzycha i okazało się, że według kobiecego jury pasował do wszystkich innych, tylko nie do Justyny. Na szczęście Krzychu nie dość, że był zakochany, to jeszcze mądry. Miał w sobie tyle mądrości i miłości, że zdołał przekonać Justynę, by nie działała wedle wytycznych rodzinnego babskiego sądu. Nauczył ją tego, by planując swe życie, nie brała na serio jego wyroków.

Uśmiechnęła się do siebie dość niepewnie, mając nadzieję, że szlaki zostały już trochę przetarte. Ale nie mogła długo tkwić w takim złudzeniu. Istniały sfery życia, w których niezmiennie pozostawała realistką. Nie wyobrażała sobie sytuacji, kiedy przedstawia Łukasza wysokiej izbie, mówiąc, że to jest jej chłopak... wybranek... ukochany... Wiedziała, co usłyszy. „Siwy. Stary. Czy ta nasza Julka rozum postradała?! Przecież ona przy nim jest jak dziewczynka. Mogłaby być jego córką. To sobie stary wyga owinął młódkę wokół palca". Takimi słowami przyjęłaby do rodziny potencjalnego zięcia mama. Przywitanie ciotki Klary brzmiałoby może ciut inaczej. „O Matko Święta, ratuj tę naszą Julkę, bo się, nieboże, znowu w kłopoty pakuje. Kto to widział, co się na tej ziemi teraz wyrabia? Boże, lat światu przybywa, a zamiast normalnieć, to się coraz bardziej koślawi. Kiedyś to..." Była przerażona dokładnością i realnością własnych myśli. Taki sposób myślenia nie był do niej podobny. Nie zgadzała się z nimi z całych sił. Na przekór wszystkiemu, co nie było łatwe, walczyła o to, by nigdy nie przesiąknąć złymi uczuciami, którymi karmiona była od zawsze. To z pewnością przez nie nosiła w sobie zaczątki cynizmu, który czasami eksplodował z taką siłą, iż bywały momenty, że się sobą brzydziła. Miewała jednak też takie, w których podziwiała się za to, że potrafi sobie radzić i z powodzeniem kierować życiem dwóch Julek: tej „swojej" i tej „naszej". Tej „swojej", która na każdą złośliwość i uszczypliwość miała gotową odpowiedź, i tej „naszej", która zamiast wybuchać gniewem, zamiast krzyczeć, obrażać się, walczyć w słusznej sprawie, potrafiła milczeć tylko po to, by nie szargać sobie nerwów. Tylko kogo chciała oszczędzić? Tego nigdy nie mogła rozgryźć. Czy siebie, czy całą resztę?

– Ale zamilkłaś...

Podniosła wzrok znad żelazka i napotkała radosne spojrzenie Neli.

– Gdybyś wiedziała, co tu się dzieje... – wzniosła oczy ku górze zupełnie tak, jakby chciała wskazać wzrokiem swe zmarszczone od intensywnego myślenia czoło.

– Właśnie to podejrzewam – przyznała Nela. – I jak tak na ciebie patrzę, to mam różne przemyślenia na temat życia... – przyjaciółka zawiesiła głos w dość intrygującym momencie wypowiedzi.

– Nie zastanawiasz się czasami, po co była nam ta psychologia? Może gdyby nie ona, miałybyśmy większą szansę na normalność?

– Oczywiście, że się zastanawiam. Wciąż nie jestem pewna, czy psychologia nam pomaga w życiu, czy przeszkadza. Jedno mi się w niej jednak podoba wciąż najbardziej... – Nela kolejny raz zagadkowo zawiesiła głos.

– Co? – zapytała od razu z wielką ciekawością, której pogratulować by jej mogła nawet niezmiernie wścibska ciotka Klara.

– To, że gdyby nie „ta psychologia" – tu Nela zacytowała fragment jej wypowiedzi – to nie wiadomo, czy dostałybyśmy od życia inną szansę, by się spotkać.

– Ty to wiesz, jak mnie utwierdzić w przekonaniu o trafności życiowych wyborów – uśmiechnęła się do przyjaciółki, mając ochotę na to, by ją serdecznie wyściskać.

– Nadmienię tylko – Nela znów spoważniała – że wybór kierunku studiów jest tylko po części życiowym wyborem – wciąż słyszała głos Neli, która już zniknęła jej z pola widzenia.

– A po części czym? – zapytała, drążąc rozpoczęty temat.

– To jedynie wybór ścieżki edukacji – usłyszała donośną konkretną odpowiedź.

– I co w związku z tym?

Jakoś nie mogła zrozumieć, o co tym razem Neli chodzi i z jakiej przyczyny dokonuje takiego rozróżnienia, ale skoro przyjaciółka to robiła, to pewnie był w tym jakiś zamysł. Nela nigdy nie plotła bez sensu ani tym bardziej nie dopuszczała się czynów, które nie miały sensu.

– Po prostu są tacy, którzy doskonale wybierają drogę edukacyjną, a życiową już niekoniecznie. Oczywiście bywa też odwrotnie.

– Czy koleżanka zawsze musi burzyć mój wewnętrzny spokój? – zapytała żartobliwie, choć w nastroju do żartów już nie była.

Podejrzewała, że Nela domyśla się, iż jej milczenie na temat przeżywanej właśnie miłości nie jest przypadkowe. Skoro nie spowiadała się po każdym spotkaniu, nie opowiadała o każdej randce, o każdym dotyku bądź spojrzeniu, to nic dziwnego, że Nela stawała się czujna. Co gorsza, owa czujność nie wynikała z braku zaufania, płynęła z zaniepokojenia. Nie mogła się Neli dziwić. Przecież do tej pory, gdy tylko ktoś pojawiał się w jej sercu, Nela od razu wszystko wiedziała. Choć każda dotychczasowa fascynacja kończyła się dość szybko, Nela i tak musiała wysłuchiwać jej zachwytów: „popatrzył na mnie dłużej niż zwykle", „uśmiechnął się tak jakby inaczej", „dotknął mnie niby przypadkiem". A teraz?

Wszystko toczyło się inaczej. Miłość była nieprzypadkowa, dojrzała, świadoma. To dlatego milczała lub mówiła urywanymi zdaniami, w których brakowało opisów scen, doznań i uczuć. Wszystko było tajemnicą. A o tajemnicach się przecież nie mówi. Nic zatem nie opowiadała, nie chciała się dzielić intymnością, ponieważ należała ona tylko do niej i Łukasza. Zresztą tego, co ich tak nagle, tak znienacka połączyło, nie dało się opowiedzieć ot tak. Prostymi słowami. Pewnie gdyby nawet miała ochotę to zrobić, jej zdania byłyby nieudaczne. Jak pierwsze kroki źrebięcia. Ale nie chodziło tylko o słowa. Był jeszcze strach. To przede wszystkim on ponosił winę za jej milczenie. Nie mówiła, ponieważ bała się niezrozumienia Neli. Strach uzmysławiał jej, w jak trudnej sytuacji się znalazła. Cudownej, ale trudnej. Miała miłość. Znalazła ją. Tak po prostu. Ona miała miłość, a miłość miała ją. Trudność tej miłości polegała na tym, że nie mogła się nią i radością z nią związaną podzielić. Z nikim. Nawet z Nelą. Nad tym ubolewała najbardziej, ponieważ przynajmniej od Neli chciała usłyszeć: „Tak się cieszę!". Na razie musiała cieszyć się sama, bez świadków. Mogła cieszyć się tylko w swoim towarzystwie. Zostawała jej radość w pojedynkę. A radość w pojedynkę nie umywa się do miłości w zgranym duecie czy radości dzielonej z przyjaciółmi i rodziną.

Nie można mieć wszystkiego... – pomyślała nie pierwszy już raz i szarpnęła za kabel od żelazka.

– Skończyłam – poinformowała z ogromną satysfakcją.

– Ja też – obwieściła z nie mniejszym zadowoleniem Nela.

Stanowiły zgrany duet i to natchnęło ją teraz optymizmem potrzebnym do tego, by dotrwać w spokoju do chwili, w której nie będzie czuła lęku. Nie chciała już dłużej powtarzać tego w kółko w myślach, tylko spojrzeć Neli prosto w oczy i powiedzieć odważnie na głos: „to House".

Weszła do domu po cichu, a i tak przeczuwała, że zaraz rozpęta się piekło. Łukasz, Nela, szkoła, szpital, praca, życie – wszystko sprawiało, że miała paskudną pozycję przetargową w domu. Nie spędzała w nim czasu, nie wsłuchiwała się w wytyczne, według których miała żyć, więc nie ulegało wątpliwości, że stawała się wyrodną córką. A skoro nie uczestniczyła w życiu domowym, to wyłączyła się też z pomagania. Przecież to było karygodne. Siostrzeńców nie widywała prawie wcale. Justyna dzwoniła co prawda od czasu do czasu, ale marudząc do słuchawki, jak to wszystkiego ma dosyć, zwłaszcza że nie zdążył minąć tydzień od świąt, a Szymon rozchorował się na ospę wietrzną, a po jakimś czasie nastąpiła powtórka z rozrywki i dołączył do niego Tymon. Kto najbardziej przeżył tę powtórkę z rozrywki? Oczywiście Justyna. A Krzychu? Był pochłonięty pracą zawodową, tak samo jak Łukasz, dlatego doskonale rozumiała rozgoryczenie siostry, której nie była w stanie pomóc nawet wiosenna atmosfera.

A wiosna? Ta była w rozkwicie. Dni robiły się piękne. Coraz dłuższe, jaśniejsze, skąpane w słońcu. Świat nareszcie wydawał jej się łaskawy, szczególnie wtedy, gdy udało jej się spotkać z Łukaszem przynajmniej dwa razy w tygodniu. Taki luksus nie zdarzał się często, ale jednak bywało i tak. Spotykali się zwykle w poniedziałkowe wieczory w szpitalu. Zdarzyło się też kilka razy tak, że noc z poniedziałku na wtorek należała do nich, kiedy to ona niby uczyła się z Nelą w akademiku do kolokwiów, których miały mnóstwo, i to akurat była prawda. Rzadko udawało jej się spędzić z ukochanym czwartkowe przedpołudnie, kiedy to zaczynał pracę później, a ona jak każdy szanujący się student zrywała się z wykładów, by przypominać sobie smak poniedziałkowych pieszczot, przez które coraz bardziej się od siebie uzależniali, ale dzięki którym znali się coraz lepiej.

– A można wiedzieć, gdzie się wciąż szlajasz po nocach?

Mama, nie zważając na późną porę, miała głos radosny jak skowronek, który rozpoczyna dzień, jeszcze zanim koguty zapieją.

– Byłam u Neli. Uczyłyśmy się – odparła, bo akurat teraz nie musiała uciekać się do kłamstwa.

– Biorąc pod uwagę to, ile ostatnio czasu poświęcasz na naukę, to chyba masz chrapkę na najwyższe stypendium naukowe – stwierdziła mama, i to chyba wcale niecynicznie.

Może powitaniu nie miało towarzyszyć jak zwykle suszenie głowy?

– Chciałabym – rozmarzyła się głośno i zdjęła tenisówki, jednocześnie zrzucając z siebie cienki płaszcz. – Ale dziś był ładny dzień – usiłowała wprowadzić do rozmowy pozytywną nutę, ponieważ na słowne utarczki nie miała siły, była koszmarnie zmęczona.

– Ładny – zgodziła się mama nawet dosyć przyjaznym tonem. – Tylko co z tego, że ładny, skoro siedziałam cały dzień w pracy. Nawet do Justyny nie pojechałam, chociaż jej obiecałam. Chciałam, żeby chociaż na chwilę wyszła do świata z tego więzienia.

Bardzo nie spodobało jej się to, w jaki sposób mama określiła ognisko domowe swej starszej córki.

– Chyba trochę przesadzasz – odważyła się odnieść z rezerwą do matczynych spostrzeżeń. – Jest coś do jedzenia? Umieram z głodu.

– No właśnie! Rano wyszła z domu. Wróciła wieczorem. Na gotowe przyszła. I jeszcze zdanie zabiera na temat, o którym nie ma pojęcia!

Ale ze mnie lalunia! – pomyślała o sobie tak, jak od czasu do czasu nazywała ją mama.

– Co ty, Julka, wiesz o życiu?!

Zaczyna się! – pomyślała znów, przygotowując się na to, co za chwilę usłyszy. Weszła do łazienki, by umyć ręce przed jedzeniem, na które miała wielką ochotę. Apetytu nie popsuło jej nawet to, że posiłkowi będzie towarzyszyło niezbyt przyjemne dla duszy i uszu marudzenie mamy.

– Wolisz zupę czy zapiekankę? – zapytała już z kuchni mama.

– A co jest? – wycierała ręce w ręcznik, który już dawno należało wymienić.

– Botwinka albo zapiekanka z ziemniaków, boczku i cebuli, pod beszamelem.

– A mogę to i to? – rozanieliła się, ponieważ bardzo lubiła obie potrawy.

– No pewnie, że możesz! – fuknęła mama. – Co się tak głupio pytasz, jakbym ci jedzenia żałowała? Szkoda tylko, że jesz kolację po dwudziestej drugiej, a nie, jak Pan Bóg przykazał, o osiemnastej.

Chyba dietetycy, a nie Pan Bóg. On chyba nie przywiązywał do tego takiej wagi – też fuknęła. Tyle że w myślach.

– Oj, mamo, proszę cię. Tak mówisz, jakbym z kina wróciła, a nie od książek. Kolokwium mam jutro.

– A kto cię tam wie, co ty jutro masz?!

Mama podawała w wątpliwość jej prawdomówność. Dziś jednak mimo matczynych wątpliwości nie miała żadnych wyrzutów sumienia, ponieważ rzeczywiście zakuwały równo z Nelą do psychopatologii z elementami psychiatrii. Całe szczęście, że Nela zaproponowała tę wspólną naukę, bo gdyby musiała uczyć się tego w pojedynkę, mogłaby źle skończyć.

– Jak chcesz, mogę ci teraz opowiedzieć o schizofrenii na przykład albo o zaburzeniach lękowych, afektywnych, o zaburzeniach odżywiania, o zespole stresu pourazowego, o depresji, o czym tylko chcesz. Umiem wszystko. Wykułyśmy to z Nelą na blachę. Możesz pytać, o co chcesz – zaproponowała, mając nadzieję, że mama jednak nie zapyta, bo chciała teraz zająć się pałaszowaniem botwinki, która zawsze smakowała dużo lepiej, niż wyglądała.

– A co mnie obchodzą jakieś zaburzenia. Ty mi lepiej powiedz, dla kogo tak się od pewnego czasu stroisz. Bo ja, dzięki Bogu, żadnych zaburzeń nie mam i widzę co nieco, chociaż psychologii nie studiowałam.

Przełknęła gorącą botwinkę, zupełnie nie reagując na to, że parzyła jej język.

Zaczyna się – pomyślała i chciała od razu wykpić się od przesłuchania mamy w niezawodny sposób, czyli nawiązać do pogody.

– Mamo, wiosna jest! Poza tym od pół miesiąca uczę się w kółko o choróbskach i takie tam, to muszę coś robić, żeby nie oszaleć.

– Proszę mi tu oczu nie mydlić – mama uwielbiała uderzać w taką nutę.

– Mamo, daj spokój... – zaczynała modlić się o spokój.

Miała świadomość, że jeśli chce pałaszować już pachnącą zapiekankę, musi grzecznie i z pokorą przyjmować nie tylko pytania, ale i ćwiczyć odporność na dociekliwe i żądne prawdy świdrujące spojrzenie mamy.

– Ale przecież ty masz spokój non stop. Nie wiesz, co się w domu dzieje. Rano się wykąpiesz. Śniadanko podetknięte pod nos. Sukienka. Makijaż. Perfumy i fru, poleciała z domu. Co ty, Julka, myślisz, że ja ślepa jestem i niczego nie widzę? I masz jeszcze czelność o spokój mnie prosić. Nawet ciotka Klara martwić się zaczęła, żeby się z ciebie jakaś latawica nie zrobiła.

Ciotka Klara – instytucja przyznająca tytuł latawicy! – pomyślała ze zgryźliwością równą ciotce, specjalistce od moralności, ale odzywać się nie zamierzała.

– A ciotka Marianna to mi ostatnio powiedziała, że już całkiem zapomniała, jak wyglądasz.

Ale ściema! – parsknęła w duchu, wiedząc, że na wygadywanie takich bzdur ciotka Marianna nie dawała sobie przyzwolenia. Zresztą miała pewność, że ciotka Marianna bzdurami się nie zajmowała i czegoś takiego nawet by nie pomyślała.

– Pójdę do niej w sobotę – złożyła obietnicę, i to raczej sobie niż mamie.

– Tylko jej zawczasu nie obiecuj, bo się nastawi, ty zapomnisz, polecisz gdzieś i po co ma być jej przykro?

Popatrzyła na mamę i posłała jej niezbyt przyjazne spojrzenie. Nawet jej się myśleć nie chciało, bo wchodziła na zakazaną częstotliwość, którą można by streścić w następujący sposób: „Cokolwiek robisz bądź mówisz, robisz i mówisz źle. To lepiej nie rób i nie mów. A najlepiej nic nie mów, bo szkoda słów. O myślach nawet nie wspominając".

– I wcale się nie musisz na mnie tak patrzeć bykiem !

Słuchając zaczepnych słów mamy, miała ochotę spojrzeć w lustro, by sprawdzić, czy rzeczywiście ma w oczach jakiegoś byka.

– Przecież nie patrzę – spuściła z tonu, mając nadzieję na zapiekankę, bo zupy zostało jej już tylko kilka łyżek.

– Już ja cię znam i wiem, co ci tam po głowie chodzi.

Dobre sobie... – pomyślała, nie bojąc się zupełnie o bezpieczeństwo i tajność swych myśli. Od lat wiedziała, że nikt nie ma dostępu do jej myśli, bo gdyby miał, to padłby trupem, i to szybko. A jak było widać na załączonym obrazku, w jej rodzinie wszyscy mieli się doskonale, chociaż jej myśli w pewnych kwestiach od lat pozostawały niezmienne.

– To powiedz, co chodzi mi teraz po głowie. Przynajmniej będziemy mogły sprawdzić, czy wszystko się zgadza – zaproponowała bardzo polubownym tonem.

Wiedziała bowiem, że za wchodzenie na wojenną ścieżkę musiałaby słono zapłacić, a jak to zwykła mawiać Nela, cytując własną mamę: „groszem nie śmierdziała".

– Po prostu widzę, że się za kimś uganiasz, i martwię się, czy to aby ktoś wart twojej uwagi.

– A myślisz, mamo, że potrafiłabym uganiać się za byle kim? – zapytała konkretnie.

Wciąż była miła. Nie mogła postępować inaczej, skoro miała już w ustach pierwszy, bajecznie rozpływający się kęs zapiekanki, w której co prawda kawałków boczku było tyle, co kot napłakał, w dodatku kot do wzruszeń nieskory, ale za to beszamel był pierwsza klasa.

Gesslerowa się chowa... – pomyślała z lubością, ale wypowiedzieć swej myśli niestety nie zdołała, bo mama już miała coś do powiedzenia.

– Czyli nie zaprzeczasz, że się uganiasz – stwierdziła mama, udowadniając jej tym samym, że dotychczasowe przesłuchanie było tak naprawdę przemyślaną podpuchą.

– Tak – odpowiedziała spokojnie, wprawiając mamę swą odpowiedzią w osłupienie, gdyż ta z pewnością była przygotowana na to, że proces wyciągania prawdy z nieskorej do zwierzeń córki potrwa dłużej.

– No to mów! Co tak siedzisz?!

– Ale co mam mówić? – zapytała bezradnie, czując w sercu, że milczenie jest złotem.

– Jak to co? – mama, rzecz jasna, chciała natychmiast dowiedzieć się wszystkiego. – Kto to jest? Skąd go znasz? Kim są jego rodzice? No po prostu mów, co wiesz!

– Ma na imię Łukasz – celowo cedziła słowa.

W duchu chwaliła się wybrankiem serca dużo szybciej.

Och, jaka dobra córka! Prawdomówna! Tylko opanuj się i nie mów, że dobrze całuje... – rozmarzyła się.

– No i dobrze całuje! – rozmarzenie niestety jej zaszkodziło i ubrała myśli w słowa.

– Musisz mnie denerwować?! – mama sprowadziła ją na ziemię błyskawicznie, i to bez spadochronu.

– Mamo... – przemówiła łagodnie – przecież to chyba dobrze, że męża sobie szukam. Sama mówisz, że niektóre dziewczyny w moim wieku już przy dzieciach zasuwają.

– I po co ty mnie, dziecko, denerwujesz? – powtórzyła mama i załamała ręce.

– Ale ja naprawdę nie chcę cię denerwować. Po prostu mówię ci, jak jest. Zresztą nic więcej ci nie powiem, bo nie wiem o nim zbyt dużo.

– Chryste Panie! – tym razem mama nie musiała załamywać rąk, ponieważ zrobiła to już uprzednio. – Nic o nim nie wiesz, a już się całowaliście?!

– Oj, mamo! Od tego, jak ty poderwałaś tatę, czasy się zmieniły – zażartowała.

Żart nie spodobał się mamie. W mgnieniu oka spoważniała, chociaż już wcześniej dobry nastrój jej nie dopisywał.

– Ja nie poderwałam twojego ojca – podkreśliła dziwnym głosem.

– To przepraszam, cofam to, co powiedziałam. Od tego, jak to tato cię poderwał – dokonała szybkiego sprostowania.

Wszystkiego się spodziewała, ale nie tego, że mama zblednie i wstanie od stołu tak szybko, jakby ktoś postawił przed nią talerz przelewający się od czarnej polewki.

– Jak skończysz, to umyj gary!

Usłyszała głos dochodzący gdzieś z głębi domu, ponieważ mamy już w kuchni nie było. Poszła sobie. I nie skorzystała z możliwości dowiedzenia się czegoś o podbojach miłosnych swej córki. To było do niej niepodobne.

– Mamo... – podniosła odrobinę głos, w którym słychać było wyraźnie nutę przeprosin.

– Daj mi już spokój! Dobranoc!

– Dobranoc – odpowiedziała łagodnie i cicho, wciąż nie rozumiejąc, co takiego powiedziała, że mama natychmiast zamieniła się z napastnika w ofiarę, w dodatku wielce pokrzywdzoną.

Co ją ugryzło? – zamyśliła się.

Pewnie czegoś nie wiem – skonstatowała dość szybko.

A może tato tak się w mamie zakochał, że rzucił dla niej wszystko. Nawet sutannę... – pomyślała nieco żartobliwie.

To by wiele tłumaczyło... – kontynuowała myśl, przypominając sobie, co się działo w domu, gdy Janek wszem i wobec ogłosił, że zamierza zostać księdzem.

Może jaki ojciec, taki syn... – główkowała, pamiętając, że wówczas z boskiego powodu na jakiś czas w domu zapanowała iście piekielna atmosfera. Na szczęście minęła dość szybko i dziś już nikt do niej nie wracał. Nikt o tym słowem nie wspominał, chociaż każdy na pewno to pamiętał.

Widocznie wiele spraw w życiu należy wziąć na przeczekanie... – pomyślała, wiedząc, że filozofią będzie przekonanie mamy do tego, że „nasza Julka" zakochała się w mężczyźnie o dwadzieścia lat od niej starszym.

Zgroza? A co tam… – pomyślała beztrosko, wiedząc, że taką beztroskę mogła udawać przed każdym, tylko nie przed sobą. Przed sobą niestety nie. Rozumiała dobrze, że czas rodzinnego piekła, które musiało się z jej powodu rozpętać, nadciągał i pewnie nie należało odwlekać tego w nieskończoność. Czasami pewnie nie należy odwlekać tego, co nieuniknione, ponieważ może zabraknąć czasu na wszystko, co ma szansę rozegrać się potem.

– Wchodź! – Justyna otworzyła drzwi i szeptała ledwo słyszalnie. – Tylko błagam, bądź cicho, bo właśnie zasnęli. Dzięki, że zapukałaś.

Dostosowując się do wytycznych siostry, milczała. Łukasz nigdy nie miał dla niej czasu w sobotę, dlatego też już przy śniadaniu obiecała wciąż nieco nabzdyczonej mamie, że nadrobi rodzinne zaległości i przed południem odwiedzi siostrę. Po południu miała wpaść do ciotki Marianny, którą najpierw zabierze na zakupy, a później upiecze jej ciasto, oczywiście według przepisu mamy. Natomiast wieczorem nie będzie musiała już nigdzie wychodzić, bo jak wróci do domu, to zasiądzie do kolacji z mamą i drugą swą ciotką. Już wiedziała, że wtedy dopiero się zacznie, ponieważ ciotka Klara do wieczora zdąży ułożyć sobie w głowie tysiące pytań, by zgnębić bezgranicznie swą młodszą siostrzenicę z powodu jej nowego absztyfikanta.

– Rozbieraj się i chodź do kuchni.

Słuchała poleceń siostry i wykonywała je najciszej, jak się dało. Weszła do salonu i przez chwilę pomyślała o sobie bardzo źle. To, co tu zobaczyła, jednoznacznie wskazywało na to, że jej starsza siostra potrzebuje pomocy. Słowo „burdel" nijak nie oddawało tego, co działo się w salonie, kuchni, a nawet łazience, której otwarte drzwi minęła po drodze. W kuchni można było zobaczyć piętrzące się wszędzie brudne naczynia, w salonie sterty zabawek, a w łazience hałdy brudnych ciuchów wymieszanych z leżącymi na podłodze ręcznikami, pewnie też nie pierwszej świeżości. Żeby usiąść przy stole, musiała zdjąć z krzesła oblepiony czarną mazią śliniak. Na stole natomiast brakowało chyba tylko klatki z chomikiem, bo wszystko inne już tu było.

– I co się tak gapisz?

Justyna bardzo dobrze odczytała jej wzrok.

– Patrzę po prostu – szepnęła, wiedząc, że szept z powodu snu chłopców jest obowiązkowy.

– Przecież wiem, że mam straszny syf, ale skoro to ty zapowiedziałaś wizytę, a nie mama, to usiłowałam się w nocy wyspać, a nie walczyć z tym wszystkim.

Justyna, mówiąc, nawet nie próbowała rozejrzeć się po tym, o czym wypowiadała się z wielką odrazą. Nigdy nie należała do pedantek, jednak pewien umiar w otaczającym ją nieporządku zwykła zachowywać.

– Spanie ważna sprawa – uśmiechnęła się, nic nie sugerując.

– Zwłaszcza z mężem, którego całymi dniami się nie widuje – odpowiedziała Justyna, jakby reagując na sugestię, której naprawdę nie było.

– To może ja nie będę wnikać – szepnęła uspokajająco, gdyż Justyna oprócz tego, że nie dawała sobie rady z urokami codzienności kobiety, którą dzieci zupełnie zawłaszczyły, wyglądała na całkiem zadowoloną z życia. – Może szybko to ogarnę – zaproponowała, oceniając, że na uporządkowanie tego wszystkiego ze swoim doświadczeniem w zawodzie sprzątaczki potrzebowała będzie jakichś trzech godzin.

– Ani się waż! – Justyna od razu ostudziła jej zapał do pracy. – Teraz musi panować absolutna cisza! Oni muszą się wyspać, bo jak nie, to nie dadzą mi żyć. I wtedy będziesz miała przechlapane, bo nie wiem, czy wiesz, ale jak się obudzą, to ja dam im obiad, a później daję stąd nogę. Muszę zrobić szybkie zakupy, czyli nie będzie mnie jakieś dwie godziny – uściśliła siostra. – A ty po prostu się z nimi pobawisz, bo spacer mamy już za sobą.

– Po prostu – odpowiedziała z radością i przekonaniem, że jak Justyna zniknie z pola widzenia chłopców, to nic już nie będzie proste w tym chaosie, na który zerkała teraz od czasu do czasu. Przypominała sobie wieczór, kiedy spotkała się tu z ordynatorem i już wtedy obserwowała z podziwem jego dłonie sprawnie badające osłabionego chorobą Tymka. Dziś myślała o tamtej sytuacji z pewnym rozrzewnieniem, które wynikało z tego, że teraz wiedziała o tych dłoniach dużo więcej niż wtedy, gdy wzroku nie mogła od nich oderwać. Pewnie to dlatego poczuła ogromną chęć, by opowiedzieć o swej miłości Justynie. Nie wiedziała tylko, jak rozpocząć tę opowieść. Od czego zacząć? Czy jedynie zasugerować coś, i to między wierszami, czy powiedzieć wprost, do czego doszło już pomiędzy nią a Łukaszem? Póki co wolała jednak nie wtajemniczać Justyny w fakt znajomości swego wybranka ze swym jedynym i ulubionym szwagrem.

– Mama nagabywała mnie, żebym wypytała cię o jakiegoś nowego chłopaka, z którym rzekomo zaczęłaś się prowadzać.

Ładne mi prowadzanie... – pomyślała, ciesząc się, że temat wypłynął sam i że Justyna od początku trzyma jej stronę, czemu dała wyraz, przytaczając dosłownie uszczypliwe słowa mamy, charakteryzujące się wyraźnie krytycznym stosunkiem do kwestii „prowadzania się naszej Julki".

– To wypytuj, pozwalam – wyszeptała z wyluzowanym uśmiechem.

– Może chcesz się czegoś napić? – zapytała Justyna.

– Nie, dziękuję.

– A coś zjeść? – znów zapytała siostra, jakby nie mając zupełnie ochoty na naciąganie na zwierzenia o ważnych damsko-męskich sprawach.

– Też nie – odparła, ciesząc się, że kurtuazję miały już za sobą.

– To w takim razie mów – zagaiła Justyna, wgapiając się w nią co najmniej tak jak dzieci na cyrkowe sztuczki.

– Ale co? – zapytała, świadomie nie ułatwiając siostrze zadania.

Chciała po sposobie, w jaki Justyna stawia pytania, odkryć to, co zasugerowała jej mama, albo to, jakie siostra miała wyobrażenia o „tym kimś".

– To ktoś z twojego roku?

– Coś ty! U mnie na roku są prawie same baby.

– To skąd go znasz?

Lubiła konkretne podejście Justyny do wielu spraw.

– Ze szpitala – odpowiedziała konkretem.

Justyna usłyszawszy słowo „szpital", stała się podejrzanie czujna.

– Przestań mnie dręczyć, tylko powiedz wprost, kto to jest.

Nie mogła już dłużej lawirować, bo słowa starszej siostry zabrzmiały jak konkretne żądanie.

– Powiem ci, ale pod warunkiem, że nie wyspowiadasz się zaraz ze wszystkiego przed mamą.

– Czyżby to był ktoś dla ciebie nieodpowiedni? – zadrwiła Justyna.

– Przypominam ci, że facet, za którego wyszłaś, w rodzinnym mniemaniu – nie bała się tego podkreślić – również był dla ciebie nieodpowiedni.

– Tylko że ja w przeciwieństwie do ciebie zwykle mówię rodzinie prosto w twarz, gdzie mam jej mniemanie – odgryzła się całkiem rzeczowo Justyna.

– Może ja też mam taki zamiar – zasugerowała, ale przekonania w tym stwierdzeniu nie było prawie wcale.

– Załatwmy to. Powiedz mi, kto to, a ja ci powiem, czy możesz się z nim spotykać bez narażania życia. Swojego albo rodziny.

Justyna wpatrywała się w nią wyczekująco.

– To akurat wiem bez czekania na twoją opinię.

– Czyli polecą głowy – celnie zawyrokowała siostra.

– Moja pierwsza – przepowiedziała przyszłość, niestety chyba też celnie.

– To jest aż tak źle? – Justyna zdała sobie w końcu sprawę, że prowadzą bardzo poważną rozmowę.

– Z mojego punktu widzenia jest bosko – nie zamierzała ukrywać swych uczuć, nie przed siostrą. – Tylko...

– Tylko co? – Justyna nie należała do cierpliwych słuchaczy.

– Tylko że mój punkt widzenia nikogo nie obchodzi – zauważyła z goryczą w głosie.

– Przyzwyczaiłaś ich do tego – podsumowała Justyna, nie myląc się ani trochę.

– Sama jestem sobie winna...

– To nie tak...

Istniała możliwość, że Justyna oceniała ją trochę łagodniej, niż to podejrzewała.

– A jak? – była ciekawa zdania siostry.

– Po prostu w życiu każdego przychodzi kiedyś taki czas, że musi zawalczyć o swoje. I tyle.

– Co chcesz przez to powiedzieć?

– Po prostu inaczej mają się sprawy, kiedy nie mówisz pewnych rzeczy, które masz w głowie wtedy, gdy masz naście lat. A inaczej, gdy masz tych lat więcej. To jest naprawdę proste – Justyna wpatrywała się w nią intensywnie.

– Czyli... – chciała pozbyć się wszelkich wątpliwości i dokładnie pojąć rozumowanie siostry.

– Czyli jak masz naście lat i nie mówisz pewnych rzeczy, to nawet dobrze robisz, bo unikasz nieprzyjemnych komentarzy w rodzaju: „a to ci pyskata smarkula". Ale gdy masz już swoje lata i nie mówisz tego, co myślisz, to jesteś przypadkiem beznadziejnym.

– Tak myślisz? – zastanowiła się przez chwilę. – A mnie się zawsze wydawało, że to po prostu pragnienie wygody.

– Nazywaj to, jak chcesz, ale sama wiesz, że przychodzi taki czas, że umiłowanie spokoju musi zejść na dalszy plan, bo układanie sobie życia nie zawsze odbywa się w spokojnej atmosferze. To najczęściej dużo kosztuje, a w takiej rodzinie jak nasza to lepiej nie mówić.

– Coś o tym wiesz – skonstatowała gorzko.

– Już o tym zapomniałam – uśmiechnęła się Justyna, dając jej tym uśmiechem do zrozumienia, że różnica wieku między nimi, wcześniej stanowiąca poważną barierę w porozumieniu, teraz traciła znaczenie.

– Naprawdę? – chciała się upewnić.

– Jak widzisz – siostra rozejrzała się po swym mieszkaniu – nie mam teraz czasu na głupoty. Zajmuję się tylko tym, co ważne – mówiąc to, Justyna mrugnęła porozumiewawczo – więc zajmowanie się w kółko porządkami albo zachodzenie w głowę, co ktoś sobie pomyśli o mnie i o moim życiu, nie spędza mi snu z powiek. A teraz powiedz mi w końcu, kim jest twój tajemniczy wielbiciel, i miejmy to już za sobą.

Przyglądała się siostrze, która choć bez makijażu i ubrana po domowemu, wyglądała co prawda na zmęczoną, ale zadowoloną z życia. Justyna na pewno wiedziała już, co w życiu ważne, a co niewarte zachodu.

– Nie siedź tak bez sensu, tylko mów, bo jak się potwory zbudzą, to już nie pogadamy. Poza tym będziesz bardzo zajęta – ponagliła ją Justyna.

– Ma na imię Łukasz – zaczęła, nie bardzo wiedząc, co jeszcze mogłaby dodać.

Nie chciała nawet badać, czy Justyna go zna, bo ustalili z Krzychem, że najlepiej będzie, jeśli „barcelońską wizytę lekarską" zachowają w tajemnicy, zwłaszcza że wszystko skończyło się dobrze.

– Może zdradzisz coś jeszcze? – Justyna patrzyła wyczekująco.

– Jest lekarzem.

– O proszę, czyżbyś też miała słabość do białych kitli? – zażartowała Justyna. – Może to jakieś rodzinne skrzywienie?

– Rodzinne to chyba nie do końca, bo Janek nie stracił głowy dla żadnej pani doktor – przywołała w myślach obraz swego brata.

– Mylisz się – zaoponowała od razu Justyna. – Ten to nas dopiero zdeklasował. Przecież zakochał się w najważniejszym lekarzu świata, w lekarzu dusz.

– Rzeczywiście coś w tym jest... – zamyśliła się, zamiast mówić.

– Ale dość o Janku! – szept Justyny stał się bardzo kategoryczny.

– To na czym skończyłyśmy? – udawała, że nie pamięta.

– Na rodzinnej słabości do lekarskich kitli – Justyna natychmiast sprowadziła rozmowę na właściwe tory.

– Łukasz nie chodzi w lekarskim kitlu – stwierdziła i od razu przypomniała sobie moment, gdy zdejmowała z niego trochę wilgotną od deszczu białą koszulę.

– Szpitalna szycha? – od razu zapytała Justyna, dobrze orientująca się w lekarskiej rzeczywistości.

– Ordynator – powiedziała wprost, nie chcąc niczego ukrywać.

– Żartujesz?! – zdziwienie siostry było kolosalne.

– Nie.

– Ile ma lat? – pytanie, którego bała się chyba najbardziej, padło szybciej, niż się tego spodziewała.

– Jest dwadzieścia lat ode mnie starszy – odpowiedziała szybko. Bardzo starała się zachować spokój, a zmusiwszy Justynę do przeprowadzenia niezbyt trudnych rachunków, zyskała chwilę, podczas której nie musiała zabierać głosu. Milczały zatem obie. Pewnie z tego samego powodu. Żadna z nich nie wiedziała, co powiedzieć. W końcu pierwsza odezwała się Justyna. Zresztą nie ma się czemu dziwić. Zawsze była odważna.

– Błagam cię, tylko mi nie mów, że ma żonę i dzieci – spojrzenie Justyny było pełne obaw.

– Nie. Jest sam – odpowiedziała natychmiast.

– To znaczy kawaler? – Justyna drążyła temat, upodabniając się w tej chwili do mamy.

– Nie wiem – odpowiedziała zgodnie z prawdą.

Dopiero teraz do niej dotarło, jak mało wie. Nie zastanawiała się nawet nad tym. Po prostu przyjęła to za pewnik. W tej chwili zdała sobie sprawę, że bardzo chciała, by tak było. To Justyna, która nie bała się nigdy zaglądać prawdzie w oczy, potrafiła zadać to pytanie wprost.

Chcę, żeby był kawalerem... Bardzo tego chcę... Boże, proszę Cię... – modliła się w duchu. Dotarło do niej w końcu, że jego wolność po prostu założyła. Pewnie dlatego, że tak naprawdę to Łukasz sam poruszył temat kobiet w swoim życiu. Przecież nie mogło się teraz okazać, że zrobiła z siebie totalną idiotkę.

– Julka! – Justyna wbiła w nią karcący wzrok. – Zastanów się, co ty mówisz! Jak to nie wiesz? Jak można zadawać się z facetem, i to o tyle od siebie starszym, i nic o nim nie wiedzieć? Zwariowałaś?! – siostra patrzyła na nią tak samo jak czasami mama.

– Po prostu nie wiem – odpowiedziała, przyznając się do swej naiwności, i już gorzko żałowała swego postępowania.

– Spałaś z nim?

Jedno pytanie Justyny sprawiło, że miała pewność, iż rozmawia z siostrą, a nie z mamą. Rodzicielka nie potrafiłaby zadać tak bezpośredniego pytania.

– Tak – jednym słowem przyznała się do wielu rozkoszy.

– Boże, Julka! Ile ty masz lat?!

Zaczęło się! – pomyślała i już czuła gorycz świadomości, że to, co dzieje się teraz między nią a Justyną, jest niczym w porównaniu z wojną domową, która wkrótce miała się rozpętać.

– O dwadzieścia mniej od niego – odezwała się bezsensownie, gdyż nie wiedziała, co powiedzieć.

– Przestań już!

Wiedziała, że gdyby nie sen chłopców, dostałaby od siostry dyscyplinującą burę.

– Nie zachowuj się jak mama – poprosiła ze łzami w oczach.

– Ty chyba nie wiesz, co mówisz. Nie chcę wiedzieć, ty zresztą chyba też, co by było, gdyby zamiast mnie siedziała tutaj mama! – Justyna szeptała coraz głośniej.

– Nie chcę – przyznała i rozkleiła się na całego.

– Co ci odbiło? – słowa Justyny były bezlitosne, ale ton złagodniał i to dość znacząco.

– Zakochałam się – prawdomówność była dziś jej mocną stroną, ale już żałowała, że wcale jej to nie pomagało.

– Ale tak w ogóle to wiesz o nim coś pewnego?

– To bardzo dobry człowiek – stwierdziła z przekonaniem, choć płacz sprawiał, że mówienie nie było łatwe.

– No nie wiem... – Justyna podawała w wątpliwość jej słowa. – Skoro zaciągnął młódkę do łóżka...

– Jeszcze przed chwilą, jeśli dobrze zrozumiałam, uzmysławiałaś mi, że jestem dorosła, to po pierwsze, a po drugie, wcale mnie do tego łóżka zaciągać nie musiał. Chciałam tego...

– Mniejsza o to – Justyna weszła jej w słowo. – Teraz musisz jak najszybciej dowiedzieć się, czy ma żonę!

– Przecież mówiłam ci, że nie ma – natychmiast weszła w rolę obrońcy Łukasza.

Nie miała z tym najmniejszego problemu, ponieważ głęboko wierzyła, że to, co jej mówił, jest prawdą. Ufała, że nie ukrywa przed nią niczego.

– Posłuchaj mnie teraz uważnie. Faceci mają całkiem inną wizję świata niż my. I nic dziwnego, w końcu pochodzimy z innych planet. Zapamiętaj to sobie, jeśli chcesz dowiedzieć się od faceta czegoś konkretnego, musisz go zapytać wprost. I ty właśnie musisz tego swojego Łukaszka zapytać o to wprost.

– Wprost to znaczy... – dopytywała się, chociaż dokładnie rozumiała, do jakiej poważnej rozmowy nakłania ją teraz starsza siostra. *Mam zadać mu pytanie, czy ma żonę?* – na samą myśl robiło jej się słabo.

– Wprost to znaczy wprost! – Justyna była bardzo konkretna. – Musisz zapytać, czy ma żonę albo czy miał żonę. Powinnaś zapytać też o dzieci, bo jak już pewnie wiesz, nie trzeba mieć żony, żeby mieć dzieci.

– Boże... – szepnęła, płacząc rzewnie.

Czuła, jakby ktoś bezlitośnie pozbawiał ją złudzeń, że miłość może mieć tylko piękne oblicze.

– Boże! Boże! – Justyna pokiwała głową, chyba rozumiejąc, co czuje teraz jej młodsza siostra. – Pomyśl, zastanów się przez chwilę, czy chciałabyś być tą trzecią albo tą, co dzieciakom tatusia podkrada.

– Nie chciałabym – odpowiedziała szybko i z przekonaniem, wierząc, że nie pasuje do portretu nakreślonego przez Justynę.

– To się dowiedz i ten problem będziesz miała już z głowy. Jak się okaże, że ordynator jest wolny jak ptak, to mama powinna przymknąć oko na jego wiek. Przecież nie wypada kręcić nosem na ordynatora – Justyna znała doskonale zasady rządzące rodzinnym światem i nic dziwnego, ponieważ wciąż była jego ważnym członkiem. – Jaki oddział? – zapytała szybko.

– Onkologia dziecięca.

– To tam, gdzie chodzisz?

– Właśnie tam.

– O! To chyba na dzień dobry musiało być całkiem pikantnie.

Nie miała zamiaru ustosunkowywać się do stwierdzenia siostry. Musiała sobie wszystko przemyśleć. Wszystko... I to bez pikanterii... Na spokojnie...

– A od kiedy, że tak powiem...

– Od niedawna.

– W łóżku od niedawna czy w ogóle od niedawna? – dopytywała Justyna bez śladu zażenowania.

– W ogóle od niedawna – uściśliła.

– I już było łóżko? – Justyna udawała zdziwienie.

– A ty potrzebowałaś na to dwóch lat? – zapytała bezpośrednio, ale nie niegrzecznie.

– Zupełnie nie – przyznała Justyna, uśmiechając się do wspomnień. – Widocznie lekarze są szybcy w tych sprawach i nie ma się czemu dziwić, fizjologię mają przecież w małym palcu.

Może są po prostu bardzo zajęci? – pomyślała, zamiast powiedzieć. Odezwała się za to innymi słowami:.

– Tylko proszę cię, nie mów nic mamie – posłała siostrze błagalne spojrzenie.

– Jeszcze nie zgłupiałam do reszty. Poza tym lubię swoje życie i chcę żyć. To przecież nie moja sprawa. Mam tyle swoich, że nie mam zamiaru mieszać się w czyjeś. Jesteś przecież dorosła. Jednak nie zmienia to faktu, że proszę cię, żebyś zorientowała się, z kim sypiasz, bo byłoby nietęgo, gdyby się okazało, że on rano z żoną, a wieczorem z tobą, albo na odwrót.

– Proszę cię – nie mogła tego dłużej słuchać.

Ogarniała ją panika. Wiedziała, że Łukasz miał w zwyczaju w niedzielne wieczory przesiadywać w swoim gabinecie, gdzie opracowywał tygodniowy harmonogram działań i szczegółowy plan leczenia wszystkich pacjentów przebywających pod jego opieką. Zdawała sobie sprawę z tego, że pilnował życia, a gdy pilnuje się życia, trzeba być dokładnym i skrupulatnym. W jego pracy nie było miejsca na błędy. Wiedziała, że nie lubił, gdy ktoś przeszkadzał mu w niedzielnym ślęczeniu nad papierami. Ale już wiedziała, że pójdzie tam i będzie mu przeszkadzać. Musiała się przekonać, musiała usłyszeć na własne uszy, że wtedy, gdy sam zaczął rozmowę na ten trudny temat, był z nią szczery. Justyna otworzyła jej oczy. To prawda. To wystarczyło, by zrozumiała, jak bardzo mało wie o człowieku, w którym się zakochała. A lepiej jest zakochiwać się w realnym człowieku, a nie w wytworze wyobraźni. Nie chciała się już niczego domyślać. Chciała wszystko wiedzieć.

Obawiała się sytuacji, o której mówiła Justyna. A nie chciała się bać. Nie chciała żyć w niepewności. Miłość przecież powinna umacniać, a nie osłabiać. Uczucie powinno ułatwiać życie, a nie utrudniać. Dlatego musiała wszystkiego się dowiedzieć. Domysł, że w życiu Łukasza nie ma kobiety, przestał jej wystarczać. Musiała mieć pewność. Musiała o wszystko zapytać. Musiała zdobyć się na odwagę. Jak to zrobić? Miała jeszcze trochę czasu, by się nad tym zastanowić. Przecież niedziela dopiero jutro. A nieunikniona rozmowa dopiero jutro wieczorem. Zostało jej jeszcze trochę czasu, by pomyśleć, by wszystko zaplanować. Musi wierzyć, że da radę. Musi uwierzyć w siebie...

– Mama!

Z sypialni zaczęło dobiegać płaczliwe nawoływanie Szymona.

– I to by było na tyle – jęknęła Justyna, wstając od stołu.

– To ja się biorę za porządki. Zanim wyjdziesz na zakupy, wszystko będzie ogarnięte, zobaczysz – obiecała, ciesząc się, że może czymś zająć ręce, bo myśli już i tak miała zaprzątnięte.

– Porządek to ty lepiej zrób ze swoim ordynatorem, a teraz nadstawiaj uszu, bo jak odezwie się druga pociecha, to musisz pobujać trochę wózkiem, może uda się jeszcze trochę zagrać na czas.

Justyna zniknęła z pola widzenia, natomiast do niej docierała dotkliwa świadomość, że czasami w życiu opłaca się zagrać na czas, a czasami takie zachowanie nie popłaca wcale. Co gorsza, teraz znajdowała się w sytuacji, w której zasadniejsze okazywało się to drugie...

Wiedziała o tym doskonale.

Kolejny raz ostatnimi czasy myślała tak samo. Zwariowała. Tyle że powodem dzisiejszego wariactwa, które ją aktualnie dopadło, nie była – jak wcześniej – miłość. Szaleństwo z miłości to chyba najprzyjemniejsze uczucie na świecie. Ale dzisiejsze wariowanie nie należało do przyjemności. Wczorajsza rozmowa z Justyną ją dobiła, ale wtedy jeszcze nie zdawała sobie z tego sprawy. Nie była na siostrę zła, tylko podziwiała ją za życiową odwagę. Justyna umiała walczyć o swoje. Umiała zawalczyć też o miłość. Potrafiła bez ogródek powiedzieć, a raczej wykrzyczeć mamie prosto w twarz: „Ale o co wam chodzi? Przecież jak wyjdę za takiego beznadziejnego typa za mąż, to ja będę miała beznadziejne życie, a nie wy! To ja z nim będę żyła, a nie ty, mamo, ani ciotka Klara! Nic mnie nie obchodzi, co ma do powiedzenia w mojej sprawie. Miała swoją młodość! Mogła z niej korzystać, jak był na to czas. Mogła sobie ułożyć życie, z kim chciała. I co ja mogę na to poradzić, że tego nie zrobiła? Dlatego nie będzie mi teraz ględził ktoś, kto sam sobie życia nie ułożył. I lepiej dla nas wszystkich będzie, jeśli powiesz ciotce, żeby z łaski swojej nie wypowiadała się na temat Krzycha przy mnie, bo więcej tego nie zniosę. A jakby miała jeszcze coś do dodania, to jej tak nagadam, że jeszcze się starowinka kopytami nakryje!". W zdenerwowaniu Justyna nie przebierała w słowach. Siostrzane słowa były dużo odważniejsze od jej najodważniejszych myśli.

Wczorajszy dzień był okropny. Miewała takie czasami. Jednak wczoraj było jak oprawca, który rozpoczyna swój hańbiący proceder od psychicznej katorgi. Dziś było podobnie albo jeszcze gorzej, gdyż wiedziała, że pewnych spraw nie powinna odkładać na później. Nie chciała skazywać się na kolejne dni, w których oddech sprawiał jej ból. A mimo to wciąż zadawała sobie mnóstwo pytań. Chwilami całkiem spokojnych, chwilami histerycznych. Zadawała je bez sensu, gdyż jej organizm był jednym wielkim dowodem na to, że powinna posłuchać rady starszej siostry i porozmawiać z Łukaszem na temat byłych żon i dzieci. Może je miał, może nie, ale już teraz musiała to wiedzieć. Nawet jeśli rzeczywistość miałaby ją zabić. Nawet gdyby miała paść trupem w lekarskim, skorym do pomocy towarzystwie, to i tak już teraz musiała wiedzieć. Musiała wiedzieć wszystko.

Wieczór niezauważalnie przeobrażający się w noc był ciepły. Siedziała na jednej z ławek szpitalnego spacerniaka. Tak nazywały z Nelą mały park przylegający do południowej ściany szpitala, po którym mogli w ciepłe dni chodzić tylko niektórzy mieszkańcy szpitalnego zakładu. Siedziała i myślała. O wszystkim, co ją ostatnio spotkało, a raczej spotykało. Zazdrościła Neli, siedzącej teraz w kinie obok Xawerego, na którego serdecznym palcu nigdy nie złociła się obrączka włożona mu przez inną kobietę. Xawery miał szczęście, ponieważ Nela była uczulona na ten złocisty blask. Zazdrościła też Neli obecnej lekkości ducha, chociaż wiedziała, że jej najlepsza przyjaciółka nie wiedzie życia bez dylematów, a odkąd zaczęła spotykać się z Xawerym, jeszcze ich przybyło. Nela nigdy nie chciała obarczać jej swoimi obawami i źródłem ich pochodzenia, ale i tak wiedziała, że przyjaciółka wymyśliła ich całe mnóstwo. Nie dziwiło jej to wcale. Teraz siedziała i bała się. Trzęsła się ze strachu, że dziś może się okazać, iż Łukasz ją oszukał, zataił przed nią ważne fakty. Nie powiedział jej wszystkiego, co powinien. Ale to nie paniczna obawa była teraz najstraszniejsza. Gorsza od obawy była zazdrość. Jeszcze nic nie wiedziała, a już zazdrościła. Była zazdrosna o tę, której Łukasz mógł ślubować dozgonną miłość i wierność. O tę, której założył obrączkę i od której ją przyjął. Była chorobliwie zazdrosna. W dodatku zazdrością irracjonalną. Zazdrościła na wyrost, nie mając pewności, czy ma czego. O dzieciach wolała nawet nie myśleć. Dzieci poruszały w jej sercu takie struny, do których żaden mężczyzna nie miał dostępu. Nawet Łukasz. Na nic zdawały się wczorajsze słowa ciotki Marianny, których wysłuchała z ogromną uwagą.

Do ciotki trafiła później, niż planowała. Na zakupy poszła też bez ciotki, by zrobić je w tempie ekspresowym, takim samym jak to, w którym posprzątała mieszkanie Justyny. Gdy wychodziła od siostry, mieszkanie lśniło jak uśmiech siostry żegnającej ją słowami: „Dzięki, że jesteś i pomagasz, a nie krytykujesz i nie wymagasz wciąż niemożliwego". Sprzątała w amoku. Ta praca pomagała jej oswoić się z problemem, o którym do tej pory nie myślała, ponieważ było jej tak dobrze. Ale ciotka Marianna pozbawiła ją wczoraj złudzeń. Co prawda ich rozmowa przebiegała jak zwykle taktownie i delikatnie. Takich właśnie słów ciotka użyła: „Juleczko, życie jest zawsze inne od tego, które sobie wymyślamy. Nie wystarczy powtarzać w kółko, że na przykład nasze życie jest kolorowe, i myśleć, że od tego powtarzania takie się stanie. To nie tak w życiu bywa. Ludzie w życiu albo oszukują siebie samych, albo nie. I wszyscy mają pod górkę. I jedni, i drudzy. Ci, co się oszukują, wciąż są tego świadomi i jest im ciężko. Natomiast tym, którzy się nie oszukują, jest ciężko, bo im bardziej świadomie przeżywa się życie, tym bardziej dobijająca jest świadomość, że żyjemy wśród oszustów. A przecież nie mogę ci powiedzieć, że oszustwo jest dobre. Nie jest dobre. Dla nikogo. Ani dla oszustów, ani tym bardziej dla tych, którzy są oszukiwani". Ciotka Marianna nigdy nie mówiła dużo, ale wiedziała, co i kiedy należy powiedzieć. Gdyby Marianna miała swoje dzieci, z pewnością byłaby cudowną matką. Ale skoro ich nie miała, mogła być jej drugą matką. Myśląc tak, nie oszukiwała ani siebie, ani ciotki, ani nawet swej prawdziwej matki. Myślała o ciotce Mariannie i o Łukaszu, patrząc teraz w oświetlone okno jego gabinetu. Specjalnie tu usiadła, by je widzieć i wiedzieć, kiedy skończy swą niedzielną pracę, wyłączy światło, wsiądzie do samochodu zaparkowanego jak zwykle przed szpitalem i pojedzie do domu. Z nią albo bez niej. Wciąż nie wiedziała, czy wystarczy jej odwagi na to, żeby zrobić mu niespodziankę, czekać przy jego samochodzie i zadać mu dwa pytania. Pierwsze o żonę. Drugie o dzieci. Oczywiście oba pytania w tej chwili wydawały jej się abstrakcyjne.

Ciotka Marianna wczoraj już od progu zauważyła, że coś ją trapi, i bez wnikania w szczegóły dowiedziała się, że to zazdrość nie daje żyć siostrzenicy. Od razu powiedziała, co myśli o zazdrości. Właśnie te słowa ciotki uzmysłowiły jej, że im szybciej abstrakcja zamieni się w realizm, tym szybciej ona zacznie żyć bez udawania. O to jej przecież w życiu chodziło. To znaczy, dokładnie mówiąc, o to chodziło jej w miłości. Bo w życiu nauczyła się udawać. Umiała udawać kogoś, kim wcale nie chciała być. Ale czego się nie robi dla świętego spokoju? Skrywała w sobie osobowości wielu bohaterek, których role potrafiła odgrywać w zależności od aktualnych potrzeb. Tylko w miłości nie chciała być aktorką. W miłości chciała być sobą. Chciała, by Łukasz kochał ją, a nie kogoś, kim nie była. Chciała być sobą, a nie jakimś wyobrażeniem. W miłości miała być prawdziwą Julką. A zazdrość, którą wczoraj sobie uzmysłowiła, zabierała się właśnie do zniszczenia miłości, którą odczuwała. Musiała jakoś temu zaradzić. Poradzić sobie z tym złym uczuciem, i to szybko.

– Juleczko, pomyśl chwilę. Zazdrość niczego człowiekowi nie daje, tylko wszystko mu zabiera. Pomyśl, kiedy złodziej coś kradnie, to popełnia przestępstwo, ale dostaje coś w zamian, ma jakiś wymarzony łup. Kiedy człowiek dopuszcza się zdrady, to robi coś strasznego, ale w chwili niewierności czerpie z niej pewnie ogromną przyjemność. Chociaż nie powinnam wypowiadać się w tej kwestii, bo to, co mówię, to tylko wytwór mojej wyobraźni. A wyobraźnia to przecież nie fakty. Ale idźmy dalej. Gdy kłamiesz, to też przez chwilę czujesz wyższość nad tą osobą, którą świadomie oszukujesz. A jak zazdrościsz, to co? Nie dostajesz nic w zamian. Wprost przeciwnie, dopuszczając się zazdrości, okradasz samą siebie. Ze spokoju, z radości, ze swobody myślenia. Zazdrość jest zbrodnią przeciwko samemu sobie. Dziecko, pomyśl o tym. Nie okaleczaj się zazdrością. Ukręć jej łeb. A im szybciej tego dokonasz, tym lepiej dla ciebie.

Przypominała sobie teraz bardzo sugestywne słowa ciotki Marianny. Dlatego wciąż patrząc w okno, za którym był teraz Łukasz, zbierała siły, by rozprawić się nie z nim, ale z własną zazdrością. Zbierać siły przeciwko samej sobie. Jakie to trudne...

Ale przecież nikt nie mówił ani nie obiecywał, że będzie łatwo... Łukasz też tego nie obiecywał... Wprost przeciwnie... – pomyślała dokładnie na chwilę przed tym, jak zgasło światło w gabinecie. Łukasz skończył pracę. Właśnie zamykał drzwi i szedł już w kierunku dyżurki. Pewnie mówił teraz: „Dobranoc, jakby coś się działo, proszę dzwonić bez obaw". Zawsze w podobny sposób wyrażał swą gotowość do niesienia pomocy, ponieważ w miejscu, które właśnie opuszczał, mogło zdarzyć się wszystko. I cuda, i ich brak. Teraz na pewno już był na schodach. Ze szpitalnej windy raczej nie korzystał. Była ciekawa, czy przejdzie ich półpiętrem. Czy o niej pomyśli, mijając okno? Ona zawsze o nim myślała. Nie tylko wtedy, gdy mijała to okno. Jeśli chciała spotkać go przy samochodzie, musiała wstać z ławki w tej chwili. Zrobiła to, nie wiedząc jeszcze, co dalej. Miała nadzieję, że wystarczy jej odwagi, bo strach miał wielkie oczy i śledził jej każdy krok. Dokładnie i cynicznie. Nie wiedziała, czy będzie potrafiła udowodnić sobie, że przezwycięży ten strach.

Traciła pewność, że ma ochotę na zadawanie trudnych pytań. Wiedziała natomiast jedno. Tylko jedno. Bardzo chciała teraz zobaczyć Łukasza. Chciała popatrzeć mu w oczy. Niezależnie od tego, czy był kawalerem, czy nie. Czy miał teraz żonę, czy może miał ją wcześniej. Czy miał do tej pory jedną żonę czy kilka żon. Przecież powiedział jej o dwóch kobietach w swoim życiu... Tylko o dzieciach myśleć nie chciała. To ją przerastało. Tego nie potrafiła. Już szła. Niestety dość powoli. Szła z obawą. Szła z odwagą. Szła w tłumie mieszanych uczuć.

Najwyżej ucieknę – poszukała w swych myślach alternatywnego rozwiązania. Myśli podpowiadały jej raczej głupoty, w które nie chciała wierzyć, dlatego kończąc wahania, przyspieszyła kroku.

Nie musiała na niego czekać. Prawie wcale. Wyszedł ze szpitala jak zwykle. Spokojnym krokiem. Znała go dobrze. Takim samym krokiem przemierzał oddział. Tak samo poruszał się pewnie wszędzie poza nim, ale nie miała jeszcze wielu okazji, by obserwować go w innych miejscach.

Zanim doszedł do samochodu, wyjął z kieszeni cienkiej kurtki w kolorze piasku pustyni telefon i wybrał czyjś numer. Od razu zrobiła się zazdrosna, wiedząc, że to nie z nią chciał porozmawiać. Zazdrościła i jednocześnie bała się, że rozmawiając, wsiądzie do samochodu i odjedzie, a wtedy ona zostanie tu z ogromnym bagażem, który tu dziś ze sobą przytargała i który będzie dalej dźwigać, jeśli nie omówi sprawy z Łukaszem. Była świadoma, że bagaż utrudniający jej normalne funkcjonowanie był jak kredyt w nietrafionej walucie, zamiast zmniejszać się z upływem czasu, robił się coraz większy. Miała szczęście. Łukasz nie wsiadł do samochodu, tylko się przy nim zatrzymał. Oparł się o samochód i w bardzo młodzieńczym geście podparł stopę o drzwi kierowcy. Wydawał się taki młody w tej postawie. Podobał jej się bardzo. Było zbyt ciemno, żeby z miejsca, w którym stała, mogła dostrzec wyraz jego twarzy. Nie widziała jego oczu, nie słyszała słów. Oboje stali. Bez ruchu. Niestety oddzielnie. Było jej bardzo niewygodnie w tym niesprzyjającym oddaleniu. Pomyślała o Neli. Pewnie dlatego, że ostatni raz tak podglądała ordynatora właśnie w towarzystwie przyjaciółki. Pamiętała również, jak się wtedy dziwiła i nie rozumiała wcale, dlaczego Nela tak bzdurnie się zachowywała. Dziś sama nie była lepsza od przyjaciółki. Z własnej nieprzymuszonej woli zachowywała się tak samo jak Nela wtedy. Z tą tylko różnicą, że Nela robiła to kiedyś bez celu, a ona miała ściśle określony cel. Łukasz skończył rozmowę, a jej ciśnienie podskoczyło wyraźnie. Zupełnie jak przed wejściem na ustny egzamin, z którego większość studentów wychodzi w ciężkim szoku.

Niech się dzieje, co chce! – dodała animuszu swym myślom, dzięki temu poczuła też werwę w nogach i ruszyła przed siebie. Po paru krokach już miała możliwość, by się ujawnić, a raczej przywitać.

– Dobry wieczór! – zagadnęła wesoło, chociaż wesoło nie było jej wcale.

Zatrzymał się w pół kroku. Zawahał się. Ale otwartych już drzwi samochodu nie zamknął.

– Lubię takie niespodzianki.

Uśmiechnął się tak, że miała ochotę zapomnieć o tym, że dźwigała w sercu i w duszy spory nadbagaż. Głos miał zadowolony. Nie udało jej się wychwycić często towarzyszącej mu nuty zmęczenia.

– Zmęczony? – zapytała cicho i łagodnie.

Podeszła bliżej, gdyż na pewno na to czekał. Pogłaskała go po policzku, poczuła jego kłujący dwudniowy zarost. Nie widziała teraz tego zarostu, ale wiedziała, że jest interesująco oprószony siwizną.

– Bardzo. Jedźmy do mnie – popatrzył na nią tak, że pomimo mroku dostrzegła blask w jego oczach.

– Chciałabym porozmawiać – odezwała się, choć wolałaby bez słów wsiąść do samochodu.

Tym razem zamiast mówić, wolałaby tylko myśleć. Ale tematu, przez który się tu dziś pojawiła, nie dało się załatwić samym myśleniem.

– Pojedźmy do mnie – poprosił już innym tonem, czujnym i uważnym.

– Chciałabym porozmawiać tutaj – zaproponowała, wiedząc, że w jego mieszkaniu, mając w perspektywie miłość bądź będąc tuż po miłości, nie będzie miała szans na omówienie trapiącej ją sprawy.

– Tutaj? – odezwał się zdziwionym tonem, jednocześnie rozglądając się na boki.

– Tak. Tutaj – potwierdziła spokojnie.

– Coś się stało? – tym razem zadał jej pytanie głosem pełnym zaniepokojenia.

– Nie. Po prostu chciałabym cię o coś zapytać.

Nie zmieniała tonu, ale w myślach od razu dokonała sprostowania swej wypowiedzi.

Raczej o kogoś…

– Pytaj. Proszę – zachęcił ją do odwagi w sposób bardzo spokojny i naturalny.

Popatrzyła mu w oczy. Były nieprzeniknione. Nigdy nie wiedziała, o czym myśli. Im dłużej go znała, tym nabierała większego przekonania, że nie zna go prawie wcale.

Bajeczny seks to nie wszystko – zachęcała się w myślach do racjonalnego podejścia do sytuacji, w którą się właśnie sama wpędzała.

– Czy masz żonę? – chciała zapytać głośno i zdecydowanie, ale jej pytanie zabrzmiało zastraszająco nijako.

Zamiast odpowiedzieć, popatrzył na nią. Poważnie. Jego poważny wzrok sprawił, że zabolało ją serce.

Zaprzecz! Proszę... – podpowiadała mu w myślach, błagając, by skorzystał z tej podpowiedzi. Ale nie korzystał. Doprowadzając ją prawie do omdlenia, milczał jak zaklęty.

– Odpowiedz... – poprosiła, nie mogąc znieść ciszy.

– Nie – odpowiedział w końcu.

Nie wiedziała tylko, dlaczego nie powiedział tego od razu. Gdyby zrobił to natychmiast po usłyszeniu pytania, to kamień spadłby jej z serca, a tak... Wciąż tkwił tam, gdzie dotychczas, dlatego dalej musiała kontynuować tę ciążącą niczym głaz rozmowę.

– A dzieci? – zapytała, mając wciąż w pamięci słowa Justyny.

– Córkę – tym razem odpowiedział od razu.

Usłyszawszy to słowo, pierwszy raz w życiu pojęła to, co kiedyś usiłowała jej wytłumaczyć ciotka Marianna równie dobrze znająca się na biologii co na zwykłym życiu. Ciotka opowiadała jej kiedyś: „Juleczko, w przyrodzie są cztery żywioły: powietrze, ogień, woda i ziemia". Gdy ciotka je wymieniała, oczywiście wsłuchiwała się w jej słowa z wielką uwagą. Była w stanie pojąć żywiołową naturę powietrza tworzącego huragany, ognia zamieniającego się w ogromne pożary i wody, której bała się najbardziej, bo woda mogła zatopić wszystko, nawet całe miasta. Ziemia natomiast była dla niej tworem dającym trwałe oparcie jej stopom, dlatego nijak nie pasowała jej wówczas do całej niszczącej reszty. Nie rozumiała, dlaczego ziemia, na której właśnie stała, nie pochłonęła jej, skoro przed momentem rozstąpiła się pod jej stopami. Już słyszała cynizm w głosie ciotki Klary, chociaż nie zdążyła przedstawić jej Łukasza.

Równie dobrze mógłby być twoim ojcem!

Zaczerpnęła powietrza, by znów się odezwać.

– Mam nadzieję, że jest ode mnie młodsza – stwierdziła, panicznie bojąc się, że jej najgorsze obawy mogą się urzeczywistnić.

– Młodsza – odpowiedział grobowym głosem i z grobową miną dodał: – O dwadzieścia lat.

Pomyślała od razu, że odkąd się poznali, liczba dwadzieścia w kontekście różnicy wieku pojawiła się już dwukrotnie.

– Ma prawie cztery lata i na imię jej Antosia.

Wyrwa pod jej stopami wciąż się powiększała, jednak jakimś cudem stała wciąż w tym samym miejscu, choć traciła grunt pod nogami.

– A jej matka? – zapytała, mając nadzieję, że usłyszy odpowiedź, zanim zapadnie się pod ziemię.

– Rozwiodła się ze mną – odpowiedział tak konkretnie, że zabrakło jej powietrza.

– Kiedy? – zapytała ostatkiem sił.

– Ponad dwa lata temu.

Rozwiodła się z nim. Nie on z nią. Nie chciał tego. Na pewno tego nie chciał – dobijała się w myślach, całkowicie lekceważąc zasadę, że nie należy kopać leżącego.

– Kochasz ją? – zapytała, zadając sobie ból bez opamiętania.

– Już nie.

Jego słowa wystarczyły, by razy, które sobie zadawała, stały się łagodniejsze.

– A kochałeś?

Jeszcze nie skończyła.

– Bardzo.

Właśnie skończyła. Dlatego przestała się odzywać. Patrzyli na siebie.

– Posłuchaj… – odezwał się pierwszy.

– Nie chcę cię słuchać!

Odwróciła się, by na niego nie patrzeć. Naprawdę chciała uciec. Jednak by uciekać, trzeba mieć siłę. Ona jej nie miała. Zaczęła więc iść. Przed siebie. Było jej bardzo trudno, ponieważ ziemia rozstępowała się jej pod stopami.

– Poczekaj… – poprosił.

– Nie chcę czekać, nie chcę słuchać, niczego już od ciebie nie chcę, nie chcę ciebie – odpowiedziała spokojnie.

Pod nogami miała trzęsienie ziemi, w głowie huragan, ale i tak nie interesowało jej to, jak zareagował na jej słowa. Szła przed siebie. Nie wiedząc dokąd. Nie obchodziło jej to, czy odprowadzał ją wzrokiem, czy miał w nosie to, że się od niego oddalała. Szła. Po prostu szła przed siebie, nie wiedząc, co teraz pocznie. Znowu nie miała pomysłu na życie. Kroczyła, czując, że jeszcze chwila i sprawdzą się słowa jej ulubionego wykładowcy. Skoro nie miała sił, to nie mogła uciekać. A kiedy człowiek nie ma sił, by ścigać się z życiem, dopada go depresja. Dopada i bezlitośnie dusi. Każdy staje się wtedy łatwym, bo nieruchomym celem. Łatwą zdobyczą, która się nie broni, bo wszystko jej jedno.

– Julka! – chwycił ją za ramię.

– Daj mi spokój! – strząsnęła jego rękę.

– Daj mi chwilę, proszę – jego głos brzmiał bardzo łagodnie, nie naciskał.

– Ani jednej. Już ani jednej.

Mówiąc to, nie popatrzyła w jego kierunku, nie spojrzała na niego, bojąc się, że jeśli to zrobi, nie zdoła odejść. Nie popatrzyła, więc odeszła. Został gdzieś za jej plecami. Utkwił jej w myślach. W nich szedł wciąż razem z nią. Bała się, że się od niego nie uwolni. Już wiedziała, że się od niego nie uwolni. Szła, wiedząc, że zaszli razem zbyt daleko, by mogła po prostu odejść i zapomnieć. Przecież był taki, że nie mogła i nie chciała o nim zapomnieć. Wiedziała, czego chce. Zawsze wiedziała, czego chce. Czasami udawała, że było inaczej, ale i tak wiedziała, na czym i na kim jej zależy. Teraz nie miała sił i ochoty na udawanie. Była wyczerpana, zraniona, zawiedziona, ale żadne z tych odczuć, które właśnie ją dobijało, nie miało takiej siły, by przezwyciężyć jej miłość. Odchodziła od Łukasza, a każdy metr zwiększający odległość między nimi powiększał również i potęgował jej uczucia. Odchodziła od niego, chcąc z nim być. Zwariowała. Kolejny raz zwariowała. Przez niego i dla niego. Ale odchodziła. Czuła na sobie jego spojrzenie. Wiedziała, że odprowadzał ją wzrokiem, dlatego z ulgą napotkała spojrzenie żegnającego ją w tej chwili ochroniarza, którego znała z widzenia.

– Dobranoc pani.

– Dobranoc – uśmiechnęła się do niego, dziwiąc się, że to jeszcze potrafi.

Wiedziała, że właśnie zaczynała nowe życie, życie nie z Łukaszem, ale ze smutkiem. Wiedziała, że można tak żyć i że będzie musiała tak żyć, bo już wszystko mu wybaczyła. I żonę, i dziecko, i przemilczenie ich obecności. Jednak to wybaczenie musiało ją sporo kosztować. Wszystko, co ją teraz czekało, musiała przejść w pojedynkę, w samotności, w odosobnieniu, bez pomocy, niczyjej pomocy.

Pozwolił jej odejść, bo tego właśnie chciała. Pamiętała jego ostatni dotyk na swoim ramieniu. Zresztą pamiętała każdy jego dotyk. Jednak musiała o wszystkim zapomnieć. Musiała, ale za żadne skarby świata nie potrafiła. Wciąż rozpamiętywała. Nie poszedł za nią. Pozwolił jej odejść. Potraktowała go źle. Chciała dać mu nauczkę, a dała ją sobie. Wchodziła teraz do domu, jakimś cudem tu trafiła, bo kiedy szła, to nie wiedziała dokąd. Było bardzo późno. Niestety mama nie spała. Zaczaiła się jak nietoperz na ćmę. Czatowała w swoim pokoju, udając zaczytaną. Po wejściu do domu powinna była rzucić „dobry wieczór" na powitanie. Tylko jak, skoro nic, co dobre, nie padało z jej ust.

– Julka?

Nie odpowiadała. Czekała w związku z tym na znajomy odgłos zamknięcia książki oraz serię pytań i uwag nawiązujących do jej podłego charakteru i dużo gorszej osobowości. W tym przypadku nigdy nie musiała długo czekać. Książka się zamknęła.

– A ty co? – mama już wlepiła w nią swój gotowy do ataku wzrok.

– Nic – odparła beznamiętnie, ponieważ właśnie wyrugowała namiętność ze swego życia.

– Ale się doczekałam... – westchnęła bardzo ciężko mama.

Czyli akurat dziś idziemy nie w atak, ale w samobiczowanie... – pomyślała, dziwiąc się w myślach mamie, ponieważ z dwojga złego wolała być atakowana, niż wysłuchiwać tego, jakie podłe stawało się przez nią życie własnej matki. Preferowała atak, gdyż zwykle zabierał mniej czasu. Naprawdę wolała, gdy uderzały w nią odłamki granatów wypełnionych krzykiem, wybierała ostrza słów raniące jej mózg i świst kul niesionych za pomocą złych słów i dużo gorszych emocji.

– Nie dosyć, że o niczym mi nie mówisz, traktujesz mnie jak powietrze, to jak wracasz po nocy do domu, nie wiadomo skąd, sina, aż szara ze zmęczenia albo sama nie wiem od czego, może nawet lepiej żebym nie wiedziała, czemu tak wyglądasz, jak wyglądasz, to ja się pytam z troski, a nie ze wścibstwa przecież, a ty zamiast odpowiedzieć jak córka matce, to rzucasz mi idiotyczne „nic", zamykasz się w pokoju albo w łazience, gdzieś mając to, że ja przez ciebie włosy z głowy sobie rwę.

Patrzyła na mamę. Z nerwów było jej niedobrze, matczyne słowa wypowiadane nawet w miarę spokojnie, wcale nie wyrzucane z siebie we wściekłym amoku, niby dokładnie przemyślane, nie docierały do niej wcale.

Włosy wyrwane, a fryzura jakoś nienaruszona! – zakpiła w swym złamanym i zdruzgotanym duchu.

– I co tak patrzysz?! Powiedz coś, Julka! Na miłość boską! Odezwij się! Powiedz! Może ktoś ci zrobił jakąś krzywdę?

Sama ją sobie zrobiłam… – wysnuła w myślach szybki wniosek.

– Szlajasz się po nocach, jakbyś nie wiedziała, jakie są teraz czasy!

– Zmęczona jestem – rzuciła, nie patrząc na mamę i usiłując ją ominąć w drodze do swego pokoju.

– O nie! – mama jednak zmieniła strategię i przeszła do ataku, stając jej na drodze.

Zejdź mi z drogi, bo akurat dziś nie ręczę za siebie – poprosiła mamę spojrzeniem, które, jak miała nadzieję, wiele mówiło. Spojrzenie niestety zostało całkowicie zignorowane.

– Czy ty myślisz, że ja jestem niespełna rozumu i nie domyślę się, że tu sprawa rozbija się o jakiegoś kawalera.

Niestety nie o kawalera! – dobijała się w myślach.

– Julka! Przecież ja głupia nie jestem i wiem, że jak normalna dziewczyna zaczyna nagle zachowywać się tak, jakby jej się nagle coś z głową stało, to...

– Mamo, proszę cię... – zbliżyła się do mamy ciskającej w nią bez przerwy gromami swych dość celnych przemyśleń i męczącej ją wynurzeniami na temat oczywiście nie swojego życia.

– To ja cię, Julka, proszę! W co ty się znowu wpakowałaś?! Mów!

Jakie znowu?! – cyniczność myśli zwykle dodawała jej sił. Dziś było inaczej. Dziś ów cynizm burzył jej przekonanie, że w tym domu myśli opłacają się bardziej niż słowa. Ta jedna wątpliwość wystarczyła, by popełnić błąd. Przecież błędy bywają skutkami życiowych wątpliwości.

– Zakochałam się – powiedziała, zamiast przemilczeć stan faktyczny.

– Tak jak zwykle czy tym razem na poważnie?!

Tym razem mama kpiła i to wcale nie w myślach. I nie mogła się mamie dziwić. Przecież to był jej dom, to ona na niego zarabiała, to ona go utrzymywała, a skoro tak, to mogła pozwolić sobie w nim na wszystko. Mogła mówić to, co chciała, i kpić, z kogo chciała.

– Na poważnie – odpowiedziała serio, ignorując wredny ton mamy.

Załamywała się też na poważnie, przypominając sobie również wszystkie bardzo poważne słowa Łukasza. Poważne i prawdziwe. Szkoda, że wypowiedziane za późno. Nie miała się czemu dziwić. Zawsze był poważny. Jego słowa również. Żarty się go nie trzymały. Był przecież zwykle przygaszony. Zamknięty w sobie. Szczery, głośny śmiech z pewnością mu się nie zdarzał. Przynajmniej nie w jej obecności.

– Jak na poważnie, to dlaczego nie zachowasz się jak dorosła i poważnie podchodząca do życia kobieta? Przecież masz już swoje lata. Przyprowadź go do domu. Pokaż, przedstaw, przecież tak się robi. Nikt go tutaj nie zje. Zrób tak, to ja przestanę się denerwować, jak będę wiedziała, z kim się zadajesz. Julka, ja już nie mam siły się o ciebie zamartwiać.

– Nie musisz – stwierdziła cicho, zamiast milczeć.

– Nie pyskuj!

Przecież mam swoje lata... – zmilczała swą myśl dlatego, że była dorosła i potrafiła panować nad słowami, które mogły jej tylko zaszkodzić. Wiedziała doskonale, że podczas rozmów z mamą obowiązywała zasada, mająca swe silne korzenie w amerykańskiej kinematografii, która brzmiała: „wszystko, co powiesz, może być użyte przeciwko tobie".

– Kto to jest? Co to za chłopak? Ktoś z twojej szkoły?

– To już nieaktualne – jednym zdaniem przekreśliła wszystko, co ją spotkało, by uspokoić mamę, a siebie pogrążyć w rozpaczy.

– To przepraszam, ile tym razem trwała ta miłość na poważnie?

Nie mogła tego dłużej słuchać. Minęła mamę i skierowała swe chwiejne kroki do pokoju. Ale mama się nie poddawała. Niestety podążała za nią krok w krok.

– Trochę – odpowiedziała, nie chcąc wysłuchiwać oskarżeń o lekceważenie.

– To dlaczego to już nieaktualne?

– Tak wyszło – odpowiedziała i zaczęła się rozbierać, łudząc się, że mama pojmie w końcu, że ich rozmowa dobiegła końca. – Chciałabym się położyć – wyszeptała, wierząc, że jedynym, co może jej teraz chociaż trochę pomóc, jest płacz.

Nie płakała często. Mama też nie. Obie nie były płaczkami. Jej najczęściej przydarzała się żałoba duszy. Jednak już w tym momencie żałoba okazywała się niewystarczającym środkiem zaradczym na żal do życia. Dziś musiała dać jej wsparcie w postaci płaczu. Potrzebowała jakiegokolwiek wsparcia, bo coś rozszarpywało ją od środka. W dodatku przenikliwe spojrzenie mamy jeszcze bardziej wszystko utrudniało.

– Matko Boska! Skrzywdził cię?! – mama zamiast wyjść i dać jej spokój, wbijała w nią bagnety słów.

– Nie – odpowiedziała zgodnie z prawdą.

Nie czuła się skrzywdzona. Wprost przeciwnie, czuła się obdarowana. A jej dramat polegał na tym, że dziś to obdarowywanie dobiegło końca i to z tym nie mogła się pogodzić.

– Oj, Julka, Julka... Zupełnie cię nie rozumiem...

I niech tak zostanie... Zresztą to żadna nowość... – pomyślała, wiedząc, że nie uda jej się teraz milczeć. Musiała, po prostu musiała się odezwać.

– Ja też czasami się nie rozumiem – skłamała gładko.

– A to wszystko przez tę twoją psychologię. Szewc bez butów chodzi. I tak samo ty. Zamiast coraz lepiej sobie w życiu radzić, to... O proszę! – mama patrzyła na nią z politowaniem i kręciła głową z niedowierzaniem. – Może zrobić ci coś ciepłego do picia? – zaproponowała, ale chyba tylko po to, żeby móc powiedzieć, że nawet w nocy musi się w krzątać po kuchni.

– Nie, dziękuję, mamo, po prostu chcę jak najszybciej zasnąć.

Nie zdjęła bielizny. Wstydziła się. Wśliznęła się w kratkowaną flanelę koszuli nocnej, a potem wskoczyła do łóżka.

– A gorączki przypadkiem nie masz?! – mama niedbale dotknęła dłonią jej czoła.

– Nie, nie masz. Zimna jesteś jak trup. Śpij już! Pogadamy jutro, bo dziś i tak problemów żadnych rozwiązać się już nie da. Dobranoc.

– Dobranoc – odpowiedziała, nie wierząc w dobrą noc.

Mama zamiast zamknąć za sobą drzwi, przymknęła je tylko.

Zimna jak trup...

Powtórzyła w myśli słowa mamy, która kładąc się teraz do łóżka, stękała jak zmęczona życiem staruszka. Miała nadzieję, że mama zaśnie szybko i że przynajmniej jej nie przydarzy się bezsenność.

Położyła się na plecach. Wbiła wzrok w sufit, na którym niezbyt wyraźnie odbijało się nocne życie miasta. Niektóre cienie na suficie były nieruchome, a inne jak zwykle podrygiwały w nieregularnych odstępach czasu. Sen miał dzisiaj nie nadejść. Była zmęczona. Koszmarnie zmęczona. Ale zmęczenie nie pomagało jej w zaśnięciu.

Zastanawiała się, gdzie teraz był. Wyobrażała sobie mnóstwo możliwości. Może siedział przy biurku z twarzą ukrytą w dłoniach. Widziała go też w samochodzie na szpitalnym parkingu. Leżącego w swym dużym łóżku, z rękami założonymi za głowę. Nie wiedziała, co teraz robił. Czy też podobnie jak ona wlepiał tępy wzrok w sufit, który akurat nad jego łóżkiem nie był taki normalny, zwykły, biały, miejscami popękany. Jego sufit był fragmentem nieba. Nie mogła zasnąć nie dlatego, że była na niego wściekła. Nie była. Była raczej zła na siebie i to też nie dlatego, że się tak beznadziejnie wpakowała w miłość. Przecież ją ostrzegał. Powiedział wprost bez żadnych ogródek, że kobiety, z którymi się zadawał, stawały się przez niego nieszczęśliwe. Gdyby była chociaż trochę inteligentniejsza, to gdy jej o tym mówił, nie skupiałaby się na liczbie kobiet, z którymi był związany, tylko na przyczynach ich nieszczęścia.

Przecież już dużo wcześniej mogła zadać mu pytanie, czy jest żonaty. Nie zrobiła tego, ponieważ zaślepiła ją miłość. Nie tylko miłość. Jeszcze pożądanie. Chciała do niego należeć. Może dlatego, że on pragnął jej, jeszcze zanim przyłapał ją przy szpitalnym parapecie. Przyznał jej się do tego, a taka prawdomówność wywołała w niej gotowość do dozgonnego oddania. Żona i córka zupełnie nie pasowały do faceta, w którym się zakochała. Przecież od początku wydawał jej się zamkniętym w sobie samotnikiem. I przecież dobrze jej się wydawało. Był zamknięty, skryty. Nie mówił zbyt wiele.

Jednak dla niej potrafił wyleźć z tej skorupy i pokazać, że jest zdolny do uczuć, które na pierwszy rzut oka nie pasowały do niego ani trochę. Był delikatny, subtelny, opiekuńczy. Jeżeli nawet przekraczał granice subtelności, to wszystko, co robił, robił z doskonałym wyczuciem chwil. Zwłaszcza tych namiętnych. Nie wiedziała, co zrobić, by dać sobie radę bez niego. I co z tego, że przez tyle lat dla niej nie istniał? Teraz wydawało jej się, że był z nią od zawsze, a życie bez niego jest po prostu niemożliwe. A jednak musiała bez niego żyć. Jedno było pewne, musiała przestać go widywać. To był warunek konieczny. Powinna spełnić życzenie mamy i dać sobie spokój ze szpitalem. Wiedziała, że nie będzie tragedii, jeśli tak postanowi. Powie sobie, że koniec z tym. Od teraz. Od jutra. Nela się na pewno zdziwi, ale zaakceptuje jej decyzję i nie będzie dręczyć jej pytaniami. Niestety wiedziała też o tym, że dzieci zapamiętają dobrze, że najpierw coś im obiecała, a później odeszła bez słowa. Wiedziała, że w zachowaniu Łukasza nikt nie zauważy żadnej zmiany. Jej już tam nie będzie, a on będzie przemykał przez oddział tak samo jak do tej pory. Oddałaby wiele, by go teraz zobaczyć. By przekonać się, co czuje na myśl o tym, że nie spotkają się już więcej.

Już po pierwszej nocy, którą z sobą spędzili, wiedziała, że to właśnie on był mężczyzną ucieleśniającym jej marzenia. Dziś zaczynała rozumieć, że byłoby lepiej, lepiej dla niej, gdyby tych marzeń nie miała. Ale skoro je posiadała, to teraz musiała odpokutować. Tylko jak miała to zrobić? Płacz nie wystarczał. Co z tego, że strumienie łez płynęły z kącików oczu i zamiast wsiąkać w poduszkę, moczyły jej włosy. Łzy nie pomagały jej ani zapomnieć, ani zasnąć. Bardzo chciała zasnąć, ale zapomnieć nie. Sen mógłby pomóc zapomnieć na chwilę, a nie na zawsze. Nie chciała myśleć o tym, czy przygotowywał się jakoś do tego, by powiedzieć jej o wszystkim. Robiła założenia, może błędne, że miał taki zamiar. Jeśli tak, to chwała mu za to, jeśli nie, to mogło to oznaczać, że nie traktował jej zbyt poważnie. Zaczynała rozumieć jego brak gotowości na sobotnie spotkania. Jego wyraźne ucieczki w pracę. Chwilami robił wrażenie mężczyzny, który ucieka od rzeczywistości. Ucieka, choć nie wiadomo przed czym. Kluczy pomiędzy nią, pracą i może czymś jeszcze, nie zachowując odpowiednich proporcji pomiędzy tym, co musi zrobić, a tym, na co po prostu ma ochotę.

Chociaż miała teraz zamknięte oczy, zaczynała je powoli otwierać. Czy był oszustem? Raczej nie. Gdyby potrafiła się na niego wściec i zmęczyć się tą wściekłością, doprowadzić się do ostateczności, na pewno byłoby jej łatwiej. Ale wściekanie się nie stanowiło jej mocnej strony. Za to tłumienie złych emocji w sobie, owszem. Karczemne awantury nie były w jej stylu. Jej można było powiedzieć i wykrzyczeć nawet najgorsze słowa, a ona nie odzywała się nawet wtedy, gdy po głowie chodziły jej myśli dużo gorsze od słów, w które zmuszona była się wsłuchiwać. Wolała niszczyć siebie niż kogoś innego. Otworzyła oczy. Znów zamiast starać się zasnąć, gapiła się w sufit. Płacz wciąż był taki sam. Nie przynosił ani zmęczenia, ani ukojenia. Niszczyła się. Dokonywała samospalenia, choć bez ognia. To znaczy miała ogień w sobie. Trawił ją od środka, bo od zewnątrz mróz dobierał się do jej zimnych dłoni i zimnego ciała, ciała bez szans na rozgrzanie. Czekała na świt, chociaż wiedziała, że nie przyniesie ani ukojenia, ani rozwiązania jej problemów. Po prostu chciała leżeć w jasnym pokoju, w którym nic się nie rusza. Nawet cienie na suficie.

– Dlaczego nie wstajesz?

Bo nie... – pomyślała tylko, bo nie miała siły otworzyć oczu, a co dopiero odezwać się na pytanie mamy.

– Julka! Na Boga! Normalnie oszaleć z tobą można! Im starsza, tym większe kłopoty!

Nie reagowała, bo i po co?

– Julka, mówię do ciebie!

I co z tego?

– Julka, czy ty mnie słyszysz?!

Mama była tuż nad nią. Szarpnęła kołdrę.

– Źle się czuję... – szepnęła, naprawdę nie mając dziś sił znosić tortur.

– A szkoła?

– Nie mam siły – wydusiła z siebie ostatkiem sił.

– Ale żeby pół nocy włóczyć się po mieście, nie wiadomo gdzie i z kim, to kondycję masz. A jakże! Ale jak się trzeba za obowiązki wziąć, to... O proszę!

No właśnie! O proszę! – w myślach mimowolnie powtarzała słowa mamy.

– Jak znam życie, to jak wrócę z pracy, to łóżko już puste zastanę, bo chociaż teraz siły nie masz, to nie zdążę się obrócić, a ty...

Chyba odwrócić...

– ... polecisz do tego swojego szpitala jak cudownie ozdrowiała!

Nie polecę... – zaoponowała w myślach i od razu się przeraziła. Nie chciała uczestniczyć w życiu. W żadnym z jego aspektów. Nawet w tych, które kiedyś, nawet nie dalej jak wczoraj, były dla niej sensem wszystkiego. Chciała wciąż leżeć, gdyż była okrutnie zmęczona. Czuła się tak, jakby ktoś kazał jej przepracować całe życie w jeden dzień i ten dzień wydarzył się właśnie wczoraj. Wystarczył jeden wieczór, a dokładniej jedna dość krótka, oszczędna w słowach rozmowa, by okazało się, że wszystko, co wydarzyło się do tej pory, nie miało sensu. A skoro tak, to nie chciało jej się czekać na kolejny dzień, bo nawet jeśli miałby się wydarzyć, nie miała żadnej gwarancji, że skończyłby się inaczej. Słyszała nerwową poranną krzątaninę mamy, która zwykle wychodziła z domu przed nią. Mama, nauczona doświadczeniem, górnego zamka nie tykała, wiedząc już, że jeśli się go zamknie od zewnątrz, to nie da się go otworzyć od środka. Niby drobiazg, a utrudnił jej kiedyś życie do tego stopnia, że miała w plecy jeden z ważnych egzaminów i jedyny raz w swej naukowej karierze była niechlubną uczestniczką sesji poprawkowej, zwanej przez studencką brać kampanią wrześniową.

Dziś jej życie utrudniał nie drobiazg, tylko poważny i ogromny dylemat egzystencjalny. Nie miała siły wyjść z łóżka, ponieważ wiedziała, że to i tak nie wyciągnie jej z impasu. Z jej sytuacji nie było wyjścia. Co z tego, że była teoretycznie przygotowana do rozpoznawania i zaradzania stanowi, który jej się przydarzył? Co z tego? Wiedza okazywała się do niczego nieprzydatna.

Przecież miała już w swoim życiu do czynienia z osobami dotkniętymi depresją i permanentnym obniżeniem nastroju. Na ćwiczeniach wraz z innymi osobami z roku i pod kierunkiem prowadzącej zajęcia dokonywali analizy tego, jak diagnozować, co robić, czego nie robić, jak pomagać. I nic z tego nie wynikało. Wiedza jej nie pomagała. Chyba nawet wprost przeciwnie – utrudniała wszystko.

Pamiętała, jak prowadząca ćwiczenia na temat problemu osób cierpiących na depresję powtarzała przy każdej nadarzającej się okazji, aż do znudzenia, że najlepszą pomocą dla osoby dotkniętej jakimkolwiek cierpieniem jest ofiarowanie jej trzech rzeczy: czasu, zainteresowania i poświęcenia. Wiedziała, nauczyła się tego na pamięć, że ludzie dotkliwie cierpiący balansują na granicy wytrzymałości psychicznej, dlatego najważniejsze jest to, by stworzyć im możliwość bezpiecznego wyrażania swoich niepokojów, lęków i fobii.

Znała wszystkie warunki, których potrzebowała, by wstać z łóżka. Ba, by otworzyć oczy i spojrzeć na świat, którego dziś oglądać nie chciała. Dziś, jutro, pojutrze i popojutrze. Potrzebowała czasu. Czy go miała? Chyba nie. Nie chciała zerkać na zegarek, żeby nie wiedzieć, kiedy będzie zbliżała się pora jej zwyczajowych odwiedzin w szpitalu. Łukasz już pewnie w nim był. Myślenie o nim sprawiało jej fizyczny ból. Coś rozrywało ją od środka. Telefon rozładował jej się jakiś czas temu. I dobrze. Przecież Łukasz wiedział, że ma do niej nie dzwonić, a inni nie interesowali jej wcale. Przecież nie mogła na nich liczyć. Na ich zainteresowanie, a tym bardziej poświęcenie. Każdy miał swoje życie. Dlatego teraz skreśliła wszystkich. Jedno smagnięcie złych uczuć wystarczyło, by została sama na polu bitwy, w łóżku. Było jej obojętne, gdzie jest. Teraz było to całkowicie nieważne.

Musiała przeczekać w pozycji leżącej, z zamkniętymi oczami. Powinna przepracować to, by Łukasz też przestał ją interesować. Musiał dalej prowadzić to swoje zajęte i niezbyt łatwe życie. Taki wybrał zawód, taką drogę, jak to w życiu bywa. Jedni tańczą, inni sprzątają, jeszcze inni walczą o życie, raz wygrywając walkę, innym razem przegrywając. Podziwiała go za to, co robił i jaki przy tym był. Zaczynała go rozumieć. Coraz lepiej. I co z tego? Skończyło się jak zwykle. Jak to u niej. Beznadziejnie. Bezsensownie. Bez przyszłości. Beznadzieja i bezsens nie były w stanie przykuć jej do łóżka, bo je znała akurat dość dobrze. Dzięki rodzinnemu treningowi radziła sobie z nimi bez większych kłopotów. Chociaż rodzina to w tym przypadku zbyt dużo powiedziane. Chodziło jej raczej o wysokie oczekiwania mamy i ciotki Klary. O ich beznadziejne i bezsensowne gadanie, marudzenie wpędzające ją za każdym razem w podręcznikowy konflikt ról, których miała wiecznie zbyt dużo. Jednak to ich narzekanie sprawiało, że była zahartowana. Byle co jej nie dobijało. Miała siłę, by co rano wstać z łóżka i zmierzyć się z codziennością.

Ale brak przyszłości? Tego nie przećwiczyła. Brak przyszłości był dla niej niczym pavulon podany w za dużej dawce. Był wyrokiem. Przez to traciła teraz chęć do życia. Chciała poczuć pustkę, a potem niczego więcej już nie czuć. Pustka w jej przypadku była wybawieniem od rozłąki i osamotnienia. Dziś tęskniła za Łukaszem, ale wiedziała, że miejsce tej tęsknoty musi zająć pustka. Nic innego. Na nic innego nie mogła sobie pozwolić. Leżąc, musiała wyhodować w sobie pustkę. Bezkresną prerię niepamięci. By to zrobić, musiała walczyć sama ze sobą. To było bardzo trudne. Przecież wyścig, w którym za przeciwnika ma się samego siebie, zawsze skazany jest na porażkę. Jego nie sposób wygrać bez przegranej. Musiała przegrać. W przyszłości, w myśleniu, w nastroju, w uczuciach, we wszystkim. W życiu.

Chciała zasnąć. Ale chociaż słyszała zwykle usypiający szum starej i rozklekotanej windy, to nie potrafiła zasnąć. Była beznadziejna. Bezwartościowa. Nie potrafiła się nawet porządnie na siebie wściec. Nie potrafiła nic, tylko płakać. Słowa Łukasza ją zabiły. Teraz żałowała, że niedosłownie. Gdyby tak się stało, nie musiałaby teraz nawet leżeć. Ani zamykać oczu. Nie musiałaby przeistaczać się teraz w smutkoholiczkę. Nie musiałaby nic. I to byłoby piękne. Ale nie było. Dlatego wciąż jeszcze coś musiała. Leżeć i płakać. I za jakie grzechy? Za miłość?

Pierwszy raz w życiu nic sobie nie robiła z czasu. Nie interesowały jej godziny. Jaka się kończy, a jaka zaczyna. Taka wiedza nie była jej do niczego potrzebna. A skoro tych godzin, które miała w nosie, przybywało jakby bez jej udziału, to nie wiadomo kiedy przeradzały się w dni, wobec których zachowywała się identycznie. Dni też miała gdzieś. Zaczęła ignorować czas swego życia. Nocą. Pewnej nocy z niedzieli na poniedziałek. Tyle zapamiętała. Jaki był dziś dzień, nie wiedziała. W miejscu, gdzie przyszło jej przeleżeć życie, uliczny hałas nigdy nie zamierał. Zmieniał tylko, i to nie dość wyraźnie, swe nasilenie. Kiedy więc miała zamknięte oczy, nie potrafiła odróżniać nocy od dni. Gdy miała jeszcze trochę sił, zasłaniała okno, które mama z uporem krnąbrnego dziecka odsłaniała, mamrocząc coś pod nosem. Wypowiadała zdania będące dowodem na to, że zupełnie nie rozumiała tego, co dzieje się z jej córką. Z jej najmłodszym dzieckiem, które było wyjątkiem potwierdzającym regułę, że najmłodsze znaczy rozpieszczane do granic możliwości. Akurat jej nikt nie rozpieszczał. Kiedyś może tak... Teraz nikt.

Teraz nawet powietrze stawiało jej opór w tych nielicznych momentach, kiedy musiała opuścić łóżko i walczyła z sobą, by prawie po omacku dowlec się do łazienki. Mamę bowiem jak zwykle bardziej interesowało jej ciało niż dusza. Może dlatego, że ciało widać, a duszy nie. A przecież ludzie nie powiedzą złego słowa na temat tego, czego nie widać. Tak myślała mama. Taki idiotyczny model myślenia utrwalała w mamie ciotka Klara. Ta, która bez względu na to, czy coś widziała, czy nie widziała, i tak zawsze mówiła, co tylko chciała. Przecież człowiek może nawet o życzliwych mówić jak o wrednych, o mądrych wypowiadać się jak o durniach, a z dobrych ludzi robić parszywców i łachmytów. Człowiek wszystko może, jeśli tylko chce. Może powiedzieć wszystko. Trzęsienie ziemi jest niczym w porównaniu ze złością człowieka zamienioną na słowa, które tym różnią się od żywiołu, że nie potrafią zabić, i to zabić w sekundę. Natomiast złe słowa ranią, i to w taki sposób, że kataklizm w przeciwieństwie do nich oferuje wymarzoną śmierć, gdyż bez przedłużającego się cierpienia. Leżała więc przy odsłoniętym przez mamę oknie i nie czekając na nic, usiłowała ignorować słowa wypowiadane z bliska bądź z większej odległości. Z bliska słyszała:

– Julka, zjedz coś! Jak wrócę, tej zupy ma nie być!

– Chyba najwyższy czas, żebyś wzięła się w garść!

– Ja zasuwam od rana do nocy, a ty leżysz jak kłoda. No leń! Po prostu leń!

– Julka, ja już naprawdę po dziurki w nosie mam tych twoich fanaberii!

Z daleka natomiast najczęściej dobiegał ją skrzek ciotki Klary.

– Uparta dziewucha i tyle!

– Depresja? Jaka tam depresja?! Fochy i tyle! Chciałabym mieć taką depresję, w łóżku całymi dniami gnić i tylko czekać, aż mi ktoś zupkę pod nos podstawi.

– I co się dziwisz? Jaką ją wychowałaś, taką ją masz!

Raz. Tylko raz zerknęła na zegarek. Stał w kuchni. Budzik kupiony na jakimś bazarze. Kiedyś biały. Teraz pożółkły. Zakurzony tak, jakby nie stał w kuchni, tylko na jakimś dworcu kolejowym. Panowała ciemność, więc była noc. Na początku myślała, że obudziło ją pragnienie, ale to nie ono. Wstała z łóżka i poszła do kuchni, nie obawiając się, że ktoś ją zobaczy. Budził ją stres i strach, że znów nie będzie mogła zasnąć. Zamiast tego zmuszona będzie gapić się w sufit, udając, że nie boi się swoich złych myśli. Po kilku takich nocach już wiedziała, że to godzina trzecia była dla niej tak groźna i mordercza. To o trzeciej w nocy zawsze nagle otwierała oczy, czując uścisk niewidzialnych dłoni zaciskających się na jej gardle. Ten horror powtarzał się co noc. To jego rachubą mierzyła czas gnicia w łóżku. Tylko po co? Dlaczego? Skoro ustaliła już, że czas jej nie obchodził. Nie musiała go odliczać ani nikomu się z niego tłumaczyć. To był jej czas. To dlatego nie musiała stawać przed nim na baczność. Tylko zupełnie nie wiedziała, jak rozprawić się z tą trzecią w nocy. Miała wrażenie, że ta godzina pojawiała się, by zmusić ją do jakiegoś idiotycznego uporządkowywania życia. A ona nie chciała tego robić.

Nie chciała porządkować życia, bo nie chciała żyć. Po co? Dla kogo? Przecież nie dla siebie. Nie była egotystką. Nie była egoistką. Nie wiedziała, kim jest. Kim była, skoro nawet powietrze stawiało jej opór? Po co żyła, skoro w zły nastrój wprawiała nawet swoją matkę? Było jej bardzo żal mamy, chociaż nie mogła już jej słuchać. Nie chciała wysłuchiwać w kółko tego samego: „Jak tak dalej będziesz robić, to wykończysz nie tylko siebie, ale i mnie. Czy ty nie widzisz, że ja przez ciebie życia nie mam?!". Przeszkadzała nie tylko mamie. Przeszkadzała też sobie.

Raz przyszła Justyna, a ona nie miała nawet siły, żeby na nią popatrzeć. Wzdychała tylko, kiedy siostra zadawała jej pytania raniące do żywego. Justyna nieświadomie gasiła benzyną jej już prawie spalone serce.

– Okazało się, że ma żonę? Pewnie dzieci też?

Justyna patrzyła na jej plecy. Czekała na odpowiedź. Niepotrzebnie.

– Powiedz coś. Porozmawiaj ze mną. Przecież wiesz, że cię wysłucham i razem zastanowimy się, co zrobić.

– Na pewno nie jest aż tak źle, jak ci się wydaje.

– Wstań, wykąp się, ubierz, pójdziemy sobie gdzieś, jest taka piękna pogoda.

– Za dwa dni długi weekend. Może wybierzesz się z nami? Jedziemy do Roztocza. Będziemy mieszkać w okolicach Zwierzyńca, tam jest tak pięknie. Krzychu wyszukał lokum w gospodarstwie agroturystycznym. Pokażemy chłopakom zwierzęta. Pojedziemy zobaczyć te słynne roztoczańskie szumy. Pojedź z nami, tam jest tak spokojnie... Przecież potrzebujesz spokoju...

Spokojnie na wszystko reagowała wyłącznie ciotka Marianna. Przyszła kilka razy. To tylko na ciotkę chciało jej się patrzeć. Ciotka się uśmiechała. Gładziła ją albo po dłoni, albo po policzku i się uśmiechała. Głaskała, nic nie mówiąc, i właśnie tym milczeniem wspierała ją jak nikt inny do tej pory. Ostatnim razem, kiedy ciotka była obok niej, poczuła się jakby trochę lepiej. Chociaż nie było głaskania. Ciotka zauważyła w jej otwartej, od dawna nie używanej torbie skrawek okładki *Ballad*.

– Niemożliwe, nosisz to ze sobą? To jest taka stara książka, chyba tylko ja jestem od niej starsza – zażartowała ciotka. – Poczytam ci…

Przestała liczyć czas, dlatego nie miała pojęcia, jak długo ciotka czytała. Musiała to robić jednak długo, ponieważ w pewnym momencie otworzyły się drzwi do pokoju, a mama rzuciła: „Gardło sobie zedrzesz". Tak jakby ciotka czytała bardzo głośno, a nie bardzo przyjemnym półgłosem. Jednak mama musiała wtrącić w te miłe chwile swoje trzy grosze: „Zapomniałaś, że masz chorobę zawodową, już daj spokój z tym czytaniem. Jutro przyjdzie do niej lekarz. Krzysiek obiecał, że przyprowadzi jakiegoś swojego znajomego". Może mama chciała ją wystraszyć, ale powiedziała to w taki sposób, jakby było jej już zupełnie wszystko jedno. Kiedy tylko drzwi się za nią zamknęły, ciotka Marianna powtórzyła słowa mamy, ale całkiem inaczej.

– Słyszałaś? Jutro przyjdzie do ciebie lekarz. Na pewno coś poradzi na tę twoją grypę duszy.

Otworzyła oczy. Popatrzyła na ciotkę i gdy dostrzegła zrozumienie w jej oczach, poczuła się lepiej. Pierwszy raz od dawna poczuła się lepiej.

– Przyjdzie też do ciebie Nela. Umówiła się z twoją mamą. Miała odwiedzić cię wcześniej, ale musiała nagle wyjechać na jakiś czas do domu.

Co się stało? – zdołała zapytać tylko w myślach. Jednak ciotka zupełnie jakby usłyszała to pytanie, odpowiedziała głosem, który mógłby reklamować siłę spokoju, nadawałby się do tego doskonale.

– Jeden z jej braci miał ostre zapalenie wyrostka robaczkowego i mama musiała spędzić z nim tydzień w szpitalu, a Nela pojechała ją zastąpić w codziennych obowiązkach. Jestem z Nelą w kontakcie, a tak w sumie to ona jest ze mną w kontakcie. Bardzo się o ciebie martwi... – ciotka zamilkła na chwilę. – Wszyscy się o ciebie martwimy. Oczywiście każdy na swój sposób.

Uwielbiała, gdy ciotka dużo mówiła. Zwłaszcza gdy mówiła tylko do niej.

– Obiecaj, że zjesz jutro rosół.

Obiecuję... – pomyślała, nie mając siły, by w jakikolwiek sposób wyrazić swoje myśli. Ale ciotka zwykle umiała usłyszeć jej głos, nawet ten, który był tylko w jej głowie. Tym razem też tak się stało.

– To w takim razie czytam dalej – radosnym głosem stwierdziła ciotka, ciesząc się pewnie w duchu, że namówiła siostrzenicę na zjedzenie zupy, czym z kolei ułatwiła życie własnej siostrze.

Ciotka Marianna była dobra dla wielu ludzi i dobra w wielu sprawach, ale najlepiej sprawdzała się w takich sytuacjach, w których należało ułatwić komuś życie. W ułatwianiu życia innym ciotka nie miała sobie równych. Była bezkonkurencyjna. Teraz zajmowała się jej życiem, życiem swej zagubionej siostrzenicy. I po prostu czytała.

Ciotka kartkowała trochę pożółkłe, ale prawie niezniszczone upływem czasu strony. Czytała spokojnie.

– O Dąsalu Wąsatym już było. O Baryłce też... O Kraju Makukraju także... Nawet o Piecuchu... To teraz to...

Ciotka zaczęła czytać, a siła jej spokoju przemawiała coraz bardziej kojącym głosem: „Śpij, dziecko... Proszę cię, śpij...". Słuchała zatem głosu ciotki i prosiła o sen, żeby chociaż trochę odpocząć, póki niewidoczny zegar jej stresu nie wybije godziny trzeciej w nocy. Ciotka czytała pięknie...

Bo ten czarownik
– powiem wam o tym,
bo dziw to jest
nad dziwy –
nie dbał o złoto
ni o klejnoty.
Na radość
okropnie był chciwy!
I kiedy tylko dojrzał u ludzi
najmniejszą nawet
radostkę,
to ją im ukradł!
Albo wyłudził!
Smutek zostawił
i troskę.
I gdyby dłużej

w świecie grasował,
to cała radość by znikła.
Szczęściem
zdarzyła się niegdyś owa
historia całkiem
niezwykła.

Siedział przed nią Krzychu. Zauważyła od razu, że był przejęty, a wiedziała doskonale, że na stres był odporny jak nikt inny w ich rodzinie.

– Po prostu z nim porozmawiaj. To obcy facet. Nie ukrywaj przed nim niczego. Postaraj się opowiedzieć mu o wszystkim. A najlepiej zrobisz, jak powiesz mu o tym, jak się teraz czujesz. On umie pomagać. Ale musisz być z nim szczera. Po prostu zacznij mówić, bo jak nie zaczniesz... Tylko nie myśl sobie, że cię straszę. To nie o to chodzi. Ale jak nie będziesz chciała nic powiedzieć, to on zechce wziąć cię do siebie na oddział. Byłem tam i powiem ci, że tam będzie ci dużo trudniej niż tu z matką i ciotkami na głowie. To co? Poprosić go? – zapytał konkretnie Krzychu.

Nie dziwiła mu się wcale. Chciał załatwić sprawę po męsku, raz a dobrze. Wiedziała przecież, że o tej porze był zwykle w pracy, a żeby tu do niej przyjść, musiał się zdrowo nagimnastykować. Czuła się w obowiązku docenić starania szwagra, dlatego skinęła głową.

– Odpowiedz – poprosił łagodnie Krzychu, patrząc na nią życzliwym wzrokiem.

Spoglądał na nią, jakby rozumiejąc całą sytuację, w której się znalazła, a raczej utkwiła. Właśnie dziś miała pierwszą okazję, by spróbować się wyrwać. Czy chciała? Nie. Raczej nie. Wciąż było jej wszystko jedno. Ale Krzysiek tak patrzył. Tak czekał. Nawet w domu od kilku dni było ciszej niż zwykle. Nie zauważyła chwili, w której skończyły się krzyki, wyrzuty i podniesione głosy. Słyszała tylko łagodne prośby mamy: „jedz, proszę", „umyj się, to lepiej się poczujesz". Jak nigdy słyszała też pytania: „mogę otworzyć okno?", albo: „może masz na coś ochotę? Powiedz, to ci ugotuję".

– Poprosić – powiedziała.

Usłyszała swój bardzo cichy głos. Nie słyszała go od dawna. Od jak dawna? Tego nie była w stanie określić.

– To super. Ja teraz wychodzę i pamiętaj, trzymam za ciebie kciuki i jestem o ciebie spokojny, bo oddaję cię w ręce mojego kumpla i w dodatku najlepszego fachowca w mieście.

Krzychu uśmiechał się i czuła, że chociaż był facetem, to bardzo starał się pojąć jej ostatnio pokręcony kobiecy punkt widzenia. Widziała, jak wychodził i celowo zostawił otwarte drzwi pokoju, w których za moment pojawił się mężczyzna. Jego fizjonomia bardzo ją zaskoczyła pomimo tego, że wcześniej go sobie zupełnie nie wyobrażała. Poza tym ostatnio nie wyobrażała sobie niczego i nikogo, ponieważ nie miała chęci do życia. Żyła w tunelu. Ciemnym nawet za dnia. Stała na jego początku, a i tak otaczała ją ciemność. Dostrzegała co prawda drogę, lecz też ciemną, a ona panicznie bała się na nią wejść. Jednak to nie ciemności obawiała się najbardziej. To nie ona była odpowiedzialna za obezwładniający ją strach. W głębi tunelu, po drugiej jego stronie, u wylotu stał Łukasz. Nie widziała jego twarzy. Ale pomimo ciemności dostrzegała jego sylwetkę. Była pewna, że to on tam stoi. To nie mógł być nikt inny. To na pewno Łukasz. Miała dosyć życia w tunelu, przez który nie potrafiła dostrzegać światła wokół. Była też bardzo zmęczona odległością, która ich od siebie oddzielała. Najbardziej jednak dosyć miała tego, że zaczynała mieć świadomość, że by wydostać się z tunelu, musiała się spotkać z Łukaszem. To właśnie on stał jej na drodze. To Łukasz stał na jej drodze do światła i do życia. Musiała przejść obok niego. Musiała go jakimś cudem ominąć. Ale czy potrafiła przejść obok niego obojętnie?

– Dzień dobry.

Mężczyzna, który siedział teraz na krześle i przyglądał się jej badawczym wzrokiem, był bardzo niepozorny. Zupełnie nie przypominał miejskiej sławy, o której w rozmowie wspomniał Krzychu. Siwiejący, postury dość mikrej, ubrany w jasne spodnie i koszulę moro, tyle że nie zielono-brązową, tylko taką, jakby był żołnierzem pustynnej armii.

– Masz na imię Julia – stwierdził ciepło.

Skinęła głową, choć na razie o nic nie pytał.

– Chce ci się ze mną rozmawiać? – zapytał.

Na razie nie potrafiła się odezwać.

– To na początek ja będę mówił. Opowiem ci o różnych objawach, które mogłaś u siebie zaobserwować. Jak coś takiego zauważyłaś, to wystarczy, że będziesz potakiwała, a jeśli nie, to zaprzeczaj. Umowa stoi? – zapytał, a ona potaknęła, tak jak tego oczekiwał i jak się z nią umówił.

Musiał być chyba rzeczywiście dobrym specjalistą, bo zupełnie nie robiło na niej wrażenia, że w jej pokoju nagle pojawił się obcy mężczyzna. I choć patrzył na nią badawczo, zupełnie nie czuła się zażenowana. Mówił tak spokojnie, że momentami zapominała, po co z nią rozmawiał, a raczej dlaczego wciąż zadawał jej pytania, na które w odpowiedzi w większości musiała potakiwać, aż w końcu zaczęła boleć ją szyja. Gdy skończyli rozmawiać, za oknem zrobiło się już całkiem ciemno. Nie potrafiła przypomnieć sobie chwili, kiedy przestała potakiwać bądź zaprzeczać, a zaczęła mówić. Po prostu mówić. Opowiedziała mu wszystko. Bardzo cicho, ale wszystko. Nie spodziewała się nawet, że jest tego tak wiele. Rozmawiał z nią zupełnie tak, jakby przez to, co właśnie przechodziła, sam przeszedł milion razy. Rozumiał ją doskonale. Jak jeszcze nikt dotychczas. W istocie to nie ona mówiła mu, jak się czuje, tylko on opisywał dokładnie stany, które ją dopadają. Mówił i mówił, jakby znał ją od dawna. Poruszał takie tematy, o których nie rozmawiała z nikim. Patrzył na nią i zamiast ją dręczyć, po prostu z niej czytał. Robił to w taki sposób, że nie czuła wstydu nawet wówczas, gdy poruszał tematy całkowicie intymne i takie, o których ludzie zwykle nie rozmawiają. Co więcej, był facetem, którego podczas tej rozmowy traktowała jak istotę bez płci.

– Posłuchaj mnie teraz uważnie – poprosił, kończąc rozmowę swoją prośbą.

Cały czas słucham uważnie – pomyślała, wracając do siebie z dalekiej podróży.

– To, co się z tobą dzieje, to raczej załamanie niż coś gorszego. Nie będę ci więcej tłumaczył, bo wiadomo, co studiujesz, więc nie będę się wygłupiał. Przepiszę ci jeden lek. Będziesz go zażywać co rano i myślę, że za tydzień, w gorszym przypadku za dwa, będziesz potrafiła już wyjść z domu. Natomiast już po kilku dniach powinnaś zauważyć pojedyncze objawy lepszego nastroju. Zresztą chcę być z tobą w ciągłym kontakcie, więc przeproś się, proszę, ze swym telefonem, bo słyszałem, że jesteś z nim w konflikcie. Wydaje mi się, że pojawię się tu u ciebie też za tydzień i poproszę cię, żebyś narysowała mi wykres swojego nastroju. Wiesz, co będzie przypominał?

Co? – zapytała w myślach, dlatego spojrzała pytająco.

– Nie pytaj mnie w myślach, ponieważ nie umiem czytać ludziom w myślach – stwierdził z bardzo przyjaznym uśmiechem na ustach.

Umiesz – pomyślała z przekonaniem i zadała pytanie.

– Co?

– Uzębienie rekina albo, jak wolisz, zęby piły tarczowej. Taki zygzak. Góra, dół, góra, dół. I jeśli tak będzie, to wyjdziesz na prostą, chociaż takim właśnie zygzakiem. To jak? Widzimy się za tydzień?

– Tak – odpowiedziała nauczona wcześniejszym doświadczeniem, że kolega Krzycha nie przyjmuje do wiadomości jej myśli.

Łukasz też był kolegą Krzycha, ale nie mogła teraz o tym myśleć. Krzychu miał fajnych kolegów.

– Do zobaczenia – uśmiechnął się, otwierając drzwi, za którymi panowała teraz pełna wyczekiwania cisza.

– Do zobaczenia, panie doktorze – odpowiedziała cicho.

– Max. Wystarczy Max – zaproponował i znów uśmiechnął się bardzo sympatycznie.

– Max? – powtórzyła bardzo cicho i pytająco.

– Maksymilian – uściślił – ale miewam zwykle bardzo zmęczonych pacjentów, dlatego wolę im nie dokładać wysiłków i skracam dystans, jak tylko się da – zażartował i zamknął za sobą drzwi.

Od razu, gdy tylko to zrobił, usłyszała nerwowy szept mamy. Krzychu już pewnie wyszedł. Poczuła się zmęczona. Wyczerpana nawet. W końcu nie odzywała się od jakiegoś czasu, a dziś słowa zmęczyły ją jak ciężka fizyczna praca. Zamknęła oczy, by w końcu odpocząć. Może nawet zasnąć…

– Przepraszam, że dopiero teraz...

Siedziały na podłodze jej pokoju. Nela opierała się o miękką kanapę, ona o twarde meble. Od tygodnia czuła się trochę lepiej. Tak jak przewidział to Max, jej nastrój uległ najpierw chwilowej, a obecnie już trwającej dłużej poprawie. W związku z tym mama ją dokarmiała. Może to dlatego z dnia na dzień przybywało jej sił. Dzięki temu była zadbana i myła się regularnie. Życie wracało do niej po drodze przypominającej zarys zębów rekina.

– Daj spokój. Każdy ma swoje... – użyła zwrotu ciotki Marianny. – Przecież wiem.

– Kiedy wrócisz na zajęcia? – Nela zadała konkretne pytanie.

To zupełnie nie było podobne do Neli, ale przyjaciółka wiedziała, jak należy postępować w tym przypadku. Poza tym zapytała tak, jakby wyczuwała jej potrzeby. Miała coraz większą ochotę, zwłaszcza w tych lepszych momentach, na powrót do rzeczywistości. Wpatrywała się w dawno nie widzianą przyjaciółkę i nie mogła oprzeć się wrażeniu, że Nela wypiękniała. Blask bijący od jej włosów był chyba bardziej złoty, niż to zapamiętała. Błysk w zielonych oczach lśnił bardziej zdecydowanie niż zwykle. Natomiast biała sukienka z zakończonego fikuśnymi koronkami lnu nadawała sylwetce przyjaciółki dziewczęcości, lekkości i wdzięku.

– W piątek kolejny raz spotykam się z Maxem. Myślę, że pozwoli mi wrócić na uczelnię. Wypisze mi zwolnienie. Zaniosę je do dziekanatu i... Wrócę... Mam nadzieję, że mi na to pozwolą i że dam radę.

– To już teraz zaczynam trzymać kciuki, bo bez ciebie strasznie mi pusto. Bez ciebie to nie to samo.

– A co u Xawerego? – zapytała, zmieniając temat.

Bała się wzruszeń. Bała się, że mogą znów wpędzić ją w tunel, z którego się właśnie wydostawała.

– Dobrze – uśmiech Neli wyrażał dużo więcej niż głos.

– A jak w szpitalu? – zapytała, jakby badając swą wytrzymałość i gotowość na powrót do normalności, a raczej poddawała się ciężkiej i masochistycznej torturze.

– Ten pierwszy poniedziałek bez ciebie był straszny. Może też dlatego, że bez ordynatora na tym oddziale wszystko jest postawione na głowie. Niby doktor Leszczyńska go zastępowała, ale to jednak nie to samo. Ordynator to ordynator.

Nie udało jej się zignorować tego, co usłyszała.

– Nie było go? – zapytała, siląc się, by zachować spokój, przynajmniej względny.

– To znaczy właśnie w ten pierwszy poniedziałek jeszcze był, bo gdzieś mi mignął, ale wyglądał tak, jakby ktoś mu umarł, a później przez kolejne dwa tygodnie go nie było. Coś się chyba stało. Przecież on nawet urlop bierze sobie tylko na tydzień, nie dłużej.

To ja umarłam – pomyślała gorzko i zatęskniła.

– Pewnie to coś z jego matką – kontynuowała Nela. – Pielęgniarki tak szeptały. Jego matka prawdopodobnie choruje na alzheimera. Jest w takim złym stanie, że musi być w domu opieki, a ordynator, z tego, co się dowiedziałam, nie ma rodzeństwa. Jest jedynakiem, więc to wszystko spada na niego. Później ja wyjechałam, więc nie wiem, jak to się dalej potoczyło. Wczoraj byłam w szpitalu, to słyszałam, że już jest, ale go nie widziałam.

– A jak sprzątanie? – musiała szybko zmienić temat.

– Dawałam radę. Wcale nie było tak źle. Zupełnie jakby wiedzieli, że muszę sprzątać w pojedynkę.

Chyba naprawdę wracała do rzeczywistości. Chciała, żeby tak było. Łudziła się, że tak było.

– A jak w domu?

– Dzięki Bogu, sytuacja już opanowana. Wrócili do domu ze szpitala i mama od razu zaczęła dokarmiać wychudzonego Łukasza.

Słysząc słowa Neli, głęboko zaczerpnęła powietrza.

– Wszystko w porządku? – zapytała ta od razu.

– Tak... Jak on się czuje? – zapytała, jakby wciąż brakowało jej tlenu.

– Strasznie schudł. A biorąc pod uwagę to, że zawsze był niejadkiem, to wiesz...

Nela utkwiła wzrok gdzieś w oddali, zupełnie jakby przeniosła się na krótką chwilę do swego rodzinnego domu.

– Teraz wygląda jak przecinek – widać było, że Nela, mówiąc to, wróciła z dalekiej podróży. – A moja mama lubi, jak jej dzieci są pulchniutkie z różowymi policzkami, a raczej takimi wiesz... pućkami. A zresztą co ja ci tłumaczę – Nela uśmiechnęła się uroczo. – Wystarczy, że na mnie spojrzysz, i od razu będziesz wiedziała, o czym mówię.

Popatrzyła na przyjaciółkę i uśmiechnęła się. Cieszyła się bardzo z tego spotkania i z tego, że w końcu mogła ją zobaczyć, gdyż dopiero do niej dotarło, jak bardzo się za nią stęskniła.

– Wyglądasz doskonale. Mam nadzieję, że to miłość tak ci służy, a nie krótkie rozstanie ze mną – patrzyła na przyjaciółkę wyczekująco.

– A co u ciebie? – zapytała Nela.

– Chyba koniec... – powiedziała, pamiętając, co sugerował jej Max.

Niestety zdanie, które wypowiedziała, nie zabrzmiało obiecująco. Niestety nie. Niestety Nela to słyszała.

– Powiesz mi, co się stało? – Nela patrzyła na nią prosząco.

Zupełnie nie zdawała sobie sprawy z faktu, że tym pytaniem i tym spojrzeniem zamiast sprawę ułatwiać, komplikowała ją jeszcze bardziej.

– Chciałabym... – zaczęła, nie potrafiąc skończyć.

– To zrób to – zachęciła ją łagodnym tonem Nela, prawie takim samym jak ten, którego używał Max. – Przecież sama mówisz, że w życiu należy robić to, czego się chce, a nie to, czego chcą od nas inni.

– Wiem, wiem...

Patrzyła Neli w oczy zupełnie tak, jakby ten wzrok mógł załatwić sprawę.

– To powiedz. Może ci wtedy ulży.

– Już mi chyba nigdy nie ulży – odparła pesymistycznie, mając przed oczami obraz siebie za jakieś pięćdziesiąt lat.

Obraz ten ją przeraził, gdyż w swoim wyobrażeniu zobaczyła siebie bardziej podobną do ciotki Klary niż do ciotki Marianny.

– Chyba przesadzasz... – Nela z miłym uśmiechem na twarzy zanegowała jej pesymistyczne nastawienie do czekającej ją przyszłości.

Nie mogła nie zareagować na ten uśmiech i gdy tylko to zrobiła, Nela, choć nie było to zachowanie dla niej charakterystyczne, wykorzystała sytuację.

– Facet?

– Tak.

– Ach, ci faceci – przyjaciółka użyła jej ulubionego sformułowania.

– No...

– Pewnie w dodatku jakiś fajny, co?

Nela nie chciała wypytywać, tylko nieco naprowadzić, pomóc. To było jasne.

– Niestety tak. – W tym momencie zaczęła myśleć, czy nie zrzucić z siebie tego ciężaru i nie przyznać się.

Swoją odpowiedź od razu wsparła myślą.

Ordynator jest fajny.

– I przystojny?

– Niestety tak.

Ordynator jest przystojny.

– Zawsze byłaś gadułą, ale teraz przesadzasz. Zwłaszcza że ja naprawdę nie lubię, kiedy ktoś nie dopuszcza mnie do głosu.

To ordynator.

Pomyślała, znów snując marzenia. Leczenie Maxa przynosiło efekty. Znowu marzyła. Tym razem o tym, by mieć w sobie siłę i powiedzieć w końcu Neli: „Zakochałam się w Łukaszu Kochanowskim". Pan ordynator do tego zdania jakoś dziwnie nie pasował. Za to z nią potrafił stworzyć taką kompozycję, która sprawiała, że na myśl o tym robiło jej się tak słabo, tak bardzo słabo, że ta słabość w zupełnie niezrozumiały sposób zamieniała się w odwagę. Chciała przeciwstawiać się jakoś tej słabości i może to z tej determinacji czerpała odwagę. Już była gotowa na to, by w najbliższy poniedziałek zapomnieć o wszystkim, co jej zrobił. A raczej o tym, czego nie zrobił, czego jej nie powiedział. Chciała pójść do szpitala. Zapukać do jego gabinetu. Zapomnieć o żonie, byłej żonie. O córce, która już na zawsze łączyła go z inną kobietą. Puścić wszystko w niepamięć, stanąć przed nim i powiedzieć: „Bez ciebie nie chce mi się żyć".

– Jula, powiedz coś... Proszę...

Głos Neli wyrwał ją z innego świata. Z tego, do którego ostatnio się nie zbliżała nawet w myślach i to dlatego było jej teraz tak trudno. Czyżby znów była odważna, skoro się tak odważnie zamyśliła? Chociaż spojrzenie na przybrudzony dywan, na którym siedziała, sprawiło, że od razu straciła tę odwagę. Już nie siedziała na podłodze swego pokoju, tylko leżała plackiem tuż przy dziąśle ludojada, a Nela patrzyła na nią z rosnącą obawą w oczach.

– Co mam powiedzieć? – zapytała, swym wewnętrznym mrokiem przysłaniając blask słońca oblewającego postać Neli.

– Zrobił ci coś?

Wiedziała, że skoro Nela zadawała jej takie pytanie, to sama musiała być w złej formie albo nawet na skraju wytrzymałości, ponieważ nigdy nie pytała tak bezpośrednio. Ona przecież zawsze czekała, by informacje, których potrzebowała, ujawniały się same, bez jej pomocy, tylko z pomocą upływającego czasu. Nela zawsze umiała czekać. Tym razem było inaczej... Teraz zmieniło się wszystko. To ordynator zmienił wszystko. Nawet Nelę.

– W sumie to tak – odpowiedziała, choć logiki w tej odpowiedzi nie było ani trochę.

– Myślałam, że ci tego nie powiem, ale chyba jednak będę musiała. Wiesz, czym najbardziej martwi się twoja mama? – mówiąc to, Nela patrzyła na nią z ogromnym przerażeniem.

– No wiesz... Zwykle najbardziej martwi się tym, co ludzie powiedzą albo co sobie pomyślą – mrok zataczający wokół niej coraz szersze kręgi potęgował jej kąśliwość. – Albo tym, co pomyśli jej najukochańsza Klarunia – bardzo cynicznie dokończyła swą wypowiedź.

– Zupełnie nie – odpowiedziała Nela, zachowując nadzwyczajną powagę.

– To czym? – rzuciła szybko, wiedząc, że powód frasunków mamy nie jest teraz jej głównym zmartwieniem.

Nela zamiast mówić, wzdychała. Chyba szykowała się do czegoś strasznego.

– Twoja mama myśli, że…

– Że co? – sugerowała Neli, że powinna przyspieszyć tempo swej wypowiedzi, a ta zamiast jej posłuchać, roniła już łzy.

– Że ktoś cię zgwałcił – wyszeptała Nela, chowając zapłakane oczy w falbankach swej sukienki.

– To trafiła! – stwierdziła zgryźliwie.

Nela podniosła na nią spanikowany wzrok.

– Jak kulą w płot! – odparowała, choć zdenerwowanie Neli coraz bardziej jej się udzielało.

– Boże! – tym razem Neli ulżyło, ale i tak zasłoniła dłonią usta i wyglądała teraz tak, jakby bała się oddychać.

– Uspokój się! – odrywała się od dziąseł rekina. – Prawda jest taka, że zakochałam się w facecie starszym ode mnie o dwadzieścia lat. W dodatku rozwodniku i, jakby tego było mało, to z dzieckiem.

Nela, zupełnie nie przygotowana na takie wyznanie, zamarła. Wpatrywała się w przyjaciółkę, tak jakby miała dzięki temu spojrzeniu jeszcze lepiej zrozumieć wszystko, co przed chwilą usłyszała.

– Tak w sumie to moja mama przełknęłaby szybciej, gdyby ktoś mnie zgwałcił – słysząc swe słowa, od razu wiedziała, że przesadziła i ma w sobie tyle żalu do świata, że robi z siebie idiotkę, ale zmęczyło ją to milczenie i przerażone spojrzenie Neli.

– Jak możesz? – Nela powinna była się na nią wydrzeć, ale zdobyła się tylko na cichy szept.

– Przepraszam – odpowiedziała też szeptem, bardzo szczerym. – I co? Masz jakiś pomysł? – zapytała już bardzo łagodnie.

– Ja? – zdziwiła się Nela. – Ale *à propos* czego?

– Tego, jak mam poinformować mamę o przyczynach mojego doła.

– To chyba teraz nie jest najważniejsze – stwierdziła Nela przekonanym głosem.

– A co? – zapytała szybko.

– Ty jesteś ważna.

– Ja? – zdziwiła się.

Nie była przyzwyczajona do takiego traktowania i takiego obrotu spraw.

– Tak. Ty.

Przekonanie w głosie Neli, bardzo zdecydowane przekonanie, sprawiało, że świat wydawał się po prostu lepszy.

– Ale w jakim sensie? – drążyła.

– W takim, że najważniejsze jest, czego ty chcesz od życia – odpowiedziała wprost Nela.

– Tęsknię za nim – odpowiedziała też wprost, ponieważ inaczej się nie dało w tej sytuacji.

Chcę tylko jego – w myślach podbijała wartość swojej tęsknoty.

– A on? – zapytała Nela.

– Nie wiem.

Wiedziała, że Nela nie zapyta już o nic więcej, bo i tak wyczerpała już przydział pytań na tę dekadę. Wiedziała też, że nadszedł dobry moment, by powiedzieć przyjaciółce, kim jest ten rozwodnik, o którym z pewnością myślały teraz obie.

– Nie wiesz... – cicho powtórzyła Nela, była zaciekawiona, ale nie pytała. – Miłość jest skomplikowana – dodała po chwili. – Prawda? – tym razem zapytała.

– Twoja chyba mniej niż moja – odpowiedziała po chwili, walcząc ze sobą, by wypowiedzieć przed Nelą imię swej miłości.

– Tak ci się tylko wydaje – stwierdziła spokojnie Nela i uśmiechnęła się, ponieważ z pewnością w jej myślach pojawił się teraz też uśmiechnięty Xawery.

– Z tego, co wiem, Xawery nie jest od ciebie ani znacznie starszy, ani nie ma na swoim koncie żony i dziecka – wyliczyła szybko, stawiając miłość Neli w dużo lepszym świetle niż własną.

– Twoja miłość też nie ma już żony – zauważyła Nela.

– W opinii mojej konserwatywnej rodziny na pewno ma ją wciąż. No wiesz... Co Bóg złączył... – musiała przestać, żeby się nie pogrążyć od nowa.

– Może wyjdziemy na spacer? – empatycznie zaproponowała Nela, starając się, by przestała myśleć o trudnościach pojawiających się w miłości i w rodzinie, by w końcu zmieniła otoczenie.

– Chyba nie – nie przystała na propozycję, czując, że póki co świat na zewnątrz jest dla niej zbyt wielki.

– Może jednak...? – Nela uśmiechała się zachęcająco, próbując na niej wywrzeć nieszkodliwą, lecz przyjemną presję.

– Chyba nie... – po raz wtóry posłużyła się łagodną odmową.

– To co zamierzasz?

– Zostanę w domu – wyłgała się od odpowiedzi na zasadnicze pytanie przyjaciółki.

Nela patrzyła na nią i uśmiechała się, wciąż zapraszając do spaceru.

– Jest tak ładnie... – zachęcała bardzo sugestywnie.

– Wiem... – spojrzała przez okno, ale nie przeszkodziło jej to usłyszeć jakiegoś odgłosu za drzwiami. – Mama nas podsłuchuje – szepnęła najciszej, jak umiała.

Nela milczała, przekazując jej wymownym spojrzeniem informację: „wiem".

Po chwili milczenia między przyjaciółkami szelest za drzwiami ustał.

– To może poradź mi, co ja mam powiedzieć, jak stąd wyjdę – poprosiła Nela.

– Nic – rozłożyła ręce, zdając sobie sprawę z tego, że nie pomaga przyjaciółce.

– Obiecałam, że jak tylko coś z ciebie wyciągnę, to powiem.

– To jesteś w kłopocie – odpaliła Neli w taki sposób, że przez moment poczuła, że zaczęła żyć dawnym życiem, a nie tym pod kołdrą.

– Przecież ty zawsze mi pomagasz, jak mam kłopoty – błyskotliwie zauważyła Nela. – To znaczy do tej pory zawsze tak było – uściśliła, dokonując natychmiastowej rewizji sytuacji.

– Może coś skłamię.

– Mamę oszukasz, ale siebie nie. Chyba nie ma sensu brnąć w takie rozwiązania – bardzo trafnie zauważyła Nela.

– Że też ty zawsze musisz być taka mądra – skwitowała.

– Chyba chcę, a nie muszę.

– A ja muszę – bawiła się w gierki słowne, zamiast przejść do meritum.

– Jak musisz, to sama powiedz mamie, jak sprawa wygląda.

– Chyba jednak jeszcze raz poważnie zastanowię się nad twoją mądrością. Pomyśl, czy mojej mamy nie zabije to, że wskoczyłam do łóżka facetowi, o którym już trochę wiesz.

– Co? – zapytała Nela, a wzrok miała bardziej wystraszony niż zdziwiony.

Ten strach w oczach Neli odebrał jej wszystkie siły.

– Chyba muszę się położyć – powiedziała bez tchu.

– Źle się czujesz? – zapytała szybko Nela.

– Paskudnie.

– Proszę cię... – Nela wyglądała na mocno zestresowaną.

– O co?

– Wróć na uczelnię, do szpitala...

– Chyba nie dam rady – powiedziała szybko, póki mogła, bo naprawdę działo się z nią coś złego. Bardzo szybko opadała z sił, musiała zatem wykorzystać te, które jej jeszcze zostały. – To House – wyrzuciła z siebie.

– House? – powtórzyła po niej Nela. – To niemożliwe – zanegowała od razu.

– Dziś też wydaje mi się to niemożliwe…

– Przecież mówiłaś, że jest…

– Przepraszam cię! Byłam głupia! – jednak miała jeszcze sporo sił, by się pokajać.

Nela patrzyła na nią bez urazy, dlatego poczuła ulgę i przyzwolenie na to, by kontynuować.

– Mówiłam o nim takie okropne rzeczy, bo tak myślałam. Nela, ja tak naprawdę o nim myślałam. A później wszystko się zmieniło. Spojrzałam na niego całkiem inaczej. Nawet nie wiem, kiedy to się stało…

– Już wszystko rozumiem – powiedziała Nela ze smutkiem.

Patrzyła na Nelę i wiedziała już, że to niemożliwe, by skończyło się tak dobrze i gładko, tak bezproblemowo. Nela na pewno miała już swój pogląd na sprawę, ponieważ była w nią emocjonalnie zaangażowana. A emocje to – jak wiadomo – nie najlepszy doradca. Nela już wiedziała, co myśleć, dlatego wstała, by wyjść. Patrzyła na przyjaciółkę i wpadała w panikę.

– Wybacz mi, proszę, Nela! Proszę cię, wybacz mi… Ja nie zrobiłam tego specjalnie… Powiedz, że mi wybaczasz… Proszę… – była gotowa uklęknąć przed Nelą, która patrzyła na nią z góry.

– Muszę to przemyśleć – mówiąc to, Nela odwróciła wzrok.

Nie patrzyła na nią. To było straszne. Szybko wyszła z pokoju. To było jeszcze straszniejsze. Neli już nie było, a ona potrzebowała zakopać się w pościeli i nie wychodzić z niej już nigdy. Nie miała już nikogo. Nie został jej nikt. Nie miała Łukasza, nie miała Neli. Wszystko zepsuła. Wszystkich zawiodła. Nawet mama nie miała się dowiedzieć niczego od Neli. A Nela? Niestety dowiedziała się za dużo. O jedno słowo za dużo. To słowo brzmiało: House.

Czuła, że je podzielił. Wszystko się między nimi zmieniło. Nela była zdystansowana, ale nie obrażona. Nie podejmowała tematu i to było najstraszniejsze, ponieważ wątek ten pozostawiony sam sobie mógł poróżnić je już na zawsze. Chciała to zmienić jak najszybciej, ale nie było jej łatwo. Odkąd tamtego feralnego wieczoru zostawiła Łukasza nieopodal szpitala, było jej ciężko. Bardzo niewygodnie w życiu. Niczego nie potrafiła w nim kontrolować. Straciła poczucie czasu. Teraz wróciła do życia i obowiązków, ale wszystko udawała. Musiała odzyskać poczucie czasu, tylko zupełnie nie wiedziała, jak to zrobić. Max podpowiadał jej wiele rzeczy, ale tego akurat nie chciał. Nie wiedziała, dlaczego tak robił. Ale skoro tak, to z pewnością widział w tym jakiś głębszy sens. To chyba tylko dla niego co rano się mobilizowała. Krzyczała na siebie w duchu, żeby wstać i skierować swe niechętne kroki na uczelnię. Do krzyków była przyzwyczajona. To z pewnością dlatego przynosiły efekt. Bez nich nie potrafiłaby funkcjonować. Przyjmowane regularnie leki dawały jej siłę do tego, by na siebie krzyczeć i doprowadzać się do jako takiego porządku. Tylko mama po tym wszystkim przestała się na nią wydzierać. Teraz tylko patrzyła. Czasami nawet wzrokiem łaszącego się psa, a innym razem kota potrafiącego spoglądać na swego właściciela z wyższością. Zatem musiała się wydzierać na siebie sama. Na uczelni udało jej się dogadać ze wszystkimi prowadzącymi pewnie dlatego, że taki depresyjny epizod przydarzył jej się po raz pierwszy i wszyscy wierzyli, że skoro podjęła leczenie, to będzie też ostatni. Sama nie wiedziała jeszcze, czy tak się stanie, i na razie wiedzieć nie chciała. Zresztą bała się wybiegać myślami za daleko w przyszłość.

Masz się skupiać na tym, co będzie za godzinę – powtarzała w myślach rady Maxa, z którym rozmawiała już tylko przez telefon.

– Którą mamy godzinę? – zapytała Nelę, wychodząc z wykładu, który pozwolił jej uciec od rzeczywistości, ale niestety dobiegł już końca.

Nela odpowiedziała na jej pytanie grzecznie i uprzejmie, po czym znów utkwiła wzrok w telefonie. W ten sposób mogła być w nieprzerwanej łączności z ukochanym, który wczoraj wieczorem zapadł na męczącą przypadłość, zwaną grypą żołądkową.

– Jak się czuje? – zapytała, gdy skierowały swe kroki w stronę ulubionej jadłodajni z blachy falistej. Nela milczała.

Musiały coś zjeść. Miały ponadgodzinną przerwę między zajęciami, a po nich... No właśnie. Po nich Nela szła do szpitala, a ona miała ambitny zamiar zrobić to samo. Jednak nie mogła raczej liczyć, że przyjaciółka pomoże jej w tej sprawie. Miała mieszane uczucia. Dystans Neli męczył ją nieludzko, a jeszcze bardziej dręczyło ją własne niezdecydowanie. Max milczał na ten temat jak zaklęty, a ona nie wiedziała, co robić. Pójść na oddział jakby nigdy nic czy nie zbliżać się do niego nawet o krok, by nie wylądować znów na co najmniej miesiąc w pościeli i co noc przeżywać duszący ból przeplatany zabójczymi atakami paniki. Jedno wiedziała na pewno. Musiała rozmówić się z Nelą.

Usiadły przed blaszakiem w plastikowych fotelikach, dość umiejętnie udających rattan.

– Masz na coś ochotę? Ja stawiam – zaproponowała.

– Nie wygłupiaj się – Nela budowała dystans przy każdej nadarzającej się okazji, jak tylko umiała.

– Daj już spokój – skracała ten dystans, jak tylko mogła. – Może naleśniki? Idę po naleśniki. Mogą być? – znów zapytała.

Nie czekając na odpowiedź, wstała od stolika i ruszyła w stronę wejścia do blaszaka. By jego drzwi się nie zamykały w tak piękny dzień, ktoś podparł je starodawnym i z pewnością bardzo ciężkim żelazkiem, dużo większym od współczesnych modeli. Kolejki nie było, więc szybko znów pojawiła się przy stoliku.

– Proszę – postawiła przed przyjaciółką talerz.

– Dziękuję.

Nela unikała jej wzroku. Natura ułatwiała jej zadanie, gdyż czerwcowe słońce świeciło jej bardzo odważnie w oczy, sprawiając, że musiała mrużyć je prawie bez przerwy. Zaczęły jeść.

– Wiesz, o czym marzę od tygodnia? – zaczęła rozmowę, ponieważ nie mogła liczyć na Nelę.

– Nie – Nela powiedziała ostrożnie, jedząc powoli.

– Marzę, byś wykrzyczała mi swoją złość prosto w twarz. Żebyś mnie uderzyła za to, co zrobiłam. Żebyś w końcu normalnie na mnie spojrzała i...

– Przestań, proszę... – Nela nie była gotowa na nic, co jej przed sekundą proponowała.

– Dlaczego nie możesz tego dla mnie zrobić? – była zdeterminowana.

– Bo wciąż nie mogę uwierzyć w to, co zrobiłaś.

Prostolinijność Neli ją dobiła, a spojrzenie przyjaciółki sprawiło, że odechciało jej się wszystkiego, nawet żyć. Poczuła się dotknięta. Była przyzwyczajona, że w jej życiu chodziło o innych, a ona dostawała zwykle to, co po nich zostało. Ale z Nelą było przecież inaczej. Przecież były partnerkami, nie było między nimi żadnych niedomówień. Dawniej tak było. Musiały do tego wrócić. Akurat to zadanie musiała wziąć na siebie.

– Posłuchaj mnie. Nie chcę ci teraz opowiadać farmazonów, że wiem, co czujesz, i że to wszystko nie tak, jak myślisz. Nie chcę, ponieważ nie wiem, co czujesz i co myślisz. Zresztą ja sama nie jestem pewna, co czuję, i nie wiem, co myśleć o tym, co sobie zafundowałam. Chcę jednak, żebyś wiedziała, że kiedy mówiłam ci o nim te wszystkie złe rzeczy, to naprawdę tak o nim wtedy myślałam. To nie była z mej strony jakaś przemyślana intryga. Wtedy na serio chciałam ci pomóc, a jak pojawił się Xawery, to też kibicowałam wam, bo pragnęłam, żeby wam się ułożyło. Chciałam, żeby było ci z nim dobrze. A to wszystko, co się później wydarzyło między mną a ordynatorem, było jak... – potrzebowała chwili, by poszukać w myślach odpowiedniego porównania – to było jak jakiś cholerny letni deszcz. Jak zaczyna padać, to jesteś wściekła, bo moczy ci ubrania, a jak jesteś już całkiem przemoczona, to wnioskujesz, że bez sensu się na niego wściekałaś, bo chociaż ciuchy masz mokre, to deszcz jest ciepły i przyjemny. Przestajesz więc myśleć o trudnościach, tylko podnosisz głowę do góry i pozwalasz, by deszcz na ciebie padał, by dotykał cię bez ograniczeń swoimi delikatnymi kroplami. Cieszysz się z nich, gdyż to właśnie dzięki nim przynajmniej przez chwilę potrafisz poczuć się wolna, a nie uwikłana w codzienność, obowiązki i zależność od innych ludzi, a zwłaszcza tych, którzy podczas deszczu zawsze mają przy sobie parasol. To właśnie dał mi Łukasz. Najpierw pojawił się jak taki właśnie deszcz. Nie dał mi żadnego wyboru. Spadł na mnie. A kiedy odnalazłam dzięki niemu tę boską wolność, to okazało się, że on jest dużo bardziej uwikłany w codzienność niż ja. I trach. Wszystko się skończyło. Poczułam się oszukana. Przemoczona jakimś zimnym, w dodatku kwaśnym deszczem, którego nie uda się zmyć jednym prysznicem.

Mówiła bez przerwy, bojąc się, że Nela w pewnej chwili wstanie od stolika, nie mogąc dłużej słuchać jej wynurzeń. Wstanie, odejdzie i już nigdy nie będzie chciała z nią gadać. Dzięki Bogu, Nela siedziała i patrzyła. Słuchała. Ze zrozumieniem. Zupełnie jakby teraz niebo zsyłało im deszcz, a nie słońce przypiekające im policzki.

– Nela, uwierz mi, to był przypadek. Jeden nagły pocałunek w ciężkiej dla nas obojga chwili, a później po prostu ulewa, wichura, grad uczuć. A na sam koniec trzęsienie ziemi, a po nim już nic. Pustka. Przecież wiesz... Teraz co rano wypełzam z tej pustki. Dla siebie, ale też dla ciebie i dlatego nie mogę znieść, że źle o mnie myślisz. Wkurza mnie to, że jesteś taka obojętna, obca... Taka politycznie poprawna w naszych relacjach. Dużo bardziej wolałabym, żebyś powiedziała, że albo nie chcesz mnie znać za to, co zrobiłam, albo mnie nie rozumiesz. Zareaguj, jak tylko chcesz. Ale zareaguj w jakikolwiek sposób! Jeśli ci to pomoże, to walnij mnie w łeb, poślij mnie do diabła. Ale zrób coś. Obojętnie co. Tylko nie bądź mumią!

Zaczynała mówić bzdury, bo ponosiły ją emocje, ale najbardziej doskwierała jej niepewność związana z tym, co się stanie. Z Nelą, z Łukaszem, z życiem, nad którym nie potrafiła zapanować. Patrzyła na przyjaciółkę i modliła się o reakcję, obojętnie jaką. Nawet najgorszą.

Nela oderwała wzrok od talerza. Popatrzyła inaczej niż dotychczas i zaczęła mówić. Dzięki Bogu, zaczęła mówić.

– Nie czuj się winna. To ja muszę spojrzeć prawdzie w oczy. Widziałam już wcześniej, jak na ciebie patrzył. Przepraszam cię za to, że zazdrościłam ci czegoś, z czego ty nie zdawałaś sobie sprawy, a czego ja bardzo chciałam. Marzyłam o tym mężczyźnie od chwili, gdy go zobaczyłam. Ale on nie patrzył na mnie, tylko na ciebie...

Oniemiała. Spoglądała w szczere oczy Neli. Wiedziała, że to, co mówiła, zdarzyło się naprawdę. Wiedziała o tym od Łukasza. Ale znów nie miała pojęcia, jak się zachować. Co powiedzieć?

– Ale jak to? – zapytała, nie będąc w stanie wymyślić nic mądrzejszego.

– On miał do ciebie słabość od początku, widziałam to. – Nela wiedziała, co mówi. Można się od niej było uczyć prawdomówności.

Popatrzyła w zielone oczy Neli i zobaczyła prawdę. Musiała odwdzięczyć się tym samym. Nie udawać. Niczego. Mówić wprost. Musiała ratować przyjaźń, by znów mieć szansę na to, aby dbać o nią każdego dnia.

– Wiem. Powiedział mi o tym. Tylko nie rozumiem, dlaczego ty mi nie powiedziałaś.

– Bo byłam zazdrosna. Strasznie zazdrosna. Nie wiedziałam, co z tym zrobić, i wtedy w przypadkowej rozmowie powiedziałam ci, co czuję, a ty stwierdziłaś, że mi pomożesz. Kiedy zaczęłaś mnie z niego leczyć, to zauważyłam, że wyleczyłaś mnie przede wszystkim z tej zazdrości. Słuchałam, co o nim mówisz, i uspokoiłam się, bo wiedziałam, że moja zazdrość jest bezzasadna. Później pojawił się Xawery. Wszystko się zmieniło. Odżyłam. Nie miałam wobec ciebie wyrzutów sumienia. Kiedy domyślałam się, że kogoś poznałaś, bo odstawiłaś mnie na chwilę w kąt, to House przestał się liczyć. Całkowicie. Nawet na niego nie patrzyłam. A jak wtedy malowaliśmy tę salę w szpitalu, pewnie pamiętasz, to miałam gdzieś to, że pożerał cię wzrokiem bardziej niż kiedykolwiek, bo wiedziałam, jakie masz o nim zdanie. Cierpliwie czekałam na to, kiedy opowiesz mi coś o swojej nowej miłości. Kiedy zachorowałaś, zaczęłam już coś podejrzewać, ale musiałam wyjechać. Może i dobrze się stało... Gdy wróciłam z domu i dowiedziałam się od ciebie, że to on, to...

– To co? – zapytała, a jej serce oszalało.

– To było straszne...

– Ale jest Xawery. Przecież go kochasz. To świetny, mądry, przystojny...

Jeszcze długo mogła ubierać Xawerego w superlatywy skrojone na jego miarę, co więcej, pasujące jak ulał. Tylko po co? Na szczęście Nela nie pozwoliła jej na to.

– Przecież wiem – przyjaciółka przerwała jej wyliczankę.

– Boże! To ja już nic nie rozumiem… – załamała się dokładnie w momencie, kiedy zawisła nad nimi ich udawana koleżanka Larwa, zadając pytanie, czy może się dosiąść.

– Nie! – odpowiedziały zgodnym, donośnym i dźwięcznym chórem.

– Mam nadzieję, że już wam ktoś powiedział, że jesteście popieprzone – rzuciła w ich kierunku Larwa i zwinęła żagle, obrzuciwszy je przedtem pogardliwym spojrzeniem.

– Jesteśmy popieprzone? – zapytała, czując, że chyba pierwszy raz odnalazła w słowach Larwy śladowe ilości logiki.

– Ja na pewno tak – Nela z miejsca zgodziła się ze zdaniem Larwy.

– Skoro ty tak, to ja też na pewno.

– Przesadzasz!

– Może to zboczenie zawodowe? – zapytała, mając ochotę ucałować Nelę za to „przesadzasz".

– Lepsze zboczenie niż wypalenie – natychmiast spointowała Nela i uśmiechnęła się nieznacznie.

Wystarczył ten ledwo widoczny uśmiech przyjaciółki, by uwierzyła, że jest szansa, aby było między nimi jak dawniej. Życie pokazywało, że każda miała coś za uszami. Jeśli dobrze znała życie, to każdą z nich ten emocjonalny brud uwierał pewnie w podobnym stopniu.

– Musimy coś z tym zrobić – bardzo chciała oczyścić atmosferę, ocieplić stosunki.

– To prawda…

Uradował ją fakt, że Nela wyraziła chęć współpracy.

– Tylko co? – zapytała, gubiąc się w odczuciach, których wciąż przybywało.

– Musimy żyć normalnie – niezbyt odkrywczo stwierdziła Nela.

– Świetnie! Długo nad tym myślałaś? – zapytała tonem niedowiarka.

– Bardzo – odparła z przekonaniem Nela.

– Normalnie... To znaczy jak? – zapytała, ponieważ odkrycie Neli wciąż wydawało jej się trochę niedorzeczne i w ich sytuacji niewystarczające.

– Moja mama zawsze powtarza nam wszystkim, że nie ma lepszego życia od takiego w prawdzie – Nela jak zwykle na wspomnienie rodziny zamyśliła się i utkwiła wzrok gdzieś w oddali.

– W prawdzie, czyli...? – zapytała, nie wstydząc się ani trochę swej dociekliwości.

– Przecież to proste. W prawdzie to znaczy bez oszustw.

– Skoro tak, to moje życie jest bardzo nienormalne. Ja oszukuję na każdym kroku. Mówię nie to, co myślę, tylko to, co chcą usłyszeć. Robię nie to, czego chcę, tylko to, co może kogoś zadowolić. Kiedy chcę walnąć pięścią w stół, to się uśmiecham, a gdy chcę z pełną parą trzasnąć drzwiami, to zamykam je cichutko, żeby czasami kogoś uszko nie zabolało. Zwykła oszustka to przy mnie anioł.

– Jak tak dalej pójdzie, to spóźnimy się na ćwiczenia – trzeźwo zauważyła Nela, odrywając wzrok od zegarka.

– Pies je drapał! – syknęła, nie oszukując ani trochę.

– W sumie czemu nie? Zwłaszcza że to nie ja mam problemy z frekwencją – znów na ustach Neli pojawił się nieśmiały uśmiech.

– A ja chcę żyć normalnie i nie chce mi się stąd nigdzie iść, skoro tak nam się fajnie gada.

– W sumie tak...

– Co ty tak w kółko sumujesz?

– Lepiej sumować, niż odejmować – powiedziała Nela i zamyśliła się.

– Wszystko zależy od składników czy jak to tam się nazywa. Poza tym przecież można sobie ujmować, to znaczy odejmować sobie trosk – poprawiła się.

– I to jest właśnie coś, co powinnaś zrobić – stwierdziła z wielkim przekonaniem Nela.

– Tylko jak? – zapytała niepewnie.

– Powinnaś pójść do House'a i pogadać w domu.

– Nie mogę do niego pójść. Boję się, że jak go zobaczę, to tego nie przeżyję.

– Całe szczęście na sali będzie lekarz – palnęła rozbawionym tonem Nela.

– Śmieszy cię to? – odgryzła się natychmiast.

– Wcale, przepraszam.

Nela była osobą, na którą nie potrafiła się gniewać. Chwila szczerej rozmowy i wybaczała jej wszystko. Milczenie i obojętność, którymi przyjaciółka obdarzała ją ostatnimi czasy, to znaczy odkąd dowiedziała się, że „tym kimś" jest House.

– No już dobra! – gdyby siedziała obok Neli, posłałaby jej teraz szczerego, rozładowującego napięcie kuksańca, ale siedziały naprzeciwko siebie, więc zdobyła się jedynie na bardzo szczere spojrzenie.

– To co? Idziemy? – zapytała Nela, wpatrując się w nią życzliwym wzrokiem.

– Dobra! Kończymy jeść i lecimy! Wiedza swoją drogą, a lista obecności rzecz arcyważna. Przynajmniej w moim przypadku – gładko zgodziła się z wcześniejszą uwagą Neli.

Jadła w pośpiechu, zaczynając przeczuwać, że wita się ze swoim zaniedbanym ostatnio życiem. Chyba chciała odzyskać w nim dotychczasowe miejsce. Może nawet poczuć radość z tego, co ma, albo z tego, co może mieć. Póki co nie chciała myśleć o Łukaszu. Skoro miała zbierać siły, to na razie powinna opierać się na życiowych pewnikach. Teraz się okazało, że takim pewnikiem mogła być Nela. To jego musiała się teraz uchwycić, aby zbierać siły na to, by przekonać się, jak to jest z Łukaszem. Nie miała o tym pojęcia. Nie potrafiła nic wymyślić. Ale przecież ludzie potrafią robić nawet to, co wydaje im się nie do zrobienia. Dlatego po głowie już błąkała jej się myśl, że Łukaszowi jest to na rękę, iż zaszyła się gdzieś i stamtąd nie wychodzi. Może nawet nie żałował swego bardzo nieprzyjemnego w skutkach przemilczenia. Nawet gdyby tak było, to... Bardzo chciała, żeby było inaczej. Nie życzyła nikomu takiej psychicznej męczarni. Nie życzyła jej również Łukaszowi, ale nie chciała, by historia z nią związana spłynęła po nim jak woda po kaczce. Bardzo tego nie chciała...

– Dobrze cię widzieć w takiej dobrej formie – Justyna patrzyła na nią z góry, jak zwykle bujając się na boki.

Tym sposobem usiłowała uprzyjemnić zasypianie Tymkowi, który cierpiał przez kolejne wyrzynające się zęby. Przynajmniej tak tłumaczyła dzisiejszą marudność swego syna.

– Już... Już dobrze... Już wszystko dobrze... – powtarzała malcowi wciąż do ucha, podczas gdy on żałośnie pojękiwał.

– Bywało lepiej – podsumowała, już bojąc się dnia następnego.

– Ale ostatnio to chyba raczej nie – nie dawała się zbyć Justyna.

– Nie chce mi się o tym gadać – ucięła, wzdrygając się na dźwięk skrzekliwego głosu ciotki Klary, która chyba najbardziej ze wszystkich dziś zebranych cieszyła się ze zwyżki formy najmłodszej siostrzenicy, ponieważ oznaczało to powrót do ostatnio trochę zaniedbanej tradycji wspólnych niedzielnych obiadów.

– Tak podejrzewam – bez śladu zdziwienia w głosie stwierdziła siostra. – Ale chcę, żebyś wiedziała, że możesz powiedzieć mi wszystko, a ja nie każę ci się uspokoić, bo inaczej piekło cię pochłonie.

– Piekło? Piekło jest niczym w porównaniu z tym, co słyszymy! – nawiązała do rozmów dochodzących z kuchni.

Zupełnie nie mogła zrozumieć, dlaczego ciotka Klara wciąż gdakała, skoro już nikt oprócz mamy jej nie słuchał. Nawet do końca nie było wiadomo, czy mama też słuchała z należytą uwagą. Krzysiek wyszedł z Szymkiem na przyblokowy plac zabaw, przyjemnie zacieniony o tej porze dnia. Ciotka Marianna zaraz po obiedzie, pewnie spragniona ulubionej ciszy, usprawiedliwiła się bólem głowy i urwała się do siebie, gdzie właśnie miewała tę ciszę, i to od rana do wieczora. Natomiast Janek był tylko chwilowym i wirtualnym gościem dzisiejszego obiadu. To dzięki uprzejmości Krzycha i jego nowoczesnego sprzętu mama mogła zobaczyć na Skypie swojego pierworodnego i zamienić z nim kilka słów. Co prawda Janek nie miał dla nich zbyt dużo czasu, gdyż dla księdza niedziela była zgoła czym innym niż dla pozostałych śmiertelników. Janek w niedzielę miał mnóstwo rzymskich i katolickich obowiązków.

– Piła tarczowa to przy tym kołysanka – podsumowała Justyna, nie darząca ciotki Klary wielką sympatią, ale teraz i tak uśmiechnęła się, gdyż utyskiwanie Tymka stawało się coraz rzadsze. – Powiesz coś? – siostra wciąż wracała do tego samego wątku.

– Co mam powiedzieć? – zapytała bez sensu, wiedząc przecież, że nie należy idiotycznie dopytywać, gdy i tak się wie, jakich informacji w danej chwili oczekuje od nas rozmówca.

– Jak to co? – nieznacznie obruszyła się Justyna. – Masz powiedzieć, czy spełnił się czarny scenariusz.

Podobnie jak Justyna doskonale pamiętała też rozmowę, kiedy to właśnie starsza siostra zniszczyła jej poczucie pewności i stabilności związku z Łukaszem.

– Przecież wiesz… – odparła, nie bojąc się spojrzeć siostrze prosto w oczy.

– Nie wiem, tylko przypuszczam.

– Miałaś rację – wzruszyła ramionami i w końcu odłożyła długopis na biurko.

Musiała zrobić sobie przerwę w opisywaniu objawów wskazujących na to, że można stwierdzić u pacjenta osobowość graniczną, zwaną często przez psychiatrów borderline.

– To znaczy co? – Justyna znieruchomiała, na krótką chwilę zastygła w milczeniu, spoglądając wyczekująco.

– Żona i dziecko – wymówiła i poczuła zazdrość, której się wstydziła i brzydziła, ale której na razie nie potrafiła się przeciwstawić.

– To grubo – zasępiła się Justyna.

– Co zrobić...?

– Dałaś mu w pysk? – wyobraźnia Justyny już pracowała według własnych standardów.

– Nie miałam siły – zaczęła z bólem – ani ochoty – skończyła mówić, ale ból wcale nie chciał ustąpić.

– Ja na pewno walnęłabym go z liścia. Zwłaszcza za tę żonę!

– Ekszonę – sprostowała beznamiętnie.

– To chyba nie jest aż tak źle – mówiąc to, Justyna zrobiła bardzo dziwną minę.

– Co chcesz przez to powiedzieć? – zdziwiła się.

Zupełnie nie spodziewała się takiej nowoczesności w siostrzanym spojrzeniu na sprawę. Justyna przyglądała się jej przez dłuższą chwilę, po upływie której zaczęła mówić trochę ciszej niż dotychczas.

– W moim szpitalu pracowała kiedyś taka jedna pielęgniarka, której nie interesowało nigdy, czy facet ma żonę, czy nie. W łóżku miał być dobry i tyle. Mówiła o tym bez ogródek. Podejrzewam, że z takim podejściem niejednej mężatce nabruździła w życiorysie. I pewnie bruździ dalej. Paskudna modliszka. Całe szczęście wyleciała najpierw z oddziału, a później całkiem ze szpitala, i to na zbity pysk...

– Czemu mi to mówisz? – zapytała bardzo cicho, ponieważ Tymkowi w końcu udało się zasnąć na dobre.

– Jak to po co? Żeby cię pocieszyć. Przecież ekszona brzmi o niebo lepiej niż żona.

– Tylko co z tego? – zapytała gorzko.

Wciąż była zaszokowana dość luźnym podejściem siostry do tematu, który dla niej był na razie nie do przeskoczenia. Wiedziała, że Justyna nie udaje tylko dlatego, żeby ją pocieszać. Starsza siostra w przeciwieństwie do niej zawsze mówiła, co myśli, nie kierując się tym, kto akurat był słuchaczem. Patrzyła na siostrę i miała wrażenie, że rozmowa, którą rozpoczynały z dość dużymi oporami, miała szansę z typowo siostrzanej przeobrazić się w taką między dwiema kobietami, z których jedna boi się życia, a druga ma pewność, że życia bać się nie należy.

– To z tego, że nie pakujesz im się do związku na trzeciego, a jedno dziecko to też przecież nie gromada, za którą latami ciągną się alimenty. Syn czy córka?

– Córka – odpowiedziała, starając się nie znienawidzić niewinnego dziecka.

– Duża?

– Prawie czteroletnia.

– A ten rozwód to jakaś świeża sprawa?

– Z tego, co wiem, rozwiódł się jakieś dwa lata temu.

– O, kurczę... Wiesz dlaczego?

– Chyba chodziło o zdradę... – przypominała sobie strzępki rozmów. – Ale dokładnie nie wiem...

– To dlaczego go nie zapytałaś?

– Bo jak się dowiedziałam, to...

– Dobra, dobra! Lepiej już skończ – Justyna, wykazując się empatią, nakazała jej zostać przy zdrowych zmysłach. – Myślisz, że to koniec?

A jednak nie zapowiadało się tak różowo. Siostra chyba nie powiedziała jeszcze ostatniego słowa.

Nie zniosłabym tego – pomyślała, bojąc się wypowiedzieć te słowa głośno. Kiedy tylko rozmyślała, wszystko bolało mniej.

– Nie traktuj mnie na równi z tym towarzystwem zza ściany – ostro rzuciła Justyna.

Wciąż było słychać głos ciotki Klary. Mama nie odzywała się prawie wcale.

– Nie traktuję – przyznała natychmiast.

– To powiedz mi, co czujesz, przecież nie spalę cię za to na stosie.

– Mam nadzieję…

Co z tego, że siostra ją uspokajała, skoro i tak czuła się tak, jakby sama układała pod sobą stos, a w dłoni już dzierżyła palące się łuczywo.

– A on co?

– Nic.

Półtora miesiąca i nic. Żadnego znaku życia – dołowała się w myślach.

– Nawet nie zadzwonił?

– Powiedziałam mu kiedyś, żeby do mnie nie dzwonił, więc nie dzwoni – skonstatowała z goryczą w głosie.

– Popatrz, jaki grzeczny! Co to za facet? Ja Krzychowi, żeby mnie w jakiejś sprawie posłuchał, muszę powtórzyć coś pięćset razy, a później jeszcze maila napisać, i to na skrzynkę służbową, bo na prywatną w ogóle nie wchodzi. Czasu nie ma.

Nie wiedziała, co powiedzieć. Wiedziała natomiast, że najbardziej na świecie chciałaby, żeby Łukasz się z nią skontaktował. Obojętnie jak. Niestety tego nie zrobił. Dlatego jutro mogło okazać się dla niej największą traumą życia. Panicznie, okrutnie, skandalicznie bała się tego, że jutro miną się na korytarzu oddziału zupełnie tak samo, jak czynili to, zanim… Bała się też tego, że nawet na nią nie spojrzy. Przecież przez ponad rok mijał ją, nie spojrzawszy na nią ani razu, nie dając jej nawet najmniejszego sygnału, że tego nie chce, że nie chce mijać jej jak powietrza. Najbardziej jednak obawiała się tego, że jeśli jutro spotka ją coś podobnego, to znów nie będzie potrafiła żyć. A chciała żyć. Tylko nie bez niego.

– I masz zamiar to wszystko tak po prostu zostawić?

– A co mam według ciebie zrobić?

– Iść do szpitala i przekonać się, jak się sprawy mają.

– Jutro tam idę… – stwierdziła bez przekonania w głosie, ponieważ nie miała pewności, czy rzeczywiście nazajutrz zrobi to, co od dłuższego czasu nie dawało jej spokoju.

– Do niego? – Justyna nie znała uczucia litości.

– Nie. Do dzieci. Nela obiecała im tydzień temu, że przyjdę.

– I bardzo dobrze! Przynajmniej jedna mądra. Ty, a jak on się nazywa? Krzychu ma wiele znajomości. Może akurat jego też zna.

Oblał ją zimny pot.

– I co to da? – zapytała, wiedząc, że to nie jest dobry moment na przytoczenie personaliów Łukasza.

– W takich sprawach zawsze lepiej wiedzieć więcej niż za mało.

Patrzyła na starszą siostrę, zastanawiając się, czy akurat teraz Justyna nie była w błędzie. Ale nie potrafiła myśleć całkiem logicznie. Odkąd straciła grunt pod nogami, niczego już nie była pewna. Bała się niepewności, która towarzyszyła jej bezustannie. Ale obawiała się też tego, czy potrafi poradzić sobie ze szczegółową wiedzą na temat dotychczasowego życia Łukasza, które póki co poznała bardzo pobieżnie. Nie była w stanie odpowiedzieć sobie teraz, czy lepiej wiedzieć, czy może tkwić w błogiej nieświadomości, która przecież wcale taka błoga nie była. Odnosiła wrażenie, że w sytuacji, w której się znalazła, nie było dobrych rozwiązań. Musiała pogodzić się z faktem, że czasami tak bywa. Po prostu czasem tak jest i trzeba to przyjąć z pokorą.

Bramka szpitalna była coraz bliżej, a ona miała ochotę, i to coraz większą, by wziąć nogi za pas i zwiać. Jakby tego było mało, Nela, z którą dogadywała się prawie tak jak zawsze, akurat dziś jak na złość była nienaturalnie i podejrzanie milcząca. Było bardzo gorąco. Wilgotne i parne powietrze oblepiało jej zestresowane ciało jak kurz. W głowie miała dwie rzeczy na zmianę. Panikę i pustkę. I tak od samego rana. Na żadnych zajęciach, których miały dziś z Nelą dużo, nie potrafiła się skupić. Myśl o tym, że istnieje szansa albo ryzyko, bo wciąż nie potrafiła się zdecydować, że może zobaczyć dziś Łukasza, nie pozwalała jej żyć normalnie.

– A dzień dobry! Dzień dobry! Jakoś dawno pani nie widziałem – ochroniarz strzegący wejścia do szpitala ze szczerym uśmiechem skomentował jej absencję.

– Dzień dobry panu.

To Nela, choć pominięta w słowach ochroniarskiego powitania, uratowała ich twarze.

Dzień dobry – pomyślała, zamiast po prostu odpowiedzieć.

– Dlaczego nic nie mówisz? – zapytała w końcu Nelę.

– Bo muszę ci coś ważnego powiedzieć.

Usłyszawszy nie tyle słowa, ile ton, jakim wypowiedziała je przyjaciółka, zatrzymała się w pół kroku i już się bała tego, co Nela miała jej do powiedzenia. Zresztą dziś bała się wszystkiego. Była przekonana, że coś się stało. Coś złego.

– Coś się stało? – zapytała od razu.

Wyobraźnia niestety już tworzyła w jej głowie wizje koszmarów mających miejsce na oddziale, który zdradziła ostatnio nad wyraz bezdusznie.

– Tak – odpowiedziała twierdząco Nela.

Nic nie pomogło zaklinanie w myślach, by odpowiedź, którą właśnie usłyszała, była przecząca. Wzrok przyjaciółki nie kłamał. Widziała, że Nela była teraz pewna obaw o to, co się stanie, gdy wyjawi jej powód swego dotychczasowego milczenia.

– Powiedz i miejmy to już za sobą – poprosiła, czując, jak bardzo szybko opada z sił.

– Nie tutaj! Chodź! – Nela wzięła ją za rękę i odciągnęła spod drzwi szpitala.

Szła za przyjaciółką niczym jagnię prowadzone na rzeź. Nela wciąż ciągnęła ją za rękę w kierunku szpitalnego spacerniaka. Stało tam kilka ławek na krzyż, ale zieleń tego skrawka o tej porze roku była całkiem imponująca i cieszyła oko jak nic innego w pobliżu. Naśladując Nelę, usiadła na ławce. Z drżącym sercem czekała tuż obok.

– Oszukałam cię – stwierdziła Nela po upływie krótkiej, ale trudnej do udźwignięcia chwili.

– Jak to?

Patrzyła, jak przyjaciółka miętosi w dłoniach przybrudzone ucha swojej torebki, niemodnej, ale pojemnej. Nela potrafiła w niej zmieścić wszystko.

– House pytał o ciebie.

Zamarła. Zrobiło jej się ciemno przed oczami. Nie wiedziała, co powiedzieć. Może dobrze, że nie miała siły, by się odezwać, ponieważ Nela zaczęła omawiać szerzej swe oszustwo.

– Pytał. Aż trzy razy. A ja nie powiedziałam mu, co się z tobą dzieje, tylko zbywałam go, mówiąc, że u ciebie wszystko dobrze.

– Ale przecież nie wiedziałaś, że to wszystko przez niego. Może po prostu chciałaś być dyskretna?

Już rozgrzeszała Nelę, nie mogąc uwierzyć w to, że przyjaciółka mogłaby zrobić coś przeciwko niej.

– Nie wiedziałam tylko za pierwszym razem. Później już tak – Nela zachowywała się, jakby nie chciała dostać rozgrzeszenia, jakby jej na nim zupełnie nie zależało.

– Nie przejmuj się. To już teraz jest nieważne...

Nie miała sił na to, by cokolwiek teraz roztrząsać. Miała dosyć zawiłości własnego życia, by jeszcze brać na siebie skomplikowane tajemnice wszystkich, którzy ją otaczali. Zapragnęła wejść na oddział. Otworzyć książkę i czytać, nie myśląc o niczym innym, tylko o pierwszej z brzegu balladzie.

– Ważne. Właśnie bardzo ważne, bo gdyby wiedział, jak się czujesz naprawdę, na pewno by cię tak nie zostawił.

– Nela, to naprawdę teraz już jest nie... – nie skończyła zdania.

Zaniepokoił ją dziwny odgłos. Jakby cichy płacz. Coś jakby pisk małego ptaszka, który pod nieobecność matki wypadł z gniazda. Dźwięk dochodził zza żywopłotu, do którego dostawiona była ławka, na której siedziały. Żywopłot tworzyły krzewy forsycji, które już teraz nie cieszyły oczu tak jak wtedy, gdy wiosna stawiała swe pierwsze kroki. Zwykle wypatrywała pierwszych oznak wiosny z wielką uwagą. W tym roku wszystkie jej umknęły, nawet nie zdążyła się obejrzeć.

– Słyszysz to...? – zapytała, mając wrażenie, że pisk staje się coraz cichszy, bo zagłuszany przez inny dość dziwny odgłos.

Nela pierwsza zerwała się z ławki i zanurkowała w gąszczu zielonej forsycji. Po chwili wyszarpała z niej worek na śmieci. Szary, szczelnie zawiązany żółtą foliową taśmą, specjalnie do tego przeznaczoną. Szybko rozerwała worek, ponieważ na rozwiązanie taśmy szans raczej nie było. Zaklęła. Wcale nie cicho i wcale nie pod nosem. Potem tak samo głośno dodała:

– Mordercy! Julka, nie patrz!

Wiedziała, że nie powinna zaglądać do worka, ale nie posłuchała swojej intuicji. Jej oczom ukazał się makabryczny widok. Jakiś morderca, jak to doskonale ujęła Nela, do worka zapakował kocięta. Małe, niedawno urodzone, choć nieco już podrosłe. Widziała szarobure potomstwo zwykłych dachowców. Nela patrzyła to na zawartość worka, to na nią, jakby szukając w jej oczach potwierdzenia tego, że to, co widzi, to nie jakiś koszmarny sen, tylko dowód na to, że ludzie są po prostu beznadziejni. Po krótkiej chwili ciszy pisk dochodzący wcześniej z worka znów stał się słyszalny.

– O matko! – szepnęła cicho Nela. Tak samo zapytała: – I co teraz?

– Jakieś pewnie przeżyły – zerknęła do worka.

Widząc, że na Nelę nie ma co liczyć, walcząc ze strachem, włożyła dłoń w szarobure kłębowisko, które ku jej zdziwieniu okazało się bardzo przyjemnie miękkie i ciepłe. Całe szczęście nie musiała długo czekać, bo żywy kociak sam odszukał jej dłoń i włożył w nią swą piszczącą mordkę. Wyjęła go z worka. Żywego. Malutkiego. Ślicznego.

– Co za debile! Najpierw pozwolili żyć, a później do wora!

Nela nie mogła się otrząsnąć. Była bardzo bliska płaczu. Nie tylko z żalu, ale przede wszystkim ze złości.

– Szczęściarz z ciebie – wzruszyła się Nela.

– To pewnie przez ten kolor.

– Dasz mi go? – posłuchała prośby Neli i szybko oddała ciepłe stworzonko w ręce przyjaciółki.

Kotek był rudy. Jasnorudy. Swego nieżywego rodzeństwa nie przypominał wcale. Nela trzymała go już w obu dłoniach, z pewnością czując na swej skórze jedwab sierści kotka. Serce waliło małemu jak oszalałe, jakby chciało wydostać się na zewnątrz. Maleństwo musiało jednak w końcu poczuć się bezpiecznie, ponieważ pisk niczym nie przypominający miauczenia kota ustał.

– I co teraz? – zapytała Nela, ze wzruszeniem wpatrując się w małą kulkę dużo jaśniejszą od jej włosów.

– Nie mam pojęcia – powiedziała, nie spuszczając wzroku z błękitnych i ufnych oczu kota.

– Jest jeszcze to – Nela spojrzała na leżący obok ławki szary worek, w którym znalazły się stworzenia nie mające dziś szczęścia.

– To mamy dwa problemy – podsumowała załamanym szeptem.

– Lepiej popatrz tam – Nela wymownym wzrokiem wskazała na okna szpitala.

Podążyła za spojrzeniem przyjaciółki, nawet ciesząc się, że nie musi już patrzeć na nieruchomy szary worek. Z daleka było widać, że na drugim piętrze budynku szpitala w oknie stoi dziewczynka i intensywnie wymachuje w ich kierunku.

– Karola – jęknęła Nela. – Na pewno już cały oddział na nogi postawiła, że tu jesteśmy.

Nie ulegało wątpliwości, że stało się tak, jak przypuszczała Nela. Karola była wulkanem energii.

– Co z nim zrobimy? – zapytała bezradnym tonem Nela, patrząc na rudy kłębuszek, który z pewnością zmęczony dotychczasowym brakiem powietrza słodko zasnął w ciepłym legowisku z jej dłoni.

– Teraz? – zapytała, zupełnie nie mogąc odnaleźć się w sytuacji, w którą miało zamiar wpakować ją życie.

– Teraz i później – rzeczowo stwierdziła Nela.

– Żebym to ja wiedziała... – westchnęła głęboko.

– Patrz! – Nela znów wskazała wzrokiem na okna oddziału, znajdujące się na tyle blisko, by widzieć, co się w nich dzieje.

Zgodnie z przypuszczeniami, Karola już zrobiła swoje, w związku z tym w oknach było widać więcej roześmianych twarzy i machających rąk.

– To jesteśmy w kropce – Nela z załamaniem rysującym się na twarzy spoglądała to na dzieci, to na rudą kulkę, to na szary wór skrywający kocią zagładę.

– Przede wszystkim się uspokój. Dzieci widzą tylko nas. Nic innego nie są w stanie zobaczyć z takiej odległości. Po prostu jedna z nas powinna tam pójść już teraz i to chyba jasne, że to będziesz ty – wyrzuciła z siebie rygorystyczną dyspozycję.

Musiała zachować trzeźwość umysłu, ponieważ Nela w obliczu tego, co odnalazły przy szpitalnej ławce w parku, straciła głowę i tak się złożyło, że akurat teraz taki obrót spraw jej zupełnie nie przeszkadzał. Ogólnie rzecz biorąc, mogła tu zostać, by przypilnować uratowanego za młodu rudzielca i szarego worka. Wcale nie musiała wchodzić dziś na oddział, gdyż groziło jej to tym, że sama straci głowę.

– Dawaj go! – z rozmysłem przejęła kotka z dłoni Neli.

Spojrzała na przyjaciółkę z wyższością, choć obie siedziały wciąż na ławce i wzrok miały na podobnej wysokości.

– Nie patrz tak, tylko idź!

– A ty?

– A ja zostanę tu z tym tygrysem i zacznę się zastanawiać, co dalej.

– A to? – Nela zamiast iść, wciąż gapiła się na worek leżący tuż przy ławce.

– Nad tym też się zastanowię. No idź już! Nie widzisz, co się dzieje?

Trudno było nic nie zauważyć, ponieważ na oddziale musiał panować niezły rejwach. Z każdego okna wystawało kilka głów. Nawet z dyżurki pielęgniarskiej. Na okno Łukasza wolała nie patrzeć.

Nie musiała tego robić. Znała go, dlatego wiedziała, że o dzieciach, które miał pod opieką, wiedział wszystko. Zauważał, gdy wariowały i kiedy były cicho, pomagając w ten sposób temu dziecku, które przestawało sobie radzić z chorobą.

– Dobra!

Nela wzięła się w garść i nie oglądając się na nic, ruszyła przed siebie, nawet dość dziarskim krokiem. Pewnie dlatego, że obserwowały ją dzieci. Patrząc na oddalającą się przyjaciółkę, odsapnęła, ale stan ten nie trwał zbyt długo, gdyż Nela niespodziewanie zawróciła. Biegiem. Była to aktywność, której Nela nie znosiła. Wiedziała o tym z opowiadań przyjaciółki, sięgających aż do wspomnień z dzieciństwa. Nela jako najstarsza z rodzeństwa, najczęściej nie mająca wsparcia ze strony rodziców, była odpowiedzialna za przeprowadzenie stada krów z pastwiska do przydomowej dojarni na wieczorne dojenie. Kiedy zwierzęta szły zwartym szykiem, wszystko było dobrze. Jednak gdy tylko znalazła się jedna czarna owca w stadzie tychże krów, która nie wiadomo dlaczego zmieniała trasę, albo choć jedna buńczuczna mućka, która w każdym momencie może się zatrzymać i wymówić posadę w stadzie, wtedy Nela musiała reagować natychmiast. Podbiegała do niesubordynowanej delikwentki i używała kilku wierzbowych witek, by kategorycznie zdyscyplinować odszczepieńca od stada.

– Książkę daj! – wysapała Nela tuż przed nią.

Bieg rzeczywiście nie był jej żywiołem. Męczył ją, co widać było wyraźnie po bardzo zmienionym kolorze jej twarzy.

– Co? – słyszała słowa przyjaciółki, ale nie zrozumiała, o jaką książkę może jej chodzić.

– Ballady mi daj! Obiecałaś je dzieciom, a one o tym nie zapomną!

– Już, już! – nerwowo sięgnęła do torby i podała Neli książkę, myśląc o tym, że najwyższy już czas ją obłożyć, ponieważ okładka podczas ostatnio wzmożonej eksploatacji zaczęła tracić na urodzie. – Proszę, idź już...

– Chyba widzisz, że robię, co mogę – mówiąc to, Nela odwróciła się na pięcie i ruszyła przed siebie oczywiście znienawidzonym biegiem.

Zerknęła na ciepłe żyjątko trzymane w dłoniach i wzruszyła się jego losem. Gdy podniosła wzrok, Neli już nie było. Musiała się teraz zastanowić, co zrobić. Wolała skupić się na kocich problemach niż na całej reszcie. Resztę kłopotów stanowił Łukasz i powinna była zastanawiać się przede wszystkim nad nim. Ale sprawa szarego worka w porównaniu z tym, z czym musiała sobie poradzić w najbliższym czasie, wydawała się teraz łatwizną.

W obu przypadkach szybkie rozwiązanie to najlepsze rozwiązanie... – zdołowała się w myślach. Podniosła wzrok. Nela musiała dotrzeć już na oddział, ponieważ głowy zaczęły znikać z okien. Była pewna, że Nela zaczęła opowiadać dzieciom historię o znalezionym kociątku, z bólem serca przemilczając dwie sprawy: worka i ludzkiej znieczulicy. Patrzyła to na kotka, to na swoją dłoń, delikatnie muskającą go za małym spiczastym uchem.

Ciekawe, czy jesteś facetem, czy babką? Duże prawdopodobieństwo, że jednak babką, skoro dałaś radę w tak nieludzkich, przepraszam, niekocich warunkach – zastanawiała się w duchu. Rzeczywiście miała jakieś wewnętrzne przekonanie, że małego rudzielca nie będzie można nazwać po prostu Rudzielcem, ponieważ był chyba kotką, a nie kocurem. Wobec tego zostanie Rudą.

– Dzień dobry – usłyszała nad sobą znajomy głos.

Nie spodziewała się go usłyszeć. Głos, który sprawił, że zabrakło jej powietrza. Zupełnie tak jak Rudej, ale skoro ona przeżyła, to… Podniosła oczy. Stał krok przed nią, ale patrzył takim wzrokiem, jakby dzieliły ich zaledwie milimetry. Jakby zastanawiał się: „Pocałować ją już teraz czy dopiero za sekundę?". Powinna odpowiedzieć na powitanie. Była przecież dziewczyną z dobrego domu.

Karnego raczej – poprawiła się w myślach. Ale zamiast się odezwać, patrzyła w bardzo poważne oczy Łukasza. Zdała sobie sprawę, że to przez nie, przez ich spojrzenie, nie jest w stanie określić, kiedy się w nich zakochała. Patrzyły na nią w taki sposób, że była teraz przekonana, iż musiała zakochiwać się za każdym razem, kiedy w nie patrzyła.

Kolejny mus w moim życiu – pomyślała, witając się jednak.

– Dzień dobry.

– Mogę? – wskazał wzrokiem wolne miejsce obok niej.

– Proszę – odsunęła się lekko.

Zrobiła to całkowicie bez sensu, ponieważ chciała, by usiadł tak blisko, jak to tylko możliwe. Wyciągnął dłoń w jej kierunku. Zamarła. Pogłaskał nią kotka. Tak jakoś czule. Poruszając jedynie kciukiem.

– Śliczny – szepnął zmysłowo, znała ten ton.

– Pewnie śliczna – podzieliła się swymi wcześniejszymi rozważaniami na temat płci Rudej.

– Skąd to przypuszczenie? – zapytał, dzięki Bogu, już nie szeptem.

Ale i tak nie zmieniło to wcale jej położenia, bo głos, który chłonęła z zachwytem, też był zmysłowy. Łukasz wszystko miał zmysłowe. Dłonie. Trójkącik skóry tuż nad białą koszulą, trochę rozpiętą pod szyją. Jabłko Adama, które poruszało się teraz nieco nerwowo.

– Wytrzymała w trudnych warunkach – palnęła, ciesząc się, że z wrażenia się nie udławiła.

– Wiem. Słyszałem.

Pewnie zerkał teraz na worek. Nie mogła jednak potwierdzić swego przypuszczenia, gdyż bała się podnieść na niego wzrok. Zapanowała cisza przerywana ledwo słyszalnym posapywaniem.

– Bałem się, że już nigdy nie przyjdziesz – Łukasz nie marnował czasu.

Nie czekając na nic, rozpoczął trudny temat. Patrzyła na jego dłonie. Na serdeczny palec prawej ręki.

Ani śladu po obrączce – pomyślała idiotycznie, zamiast jakkolwiek ustosunkować się do tego, co usłyszała.

– Nie musisz tam wracać? – zapytała, zerkając na budynek szpitala.

Pytała, zamiast opowiedzieć mu o tym, jak bardzo się bała, że już go nie zobaczy. Że nie znajdzie w sobie dość sił, by na niego popatrzeć, a później jeszcze więcej, by przejść obok niego obojętnie.

– Jest w miarę spokojnie. Poza tym na dziś skończyłem.

– Wiesz, co z... – zamilkła, zerknąwszy na worek.

... tym zrobić? – dokończyła w myślach.

– Powiem, komu trzeba – odezwał się z taką pewnością w głosie, iż nie miała wątpliwości, że w tej sprawie może mu zaufać.

Przynajmniej w takiej sprawie wiesz, co robić – nawet w ustach poczuła gorycz swej myśli. Była przerażająca. I gorycz. I myśl.

– A co z nim? Przepraszam, z nią? – znów delikatnie przejechał kciukiem po rudej sierści.

– Nie wiem – wzruszyła ramionami. – Nela pewnie bardzo chciałaby zostać rodziną zastępczą, ale jak znam życie, za taki sentymentalizm władza akademika może ją surowo ukarać. A ja już od najmłodszych lat wiem, że w moim przypadku znoszenie bezdomnych zwierząt do domu nie wchodzi w grę – zamilkła na chwilę, po upływie której odważnie dodała: – Zostajesz więc ty – i w końcu odważyła się spojrzeć mu w oczy.

Wpatrywał się w nią. Pewnie odkąd tu przyszedł. Była tego pewna.

– Wezmę go, przepraszam, ją.

Kolejne jego przejęzyczenie spodobało jej się bardziej niż deklaracja rozwiązująca jej dzisiejsze kocie problemy.

– Naprawdę? – zapytała, nie czując jeszcze ulgi.

Wolała się upewnić, czy aby słuch jej nie zawodzi. W końcu znalazła się w sytuacji ekstremalnej. Bardzo blisko, tuż przy niej siedział mężczyzna, dla którego byłaby w stanie zaryzykować cały swój świat. Ale tylko wtedy, gdyby on tego chciał. Jak na razie nie wiedziała, jak cenna może być jej skłonność do ryzyka. Niestety znów miała wrażenie, które towarzyszyło jej w życiu najczęściej. Czuła, że wszystko zależy od kogoś innego. Nie od niej.

– Naprawdę – potwierdził po chwili namysłu. – W sobotę Antosia, moja córka – uzupełnił chyba tylko po to, by ją dobić – ma urodziny. Dam jej tego malucha w prezencie, a mieszkał będzie u mnie, bo inna możliwość nie wchodzi w rachubę.

– A nie jest uczulona? – zapytała z troską, o jaką się nawet nie podejrzewała.

– Raczej nie – uśmiechnął się i popatrzył jej prosto w oczy.

To spojrzenie wystarczyło, by w oka mgnieniu zapomniała o przemilczanych kobietach jego życia. Już nie pamiętała o tym, że miał żonę i córkę. Już była gotowa zacząć wszystko od nowa. Chociaż wiedziała przecież, że jego córka będzie świętowała swoje czwarte urodziny. A skoro tak, to Łukasz jakieś jeszcze niecałe pięć lat temu kochał inną kobietę. To z nią się kochał, to z nią miał dziecko. Nie chciała tak o tym myśleć. Ale tak właśnie było. Zerknęła na dłonie Łukasza. Dotykały nie tylko jej. Ale to właśnie jej ciała dotykały ostatnio.

– Dlaczego nic nie mówisz? – zapytał, całe szczęście na nią nie patrząc.

Przekonała się o tym, gdy zerknęła na niego, kiedy znów głaskał kotka.

– Muszę już iść – palnęła, nie chcąc wyjawiać prawdziwych przyczyn swojego milczenia.

– Kiedy się zobaczymy? – zapytał natychmiast, jakby chcąc szybko zaklepać sobie widzenie z nią.

– Pewnie przyjdę tu za tydzień – popatrzyła na niego już z góry, ponieważ zdążyła wstać z ławki.

Jednak w tym spojrzeniu nie było nawet cienia wyższości, za to zawierało mnóstwo smutku i rozgoryczenia.

– Posłuchaj... – prosił ją tak jak jeszcze nigdy dotąd. – Nie chciałem, żeby... – brakowało mu słów. – Chciałem ci powiedzieć... Wiem, że to wszystko przeze mnie, to przeze mnie wszystko wymknęło się spod kontroli. Nie chciałem cię skrzywdzić. Mam nadzieję, że mi to wybaczysz i...

Błagam! Powiedz, co chcesz! Tylko mnie za nic nie przepraszaj! – krzyczała w myślach, bojąc się, że jeśli zaraz się nie odezwie, to...

– Nie martw się – weszła mu w słowo. – Pamiętam, jak mnie przed sobą ostrzegałeś. Powiedziałeś mi, że kobiety, które z tobą były, zwykle unieszczęśliwiałeś.

Udało się. Powiedziała to, co chciała. Chyba to, co chciała. Gdyby ich rozmowie przysłuchiwała się Justyna, z pewnością orzekłaby, że udało jej się pójść na całość. I co z tego? Teraz musiała coś zrobić, żeby nie paść mu do stóp i nie przepraszać go za wszystko. Musiała walczyć ze sobą, by nie zacząć go błagać o to, by kochał tylko ją. Kochał, dotykał, całował tak, jak potrafił to najlepiej.

– Proszę cię...

Prosił tak łagodnie, a ona zamiast powiedzieć coś, co dałoby mu jakiś punkt zaczepienia w tej rozmowie, znęcała się nad nim. Takie zachowanie było do niej zupełnie niepodobne i uzmysłowiło jej, że to pewnie prawda, iż z kim przestajesz, takim się stajesz. Zachowywała się jak ciotka Klara. Raniła słowami. Za każdym razem, gdy musiała przyjmować na siebie razy słownych docinków, brzydziła się ciotki i pogardzała nią. Teraz gardziła sobą. Nawet gdyby Łukasz wykorzystał ją z premedytacją, nie powinna się tak zachowywać. Nie znosiła chwil, kiedy musiała myśleć o sobie źle. Dlatego postanowiła się natychmiast poprawić. Wiedziała, że nie może zrobić teraz tego, na co tak naprawdę miała ochotę. Zresztą na taką odwagę zdobywała się niezwykle rzadko.

Nie to miejsce i nie ten czas – siłą sugestii odradzała sobie namiętność, chodzącą jej właśnie po głowie. Parkowa ławka i jej otoczenie nie były miejscami nadającymi się do namiętności. Natomiast do staczania z sobą wewnętrznej walki nadawały się doskonale. Starcie rozgrywało się o to, czy pokazać, że wciąż kocha, czy udawać urażoną i niedostępną teraz i na zawsze. Miała już dosyć walk. Wszystkich, które toczyła. Miała też dość udawania. Co więcej, rodziło się w niej właśnie przekonanie, że najwyższa pora skończyć z takim życiem. Nadszedł czas, by przestać udawać posłuszną. Docierało do niej, że musi dać sobie spokój z wpisywaniem się w obraz życia, jakiego oczekiwali od niej inni. Ci inni stawali się bohaterami tego dzieła, w którym jej niezmiennie przypadała rola tła. Oczywiście tła odpowiedniego, czyli takiego, które nie rzuca się nadmiernie w oczy. Miała być, ale nie przeszkadzać zanadto. Miała wtapiać się w tło i realizować pomysły innych, ale na jej życie. A skoro życie było naprawdę jej, tylko jej, to powinna tupnąć nogą jak królewna z *Ballady o kapryśnej królewnie* i wysforować się na pierwszy plan dzieła. Powinna przestać oglądać się na innych. A szczególnie na tych, którzy przyzwyczajeni do tego, że są na pierwszym planie, będą musieli nagle ustąpić pola i zająć pozycję zgoła inną od tej, w której się dotychczas lokowali.

– Proszę cię... Nie patrz tak na mnie...

Kolejna prośba Łukasza sprawiła, że wróciła do rzeczywistości. Nie zdawała sobie sprawy, że rozmyśla, utkwiwszy nieobecny wzrok w twarzy Łukasza.

– Przepraszam... – głos, którym się odezwała, do walecznych nie należał. – Proszę – podała mu kotka, a raczej położyła na jego otwartych dłoniach, nie uciekając przed ich dotykiem.

– Dziękuję...

Nie ma to jak panienka z dobrego domu! – w myślach dodawała sobie animuszu, gdyż dotyk, który poczuła na dłoniach, sprawił, że nie mogła się poruszyć. Co więcej, miała rzeczywiste podstawy do tego, by sądzić, że już nigdzie nie pójdzie bez Łukasza. Bez niego po prostu się stąd nie ruszy. Ani ona sama, ani jej życie. Chciała, by zawsze był w pobliżu. Nie ma mowy o życiu bez niego. Bez niego nie ma życia.

Przepraszam! Proszę! Dziękuję! Pięknie! Nauka nie poszła w las! – kpiła z siebie. Wreszcie miała ochotę powalczyć nie o spokój innych, tylko o swój. O siebie. I teraz właśnie, wbrew temu, co jej wpajano, wbrew nauce, że w każdej życiowej sytuacji ma panować nad sobą, nad tym, co robi i co myśli, nachyliła się i pocałowała policzek Łukasza. Wcale nie zwyczajnie. Zupełnie niezwyczajnie. Zrobiła to sugestywnie, namiętnie. Musiała się tak zachować, by poczuł, co może stracić, a co zyskać. Pogrywała sobie. Nie tylko z nim. Igrała też sama ze sobą. Przecież też musiała wiedzieć, co może zyskać, a co stracić. Powinna coś zrobić, żeby wykrzesać z siebie odwagę, bez której nie mogło być mowy o jakichkolwiek zyskach. Kiedy patrzyła Łukaszowi w oczy, wtedy wiedziała, że o stratach nie może być mowy.

– Dziękuję – popatrzył na nią, prosząc o więcej.

Musiała zapamiętać ten wzrok.

– Na razie… – szepnęła, odwracając się, by odejść, skoro nadzieję i tak zostawiała, i zabierała ze sobą.

Na razie… to musi wystarczyć. I tobie. I mnie – dodała w myślach. Czuła, że Łukasz, gdyby mógł, rozścieliłby teraz przed każdym jej krokiem dywan z mchów. Dlatego uśmiechnęła się. Nieśmiało, ale jednak…

Nie upłynęło wcale tak dużo czasu, odkąd odwiedzała szpital po raz ostatni. Jednak odnosiła wrażenie, że nie było jej tu całe wieki. Nie wiedziała, jak to się stało, ale dzień, który dopiero co się zaczął, właśnie się kończył. Jak zwykle widziała nowe twarze. Wolała patrzeć w oczy nowo poznanym dzieciom niż ich rodzicom. Spojrzenia dziecięce znosiła dużo lepiej. Oczy dorosłych, które zwykła tu oglądać, były przerażająco zatroskane. Oczywiście przy dzieciach pozostawały wesołe, ale poza zasięgiem dziecięcego wzroku bezgranicznie smutne.

– Dobry wieczór – uśmiechnęła się do takich właśnie oczu, które minęła na korytarzu.

Właścicielka smutnych oczu w odpowiedzi skinęła tylko głową, nie mając pewnie siły na słowa ani nawet na dłuższe spojrzenie. Jej chore dziecko na pewno już spało, dlatego pozwoliła sobie na to, by odejść od jego łóżka, ale tylko na chwilę.

Zatrzymała się i odprowadziła swym wspierającym wzrokiem osobę, której dusza na pewno była teraz znękana rozpaczą, niemocą i niepewnością. Kobieta otworzyła drzwi toalety i pewnie czując na sobie spojrzenie, odwróciła głowę w jej kierunku. Na to ona uśmiechnęła się, myśląc, że jej uśmiech musi wystarczyć za dwa. Nie była przygotowana na to, że kobieta odwzajemni uśmiech. A jednak tak się stało.

Proszę się nie martwić. Wszystko będzie dobrze – pomyślała, wiedząc, że tu należy ostrożnie dawkować takie słowa i takie zapewnienia. Bo jak tu się miało ułożyć, tego nie wiedział nawet sam Bóg. Tutaj czasami beznadziejnie rokujące przypadki zdrowiały cudem, bo inaczej nie dało się tego wytłumaczyć. A innym razem, kiedy rokowania były dobre, kończyło się niedobrze. Kobieta zniknęła za drzwiami toalety.

Mogła więc znów ruszyć przed siebie. Poszukiwała Neli w salach, zaglądała do nich przez otwarte drzwi. Chciała jej przekazać informacje dotyczące kotów. Okazało się, że było tak, jak przypuszczała. To Karola zaanektowała Nelę tylko dla siebie, bo przyjaciółka siedziała teraz przy jej łóżku i czytała dość cicho. Niestety Karola nie wyglądała najlepiej i pewnie czuła się podobnie, ponieważ zwykle wieczorami wolała oglądać telewizję, a nie słuchać bajek. Dziś słuchała. Wsłuchiwała się w głos Neli z niespotykanym u niej skupieniem. Nawet bransoletki Karoli zachowywały dziś ciszę, a to był nie lada ewenement. Nela miała spokojnie brzmiący głos. Pomagał na wszystko. Dlatego postanowiła nie przeszkadzać przyjaciółce w czytaniu. Nie zdradzając swej obecności, najpierw przykucnęła, ale było jej niewygodnie, więc usiadła. Siedziała po turecku, bo tak kiedyś mówiło się w jej przedszkolu. W przedszkolu Neli natomiast dzieci siadały na tak zwaną kokardkę. Musiała teraz dziwnie wyglądać, ale w tej sytuacji wygląd nie grał żadnej roli. Siedziała zatem w świetle uchylonych drzwi i starała się nie myśleć o niczym, a zwłaszcza o tym, czy zobaczy znów Łukasza. Słuchała głosu Neli. Słuchała i uspokajała swe skrywane głęboko pragnienia oraz oczekiwania wynikające z miłości, której nie można nijak oszukać. Gdy się pojawia, to nie ma zmiłuj. Jest i koniec. Miała ją w sobie. Miała jej całe mnóstwo. Milion razy więcej niż problemów. To przecież była dobra wiadomość. Lepiej kochać, niż nie kochać. Musiała sobie tylko jakoś ze wszystkim poradzić. Ze wszystkim, czyli z miłością też. Nie mogła zostawić jej samej sobie. Przymknęła oczy i starając się myśleć o swej miłości tylko dobrze, wsłuchała się w głos przyjaciółki.

Kiedyś
  czarownik wracał z wyprawy,
a wór
  już pełen miał prawie,
gdzieś w jakimś domu
usłyszał wrzawę,
przez okno
  zajrzał ciekawie.
A tam uciecha nie byle jaka!
Dzieci się bawią wesoło.
  Tańczą poleczkę,
  tańczą trojaka.
    Radość aż kipi wokoło!
Sięgnął czarownik
chciwym pazurem,
radość
  do wora zagarnął.
Wór
związał mocno suplastym sznurem
i czmychnął
  – jak złodziej –
    w noc czarną...

– Co to znaczy, że tańczą trojaka? – zapytała cicho i z pewnym opóźnieniem Karola, głosem zupełnie do siebie niepodobnym.

Mówiła tonem smutnym, a nie wesołym. Powolnym, a nie pełnym werwy. Słabym, a nie zdecydowanym. Karola miała dziś głos inny niż zwykle. Zupełnie jakby ktoś jej go podmienił. Jakby ten, którym odzywała się dotychczas, jakiś zły czarownik skradł jej swym chciwym pazurem.

Wszak: „Na radość okropnie był chciwy!" – pomyślała, przywołując słowa ballady. Bała się o stan zdrowia Karoli, która dziś jednak potrafiła przeciwstawić się złemu czarownikowi i gdy zobaczyła, co dzieje się w parku, pomimo złego samopoczucia podniosła larum na cały oddział. To pewnie dzięki tej dziewczynce mogła pocałować Łukasza w policzek.

– Przyjdź do mnie... Chociaż na chwilę...

Usłyszała nad sobą dobrze znany szept. Otworzyła oczy. Podniosła głowę. Łukasz patrzył na nią wyczekująco. Spoglądał życzliwym wzrokiem.

– Za chwilę... – wyszeptała to, co przyszło jej do głowy.

Szeptała, chociaż mogłaby nawet wykrzyczeć swą radość.

To nie to miejsce i nie ten czas – strofowała w duszy swe uczucia. Nawet dobrze się złożyło, że musiała reagować z dystansem, ponieważ tym samym to Łukaszowi zostawiała przywództwo w ich wspólnej historii. Miała nadzieję, że sobie z nim doskonale poradzi. Przecież potrafił sobie radzić nawet z takim miejscem jak to, w którym przyszło im się spotkać i poznać. Znów zamknęła oczy. Chłonęła odgłos jego cicho oddalających się kroków. Nakładały się na nie słowa Neli, która kończyła właśnie tłumaczyć, czym jest trojak, czyli taniec śląski.

O nietypowości trojaka dowiedziała się kiedyś od ciotki Marianny. To ciotka była jej przewodniczką po czasem dość archaicznym języku ulubionych ballad. Nie wiedziała, czy Neli też ktoś czytał te ballady w dzieciństwie. Ale Nela, jak to ona, doskonale orientowała się, że nazwa tańca wiązała się z tym, iż wykonywano go w grupach trzyosobowych. W trojaku bowiem jeden tancerz miał do dyspozycji aż dwie partnerki. Miał też do wyboru dwa tempa. Szybkie i wolne. Nela wytłumaczyła Karoli, na czym polega taniec, po czym wróciła do czytania.

Nie mogła się już dłużej skupiać na treści ballady, ponieważ wyobraziła sobie niestety Łukasza uwikłanego w życiowy taniec z dwiema kobietami. Z żoną i córką. To wyobrażenie nakazywało jej zastanowić się, czy to możliwe, by w tej zabawie znalazło się jeszcze jedno miejsce dla niej. Zwłaszcza że jeśli chodzi o świat uczuć, nigdy nie przepadała za tłumem i gdy tylko taki się wokół niej tworzył, to jedyne, o czym myślała, to czmychnąć gdzieś do spokojnego miejsca, pozostając niezauważona. Ale wcale nie lubiła być niewidoczna. Teraz też miała wybór. Mogła czmychnąć albo cicho zajrzeć do gabinetu Łukasza. Żeby go zobaczyć, a chciała tego teraz bardzo, nie mogła się ukrywać. Żwawo wstała więc z podłogi. Nie potrzebowała dużo czasu, by zapukać do drzwi, które – aż trudno uwierzyć – mijała kiedyś bez żadnych emocji.

– Proszę – usłyszała.

Weszła do środka. Na jej widok od razu zamknął czytaną właśnie książkę.

– Co czytasz? – zapytała, nie wiedząc, jak inaczej mogłaby zacząć tę rozmowę.

– O chorobie Blackfana-Diamonda – odpowiedział konkretnie.

– To znaczy?

– To rodzaj niedokrwistości – wytłumaczył szybko bez wchodzenia w szczegóły.

A szczegółów, biorąc pod uwagę objętość książki, było z pewnością multum. W dodatku takich, których przy najszczerszych nawet chęciach nie mogłaby pojąć. Popatrzyła na niego z podziwem.

– Dlaczego wybrałeś ten zawód? – zapytała, czując, że potrzebuje zwyczajnej, normalnej rozmowy.

Nie chciała poruszać tematów z osobistego punktu widzenia trudnych, drażliwych i mogących zburzyć jej względny spokój. Pragnęła z nim porozmawiać. Nacieszyć się jego bliskością. Przynajmniej w ten sposób. Podniósł na nią wzrok. Zaprosił ją nim, by podeszła bliżej i usiadła. Zrobiła, o co prosił. Dla niego była gotowa zrobić wszystko. W ciemno, nawet nie wiedząc, jakie mógłby mieć oczekiwania.

– Miałem siostrę – powiedział powoli.

Miałam nie poruszać trudnych tematów – skarciła się od razu w myślach, już wiedząc, że słowo „miałem" to klucz do zrozumienia mężczyzny, który patrzył na nią teraz wzrokiem pełnym zaufania.

– Była ode mnie młodsza o pięć lat. Umarła na raka, gdy zacząłem uczyć się w liceum. To wtedy postanowiłem, że pójdę na medycynę. Wybrałem specjalizację onkologiczną... – jego zrównoważony głos sprawiał, że zupełnie nie mogła się rozpłakać.

– Byłem młody. Chciałem zmieniać świat. Oczywiście na lepsze – uśmiechnął się, jak to on, bardzo delikatnie.

– I to ci się udaje – odezwała się cicho.

Poczuła dumę, dumę z mężczyzny, którego pragnęła mieć tylko dla siebie.

– Miała na imię Antonina.

Jak twoja córka – pomyślała, nie znajdując odwagi, by rozpocząć temat, o którym nie chciała nic więcej wiedzieć. Najlepiej wolałaby zapomnieć.

– Nie wiem, czy mi się udaje – nawiązał do tego, co powiedziała.

– Jestem pewna, że tak.

Dodawała mu otuchy, chociaż tembr jego głosu wskazywał na to, że jest mężczyzną twardym, zrównoważonym, gotowym na zawodowe wyzwania, odpornym na stres i nie działającym ani pochopnie, ani w popłochu. Miał cechy wymarzonego lekarza.

– Póki zajmuję się życiem, to tak – stwierdził.

Potrafiła wyczytać między słowami wszystko, co znajdowało się w tym stwierdzeniu. Wiedziała już, że w swojej pracy miał do czynienia nie tylko z życiem. Czuła, że nadszedł czas, by zmienić temat, póki rozmowa dotyczyła życia. Chciała to zrobić. Powiedziała jednak to, o czym wiedziała od dawna.

– Podziwiam cię, ja nie potrafiłabym tak pracować. Emocje by mnie zabiły.

– To praca, w której muszę zapomnieć o emocjach. To bardzo trudne, ale one mogłyby mi przeszkadzać. Wiem, że czasami muszę leczyć, a czasami odpuścić, żeby dziecko chociaż na koniec miało dobre dzieciństwo. Nauczyłem się nie budzić nadziei tam, gdzie nie ma na nią miejsca. Często czuję się bardzo słaby. Najbardziej wtedy, kiedy wiem, że nie mogę zrobić nic. Losu człowieka nie da się zmienić. Zapominam tu o emocjach, bo tu muszę być jak doktor, którego nazwisko kojarzy mi się tylko ze strachem. Tak się czuję. A kiedy muszę zaprzestać leczenia, czuję się jak Korczak, ale to też w niczym nie pomaga.

Chciała go przytulić. Ale bała się, że jeśli to zrobi, wrócą do punktu wyjścia. Tego wolała uniknąć. Pragnęła, by tym razem było inaczej. Musiała go poznać i zrozumieć. Musiała się przy nim odnaleźć. Nie w jego ramionach. Do nich pasowała doskonale. Teraz powinna zrobić coś, by przekonać się, czy jest dla niej miejsce też w jego sercu i życiu. Na to potrzebowała więcej czasu, dlatego teraz musiała zmienić temat.

– Gdzie podziałeś kotka? – zapytała, już żałując, że go nie przytuliła w podzięce za szczerość.

– Zaniosłem go do samochodu. Pouchylałem okna…

– A jak ci tam nabrudzi? – weszła mu w słowo, wyobrażając sobie możliwe szkody. – Może już lepiej idź, bo jak ci narozrabia w aucie, to najpierw wściekniesz się na niego, a później na pewno na mnie, bo to ja cię…

– Nie mówmy teraz o kocie – poprosił i wstał.

Zrobiła to samo. Obszedł biurko. Dotknął jej dłoni. Ledwie ją musnął.

– Pojedź ze mną…

Oczywiście.

– Lepiej nie – stwierdziła, mając do siebie żal za brak szczerości. – Na pewno nie lepiej dla mnie.

Jego ledwie wyczuwalny dotyk doprowadzał ją do utraty tchu.

– Ale… – właśnie straciła dech, bo zbliżył swą twarz do jej ust.

– Ale to nie o mnie tu chodzi – dokończył rozpoczęte przez nią zdanie tak, jak chciał. – Zapamiętaj… – kontynuował.

Robił to z tak małej odległości, że nie mogła zdecydować się, czy patrzeć mu w oczy, czy na usta. Czuła na sobie ciepły oddech. Już chciała poczuć na sobie ciepło jego ciała.

– Jesteś dla mnie bardzo ważna, ale…

Zawsze jest jakieś ale…

Pomyślała ze strachem i bojąc się jego następnych słów, utorowała sobie drogę ucieczki trzema słowami.

– Muszę już iść.

– Kiedy się zobaczymy?

– Może za tydzień – odpowiedziała, zamykając za sobą drzwi.

Nie chciała czekać aż tygodnia do następnego spotkania.

Jestem kretynką! – pomyślała i uśmiechnęła się na widok Neli stąpającej na paluszkach i zamykającej drzwi sali, w której spała Karola. Spojrzenie Neli wystarczyło, by poczuła spokój. Potrzebowała go bardzo, bo spokój potrafił czynić cuda. Wiedziała, że to on przede wszystkim pomagał Łukaszowi, gdy okazywało się, że cudu nie będzie.

„Co słychać?" – zapytała ją Nela, nie używając słów, a jedynie pytającego spojrzenia.

– W porządku – odpowiedziała uspokajająco.

Była spokojna dzięki Łukaszowi i dzięki temu, co jej dziś powiedział.

Jesteś dla mnie bardzo ważna... – powtarzała w myślach jego słowa. Natomiast „ale", które się po nich pojawiło, postanowiła zignorować, chociaż ignorancja była w jej przypadku bardzo niebezpieczna. Ale nie tym razem. No właśnie, ale nie tym razem, bo zawsze jest jakieś ale...

Zamknęła się w pokoju. Miała po dziurki w nosie nadopiekuńczości mamy. Wspólnie z Nelą doszły do wniosku, że jej mamie coś stało się z głową. Wciąż nie znając przyczyny niedawnego załamania własnego dziecka, ostatnio zachowywała się tak, jakby chciała zagadać na śmierć wszystkie swoje obawy, zupełnie nie zauważając tego, że to samo może zrobić ze swoją córką. Mama chciała zagadać ją na śmierć.

– Niczego już nie potrzebujesz? – usłyszała jeszcze, chociaż krótkim „dobranoc" dała mamie do zrozumienia, że pomimo jeszcze niezbyt późnej pory uważa dzień za zakończony.

– Nie, dziękuję – krzyknęła, błagając w duszy o ciszę i spokój.

– Kładziesz się już? – mama nie dawała za wygraną.

Mamo, błagam cię, daj mi już święty spokój!

– Tak, ale muszę się jeszcze pouczyć.

Czytaj: skończ już, proszę, tę gadkę!

Mama jeszcze coś powiedziała, gdyż „w tym domu" to jej przysługiwało niepodważalne prawo do posiadania ostatniego słowa. Oczywiście pod warunkiem, że ciotka Klara nie była akurat gościem. Całe szczęście nie usłyszała jej słów, ponieważ zagłuszył je dzwonek do drzwi. Pewnie któryś z sąsiadów czegoś potrzebował. Wielu sąsiadów traktowało ich mieszkanie jak dobrze zaopatrzony sklep spożywczy albo pękającą w szwach bibliotekę. W pierwszym przypadku można było dostać tu sól, cukier i wszelkie inne sypkie i płynne zapasy kuchenne. W przypadku drugim natomiast, gdy tylko zdarzała się sytuacja, że jakieś dziecko nie zdążyło odpowiednio wcześniej wypożyczyć lektury, to zawsze znaleźć ją można było pod numerem sześćdziesiątym drugim, w drugiej klatce. Słyszała, z jakim niezadowoleniem mama otwierała drzwi. Nie mogła pojąć, jakim cudem można wzdychać tak głośno.

– Dobry wieczór – usłyszała głos, którego nie mogłaby pomylić z żadnym innym.

– Dobry wieczór – odpowiedziała mama, choć całkiem innym tonem od tego, którym mówiła na co dzień.

Serce jej zamarło. Coś musiało się stać, skoro Łukasz w tym trudnym do zrozumienia akcie desperacji stanął przed drzwiami jej mieszkania.

– Przepraszam panią bardzo, że nachodzę o tak późnej porze, ale chciałbym porozmawiać przez chwilę z Julią.

Julią… – powtórzyła w myślach i bardzo ucieszyła się na samą myśl o tym, jak pięknie o nią prosił.

– Przepraszam, ale można wiedzieć, kim pan jest?

Głos mamy był już całkiem normalny, czyli jak to w takich niespodziewanych okolicznościach bywa, nacechowany trudnym do ukrycia wścibstwem.

– Przepraszam, nie przedstawiłem się. Nazywam się Łukasz Kochanowski i jestem przyjacielem Julii.

Przyjacielem… – znów powtórzyła w myślach jego ostatnie słowo, ciesząc się, że tłumacząc mamie ich wzajemną relację, nie zawahał się ani na chwilę.

– Przyjacielem? – mama powtórzyła słowo Łukasza z podejrzanym niedowierzaniem. – Ale ze szkoły? – dopytywała.

– Nie. Ze szpitala – odpowiedział rzeczowo i zgodnie z prawdą.

– A! Wolontariusz! – wykoncypowała na poczekaniu mama. Jeśli nawet Łukasz chciałby zaprzeczyć, to nie zdążyłby, ponieważ mama mu na to nie pozwoliła, dodając już całkiem normalnym tonem: – Proszę chwilę poczekać, zawołam córkę. Ale proszę się nie krępować, zapraszam do środka.

– Nie, dziękuję. Jest późno, nie chciałbym przeszkadzać. Poczekam tutaj.

– Ale nic się nie stało, prawda? – mama, zamiast ją w końcu poprosić, zagadywała gościa na wszelkie możliwe sposoby.

– Oczywiście, że nie. Wszystko jest w porządku.

Nareszcie usłyszała kroki mamy. Inne niż do tej pory. Żwawe. Młode. Nie było w nich ani śladu syndromu narciarza, który towarzyszył mamie co wieczór, gdy zamiast chodzić, szurała papciami jak na nartach, informując cały świat o swym nadludzkim zmęczeniu. W końcu otworzyły się drzwi pokoju. Tylko na to teraz czekała.

– Julka, masz gościa. Jakiś kolega ze szpitala.

Prawie wszystko się zgadza – pomyślała, ciesząc się z tego, że ktoś kiedyś wymyślił słowo „prawie", ponieważ było prawie tak wieloznaczne jak „miłość". Wieloznaczność dodawała życiu uroku. Musiała wstać i nie patrząc na to, że miała na sobie krótką i cienką koszulkę, niby to nocną, z dość prześwitującej tkaniny, skierowała się ku stojącej w progu mamie.

– Zwariowałaś! Na golasa chcesz do niego wyjść? Julka, na Boga! Narzuć coś na siebie! Przecież przed drzwiami czeka na ciebie dojrzały mężczyzna!

Już mnie taką widział – pomyślała z dumą. Nawet ucieszył ją fakt, że mama straciła na moment tę swą udawaną dotychczas uprzejmość i skoro nadarzała się okazja, by wydać rozkaz, to ją skrzętnie wykorzystała. Cofnęła się zatem i nałożyła na siebie rozpinany biały sweter, prezent od ciotki Klary, który był skazany na areszt domowy, bo strach się było w nim pokazać. Wisiał zatem wiecznie na krześle przy biurku na okoliczność chłodu podczas nauki, której wciąż przybywało.

– Zapnij się! – szepnęła mama karcąco.

Nie zareagowała na jej słowa. Zaniemówiła, gdy zobaczyła Łukasza stojącego w drzwiach. Nigdy nie myślała, że doczeka takiej chwili.

O Boże... On... Tutaj...

– Dobry wieczór – przywitał ją na wpół oficjalnie.

Na wpół oficjalnie, ponieważ miał taki wzrok, że od razu pożałowała, iż nie posłuchała mamy i nie zapięła swetra, który gdyby mógł posłuchać wzroku stojącego przed progiem dojrzałego mężczyzny, to zsunąłby się z jej ramion natychmiast. Widziała, jak szybko zmienia się spojrzenie Łukasza, ale w ogóle nie mogła go zrozumieć.

– Julka, nie stój jak kołek! Zaproś pana do środka.

Zrozumiała, dlaczego tak szybko i nieoczekiwanie zmienia się wyraz oczu Łukasza. Inaczej patrzył, gdy nie widział w tle oczu mamy, a inaczej, kiedy się w niego wpatrywały.

– Nie, dziękuję – zaoponował natychmiast. – Ja naprawdę tylko na chwilę. Nie chcę przeszkadzać – powtarzał się.

Wiedziała, że mama nie zniknie zza jej pleców, dlatego postanowiła, że to oni uciekną z zasięgu jej wzroku. Szybko przeszła przez próg i zamknęła za sobą drzwi. Chciała zostać z nim sama. Nie przeszkadzało jej wcale, że potem czekają ją wyrzuty w rodzaju: „Kto to widział, żeby na golasa gościa przyjmować? W dodatku na klatce schodowej? Chyba nie tak cię wychowałam! Co sobie sąsiedzi pomyślą?!". W nosie miała czekającą ją burę, w nosie miała sąsiadów. Skoro przyszedł do niej, to w nosie miała wszystko. Cały świat. Tylko Łukasza nie.

– Coś się stało? – zapytała i oparła się o drzwi, uniemożliwiając mamie podglądanie lub sprawdzenie, co się z nimi dzieje.

– Tak – odpowiedział bardzo poważnie.

Podszedł do niej. Bardzo blisko.

– Co? – zapytała z obawą.

Bała się, i to wcale nie tego, że zaraz zwariuje od jego bliskości.

– Muszę sobie coś przypomnieć – odpowiedział enigmatycznie.

Przełknęła, czując, że zupełnie nie potrzebuje odświeżenia niczego, co się między nimi do tej pory wydarzyło. Wszystko pamiętała z najmniejszymi szczegółami.

– Co? – zapytała, czując narastającą w sobie pewność, że oboje chcą tego samego.

– To! – powiedział i stało się to, na co czekała, i to, czego bardzo chciała.

Łukasz zamienił się w cyborga. Stał się nim tak samo jak kiedyś w szpitalu. Ale tym razem nie ogłupił jej jak ostatnio. Zaskoczył ją, ale nic poza tym. Jego usta robiły swoje, a ręce swoje. Poczuła się tak, jakby ich ciał nie oddzielały warstwy ubrania. Nie miała na sobie bielizny. Żadnej. Już o tym wiedział.

– Chodź do mnie… – poprosił, odrywając od niej usta na krótką chwilę. – Ucieknijmy stąd… Proszę…

Tracił kontrolę. Dla niej. Była wniebowzięta.

– Oszalałeś? – zapytała, wracając na ziemię, i to z ogromną obawą.

Była to obawa o to, czy uda jej się mu przeciwstawić. Bo właśnie wahała się, czy nie postawić wszystkiego na jedną kartę i nie uciec z nim właśnie teraz. Uciec z tego domu. Uciec do niego. Mieć gdzieś permanentny matczyny oddech na plecach, który czuła nawet w takiej chwili jak ta.

– Oszalałem… Nie mogę bez ciebie… Musisz być moja… – szeptał, nie przerywając pocałunku.

Piętro wyżej otworzyły się drzwi.

– Nora! Chodź!

Starsza pani, którą doskonale znała, wyprowadzała na ostatni dziś spacer jedynego świadka swojej starości – suczkę Norę. Siwizna sierści Nory niczym nie różniła się od włosów zebranych w duży kok na głowie jej pani. Na szczęście nic na Łukaszu nie robiło teraz wrażenia. Nie miał zamiaru się uspokoić ani przerwać tego, co robiły z nią jego ręce, przy których usta okazywały się głodnymi tylko subtelnych pieszczot. Dotykał jej bardzo odważnie, prawie napastliwie. Jednak jego usta były gwarantem mimo wszystko dobrych zamiarów. Szkoda tylko, że jej usta nie opanowały się na czas i zamiast milczeć, jęknęły zbyt głośno, gdy jego dłonie zawładnęły jej ciałem zbyt zdecydowanie.

– Przepraszam...

Widziała, jak bardzo ze sobą walczył, by się chociaż trochę uspokoić. Przestał ją całować, a jego dłonie oderwały się od niej i oparły o drzwi, ale tak, by nie mogła uciec. Znalazła się między jego wyciągniętymi przed siebie ramionami. Nie mogła uspokoić emocji ani przywrócić utraconego panowania nad oddechem.

– Nie... To... Ja... – szeptała nieskładnie.

– Julka? – usłyszała zaniepokojony głos mamy dobiegający zza zamkniętych drzwi.

– Muszę...

– Nie! – nie dał jej skończyć, znów nią rządził.

– Julka! – niestety mama nie zamierzała odpuścić.

– Muszę! – by to powiedzieć, zmuszona była wyrwać swe usta z mocy pocałunku.

Łukasz jednak nie miał zamiaru przestać, dlatego po omacku odszukała klamkę i ją nacisnęła. W mgnieniu oka straciła oparcie i właśnie wtedy się uspokoił. „Chodź ze mną" – błagał wzrokiem, ciałem, pożądliwym błyskiem w oczach. Był gotowy nawet ją porwać.

– Nie mogę… – szepnęła, strzelając sobie tymi dwoma słowami w kolano.

Wbrew sobie zamknęła za sobą drzwi. Drżąc z podniecenia, znów się o nie oparła. Tylko z drugiej strony. Usiłowała się uspokoić, ale było to niemożliwe, ponieważ już widziała karcący wzrok mamy.

– Co ty, do cholery, wyrabiasz?!

Przekleństwo w ustach mamy należało do rzadkości, dlatego rodzicielka brzmiała bardzo niecodziennie.

– Nic – westchnęła i popatrzyła w dół, upewniając się, czy jej nocna koszula zdążyła już przykryć nagość, na której z pewnością dziś bardzo zdecydowane dłonie Łukasza pozostawiły mnóstwo wyraźnych śladów.

– Pięknie! Ładne mi nic!

Pięknie! Żebyś wiedziała, że pięknie! – odgryzła się w myślach.

Mama zbliżyła się na tyle, że na pewno poczuła od córki zapach bardzo dobrze pachnącego mężczyzny.

– Naprawdę nic – szła w zaparte, całkiem bez sensu.

– Rozumiem, że właśnie to nic tak poobcierało cię wokół ust.

Natychmiast przykryła rozognione usta drżącą dłonią. Pod opuszkami palców wciąż czuła gorącą skórę Łukasza.

– Mamo, proszę cię, daj spokój…

Wiedziała, że w obecnej chwili na nic zdadzą się prośby. One teraz nie obchodziły mamy, zresztą tak jak zwykle.

– Ja ci zaraz dam. Wszystko, tylko nie spokój. Co to za facet?! – głos mamy był furią w czystej formie.

– Przyjaciel ze szpitala – bezczelnie trzymała się wersji Łukasza.

– A czy ty wiesz, ile lat ma ten, za przeproszeniem, przyjaciel?

– Czterdzieści trzy – odpowiedziała, starając się zachować spokój i udawać, że nie docierał do niej zabójczy cynizm mamy.

– No to sobie przyjaciela poszukałaś takiego, że klękajcie narody! – wzrok mamy ranił.

– To moja sprawa – chciała uciąć temat.

Niestety tak się nie dało, gdyż w temacie pojawiło się już mnóstwo niedopowiedzeń, które oczywiście musiały być wyjaśnione w tej chwili.

– Nie wydaje mi się! Ciekawa jestem, czy z każdym przyjacielem tak się całujesz, że masz spuchnięte usta?!

– Nie całowałam się!

Kłamała. Idiotycznie. Jak dziecko, które usiłuje przekonać mamę, że przed chwilą wcale nie wzięło czekolady do ust, chociaż ma jej widoczne ślady na buzi.

– No jasna sprawa, że się nie całowałaś! W usta ugryzła cię osa, a szyję masz czerwoną od czego?

Patrzyła na mamę. Nie chciało jej się odzywać. Nawet myśleć nie miała siły. Ale skoro sprawy zaszły tak daleko, pewnie to życie za nią zdecydowało i akurat ten moment wybrało, by wtajemniczyć mamę w rzeczywistość i w końcu mieć problem z głowy. Gdyby tak się tylko dało. Zresztą jeśli mama wpadłaby na genialny pomysł, by po usłyszeniu prawdy wyrzucić ją z domu, to nie stałoby się nic takiego strasznego. Przecież miała dokąd pójść. Znała miejsce, gdzie ktoś na nią czekał. Co więcej, miała nawet klucz do drzwi, które strzegły tegoż schronienia. Nosiła go wciąż w swojej torbie. Nie rozstawała się z nim. Tak jak z kartą miejską, telefonem, balladami i myślą o Łukaszu.

– Kocham go – powiedziała spokojnie.

Wypowiedziała te słowa i od razu zrozumiała, że to namiętność odebrała jej rozum. Gdyby nie ona, to jak zwykle zamiast mówić, pomyślałaby tylko.

– Boże, Julka! Czyś ty zwariowała? Rozum ci odjęło? Zmysły postradałaś?!

Przy nim właśnie odzyskałam wszystkie swoje zmysły! – krzyknęła w myślach i poczuła gotowość do tego, by wyrzucić swe myśli na głos.

– Po prostu się zakochałam. Tak trudno to zrozumieć?

– Wyobraź sobie, że tak! – głos mamy stracił trochę na sile, ale to i tak w żaden sposób nie poprawiło sytuacji. – Zakochałaś się w mężczyźnie, który z powodzeniem mógłby być twoim ojcem!

– Nie przesadzaj, mamo – poprosiła.

– Akurat tak się składa, że nie przesadzam. Dwadzieścia trzy lata temu, jak ty się urodziłaś, to on już pewnie obcałowywał jakieś panny!

– Mamo!

– A co? Ty myślisz, że nie obcałowywał?! Myślisz, że na ciebie czekał? Na swoją wielką miłość? Julka, obudź się!

– Mamo... – niestety traciła siły.

– Co, mamo?! Im więcej masz lat, tym bardziej mi życie utrudniasz! Przez ciebie w czterech deskach wcześniej się położę! Proszę! Ledwo jej depresja przeszła, a już zakochać się zdążyła!

Tego nie wytrzymała.

– Gdybyś chociaż przez chwilę o mnie pomyślała, ale nie przez pryzmat siebie i tego, że należę do ciebie, muszę być taka jak ty i tak jak ty patrzeć na świat, zakochać się też tak jak ty, czyli idealnie, to wiedziałabyś, że mnie też jest z tym bardzo ciężko. I wolałabym być pierwsza w jego życiu, a nie żeby miał za sobą nieudane małżeństwo i dziecko! – krzyczała.

W końcu pokazała, że też potrafi krzyczeć. Wyrzucała z siebie wszystko, o czym nie chciała mówić nikomu, zwłaszcza mamie. Jednak ta kropla przelała czarę goryczy i złe emocje nagromadzone w duszy wydostały się nagle. Przez Łukasza. Przez to, co z nią zrobił. Przez to, że przed chwilą sprawił, iż wszystko inne stało się nieważne. Ważny był tylko Łukasz. Dla niego była gotowa zrezygnować ze świata, gdyż świat bez niego jej nie interesował. Mówiła szybko i podniesionym głosem. Szczerze jak nigdy dotąd, zwłaszcza z mamą. Miała jednak świadomość, że robi błąd. W dodatku bardzo poważny. Ale na jakiekolwiek refleksje było już za późno. Mama wiedziała już prawie wszystko. Nie wiedziała tylko jednego.

– Ale to, co było w jego życiu, mnie nie zniechęci, bo chociaż mnie to przeraża, to i tak chcę z nim być. Czy ci się to podoba, czy nie. I nie obchodzi mnie to, co masz do powiedzenia na ten temat. Nie obchodzi mnie też to, co będzie miała do powiedzenia ciotka Klara. Nie obchodzi mnie to, co będą o mnie gadać inni ludzie. Mam już dosyć! Nie będę przyjmowała argumentów w rodzaju: co sobie ludzie pomyślą? co ludzie powiedzą? Nic mnie to nie obchodzi!

Mama patrzyła na nią w taki sposób, jakby dopiero przed chwilą zobaczyła ją po raz pierwszy. Jakby do tej pory nie wiedziała, kogo urodziła, kogo starała się wychować i kto przez tyle lat z nią mieszkał.

Spoglądała w wystraszone oczy własnej matki i zupełnie nie dziwiła się, że tak wyglądają. Sama była w szoku. Język ją świerzbił, żeby jeszcze coś dodać. Coś na zakończenie. Coś na cześć odkrytej odwagi – w końcu tyle czasu o niej marzyła, choć się jej po sobie raczej nie spodziewała. Oczywiście doskonale wiedziała, co jeszcze chce powiedzieć. Miała świadomość, co sprawi, że mama popatrzy na nią inaczej niż do tej pory. Może dzięki tym słowom chociaż trochę postara się ją zrozumieć, być może postanowi złagodzić swój wyrok, bo taki z pewnością już na nią czekał. Bała się tego, co chciała powiedzieć, ale właśnie w tej chwili zdała sobie sprawę, że w życiu potrzebne są zarówno odwaga, jak i siła. Odwaga, by potrafić mówić, o czym się myśli, a siła, by znieść ciężar słów, których nie chce się wypowiedzieć, i dźwigać je w sobie. Odwaga, by mówić, a siła, by milczeć. Dwie cechy. Obie bardzo trudne. Która trudniejsza? Nie wiadomo. W jej przypadku nie ulegało wątpliwości, że dotychczas ćwiczyła przede wszystkim siłę. Odwagę zaniedbywała. Czyżby była silniejsza, a mniej odważna...? Teraz nie miała czasu, by się nad tym zastanawiać. Teraz nie miała ani chwili na zastanowienie. Co wybrać? Jak zwykle siłę i nic nie powiedzieć czy wprost przeciwnie, wykazać się w końcu odwagą i właśnie wszystko powiedzieć? Dziś chyba jednak była odważna – jak dłonie Łukasza, odnajdujące bezbłędnie wszystkie zakamarki jej ciała, spragnionego odważnego dotyku, za którym już w tej chwili boleśnie tęskniła. Była odważna. Wiedziała już, co powie.

Teraz. Powiem to teraz!

– Tato na pewno by mnie zrozumiał.

Udało się. Odważyła się wypowiedzieć głośno i wyraźnie swe myśli, ale przede wszystkim swą tęsknotę. Nie tylko za nieżyjącym ojcem, ale też za zrozumieniem tego, że każdy człowiek jest odrębnym bytem. Dobrze pamiętała, że tato pozwalał jej na bycie sobą. Mama nie. Mama zawsze wymagała określonych zachowań. Tak jak teraz.

– Tato?! – powtórzyła mama płaczliwym głosem.

Ale co z tego, skoro zaraz potem wzięła się w garść tylko po to, by zadać jej ból. By sprowadzić ją do poziomu dziecka, które nie ma nic do powiedzenia i musi dostosować się do wytycznych świata inscenizowanego tylko przez dorosłych.

– Całe szczęście, że tego nie dożył!

Matczyne słowa, które dotarły do niej szybciej, niż zostały wypowiedziane, zabiły ją. Uśmierciły. Były świszczącą w locie kulą. Przebiły jej serce i duszę. Na wylot. Ale to nie było teraz ważne, ponieważ nie tylko ją raniły, ale zabijały. Mama wbijała w nią też swój wzrok. Ale skoro umierała, to i tak było jej już wszystko jedno. Jednak chciała jeszcze coś powiedzieć. Chociaż jedno zdanie.

– Nigdy nie myślałam, że doczekam takiej chwili, kiedy będziesz cieszyła się z tego, że tato nie żyje – wydusiła z siebie ostatkiem sił.

– Ja też nie! – mama płakała, jednak ton miała zdecydowany. Miała głos kogoś, kto nie umie płakać i jeszcze nigdy tego nie robił. – I to wszystko przez ciebie! Nie tak cię wychowałam. Nie takiego życia chcę dla ciebie!

– Ale to jest moje życie! Chcę je przeżyć, tak jak ja tego chcę. Mamo, ja chcę żyć dla siebie.

– Ale czy ty możesz zrozumieć, że moim obowiązkiem jest ostrzegać cię, kiedy popełniasz błędy? Jeszcze zanim je popełnisz?! – mama była wściekła.

Oprócz tego była też mocno zaskoczona. Nie przywykła do tego, że jej młodsza córka ma swoje zdanie, a tym bardziej do tego, że wypowiada je bez mrugnięcia okiem.

– A skąd możesz mieć pewność, że popełniam błąd?

– Chcesz związać się z żonatym mężczyzną i śmiesz twierdzić, że to jest w porządku? Że wszystko gra?!

– On nie jest już żonaty.

– W moim świecie nie istnieją rozwody.

– Ale, mamo, ja żyję w swoim świecie, a nie w twoim – broniła się. Nie mogła pojąć, dlaczego mama nie jest w stanie zrozumieć odrębności tych światów. Nie mogła znieść jej wzroku. Napastliwego i karcącego. Musiała się przed nim jakoś obronić.

– A co się stanie, jeśli wybiorę w moim życiu – podkreśliła wyraźnie – drogę, której ty nie akceptujesz, a później życie pokaże, że dobrze zrobiłam?

– Dziewczyno! Ty nie zdajesz sobie sprawy, że to się w tym życiu nie okaże. Bo nasze życie to za mało na takie oceny i podsumowania.

To, czy dobrze zrobiłaś, okaże się dopiero po śmierci. Wtedy dopiero będzie wiadomo, ile warte były twoje życiowe wybory.

– Twoje też! – wtrąciła bardzo niegrzecznie.

– Moje też! – odkrzyknęła mama.

– To zajmij się swoim życiem i swoimi wyborami. Pozwól mi żyć życiem, które sobie sama wybiorę. Nie rób tego za mnie. Proszę cię. Czy tobie ktoś kiedyś urządził życie?

– Sama się w nim urządziłam – stwierdziła mama z goryczą.

Ta gorycz w matczynym głosie ją przeraziła. Nie trzeba było być mistrzem empatii, by wyczuć, że mama jest ze swego życia niezadowolona. Jej słowa zabrzmiały tak, jakby chciała przekazać nimi prawdę, że samodzielność w jej przypadku w niczym nie pomogła. W głosie mamy wybrzmiał wyrzut skierowany chyba do tych, którzy mieli pomóc w urządzaniu życia, a niestety tego nie zrobili. Umyli ręce, bo może temat był za trudny. Ludzie często umywają ręce od trudnych spraw, ale prawo do oceny zachowują. Mogą oceniać wszystko i wszystkich.

Właśnie!

Patrzyły na siebie. Złowrogo.

– To pozwól mi zrobić to samo – poprosiła, walcząc ze sobą, by głos zabrzmiał obojętnie.

Niestety w tej rozmowie szans na obojętność nie było.

– Przestań krzyczeć! – prosiła mama, sama nie potrafiąc zaprzestać krzyków. Jak zwykle krytykowała te zachowania, z którymi sama miewała problemy.

Dziś do zestawu tych trudności z pewnością dołączył szok. Przecież młodsza córka w przeciwieństwie do starszej zawsze wiedziała, kiedy należy zamknąć buzię i ugryźć się w język. Zwykle tak, ale nie dziś, dzisiaj ruszyła do walki jak rozjuszona lwica strzegąca bezpieczeństwa swoich młodych.

– Mamo, ja go kocham – w końcu udało jej się odezwać w miarę spokojnie.

– Domyślam się, że to miłość namieszała ci w głowie. Ona zawsze to robi.

Ciekawe, czy tobie nigdy nie namieszała! – pomyślała, jednak postanowiła nie komentować stwierdzenia mamy, i to zupełnie nie dlatego, że – jak się ostatnio przekonała – o miłości nie wiedziała zbyt wiele. Teraz była pewna jednego. Wiedziała, że tę rozmowę sama zaczęła i musiała też doprowadzić do końca. Zaczęła ją przez Łukasza. Straciła kontrolę nad tym, co mówi, przez niego. Ale on też dziś stracił kontrolę nad tym, co się działo między nimi. Nie wiedziała dokładnie, co czuł. Nikt nie może wiedzieć tego, co czują inni. Wszyscy tylko się domyślają. Wchodzą w czyjąś skórę, oszukując się, że to jest w ogóle możliwe. A tak nie jest.

– Mamo, ale ta miłość jest dobra – przekonywała. – Uwierz – prosiła o zrozumienie. – Zobaczysz, jeszcze okaże się, że dobrze zrobiłam – tym razem błagała o nadzieję.

Prosiła mamę o nadzieję, gdyż to, co wydarzyło się dziś przed drzwiami mieszkania, pozwoliło jej ufać i właśnie mieć nadzieję. Zrozumiała, że musi przestać bać się tego, co czuje. Powinna podążyć za miłością z jednego prostego powodu: by jej nie stracić. Chciała, by ta miłość rozkwitała, a nie więdła. Miłość i ona. I Łukasz. Sprawca tego, że potrafiła odważyć się na to, by przestać kryć się z tajemnicą w sercu. Do tej pory skrywała uczucie nie dlatego, że się go wstydziła, raczej się go bała. Obawiała się nie tyle samego uczucia, ile reakcji na nie. Wiedziała, co robi. Ale przecież nawet największy strach ma swoje granice. Każdy kiedyś dochodzi do ściany i wtedy w zetknięciu z nią musi pojawić się odwaga, bo innej drogi do wydostania się z ograniczających murów już nie ma.

Postanowiła przeskoczyć ten mur. Właśnie teraz. Raz a dobrze. By mieć go w końcu za sobą.

– Mamo, ja chcę z nim być. Nie wyobrażam sobie mojego życia bez niego. Choćby nawet życie miało pokazać, że źle zrobiłam. Nawet bardzo źle...

– Nic nie rozumiesz! – głos mamy tracił na sile, siła przeradzała się w załamanie. – Przecież powtarzam ci, że życie niczego nie pokaże. O to właśnie chodzi.

– Jak nie życie, to co? – zapytała dociekliwie.

– Czas – odpowiedziała natychmiast mama. Nie zastanawiała się ani chwili. Nie marnowała czasu w tej rozmowie zmierzającej donikąd.

Pewnie dlatego, słysząc słowo mamy, poczuła się zagubiona.

– Czas? – powtórzyła, nie rozumiejąc.

– Tak, dziecko, czas... – utwierdziła ją w swym przekonaniu mama. – Tylko czas pokaże, czy wybory, jakich dokonujesz teraz, w przyszłości okażą się dobre. I nie chodzi tu tylko o czas naszego życia, bo ja wierzę w to, że czas, który dostaliśmy teraz, jest tylko małym fragmentem tego, który możemy mieć. Rozumiesz, o czym mówię? – mama nadała swemu pytaniu ton, który przekonywał, że nie mogło być partnerstwa w tej rozmowie.

– Rozumiem. Głupia nie jestem – broniła się ze wszystkich sił.

Broniła swych przekonań, które w wymiarze religijnym wbrew pozorom bardzo przypominały światopogląd mamy. Ale tylko w tej kwestii, ponieważ w innych wykazywały skrajne różnice. Zwłaszcza w postrzeganiu życia i czasu. Nie dziwiło jej to wcale. Miała pewność, że kiedyś, gdy będzie miała dzieci... Uśmiechnęła się na tę myśl i zrozumiała, że dzięki dzisiejszej odwadze nie pozwoli sobie zabrać przyszłości. Mama często powtarzała, że wspomnień nie zabierze jej nikt. To była prawda. Przeszłość i wspomnienia mogła zabrać tylko choroba. Nic innego. Może jeszcze tylko śmierć, ale o tym wolała teraz nie myśleć. Jednak ona miała teraz inny problem, problem z przyszłością. Starała się obronić przed ludzkim osądem. Chciała zrobić wszystko, by nie odgrywał żadnej roli w jej życiu, ponieważ czuła, że to on może sprawić, iż sama pozbawi się przyszłości. Wiedziała, że ludzie nie pozwalają sobie na wymarzoną przyszłość, bo to, o czym marzą, nie pasuje do wizji innych. Nie pasuje albo wręcz przeszkadza innym. Wierzyła jednak, że gdy chodzi o miłość, wtedy ze zdaniem innych nie trzeba się liczyć. Przecież w miłości oprócz zakochanych nie powinno być nikogo innego. Liczą się tylko uczucia tych dwojga. Uczucia, spojrzenia, oczekiwania i gotowość na wspólną przyszłość. Osądy i opinie innych nie są ważne.

Niech inni myślą sobie, co chcą! – stwierdziła w duchu. Była w tym bardzo dobra. Zawsze myślała, co chciała. A teraz miała pewność jednego. Wiedziała, że jeśli przez opinie innych, przez własny strach przed nimi będzie chciała pozbawić się przyszłości z Łukaszem, to znów skończy w łóżku. Uwięzi się w nim na długo. Z sufitem nad sobą, pustką w sercu, bezsennością o trzeciej nad ranem, piekłem samotności, utrudniającym odróżnianie dni od nocy.

– Nie byłabym tego taka pewna! – z ust mamy znów wyleciało słowo jak pocisk, ale uchyliła się przed nim, bo była przygotowana na to, by walczyć o siebie i własne uczucia. Póki co starczało jej sił.

– Idę spać – zawiesiła broń.

– To gratuluję! – fuknęła mama. – Bo ja przez ciebie oka nie zmrużę. Boże! Co ja z tobą mam!

A ja z tobą… – pomyślała, cicho zamykając drzwi, ponieważ pewność uczuć i czas, którym dziś straszyła ją mama, sprawiały, że nie musiała swych przekonań pieczętować trzaśnięciem drzwiami. Ważne były tylko jej przekonania, zdanie innych się nie liczyło.

Przynajmniej dziś. Przynajmniej nie w tej chwili. Zgasiła światło i nie zaciągając zasłon, położyła się w łóżku. Podniosła głowę i zerknęła na niebo. Jego bezchmurna rozciągłość odsłaniała wiele gwiazd. By się uspokoić, może nawet zasnąć, zaczęła je liczyć. Miała świadomość, że dzisiaj wszystko potoczyło się tak, że musiała polegać tylko na sobie.

I tak jest najlepiej. W pewnych sprawach tak jest najlepiej – myślała, licząc gwiazdy, ale i tak wiedziała, że nie uda jej się zasnąć. Emocje nie opadały. Wszystko w niej wciąż dygotało. Przez to, co zrobił jej dziś Łukasz, i przez to, że w końcu wygarnęła mamie całą prawdę o swym obecnym życiu.

Dzieje się... – pomyślała, przerywając niebiańskie rachunki sumienia. Usiadła na łóżku. O śnie nie było dziś mowy. Musiała coś ze sobą zrobić. Zaczęła się ubierać. Musiała wyjść z domu. Przewietrzyć się. Pomyśleć. Chociaż specjalnie nie miała nad czym. Była już zdecydowana. Chciała postawić wszystko na jedną kartę. Po tym, co dziś przeżyła, wiedziała, że Łukasz też był gotów na ryzykowne posunięcia. Wbrew pozorom Łukasz swym dzisiejszym zachowaniem też coś jej uzmysłowił. Byli od siebie uzależnieni. To na pewno tęsknota ponosiła odpowiedzialność za jego dzisiejsze zachowanie. Było bardzo irracjonalne. Nie podejrzewała go o takie wariactwo. Siebie tak, ale jego nigdy. On umiał trzymać uczucia na wodzy. Miał w tym lata praktyki. A jednak coś sprawiło, że dziś ta praktyka okazała się niewystarczająca. Stracił panowanie nad sobą i swymi nerwami ze stali. Pewnie zawsze dużo myślał. Dziś tego nie zrobił, przychodząc pod jej drzwi. Nie pomyślał, co się stanie. Nie przewidział, co może się wydarzyć, jeśli zobaczy ich jej mama. Determinacja okazała się dzisiaj silniejsza od logicznego myślenia. Pewnie zaskoczył nie tylko ją, ale również siebie. I było to przyjemne zaskoczenie. Przynajmniej dla niej. Bez względu na wszystkie efekty uboczne, które już uruchomiły machinę niezrozumienia i lawinę krytyki.

Na szczęście tę krytykę miała w nosie. W nosie miała też to, czy mama spała, czy nie. Czy słyszy to, co robi teraz, czy nie. Najważniejsze było to, co ona sama w tej chwili chciała zrobić. Pragnęła dać upust swej miłości i nie bacząc na późną porę, zapukać do jego drzwi, by udowodnić, że też jest na wiele gotowa. Że się już niczego nie boi. Nie obawia się tego, co ma być. Ani tego, co kto powie i pomyśli. Nie bała się nocy ani ciemności. Nie miała już strachu przed niczym. Doszła do wniosku, że tak właśnie być powinno. Ludzkie pragnienia są najprawdziwsze wtedy, gdy są silniejsze od obaw. Chciała kochać. Tak po prostu. Czego tu się więc bać? Miłości? Gdy zamknęła za sobą drzwi, zrozumiała, że to właśnie miłość ją tak bardzo zmieniła. To dzięki niej miała siłę zachowywać się inaczej niż do tej pory. Dzięki niej odnalazła w sobie wytrwałość do przezwyciężania tego, co stało na drodze uczuciu. Postawiła na pierwszym miejscu własne pragnienia, które do tej pory jakimś trafem znajdowały się zawsze na końcu kolejki tworzonej przez codzienność utkaną z obowiązków i oczekiwań innych.

Koniec z tym! – usłyszała swój wewnętrzny, bardzo zdecydowany głos i bez obaw weszła w ciemność wciąż jeszcze tej samej doby, w której Łukaszowi też udało się przezwyciężyć swoją zasadniczość. Chciała wierzyć, że zrobił to z miłości. Ponieważ to miłości nie można wyznaczać żadnych granic. Bo miłość jest jak dobro. A prawdziwe dobro jest bezgraniczne. Po prostu…

– Tak… – usłyszała obcy głos w domofonie.

Takie brzmienie głosu przyprawiło ją kiedyś o łzy po ich pierwszej wspólnie spędzonej nocy. Dziś już wiedziała, że coś złego stało się w pracy.

– To ja… – szepnęła cicho.

Ciężkie drzwi stojące na straży mieszkańców zabytkowej kamienicy ustąpiły od razu, otwierając przed nią drogę do bezpieczeństwa. To między innymi właśnie po nie tu przyszła. Wiedziała, że jest nadal przed północą. Miała nadzieję, że go nie obudziła. Pokonywała schody, których ażurową konstrukcję zapamiętałaby na zawsze, nawet gdyby ktoś zakazał jej przychodzenia tutaj. Zakazał na zawsze. Ale tego się akurat nie obawiała, ponieważ nikt nie mógł jej niczego zabronić.

– O Boże! – wystraszyła się, wpadając na kogoś.

To był on. Wyszedł, a może nawet wybiegł jej naprzeciw. Przylgnęła do niego. Bez zastanowienia. Od razu poczuła, że dobrze zrobiła, przychodząc.

– Chodź! – pociągnął ją za sobą.

Ale wcale nie musiała nigdzie iść. Bo nawet tu na schodach było jej dobrze. Mogłaby żyć w jakimkolwiek przeklętym miejscu, w paskudnym otoczeniu, choćby pod tymi schodami, byleby z nim. Wciągnął ją do swego mieszkania. Oświetlone tylko jedną lampką wnętrze wyglądało bardzo przytulnie. Było schronieniem, w którym chciała zostać na zawsze. Stała, patrząc, jak zamykał drzwi od wewnątrz. Obserwowała to, jak wyglądał w białej koszuli, rozchełstanej pod szyją, podwiniętej tam, gdzie zwykle biel mankietów prawie przykrywała nadgarstki. Nie wiedziała, co powiedzieć, gdy popatrzył na nią tak, że odechciało jej się nie tylko mówić, ale nawet oddychać. To nie tlen był teraz jej podstawową potrzebą.

– Przepraszam cię... – zaczął niepewnie. – Zachowałem się jak palant. Ale musiałem cię zobaczyć. Bez względu na konsekwencje, które, jak widzę, zdążyłaś już ponieść. Przepraszam...

– To nieważne. To jest teraz zupełnie nieważne.

Stała przed nim i przypominała sobie mnóstwo chwil. Odtwarzała fragmenty wspomnień z czasów, kiedy stojący przed nią mężczyzna był dla niej kimś zupełnie innym niż teraz.

To prawda, święta prawda, że pozory mylą – powtarzała sobie w duszy. Nie chciała być już z tymi pozorami za pan brat. Musiała się od nich uwolnić. Żeby już się więcej tak w życiu nie pomylić. Żeby nie popełniać durnych błędów. Żeby nie oceniać innych wtedy, gdy podstawy ku temu są nikłe. Przecież zawsze wiadomo za mało. Dlatego nie należy oceniać. Nie chciała zbierać not od innych ludzi i obiecała sobie, że sama też nie będzie wystawiać innym cenzurek. Już nigdy i nikomu. A jeśli nawet w myślach ją poniesie i wyda na czyjś temat werdykt, to zweryfikuje go jednym słowem: „Łukasz". To w jego przypadku pomyliła się najbardziej. Był jej największą, ale zarazem też najlepszą pomyłką pod słońcem.

– Ważne – zaoponował zmartwionym głosem.

– Nie – trwała przy swoim. – Dziękuję ci, że przyszedłeś. Ktoś w końcu musiał zburzyć ten udawany ład. Dziękuję, bo dzięki tobie zrozumiałam, że mogę się z niego wydostać, mogę uciec. Zrozumiałam, że tak naprawdę wszystko zależy ode mnie.

– Ale mi nie o to chodzi. Ja nie chcę, żebyś od kogoś uciekała. Bardzo chcę, żebyś była ze mną, ale nie musi się to wiązać z przekreślaniem twojego dotychczasowego życia i twojej rodziny.

– To szlachetne.

Podeszła do niego i dotknęła jego policzka, po czym zanurzyła dłoń w szpakowatych włosach.

– Nie. Zupełnie nie – znowu się z nią nie zgadzał, a jej to zupełnie nie przeszkadzało.

– Dlaczego? – zapytała, choć przecież nie chciała teraz rozmawiać.

Pragnęła tylko jednego. Chciała doznać ognia podobnego do tego, który już raz tego dnia ogarnął jej ciało. Nagle poczuła miękki dotyk na stopie. Przestraszyła się.

– Spokojnie – przytulił ją od razu. – To Łyżeczka.

– Łyżeczka? – zapytała, słysząc ciche miauczenie.

Łukasz schylił się i wziął na ręce rudą kulkę.

– Jakąś godzinę temu wróciłem z otwartej całą dobę kliniki weterynaryjnej – uśmiechnął się kącikiem ust, zerkając w niebieskie ślipka bardzo małego kotka.

– Miałaś rację, to kotka. Jest zdrowa. Ma około dwóch, może trzech tygodni. W oczekiwaniu na weterynarza dałem jej do zabawy plastikową łyżeczkę do kawy, żeby zapomniała o tym, że chce mi zwiać. I się zaczęło. Wyrabiała z nią takie cuda, że zacząłem wołać na nią Łyżeczka. Może tak zostanie? Chyba że Antosia wymyśli jej inne imię. Będzie u mnie w sobotę. Ma urodziny.

– Wiem. Mówiłeś – odpowiedziała szybko.

Starała się bardzo, by nie odczuwać złości wobec małej dziewczynki, której nie znała. Patrzyła na Łukasza, czując, że namiętność będzie musiała poczekać. Łukasz schylił się i postawił Łyżeczkę na podłodze. Czmychnęła co prędzej.

– Napijesz się czegoś? – zapytał, jak przystało na kulturalnego gospodarza.

– Najchętniej... – udawała, że ma kłopot z wyborem – ... ciebie – szepnęła, nie mogąc powstrzymać się przed odważnym wypowiedzeniem swej myśli.

Uśmiechnął się tak, że nie pożałowała swoich słów, ale spojrzał tak, iż straciła odwagę.

– Może wina – stwierdziła, szybko dochodząc do wniosku, że tylko wino doda jej odwagi.

– Białe czy czerwone? Tyle że beze mnie.

– Dlaczego? – zapytała od razu.

– Muszę być pod telefonem – odparł i bardzo szybko uciekł wzrokiem gdzieś w bok.

Bała się zapytać o cokolwiek. Zwłaszcza że zdała sobie sprawę, jak niewiele jeszcze wie o nim i jego życiu. Jednak zwalczyła swój strach i zapytała.

– Karola?

– Nie tylko...

Jego odpowiedź ją poraziła.

– Chodź. Przytulimy się.

Kolejny dziś raz pociągnął ją za sobą. Usiadł na kanapie. Posadził ją sobie na kolanach. Fajnie. Tak że siedziała bokiem do niego. Mogła się w niego cudownie wtulić. Korzystać z jego ciepła i tego, że dawał jej poczucie bezpieczeństwa. Poczuła spokój. Taki, jakiego nie czuła od dawna.

– Nie chciałem ci komplikować życia – odezwał się cicho, a raczej szepnął.

– Nie mogę powiedzieć, że tego nie zrobiłeś – odpowiedziała z ogromną szczerością.

– Przecież wiem.

– Ale nie przejmuj się. Pasujemy do społecznego zjawiska nazywanego kryzysem wieku średniego – zażartowała.

– Ty kojarzysz mi się bardziej z koniunkturą niż kryzysem.

– Naprawdę? – chciała go pociągnąć za język, ale zupełnie nie miała pomysłu, jak mogłaby to zrobić.

– Po rozwodzie wydawało mi się, że już nic mnie nie spotka. Że została mi tylko Antosia i praca.

– Czemu się rozwiedliście? – zapytała szybko, żeby się nie rozmyślić.

– Ania sobie kogoś znalazła...

Ania. Pięknie.

Lubiła to imię. Lubiła do dziś.

– Dlaczego? – zapytała idiotycznie.

Postawiła to pytanie z pewnością dlatego, że nie potrafiła odnaleźć się w rozmowie, w której nie chciała uczestniczyć. Ani dziś, ani kiedykolwiek indziej. Jednak była to rozmowa nieunikniona. A jeśli coś jest w życiu jednocześnie niepożądane i nieuniknione, to trzeba rozprawić się z tym tak szybko, jak to tylko możliwe. O tym wiedziała doskonale. Odkładanie takich spraw w czasie to samookaleczanie się.

– To proste. Bo nasze życie nie wyglądało tak, jak sobie wymarzyła. Bo ja nie byłem taki, jak sobie wymarzyła. Pogubiliśmy się. Dużo pracowałem. A jak wracałem, to też zawsze miałem coś do zrobienia. Najpierw doktorat. Później habilitacja. Praca. I tak w kółko. Jak chciałem mieć dziecko, to ona nie chciała. Jest bardzo ambitna. Zwłaszcza zawodowo. Pracuje jako dyrektor artystyczny w dużej agencji reklamowej. Rozjechało nam się życie w dwóch kierunkach. I u jej boku zjawił się ktoś, kto uprawia wolny zawód i nie dosyć, że ma mnóstwo czasu i pieniędzy, to jeszcze jest wrażliwcem, a akurat tego o mnie powiedzieć nie można.

– Nie wiem – wtrąciła urzeczona jego szczerością. – Chyba nie znam cię aż tak dobrze.

– Ale z tym cyborgiem trafiłaś kiedyś w samo sedno. Moja była żona pod koniec naszego związku wypowiadała się o mnie w podobny sposób...

Nie chcę o niej rozmawiać...

– A Antosia?

Z rozmysłem skierowała myśli Łukasza na inne tory. Też nie całkiem bezpieczne, ale mimo wszystko łatwiejsze. Chyba...

– Antosia miała nas uleczyć. Ale kiedy się urodziła, to wszystko rozsypało się jeszcze bardziej. Ania tęskniła za pracą, za ludźmi. Siedziała z małą w domu. Mnie oczywiście nie było. A jak byłem, to wciąż odzywał się mój telefon. Rzecz jasna zawsze w złym momencie. Myślałem, że coś drgnie, jak ona wróci do pracy. Ale zrobiło się jeszcze gorzej. Było już bardzo źle i wtedy pojawił się on. Bardzo utalentowany grafik. To był nasz koniec.

Nie miała pojęcia, co powiedzieć. Już dawno nie powiedział do niej tylu słów. Zwykle był oszczędny w słowach. Dziś, patrząc z boku, pewnie też, ale i tak powiedział jej dużo. Rzeczowo streścił, jak skończyło się jego małżeństwo. Gdyby się nie bała, o niego i siebie, pewnie zapytałaby go o szczegóły z tamtego czasu, ale empatia nakazywała jej milczeć. Usłyszała kiedyś na jednym z wykładów poświęconych inteligencji, że istnieją dwa wyjątkowe jej rodzaje. Inteligencja serca i duszy. Ta pierwsza, czyli inteligencja serca, to wrażliwość, a inteligencja duszy to empatia. Słuchając Łukasza, miała poczucie, niezbyt skromne, że posiada oba te rodzaje inteligencji. To właśnie one zakazywały jej teraz wchodzić w dyskusję, której wynik i tak był jej znany. Milczała zatem. To było najlepsze rozwiązanie, bo i tak nie potrafiłaby odnieść się do tego, co usłyszała.

– Przepraszam cię, że ci o tym mówię. Pewnie nie powinienem do tego wracać... – miał zmęczony głos.

– To już nie będziesz wracał – uprościła sytuację tak bardzo, jak to tylko było możliwe.

By uciec od mało optymistycznej chwili, podniosła głowę i zaczęła całować go po szyi. Dokładnie wyczuwała ustami granicę, za którą szorstka od zarostu skóra stawała się nagle miękka, przyjemna w dotyku i reagująca na tenże dotyk natychmiastowo. Łukasz oparł głowę o kanapę, pozwalając jej na przedłużanie tej bardzo subtelnej pieszczoty, która miała szansę już za kilka chwil przerodzić się w bardziej zmysłową. Niestety nie zawsze szanse pojawiające się w życiu mają warunki do tego, by przejść do etapu realizacji. Było jej bardzo dobrze i pewnie byłoby tak dalej, gdyby nie zadzwonił telefon. Łukasz pospiesznie sięgnął do kieszeni. Przestał zwracać na nią uwagę, chociaż wciąż siedziała mu na kolanach.

– Tak.

Po chwili ciszy dodał bardzo skupionym głosem:

– Tak. Podać. Będę tak szybko, jak to tylko możliwe. Muszę iść.

To ostatnie zdanie było skierowane do niej. Już nie siedziała mu na kolanach. Już był z dala od niej. Widziała, jak w pośpiechu chwycił swoją torbę i w ostatnim momencie, już w drzwiach, znieruchomiał. Na moment. Na szczęście uzmysłowił sobie, że ją zostawiał.

– Zostaniesz? – zapytał konkretnie.

– A kiedy wrócisz? – zapytała, czując egoistyczną potrzebę tego, by został, by nie zostawiał jej teraz samej.

– Nie wiem – znów stwierdził rzeczowo.

– Rano będę musiała wyjść...

– Mogę zadzwonić? – zapytał, zamykając wciąż drzwi, które za chwilę miał zatrzasnąć za sobą całkowicie.

– Ja się odezwę – zadziałała asekurancko.

– To…

– To Karola? – weszła mu w słowo, panicznie bojąc się odpowiedzi.

– Nie. Pa.

Już go nie było. Została sama. W mieszkaniu, w którym czuła się doskonale. Przeżyła w nim najintymniejsze chwile dotychczasowego życia. Ale teraz poczuła się w nim niespecjalnie. Była osamotniona. Zostawiona samej sobie. Pewnie tak musiała czuć się żona Łukasza. A może gorzej, kiedy sądziła, że Łukasz uciekał od niej do szpitala. Nie chciała o niej myśleć, ale po prostu nie mogła się powstrzymać. Szpital był według byłej żony Łukasza na pewno miejscem ucieczki. Ona natomiast wiedziała, że było inaczej. W rzeczywistości szpital był miejscem, z którego wszyscy w nim uwięzieni chcieli uciec. Ale ucieczka w niektórych przypadkach była niemożliwa, ponieważ trzeba było tam często wracać i udowadniać, że poddanie się nie wchodzi w grę. Wzdrygnęła się na myśl, że wystarczyła chwila, by zaczęła rozumieć kobietę, która odeszła od Łukasza. Gdy postanowiła odejść, była pewnie w innej sytuacji niż ona teraz. Nie chciała jej oceniać. Nie miała do tego prawa. Przecież obiecała sobie, że nie będzie nikogo oceniać. Jedno wiedziała i to różniło je najbardziej. Była żona Łukasza wiedziała, co robić.

Ona natomiast teraz… Sama… Zupełnie nie rozumiała, co się stało z jej życiem. Gdy trwał przy niej Łukasz, wszystko było jasne. Wiedziała, co robić. Miała pewność, że robi dobrze. Teraz, gdy przed momentem straciła go z oczu, już zastanawiała się, czy na pewno wybiera w życiu dobrą drogę. Wiedziała, że musi tę drogę pokonać, by sprawdzić, czy warto. Przecież życie każdego człowieka jest pokonywaniem pewnej drogi. Jedni od początku wiedzą, dokąd zmierzają. Inni szukają po omacku. Gdy był przy niej Łukasz, miała pewność, że podąża dobrym szlakiem. Wierzyła, że to wszystko ma sens. Że wszystko jakoś się ułoży. Że dwa życia dopasują się na tyle, by dalej mogło być tylko jedno, które uda się wkomponować w życie jej rodziny. I wszystko byłoby proste, gdyby nie chwile takie jak ta obecna. Bez niego. Czuła, że gdy przepadał dla tej części życia, z którą nikt nie mógł konkurować, dopadały ją wątpliwości. Traciła pewność i wiarę w dni następne. Czyli w to, że skłania się ku dobremu wyborowi. Znów usiadła na kanapie. Łyżeczka zaczęła ocierać się o jej nogi. Dopiero teraz zauważyła, że w aneksie kuchennym tuż przy lodówce pojawiły się dwie małe miseczki. Łukasz potrafił zadbać o to, by zwierzak poczuł się dobrze w nowym domu. Kolejny raz dotarło do niej, że nie znała jeszcze wielu jego twarzy. Ale pewność, że miał ich wiele, miała chyba nawet wtedy, gdy nie znali się wcale. Łukasz był skomplikowanym człowiekiem, bardzo skrytym facetem. Takim, który serce ma na dłoni, tyle że tę dłoń mocno chowa przed innymi.

– Kici, kici... – przywołała do siebie Łyżeczkę.

Kotka w nowym domu czuła się doskonale. Pojawiała się przy jej nogach na chwilę, po czym znikała. Podchodziła do miseczki i piła z niej, znów odbiegała, po czym znów znikała gdzieś z zasięgu jej wzroku. Zaraz podbiegała, po czym dawała nogę i chowała się w sąsiadującym z łazienką gabinecie Łukasza. Dziś zwykle zamknięte drzwi były uchylone. Jakby specjalnie dla Łyżeczki. By ta mogła bez ograniczeń biegać po całym mieszkaniu. Schyliła się i wzięła na ręce kotkę, która znów łasiła się u jej nóg. Łyżeczka była piękna. Jasnorude prążki na białym futrze sprawiały wrażenie czystości. Dopiero teraz zauważyła, że oczy Łyżeczki nie były po prostu błękitne. W istocie były koloru błękitu nieba, ale zaciągniętego cieniutką warstwą chmur, cieniutką jak welon panny młodej. Kotka miała maleńki trójkątny różowy nos, pod którym rysował się uśmiech pyszczka pokrytego delikatnymi wąsikami.

Poduszeczki pod łapkami miała rozkosznie ciepłe i tak miękkie, jakby uszyte z aksamitu. Zachwycona ich gładkością podniosła kotkę do góry, by przyjrzeć się tym bardzo miłym w dotyku podeszwom. Uśmiechnęła się, bo miały taki sam kolor jak nos zwierzęcia. Łyżeczka zamiauczała strachliwie. Zupełnie jakby chciała przekazać jej wiadomość, że ma lęk wysokości.

Szybko zareagowała na tę kocią histerię i odstawiła pupilkę na podłogę. Łyżeczka spadła jak to kot na cztery łapy i czmychnęła wprost w szparę prowadzącą do gabinetu swego nowego pana.

Wstała z kanapy i ruszyła śladem kotki. Jednym ruchem utorowała sobie drogę do...

To nie był gabinet Łukasza. Właśnie okazało się, że w tym domu nie miał swojego gabinetu. Pokój, do którego weszła, swym wystrojem zupełnie nie pasował do klimatu mieszkania. Zobaczywszy to, w jaki sposób był urządzony, zrozumiała i pojęła, że Łukasz mówił jej prawdę. On naprawdę nie zamierzał ukrywać przed nią faktu, że miał żonę i córkę. Patrzyła teraz na pokój jego córki. Obserwowała najmniejsze jego szczegóły, dziwiąc się temu, że jej myśl „miał żonę i córkę" tchnęła teraźniejszością. Fragment „miał córkę" był dla niej jasny. Miał ją wtedy, gdy się nie znali. Miał ją też teraz. Lecz z żoną sytuacja przedstawiała się całkiem inaczej. Nic nie było już tak proste i jasne. Sytuacja nie była już tak klarowna i jednoznaczna. Bezpiecznie jednoznaczna.

Miał ją kiedyś... A teraz...? – pomyślała, choć nie powinna. Musiała zająć myśli tym, co widziała. Pokój Antosi za dnia musiał być bardzo jasny. W połaci dachu miał aż trzy duże okna. Pod nimi stało łóżko. Ładne. Otaczające je ściany obito pikowanym materiałem. Nakryte było kolorowym patchworkiem, po którym dreptała teraz Łyżeczka, jakby nie mogąc zdecydować się, w którym jego miejscu umościć sobie miękkie i ciepłe legowisko.

Pokój był kolorowy. Nawet duży kwiat, imponujących rozmiarów kroton, stojący w kącie, tam, gdzie ściany były proste, bez skosów, miał wiele barw. Tak dużego okazu jeszcze chyba nigdy nie widziała. Spokojnie można było zaliczyć go do kategorii drzew i krzewów, a nie kwiatów. Obok niego stał stolik. Niski, ale o dużym okrągłym blacie, pod którym chowały się trzy również kolorowe zydelki o okrągłych siedziskach. Na stole stał plastikowy pojemnik, z którego wystawały kredki różnej grubości. W pokoju panował wzorowy porządek. Dwa niskie regały służyły do przechowywania zabawek i książek. Obok nich stał nie konik na biegunach, tylko drewniany, jakby wychudzony do grubości jednej deski, czerwony renifer z rogami w kolorze kawy z mlekiem. Obok renifera stał fotel bujany, z wikliny zabejcowanej na biało, w rozmiarze adekwatnym do właścicielki pokoju, był bardzo ładny. Na fotelu siedział pasujący do niego miś z różowego pluszu z małymi białymi wstawkami.

Chłonęła atmosferę tego pokoju, wiedząc doskonale, dlaczego to robi. To był pokój jej marzeń. Taki, jakiego nigdy nie posiadała. Nie miała go z wielu powodów. W jej rodzinnym domu, a raczej rodzinnym małym mieszkaniu, doczekała się swojego kąta, dopiero gdy starsze rodzeństwo wyfrunęło w świat. Poza tym rodzinny budżet przewidywał tylko tak zwane wydatki konieczne, a zbytek, na który patrzyła teraz z ogromną przyjemnością, do takich nie należał. Pastelowe, cieszące i uspokajające kolory również nie pasowały do jej domu. W jej mieszkaniu wszystko musiało być użyteczne, do bólu przeciętne i dramatycznie wieloletnie, ale mimo wszystko nie należące do kategorii antyku. Jej kąty od lat wyglądały tak samo. Szaroburo, smutno i staro. Westchnęła, czując zazdrość, choć starała się zgodnie ze wskazówkami ciotki Marianny już nigdy nie zazdrościć. Ale czym była zazdrość o kolory i sprzęty, które chłonęła teraz wzrokiem, w porównaniu z tą, którą poczuła właśnie w tej chwili. Nad jednym z regałów wisiało zdjęcie. Duże, w śmiesznej ramce, której biały plastik był stylizowany na obramowanie starodawnego owalnego lustra. Na fotografii z daleka można było zobaczyć trzy uśmiechy. Męski, dziecięcy i damski. Mogła podejść bliżej, by zobaczyć wyraźniej roześmiane oczy tej rodziny, w której, jeśli wierzyć słowom Łukasza, dobrze się nie działo. Oczywiście nie potrafiła postawić kroku naprzód, by nie stracić wiary w słowa Łukasza. Nie musiała robić tego kroku, by wiedzieć, że startowała do tego nowego życia ze straconej pozycji. Udawała przed sobą, choć wiedziała, że miała już niczego nie udawać. Wycofała się z pokoju, by nie zbudzić kota. Ten pokój był w tym mieszkaniu nawet wtedy, gdy znalazła się tu pierwszy raz i kiedy pierwszy raz kochała się z Łukaszem.

Przymknęła jego drzwi, zostawiwszy je tak samo uchylone, jak je zastała. Weszła do łazienki, by umyć ręce. Tu również zauważyła nowy element. W pobliżu toalety stała mała, jasna, pasująca kolorem do wystroju łazienki kuweta wypełniona drobnym żwirkiem.

Pomyślał o wszystkim – przeszła jej przez głowę myśl o tym, że Łukasz naprawdę myślał o wszystkim. Zaczęła się nawet zastanawiać nad tym, czy gdyby to ona poprosiła go o to, by przygarnął ją do siebie, to też zachowałby się tak jak w przypadku Łyżeczki. Jednak wiedziała, że na razie nie będzie miała okazji się o tym przekonać.

Nie za dużo odwagi naraz! – ostudziła swój zapał w myślach, ponieważ wiedziała, że co za dużo, to niezdrowo. Zarówno dzisiaj, jak i ostatnimi czasy zobaczyła, że jest w stanie zrobić wiele, by nie zboczyć z drogi, którą wybrała. Ale gdyby na przykład Łukasz sam wpadł na pomysł, żeby ją przygarnąć, to i tak nie byłaby gotowa na to, by rozważyć tę propozycję, a co dopiero na nią przystać. Tak sobie dywagowała. Dość spokojnie. Ale nie zmieniało to faktu, że i tak wiedziała, co ją czeka w domu. Czekał ją trudny czas. Akurat to nie ulegało wątpliwości. Dzięki Bogu, przynajmniej z egzaminami czyhającymi na nią w sesji letniej nie zapowiadały się żadne problemy. Najprawdopodobniej...

Marne pocieszenie! – pomyślała.

Obawiała się jutra. Miała tak często. Właśnie zdawała sobie powoli sprawę, że wcale nie bała się swego życia. Najczęściej obawą przejmowała ją reakcja mamy. Ale cóż, skoro się powiedziało „a", to... To musiał, po prostu musiał nastąpić ciąg dalszy. Skoro zaserwowała dziś mamie „odrobinę" emocji, to teraz była mamy kolej. Mama też mogła jej teraz zaserwować „krztynę"... No właśnie, czego? Tak się składało, że zupełnie nie chciało jej się głowić nad tym, jaki ciąg dalszy nastąpi.

Jakoś to będzie... – cudownie odezwał się w niej zawsze mocno ją wspierający głos ciotki Marianny. Dziś też przygotowywał ją na bardzo prawdopodobną możliwość zwołania w rzeczonej sprawie sądu rodzinnego. Zwołano go oczywiście w trybie nadzwyczajnym. O decydujący głos, już miała taką pewność, będą się w nim na pewno spierać mama z ciotką Klarą. Nad tym, jaki zapadnie wyrok, nie musiała zastanawiać się ani chwili.

Taki jak zawsze! Bez zaskoczeń i nowości – stwierdziła w myślach z przekąsem.

Naprawdę nie musiała się głowić. Wyroki w jej sprawach były zawsze takie same, surowe i nie biorące pod uwagę żadnych okoliczności łagodzących. Pewnie dlatego poczuła się samotna. Dramatycznie samotna. W środku nocy. Jak bezdomna. W domu, z którego dziś po prostu uciekła, pewnie nie czekało ją nic dobrego. Przynajmniej nie w najbliższym czasie. A tu, gdzie miała ochotę przeczekać chociaż krótkie chwile gorszych czasów, okazało się, że...

Do domu... – nieśmiało sugerowały jej myśli. Robiły to pewnie dlatego, że jednak nie ma to jak w domu... Choćby nie wiem co... Łukasza nadal nie było. Nie wiedziała, kiedy wróci. On też tego nie wiedział. Bez niego czuła się tu trochę nieswojo. Wiedziała, że jednym z najbardziej oczekiwanych tu gości z pewnością była Antosia. Może pojawiała się tu z mamą...

Musiała iść sobie stąd. Chyba nie miała wyjścia. Ciotka Marianna mówiła, że zawsze jest wyjście. Miała oczywiście rację. Tym razem też było. Przez drzwi. Po prostu. Zaglądnęła do torby. Od razu natknęła się w niej na niedojedzoną kanapkę zawiniętą w zmaltretowaną do ostatka folię aluminiową. Nie mogła znaleźć tego, czego szukała. Zniecierpliwiona podeszła do stołu. Nie było na nim wzorowego porządku jak wtedy, gdy była tu pierwszy raz. Zerknęła do kubka, z którego dobiegał przyjemny aromat niedopitej herbaty. Zielona miętowa. Obok kubka leżała książka. Gruba, otwarta gdzieś w połowie. Było zbyt ciemno, by mogła cokolwiek w niej przeczytać. W miejscu tekstu widziała tylko cienkie czarne proste linie. Obok książki położyła swoją torbę. To był dobry pomysł, bo od razu znalazła w niej klucz, który podarował jej Łukasz. Wtedy pomyślała, że będzie korzystała z niego w zgoła innych okolicznościach.

Wyobrażała sobie wszystko jakoś inaczej. Że przyjdzie tu. Zaskoczy go, na przykład kolacją przygotowaną zupełnie bez okazji. Albo że wpadnie tu i coś mu ugotuje, a gdy on wróci zmęczony ze szpitala, zastanie potrawę niespodziankę na kuchence. Później, gdy będzie wyjmował talerz z szuflady, zobaczy na nim karteczkę z napisem: „Smacznego. Kocham Cię". Miała mnóstwo pomysłów związanych z tym kluczem. Nie rozstawała się z nim od chwili, kiedy go dostała. Nawet wtedy, gdy leżała w łóżku, nie wiedząc, jaki jest dzień. Czy ten, w którym powinna iść do szpitala? Czy ten, kiedy powinna pomagać Neli w sprzątaniu? Czy ten, w którym powinna obierać ziemniaki na rodzinny obiad? Wtedy nie wiedziała nic, ale ten klucz miała zawsze przy sobie. Pod poduszką. Albo w dłoni. Mimo że uwierał nieprzyjemnie. Trzymała go przy sobie, jakby to on miał jej pomóc. Żadnej innej pomocy przyjąć nie chciała. Opowiedziała o tym tylko Maxowi. Nie zdziwiło go to wcale. Ale Maxa nie dziwiło nic. Dlatego tak bardzo nadawał się do trudnych rozmów. Nic go nie dziwiło i niczego nie oceniał. Słuchał i wskazywał rozwiązania. Subtelnie na nie naprowadzał. Stwierdził nawet, że ten przedmiot-symbol był dla niej czymś w rodzaju przepustki do nowego innego życia. Czy lepszego? Nie wiedziała.

Chociaż gdy trzymała w dłoni klucz, czuła, że tak mocno, jak go ściska, tak skutecznie traci złudzenia wynikłe z wiary w inne życie. Wiedziała, że ono też nie miało być idealne. Nie była przecież idiotką, żeby w takie wierzyć. Miała świadomość, że tam, gdzie są ludzie, tam są problemy. Pojawia się różnica między tym, co dostają, a tym, czego oczekują od życia. Taką prostą definicję problemu zapamiętała z wykładów ze swym ulubionym profesorem. Pamiętała jego donośne słowa: „I pół biedy, jeśli ludzie chociaż trochę wiedzą, czego chcą od życia! Gorzej z takimi, którzy sami nie wiedzą, czego chcą. Ci to dopiero mają problemy. Chcą wszystkiego, ale sami nie wiedzą czego. Nie potrafią zdefiniować, gdzie to wszystko się zaczyna, a gdzie kończy!".

Przycupnęła na krześle. Z kluczem w dłoni. Nie chciała się rozsiadać, bo jednak musiała wyjść. Uśmiechnęła się do siebie. Gorzko, ale przyjaźnie. Pewnie ciesząc się, że nawiązując do słów bardzo mądrego człowieka, miała z sobą tylko pół biedy. A pół biedy jest na pewno lepsze niż bieda w całości. Dokładnie wiedziała, czego chce. Chciała, by Łukasz miał inną przeszłość.

Marzenia! – stwierdziła trzeźwo w myślach.

Przeszłość bez żony i córki. Ale tu problem był jasny. Nie było absolutnie żadnych niedopowiedzeń. Żona i córka istniały, albo musiała to zaakceptować, albo mieć całą biedę, czyli życie bez Łukasza. To on był dla niej wszystkim. Przy nim chciała wszystkiego. Dla niego chciała wszystkiego. Od niego chciała wszystkiego. Zatem musiała jakoś zorganizować sobie to lepsze życie, które wcale nie musiało okazać się lepszym. Tylko innym. Z mniejszą lub większą biedą. Gdyby miała inną rodzinę... Ale rodziny się nie wybiera. Dzieci nie wybierają rodziców... A rodzice nie wybierają też dzieci. Przecież zawsze jest jakieś ale... Musiała zatem podejść rozumnie do tego, co ją czekało. Musiała stawić czoło szykanom. Nie tylko rodzinnym. Musiała przygotować się na to, że zawsze znajdą się tacy, którzy spojrzą na nią i Łukasza, gdy będą spacerowali jak tysiące innych par po ulicach miasta, i pomyślą: „Ale z ciebie głupia dziewucha!". Przez „takie właśnie dziewuchy" możliwe są „takie właśnie spacery". Już przetłumaczyła sobie, że nie może interesować jej to, co inni myślą na jej temat. Przecież znana kwestia: „co sobie ludzie pomyślą?", wywoływała u niej odruch wymiotny. Nie chciała tak żyć. Chciała kochać życie. Chciała być pomocna, i to dla wielu ludzi. Chciała pomagać. Jeżeli chciała komuś coś udowodnić, to chyba tylko Bogu, że to, jak wychowała ją mama, było dla niej ważne. A to, co jej się przytrafiło, stanowiło dla niej trudność. Pewnie, że byłoby łatwiej, gdyby sytuacja była inna. Ale na Boga! Właśnie: na Boga! Chciała udowodnić nie tylko Jemu, ale też sobie, że jest dobrym człowiekiem. To trudne zadanie. Ale była gotowa się go podjąć. Pragnęła udowodnić, że tak też można. Można na przekór temu, jak postrzegają nas inni, wierzyć, że to, co robimy, ma w sobie dobro ważniejsze od ludzkich spojrzeń, opinii, ocen, które najbardziej krzywdzące są wówczas, gdy otrzymujemy je od innych, zupełnie o to nie prosząc.

Obok torby, nad którą właśnie stanęła, bo przecież była gotowa do wyjścia, zauważyła leżący na stole plik recept. Obok niego długopis. Musiała coś napisać. Przecież nie mogła wyjść bez słowa. Choćby pisanego.

Tak się nie robi – w duchu przywołała się do porządku.

Wzięła długopis w rękę, na którą właśnie kapnęła łza. Zdziwiła się. Wydawało jej się, że jest spokojna, a myśli przewijające się przez jej głowę nic nie kosztują. Chyba było trochę inaczej. Miała namacalny dowód, że nie należy oceniać innych, bo czasami trudno jest ocenić nawet własny stan. Może chciała wypłakać wątpliwości, by ich nie mieć, ale tak się przecież nie da. Wątpliwości są zawsze. By je wyprzedzić, chwyciła długopis i na pustej recepcie napisała: „Wrócę...". Odłożyła długopis, zdając sobie sprawę, że zrobiła to za wcześnie. Chwyciła go znów i przekonując się do tego, co sobie w duszy właśnie obiecywała, dopisała szybko: „Na pewno wrócę". Żeby wrócić, musiała wyjść, by zawalczyć o ten powrót. Przy drzwiach zauważyła, że żegnała ją Łyżeczka. Musiała bardzo uważać, by kotka nie czmychnęła w ślad za nią. Odsunęła ją i zamykając drzwi, szepnęła do rudego maleństwa: „Poukładam wszystko i wrócę".

Dni to nie ludzie. Można je oceniać.

Myślała o tym, że gdyby jej się chciało, to dniowi, który się właśnie kończył, postawiłaby jedynkę, i to z wykrzyknikiem. Taką, jaką dostawała czasami z matmy w liceum. Zrobiłaby to z wielu powodów. Łukasz oczywiście nie zadzwonił, ale tego się akurat spodziewała. Sama też nie wykręciła jego numeru. Odezwała się natomiast Justyna i używając tylko zdań wykrzyknikowych, przekazała jej w krótkich i żołnierskich słowach prawdę o tym, jaką to zidiociałą kretynką jest jej młodsza siostra. Justyna pytała ją, po jaką cholerę wyspowiadała się przed matką ze swego romansu. Mogła przecież w spokoju bawić się w najlepsze, póki jej się nie znudzi, a przy okazji mieć święty spokój w domu. Justyna niczego nie rozumiała. Przynajmniej dziś nie rozumiała. Też musiała mieć nieszczególny dzień, pewnie przez mamę, bo taka agresja, jaką dziś prezentowała, nie była dla niej typowa. Na szczęście awanturę robiła zaocznie, przez telefon. Justyna miała cięty język, to fakt, ale chyba nigdy nie myślała, że do tego stopnia.

On mi się nie znudzi. Ja go kocham – przypominała sobie słowa, których użyła jako tarczy. Niestety jej nie ochroniły. Teraz wracała do domu, pięła się po schodach, ponieważ to tę drogę wybrała, by opóźnić chwilę spotkania z mamą. Rano minęły się w kuchni prawie bez słowa. Co prawda ona jak zwykle rzuciła: „dzień dobry, mamo", ale nie doczekała się odpowiedzi. Żałowała, że nie jest wężem. Gdyby nim była, mogłaby zrzucić raz na jakiś czas swą skórę i zacząć wszystko od nowa. Mogła tak sobie dywagować, ale pozostawała pokaleczona porannymi spojrzeniami mamy i popołudniowymi słowami siostry. Justyną nie przejmowała się zanadto, ponieważ nie miało to większego sensu. Po prostu siostra musiała odreagować na kimś to, co usłyszała od mamy pewnie zaraz po tym, jak przyznała się, że o „rzekomym romansie" wiedziała już od jakiegoś czasu. Jasne było, że dotkliwym rykoszetem musiała oberwać także małolata romansująca z mężczyzną sporo starszym od siebie. Proste? Proste.

Gorzej miała się sprawa z mamą. Matczyne poranne milczenie nie wróżyło niczego dobrego. Mama milczała rzadko, tylko wtedy, gdy się zacięła lub zbytnio skupiła na pewnych sprawach, tematach, zdarzeniach. Była coraz bliżej domu i wciąż zastanawiała się, dlaczego miała taką słabą konstrukcję psychiczną. Wczoraj wieczorem, chociaż wyszła z mieszkania Łukasza, miała w sobie dużo optymizmu. Naprawdę. Żywiła wiarę w to, że dobrze robi, nie dając obrócić w nicość miłości, którą odczuwała nie tylko sercem i duszą, ale całą sobą. I co? Wystarczyło jedno spojrzenie mamy, by wszystko zaprzepaścić. Optymizm wycofywał się w ukłonach przed pesymizmem.

Gdy dotarła do drzwi mieszkania, bezdech się pogłębił, gdyż nawet na klatce schodowej słyszalny był, i to całkiem wyraźnie, zgrzytliwy głos ciotki Klary.

Jeszcze tylko tej brakowało! – wyrzuciła z siebie, niestety tylko do siebie, zdenerwowaną myśl. Oczywiście miała ochotę uciec.

Tylko dokąd?

Była w kropce. Justyna? Odpadała. Łukasz? Też. Chciała pojawić się u niego w takim momencie, kiedy nie bałaby się zostać z nim już na zawsze. Nela? W przeciwieństwie do niej miała dobry humor, ponieważ na czas sesji, która rozpoczynała się już jutro, wprowadziła się do mieszkania Xawerego. W czasach przed Xawerym zdarzało im się uczyć razem. Teraz było zrozumiałe, że sesja nie zwalnia z miłości, i...

I właśnie dlatego musiała teraz wejść do domu, czując się paskudnie, ale póki co innego miejsca na świecie nie miała.

– Dzień dobry! – przywitała się od progu.

Ożywiona rozmowa ucichła natychmiast. Jak nigdy. Słyszała, że nikt z kuchni, w której znajdowało się do tej pory zaaferowane rozmową towarzystwo, nie odpowiedział na jej przywitanie. Zrzuciła z ramienia bardzo ciężką torbę i postanowiła stawić czoła wyzwaniu i spojrzeć mamie i ciotce Klarze w oczy. Wzroku tej pierwszej bała się najbardziej. Przestąpiła zatem próg kuchni i powtórzyła zlekceważone wcześniej powitanie.

– Dzień dobry.

– No ja nie wiem, czy taki dobry.

Ciotka Klara odnalazła się w trudnej sytuacji nadzwyczaj szybko. Jak zwykle nie miała z tym żadnej trudności.

Ty zwykle mało wiesz! – pomyślała złośliwie, chcąc, by to mama się do niej odezwała, a nie ciotka.

– Chyba jednak dobry, bo dostałam dziś ostatnie dwa zaliczenia i mogę przystępować do sesji.

– Najważniejsze to są życiowe egzaminy – skonstatowała dość cierpiętniczo mama.

– Mamo, proszę cię...

Głosem i wzrokiem zasugerowała mamie, że nie chce teraz rozprawiać na życiowe tematy. Nie przy ciotce Klarze, w której oczach już zagościła radość, że za chwilę będzie mogła bezkarnie uprawiać swoją ulubioną staropanieńską demagogię.

– To ja cię, dziecko, proszę...

Mama albo nie rozumiała jej niewypowiedzianej sugestii, albo po prostu zrozumieć nie chciała.

Chcesz, to masz! – pomyślała i nie otworzywszy jeszcze ust, już wiedziała, że źle robi i będzie żałować swojej szczerości. Ale nadszedł czas na szczerość, a nie na udawanie, że nic się nie dzieje. Musiała się wykazać, choćby ciotka Klara miała ją za to ukamienować. Ona lubiła jako pierwsza rzucać kamieniem.

– Ale o co mnie prosisz? – zapytała jeszcze całkiem ugodowym tonem.

– O rozsądek cię proszę. O to, żebyś nie ładowała się w związek bez przyszłości – mama grała ostro.

Jak ty tak, to ja tak! – stwierdziła w myślach buńczucznie.

– A skąd ty możesz to wiedzieć? Skąd jesteś taka pewna, że on nie ma przyszłości? – zapytała gorzko.

– Bo żyję dłużej od ciebie na tym świecie i niejedno już widziałam. Jesteś młoda, ładna, mądra.

O, proszę! Niemożliwe! A od kiedy to ja, przepraszam, taka mądra jestem?! – już się kłóciła. Na razie tylko w myślach miała odwagę stawać okoniem.

– No i mądra dziewczyna to chyba wiedzieć powinna, że jak się zadaje z mężczyzną, który żonę z dzieckiem zostawił, to z nim nic dobrego jej nie czeka – zgodnie z przewidywaniami dowaliła ciotka Klara.

Powiedziała, co wiedziała!

– To nie on zostawił żonę, tylko ona jego – spokojnie dokonała sprostowania.

Patrzyła ciotce Klarze prosto w oczy i walczyła ze sobą, by nie użyć takich słów, które zmiotą ciotkę z powierzchni ziemi.

– A to jeszcze gorzej! Żony od mężów bez przyczyny nie odchodzą!

A skąd ty to możesz wiedzieć, ty bardzo stara panno?! – wrzasnęła w myślach.

– Julka, po co ci to? Tyle starszy... Jeszcze to dziecko... – mama w przeciwieństwie do ciotki Klary chyba wstrzymywała się z atakiem. Może nie chciała jej wystraszyć... Albo próbowała ją wziąć na litość. Takie podejście nie było dla niej typowe, ale i sytuacja, w której się znalazły, do typowych nie należała.

– I co ja mam na to poradzić? – zapytała, prosząc tym pytaniem nie o zrozumienie, tylko o zlitowanie. – Zakochałam się. On jest naprawdę bardzo dobrym człowiekiem. Nie potrafię skreślić go dlatego, że miał żonę.

– Dziecko, ale on ją wciąż ma. Dla Boga to ona wciąż jest jego, a on jej, i żebyś nie wiem co robiła, tego nie zmienisz.

– Mamo, ja już nie jestem dzieckiem – nawiązała do początku wypowiedzi mamy.

Z całą resztą poglądów mamy też nie miała sił się teraz spierać. Ani teraz, ani zaraz, ani później, ani w ogóle nigdy, ponieważ tę trudną decyzję podejmowała sama. Nie potrzebowała wcale matczynego tłumaczenia swej niełatwej sytuacji. Rozumiała ją nadzwyczaj dobrze.

– A kim on w ogóle jest? Gdzieś ty go spotkała? Gdzie ci się napatoczył tylko po to, by nam tu wszystko zepsuć? – ciotka Klara wyrzucała z siebie pytania jak wyrzutnia.

Jakim „nam”?! – zapytała w duchu, zupełnie nie dziwiąc się wścibstwu ciotki, gdyż ta zawsze musiała wiedzieć więcej od innych i więcej, niż było to konieczne.

– Spotkałam go w szpitalu – tłumaczyła dość grzecznie, nie bacząc na katastrofalny stan swoich nerwów pod nieprzychylnym spojrzeniem kobiet wsłuchanych teraz w jej słowa. – Jest lekarzem. Ordynatorem oddziału, na którym jestem wolontariuszką.

W oczach mamy zauważyła zawahanie. Wiedziała, że mama od zawsze darzyła zawód lekarza ogromnym szacunkiem. Krzychowi właśnie z racji wykonywanego zawodu łatwiej było wejść do rodziny.

– Lekarzem? – zapytała jednak, jakby nie dowierzając, że lekarz, w dodatku ordynator oddziału, mógłby zainteresować się jej córką, dzieckiem jeszcze.

– Tak, mamo – potwierdziła z satysfakcją. – Jest doskonałym lekarzem i bardzo dobrym człowiekiem. I czy ci się to podoba, czy nie, zamierzam z nim... – na moment zawiesiła głos.

Nie wiedziała, w jaki sposób dokończyć rozpoczęte zdanie. Czy powiedzieć po prostu „być", czy „związać się", czy „przeżyć życie, choćby po nim czekało mnie wszystko, co najgorsze"? Mama wpatrywała się w nią bez słów. Chyba czekała na coś, co przekonałoby ją do radykalnych wyborów córki.

Widząc wzrok mamy, zdała sobie sprawę, że musi coś powiedzieć, bo ciotka Klara już otwierała usta. Chciała ją ubiec.

– Mamo, ja nie chcę, nie mogę pozwolić na to, by stracić tę miłość. Nie chcę żyć bez niego. Nie chcę, żeby ta miłość zniszczyła mi życie. Miłość przecież nie powinna niszczyć życia, tylko je budować. Nie spotkałam jeszcze takiego mężczyzny jak on. Poza tym mam już dwadzieścia trzy lata. Już, a nie dopiero dwadzieścia trzy. Przecież sama często powtarzasz, że niektóre dziewczyny w moim wieku mają już mężów i dzieci.

– I co? Jeszcze mi powiedz, że zamierzasz mieć z nim dzieci!

Spokój mamy właśnie się wyczerpał. Niestety. A ciotka Klara, jak to ona, postanowiła wszystkim tu zebranym podnieść ciśnienie jeszcze bardziej.

– To może on już ci jakiegoś bękarta zmalował, dlatego tak nagle się matce do wszystkiego przyznajesz!

A nawet gdyby?! – nie musiała długo myśleć, by przekuć swe myśli w słowa.

– A nawet gdyby? – zagrała *va banque*.

– Julka! Bój się Boga! – mama przywoływała ją do rozsądku. Miała przed sobą matczyne oczy, które patrzyły tak, jakby doskonale wiedziały, że na rozsądek jest już o wiele za późno.

– Posłuchaj mnie, Julio! – ciotka Klara zaintonowała tonem doskonale nadającym się na kościelną ambonę. – Mam ci coś do powiedzenia, moja droga panno!

– Nie mam zamiaru cię słuchać! – odważnie podniosła głos.

– Julka! – mama właśnie hamowała jej odwagę.

I właśnie to doprowadziło ją do szału. Ciotka nie miała prawa jej pouczać. Kobieta, która w swoim życiu nie zbudowała żadnej realnej więzi z mężczyzną, nie miała najmniejszego prawa, by ją strofować. Nie znosiła, gdy ciotka Klara udawała, że spieszy ze złotymi radami, tak naprawdę wchodząc z buciorami w życie innych.

– Dlaczego jej na to pozwalasz? – skierowała swoje rozgoryczenie w stronę mamy. – Dlaczego pozwalasz jej przez całe życie mieszać się do wszystkiego? Nie muszę słuchać niczego, co ma mi do powiedzenia. Nie będę słuchała kogoś, kto w życiu się nie zakochał!

– Julka! – tym razem mama miała ochotę nie tyle wystraszyć ją swym krzykiem, ile wzrokiem nakazać natychmiastowe milczenie.

O nie! Ja wam pokażę! – pomyślała odważnie.

Nie bała się ani tonu, ani wzroku mamy. Niczego się nie bała. Miała zamiar przystąpić w końcu do generalnych porządków rodzinnych i odkurzyć zasady panujące w tym domu.

– Dlaczego to zawsze jej słuchasz? Nigdy nikogo innego. Teraz to mnie powinnaś posłuchać. Powinnaś postarać się mnie zrozumieć. Ale ty oczywiście wolisz trząść się nad ciotką, która potrafi tylko zalewać nas swoimi żalami!

Patrzyła na mamę i czuła, jak mówiąc to wszystko, zaczyna uwalniać się od goryczy noszonej w sobie przez lata. Z pewnością to nie był dobry moment na załatwianie przykrych spraw, które ciągnęły się w ich rodzinie od zawsze. Mogła nie wymiatać teraz spod dywanu wszystkich grzechów popełnionych przez ciotkę Klarę, ale na takie emocjonalne porządki nigdy nie ma dobrego momentu. Czasem trzeba załatwić to od razu, choćby przy okazji roztrząsania całkiem innych tematów. Poza tym wszystkim pragnęła, żeby mama chociaż raz wsłuchała się w jej głos. Chciała pozostać niezagłuszona przez ciotkę Klarę. Ten jeden raz musiała powiedzieć, co tak naprawdę myśli, ponieważ gra toczyła się o wielką stawkę. Na początku nie wiedziała, dokąd zmierza ta rozmowa. Później myślała, że będzie chodziło w niej przede wszystkim o Łukasza. A w tej chwili czuła już bardzo wyraźnie, że walczy o siebie. O swoje prawo do wolności uczuć i do wolności życiowej. Miała już dość życiowych hamulców. Dość blokad tworzonych przez brak zwykłej ludzkiej życzliwości. Po dziurki w nosie miała ludzi, którzy wiedzą lepiej. Nie mogła pozwolić, by ktokolwiek zamieniał jej życie w niewolę, w egzystowanie bez miłości. Nikt nie miał do tego prawa. Ani mama, ani ciotka. Nikt.

Wystarczyło, że ciotka ćwiczyła przez całe życie mamę. Tresowała jak laboratoryjnego szczura. Ale była dużo gorsza od behawioralnych inżynierów, ponieważ ci za właściwe zachowania umieli nagradzać, by zapewnić powtarzalność. Dramat mamy polegał na tym, że ciotka ją tresowała, a to mama przy każdej nadarzającej się okazji dawała ciotce liczne nagrody. Karmiła, sprzątała, często nawet prała, woziła po lekarzach. Była nie tylko na każde zawołanie, ale też na każde westchnięcie. Pozostawała dyspozycyjna i gotowa pomagać nawet wtedy, gdy ciotka miewała fanaberie i wymyślała cuda-wianki.

– Pięknie! Ależ pięknie córeczkę wychowałaś! – ciotka mówiła łamiącym się głosem.

Na szczęście aktorką była beznadziejną, więc jej występ nie robił na niej żadnego wrażenia. Z mamą było na pewno dużo gorzej.

– Doczekałam się! Dwadzieścia lat bez przerwy: „tak, ciociu", „dobrze, ciociu", „jak sobie życzysz, ciociu", a teraz co?!

A teraz koniec z tym! – wrzasnęła w myślach, ciesząc się, że dzięki Bogu ciotka wycelowała swą agresję nie na mamę, ale na nią. Na przykładzie ciotki mogłaby na egzaminie, który był już tuż-tuż, omówić i scharakteryzować agresję reaktywną, czyli taką, której jedynym celem jest ranienie i krzywdzenie. Ciotka nie przejawiała zachowania typowego dla agresji proaktywnej, ponieważ swą agresją nigdy nie chciała uzyskać w zamian niczego konkretnego. Niczego poza zranieniem drugiej osoby. Działania ciotki były bardzo destrukcyjne wobec rodziny. Ciotka stanowiła niezwykle skomplikowany przypadek, który przysporzyłby trudności nawet najlepszym psychologom. Jej postępowanie, podszyte po prostu złem i życiowym zgorzknieniem, robiło z niej doskonałego podjudzacza i jeszcze lepszego prześladowcę. A żeby dopełnić jej rysopisu, nie można przemilczeć tego, że zawsze na koniec to właśnie ona stawała się ofiarą. Niezrozumianą, niedocenioną, ciemiężoną i wykorzystaną oraz oczywiście potraktowaną niesprawiedliwie.

Patrzyła teraz w świdrujące oczy ciotki i zastanawiała się, co zrobić. Czy dołożyć jej, nie zważając na jej wiek i wszystkie niesprzyjające okoliczności, a także koligacje rodzinne? Czy zignorować, wyjść, uciec...? Tylko że tym razem już naprawdę nie miała dokąd. Wzrok ciotki był gotowy odeprzeć atak, który właśnie bardzo poważnie rozważała, ale niestety gdzieś w klatce piersiowej, blisko serca, czuła ukłucia matczynych spojrzeń. Mama raniła ją dotkliwie swoim wzrokiem, jakby nie dostrzegając krzywdy, którą jej tym wyrządzała. Znów, tak jak wczoraj, poczuła się samotna. Nikt nie chciał jej pomóc. Łukasz nie miał czasu. Mama ochoty. Nela nie wiedziała o niczym, co się ostatnio działo. Nikt inny nie przychodził jej teraz do głowy. Nikt, kto mógłby jej pomóc, kto wziąłby ją w obronę, wsparł na duchu. Musiała się jak zwykle bronić sama. Otworzyła usta, by to zrobić, ale zabrakło jej sił. Może i dobrze, bo i tak nie miała szansy nic powiedzieć, ponieważ teraz mama ruszyła do ataku.

– Ani słowa więcej! – wrzasnęła. – Ostrzegam cię, lepiej już nic nie mów, bo gorzko tego pożałujesz. A ciotkę natychmiast przeproś!

Niedoczekanie! – wrzasnęła w myślach i... opadła z sił. Całkowicie. Była sama. Zraniona. Miała w sobie już tylko żal, który obciążał jej serce jak głaz ramiona Syzyfa. Wszystko straciło sens. Życie z Łukaszem i harmonia rodzinna wykluczały się zupełnie. Musiała usiąść. Zrobiła to natychmiast. Usiadła tu, gdzie stała. Wbiła wzrok w podłogę, ponieważ nie chciała nikogo widzieć. Chęć do walki, której miała jeszcze niedawno dużo, gdzieś wyparowała. Wolała nie myśleć o tym, że ktoś może widzieć jej słabość, upadek i płacz. Łzy kapały jej na splecione przed sobą dłonie jak kryształowe grochy. Odgłos pękającego serca ranił jej uszy, chociaż w kuchni zapadła cisza.

I dlaczego nic nie mówicie? – załamana skierowała pytanie do wszechwiedzących członków rodziny.

Ależ mówcie. Pozwalam wam. Wygadajcie się za wszystkie czasy. Powiedzcie mi to, co chodzi wam po głowach. Orzeknijcie, że pobawi się mną, a później ciśnie w kąt jak niepotrzebną rzecz. Powiedzcie, że powinnam zapomnieć o nim i poszukać sobie kogoś, kto spodoba się w pierwszej kolejności wam. Poradźcie mi, co powinnam zrobić, by wieść tak udane życie jak wasze. Podsuńcie mi w końcu coś tak mądrego, żebym mogła was posłuchać – tłoczące się w głowie myśli sprawiały, że z napięcia zdrętwiała. Niestety było jak zwykle w życiu. Gdy nie prosisz o radę, każdy ma coś do powiedzenia. A innym razem, kiedy życie dosłownie łamie ci kręgosłup i chciałbyś, by ktoś wsparł cię mądrym słowem, by powiedział coś, co pomoże, pokrzepi, otacza cię głucha cisza...

Siedziała na podłodze i nie mogła się zdecydować, czy to życie jest takie beznadziejne, czy to ona jest beznadziejna.

– Co się stało?

Usłyszała głos. Dochodził zza jej pleców. Był miły. Dlatego pomyślała, że musiał pochodzić z zaświatów. Przecież na tym świecie nie miała przyjaznej duszy ani nikogo, komu przyszłoby do głowy stanąć w tej chwili po jej stronie.

– Juleczko? Co się stało?

Poczuła na ramieniu dłoń ciotki Marianny. Pod wpływem tego dotyku wszystko w niej runęło. Czuła, że rozpada się w drobny mak, niczym rozbita szyba, na tysiąc kawałeczków.

– Co jej zrobiłyście?!

Gdyby nie to, że czuła na sobie dotyk ciotki Marianny, to nie uwierzyłaby, że taki zdecydowany i donośny głos może należeć właśnie do niej.

– Co my jej zrobiłyśmy?!

Ciotka Klara z miejsca przystąpiła do ataku i odgrywając rolę podjudzacza, przygotowywała podatny grunt, by zaraz zrobić z siebie ofiarę.

– Ty lepiej ją zapytaj, kiedy zamierza przestać dręczyć matkę swymi występami! Zapytaj ją, z kim się związała, żeby matkę do grobu wpędzić?!

– Cicho bądź! – ciotka Marianna wrzasnęła imponująco.

– Proszę was, uspokójcie się... – zaczęła mama, ale tak nieudolnie próbowała przywrócić spokój, że jej słowa i tak na nic się zdały.

– Zabieram ją do siebie – stanowczym tonem stwierdziła ciotka Marianna. – A wy – zamilkła na moment, spoglądając z odrazą na swoje siostry – albo zagryźcie się w końcu między sobą, albo wygarnijcie sobie wszystko raz a dobrze i przestańcie w końcu udawać! Przestańcie wyżywać się, na kim popadnie, bo dalej tak się nie da żyć! A jej – teraz ciotka spojrzała na nią z miłością – w głowie nie mieszajcie, bo ma swój rozum. Lepszy niż wasze dwa razem wzięte! – krzyknęła na koniec ciotka Marianna, po czym zamilkła i potrząsnęła nią. Mocno i zdecydowanie. Nie podejrzewała ciotki o taką siłę, nie tylko fizyczną, ale też taką siłę przebicia. Jednak to jeszcze chyba nie był koniec. Już stała obok ciotki, a raczej skryła się w jej ramionach, ale Marianna miała jeszcze coś do dodania. – I nie ważcie się mieszać do życia Julki, skoro od tylu lat nie potraficie uporządkować własnego! Chodź, Juleczko... Będziesz spała u mnie. A one niech tu się gryzą! Ciebie zagryźć nie pozwolę!

Ciotka pokierowała ją jednym zdecydowanym ruchem ramienia. Podała jej jakiś sweter, a ona posłusznie nałożyła go na siebie, nie wierząc w to, co się działo. W kuchni zapadła cisza. Gdy Marianna otworzyła przed nią drzwi, chciała rzucić się jej do stóp, by podziękować za to, co zrobiła. Nie rozumiała wiele z tego, co właśnie zostało wypowiedziane. Rozumiała tylko, że dzisiaj wydarzyło się coś bardzo ważnego, ponieważ nie tylko ona przerwała swe milczenie. Ciotka Marianna zrobiła to samo. Jeśli ciotka była choć w połowie tak zmęczona jak ona, to współczuła jej z całego serca. Współczuła jej i darzyła ją szczerym uczuciem. Zawsze bardzo ją kochała, ale dziś zastanawiała się, czy nie bardziej niż mamę. Zachodziła nad tym w głowę, ponieważ to ciotka zachowała się jak matka. Wzięła ją w obronę. Jak kochająca matka bezbronne dziecko. Tak się właśnie dziś czuła. To był dziwny dzień. Była w nim zarówno silna, jak i słaba. Zdecydowana i zagubiona.

Pewna swego i błądząca. To był naprawdę pokręcony dzień. Dziwaczny, ale potrzebny.

Gdy stanęły już za progiem, mama udaremniła ciotce zamknięcie drzwi.

– Proszę cię – szeptała do ciotki – niczego jej nie mów. To nie ma sensu. Nie teraz. Nie przy tej okazji.

Nie rozumiała, o czym mówiła mama i o czym ciotka, dlatego zaczęła się bać. Nie wiedziała nawet czego. To było straszne.

– Sensu nie ma to wasze zachowanie! – ciotka nie zamierzała spuścić z tonu. – Ona jest już dorosła i niech sobie układa życie, jak chce. Dajcie jej spokój!

Zarówno mama, jak i ciotka Marianna zachowywały się tak, jakby jak najszybciej chciały pozbyć się teraz ciężaru, który nie pozwalał im z jakiegoś tajemniczego powodu żyć normalnie.

Stała na klatce schodowej i trzęsła się z zimna. Zmarzła, chociaż przecież chłodno nie było. Trzęsła się z emocji, których miała w sobie mnóstwo. Było jej wszystko jedno. Zupełnie nie miała zamiaru usiłować odnaleźć się w sytuacji, w której się znalazła. Chciała się tylko położyć w jakimś spokojnym miejscu i zapomnieć o wszystkim. Tylko o miłości nie chciała zapominać. Pragnęła ją mieć w swoim życiu. Bardzo chciała być zadowolona z siebie. I nie uciekać przed niczym. Już wiedziała, że układanie własnego życia pod dyktando innych nie popłaca. Wiedziała, że żyć trzeba tylko własnym życiem. Nie cudzym. Życie innych należy zauważać, by żyć mądrze i nie uciekać od swego. Takie ucieczki się nie opłacają. Z miłością jest tak samo. Nie można od niej uciec, ponieważ nie można ukryć się przed czymś, co ma się w sobie. A ucieczka od siebie to dezercja najbardziej katastrofalna w skutkach. O takiej nawet nie chciała myśleć. Bała się. Tak bardzo się bała.

– Chodź, Juleczko.

Ciotka pociągnęła ją za sobą w kierunku windy. Choć głos miała bardzo zdecydowany, to dotyk wciąż delikatny.

– Proszę cię... – usłyszała jeszcze głos mamy.

Wiedziała, że był skierowany tylko do ciotki. Nie do niej. Zupełnie tak, jakby jej już tu nie było. Była niewidoczna jak powietrze.

– Jeszcze mi podziękujesz! – odpowiedziała ciotka już z windy, w której powoli zamykały się drzwi.

Nie wiedziała, o co chodzi. Nie chciała wiedzieć. Mało ją obchodziły tajemnice mamy i ciotek. Popatrzyła na ciotkę Mariannę, chcąc podziękować, że ją stamtąd zabrała. Ciotka też spojrzała jej prosto w oczy ze spokojnym uśmiechem na twarzy.

– Bądź spokojna. Nerwy w ogóle tu nie pomogą. Niczym się nie martw. Wszystko będzie dobrze.

Kocham cię, ciociu – pomyślała, nie znajdując sił na słowa.

– Dobrze, już dobrze. Chodź...

Ciotka przytuliła ją. Mocno. Zrobiła dokładnie to, czego najbardziej teraz potrzebowała. Zatem powtórzyła w myślach to, czego znów nie udało jej się powiedzieć.

Kocham cię, ciociu... Tak bardzo...

Zbudził ją deszcz, którego nie mogła zobaczyć, ponieważ na zewnątrz było ciemno, ale słyszała dźwięk spadających kropli. Bolało ją ciało, wciąż pamiętające rany zadane przez wieczorne przeżycia. Nie wiedziała, która może być godzina, ale do rana zostało jeszcze z pewnością sporo czasu, ponieważ wciąż czuła się bardzo zmęczona. Docierało do niej ledwo słyszalne pochrapywanie ciotki Marianny z pokoju obok. Była niezwykle wdzięczna ciotce za to, że pojawiła się dokładnie w momencie, w którym ona straciła wiarę w dobre i przyjazne dusze. Teraz miała pustkę w głowie, ale nie bała się jej, ponieważ to nie była taka matnia, której należało się obawiać. Wiedziała, że jeszcze chwila i myśli zaczną napływać. Nie wiadomo skąd. Tak też się stało. Nie dziwiło jej, że przemyślenia, które w sobie zaczynała odnajdywać, zupełnie nie różniły się od nie odstępujących jej na krok uczuć. Były takie same. To znaczy i dobre, i złe. Kumulowała je w sobie. Poniekąd miała świadomość, że to zjawisko naturalne.

Wieczorem w domu, gdy zaplątała się w sieć zarzuconą przez mamę i ciotkę Klarę, chciała się wyzbyć wszystkiego, co czuła. Teraz było inaczej. Docierało do niej, że to dzięki sprzecznościom, które odczuwała, jej życie w końcu mogło nabrać głębi. W końcu pojawiła się szansa, by jej kontakty z innymi stawały się pełniejsze i bardziej wartościowe. Dziś, inaczej niż jeszcze niedawno, miała świadomość, że nie powinna ignorować swych emocji. Nie może się ich bać, tylko zacząć próbować sobie z nimi radzić. Najłatwiejsze wydawało jej się teraz, zwłaszcza w obliczu sesji, skoncentrowanie się na obowiązkach, bo wiedziała, do czego ją to zaprowadzi. Taka koncentracja była doskonałym sposobem, by zapomnieć o bałaganie w swych emocjach. Jednak obranie takiej drogi jej chyba nie groziło. I chwała Panu! Przecież nie lubiła wybierać najłatwiejszych rozwiązań. To, do czego doszło między nią a Łukaszem, było najlepszym dowodem, że łatwa ścieżka jej nie interesuje. Aktualnie nie potrafiła stwierdzić, czy sama tę drogę wybrała, czy zadecydował za nią los. Ale właśnie teraz miała pewność, że jest to wybór dla niej. Rozumiała, że poziom trudności wytyczonego szlaku powinna wyznaczać sobie sama. Już wiedziała, że moment wyboru jest z pewnością dużo trudniejszy niż samo pokonywanie drogi. Przynajmniej tak było w jej przypadku.

Nie domyślała się, kiedy to się stało, ale dojrzała do świadomości, że nadszedł w jej życiu czas, by zaufać kierunkowi, który obrała. Pragnęła zaufać też uczuciom i sobie. Przede wszystkim sobie. A zaufać sobie to znaczy wierzyć w siebie nawet wtedy, gdy szlak okazuje się niełatwy, wręcz trudny. Już wiedziała, że była gotowa go pokonać. Od pierwszego pocałunku z Łukaszem. To on był jej azymutem i to dzięki niemu mogła w końcu uwierzyć w siebie i swoje możliwości. Uśmiechnęła się, wciąż słysząc łagodne dzwonienie deszczu o szyby. Powoli krople stawały się widoczne, ponieważ noc również pokonywała drogę i zaczynała obierać stronę dnia.

Głowa ją trochę bolała, ale nie to było teraz ważne. Z bólem radziła sobie dużo lepiej niż z niepewnością. Każda niewiadoma potęgowała stres. A stresu w ostatnim czasie miała powyżej uszu, które złowiły właśnie jakiś dźwięk dobiegający z pokoju ciotki Marianny. Potrzebowała dłuższej chwili, by przestać się wsłuchiwać we własne myśli, a skupić na tym, co o tak wczesnej porze mogła robić ciotka. Wytężenie słuchu dość szybko przyniosło odpowiedź. Ciotka Marianna się modliła. Cicho i śpiewnie. Na pewno na różańcu, gdyż refren tworzący przyjemną dla ucha melodię składał się ze słów modlitwy *Zdrowaś, Maryjo*. Nie do końca świadomie przyłączyła się do modlitwy ciotki. Tylko w myślach. Powtarzała za ciotką przewidywalne i uspokajające słowa.

Pomyślała, że pomimo wszystkich przykrości, które spotkały ją poprzedniego wieczoru, udało jej się wyspać. To pewnie dlatego ciągłe powtarzanie tych samych słów wcale jej nie usypiało, tylko sprawiało przyjemność i radość. Gdy razem z ciotką wypowiedziały w tym samym momencie ostatni wers modlitwy, poczuła się gotowa do życia. Nie tylko gotowa, była też pełna energii i optymizmu. Gdyby wczoraj wieczorem ktoś powiedział jej, że właśnie tak poczuje się rano, nie uwierzyłaby. A nie mogłaby go nawet wyśmiać, bo ochoty na śmiech, a nawet na uśmiech, wcale wtedy nie miała.

A teraz jakby nigdy nic uśmiechnęła się, bo w pokoju było już całkiem jasno. Ciemność odeszła w niepamięć, a słońce zacierało na szybach ślady, które pozostały po smugach deszczu.

Niech to będzie dobry dzień... Proszę... – pomyślała, poprosiła, a może się pomodliła... Usiadła na łóżku. Wsłuchiwała się w poranną krzątaninę ciotki, która z pewnością powtarzała się codziennie. Z szelestów, delikatnych stukotów i innych kuchennych odgłosów do pokoju, w którym spędziła noc, docierała radość. Była to radość ciotki, o której ta nigdy nie opowiadała, a i tak potrafiła się nią dzielić ze światem.

Uśmiechnęła się i wróciła myślami do wczorajszego wieczoru, kiedy to zachowanie ciotki Klary było takie jak zwykle, zachowanie mamy trochę inne niż zwykle, a zachowanie ciotki Marianny przerosło jej najodważniejsze oczekiwania. Ciotka bowiem udowodniła wczoraj, że jeśli pojawia się taka potrzeba, to potrafi być stanowcza i dzielić się swymi myślami ze wszystkimi wokół w sposób zdecydowany, jednoznaczny, nie zostawiając miejsca na domysły.

– Już nie śpisz? – usłyszała zdziwiony głos ciotki.

Dziś jej głos był taki jak zwykle, czyli brzmiał bardzo spokojnie.

– Dzień dobry, ciociu, właśnie się obudziłam – odpowiedziała, przeinaczając lekko rzeczywistość.

– Jakie masz dziś plany? Musisz się spieszyć czy nie?

– A która jest godzina? – zapytała, udając ziewnięcie, które miało uwiarygodnić jej niedawne przebudzenie.

– Minut kilka po szóstej – odpowiedziała ciotka dość zabawnym szykiem słów.

– To nie muszę się spieszyć, bo egzamin mam dopiero w samo południe – uśmiechnęła się.

– *W samo południe*... Ale lubię ten film... – zamyśliła się radośnie ciotka, wspominając pewnie kadry westernu lub jego ścieżkę dźwiękową. – To może jeszcze się prześpisz? – zaproponowała.

– Nie, ciociu, wyspałam się, poza tym bardzo chce mi się pić.

– Kawa czy herbata? – zapytała od razu ciotka.

– Kawa – poprosiła, przeciągając się.

Ciotka już była w kuchni, a kawa w przygotowaniu.

– Bardzo proszę, kawa z mlekiem! Z odrobiną cukru, bo jak wiadomo, cukier krzepi! – ciotka zaoferowała jej kawę w bardzo zachęcający sposób, choć zrobiła to z kuchni. Dla Marianny i słodkiej kawy warto było wyrwać się z ciepłych pieleszy. Zrobiła to inaczej niż w domu. Bez żalu. Za sekundę była już w kuchni.

– Jeszcze raz dzień dobry, ciociu – przywitała się powtórnie i zajęła miejsce na wygodnym krześle.

Przy kuchennym stole stały dwa krzesła. Zawsze, nie tylko dziś. Mieszkanie ciotki w niczym nie przypominało czterech ścian żadnej z jej sióstr. U ciotki Klary wszystko było jakieś takie byle jakie, ponieważ właścicielka zupełnie nie przywiązywała wagi do tego, w jakim miejscu żyje. W mieszkaniu najmłodszej siostry ciotki Marianny było wszystkiego za dużo. Meble wyglądały na ciężkie i poważne, w dodatku większość z nich do siebie nie pasowała, jakoś tak wyszło. Za to w domu ciotki Marianny meble były tylko sosnowe. Nie stało ich tu zbyt wiele, a i tak mieścił się w nich, na nich i nawet obok nich ogrom książek. Mieszkanie było bardzo jasne, słoneczne i miało doskonałą aurę. Z pewnością zawdzięczało ją swojej właścicielce.

– Bardzo ładnie tu u ciebie, ciociu – skomplementowała ciocine mieszkanie w taki sposób, jakby była tu po raz pierwszy.

– Ładnie? – ciotka zdziwiła się szczerze. – Dziecko, gdzie tam ładnie! Wszystko tu jest takie stare jak ja, a w kilku przypadkach nawet starsze.

– Nieprawda – nie zgodziła się i stanowczo powtórzyła swe wcześniejsze spostrzeżenie. – Jest ładnie.

Ciotka popatrzyła na nią z uśmiechem i wdzięcznością w oczach. Znów była taka jak zwykle. Nie przypominała siebie z wczorajszego wieczoru.

– Nie wiem, czy ładnie, ale na pewno miło, bo ty tu jesteś. Co masz ochotę zjeść na śniadanie?

– Zjem to samo co ty, ciociu – zaproponowała natychmiast.

Nie chciała robić swą niezaplanowaną obecnością najmniejszego kłopotu ani burzyć porannych rytuałów, ponieważ takie z pewnością obowiązywały w tym jednoosobowym gospodarstwie domowym.

– To całe szczęście, że wczoraj pierwszy raz w tym sezonie trafiłam na borówki amerykańskie i je kupiłam, bo bez nich owsianka smakuje nie tak samo – uśmiechnęła się ciotka, ruszywszy od razu do przygotowywania śniadania.

Obserwowała pracę ciotki, rozmyślając o swym życiu. Mama przyzwyczaiła ją do tego, że w kuchni wciąż trzeba albo gadać, albo jej potakiwać. W kuchni ciotki obowiązywały całkiem inne zasady. Tu milczenie było dopuszczalne. Milczała zatem, czekając na owsiankę. Nie odzywała się ani słowem, czekała i myślała o tym, że jej życie jest niestety bardzo skomplikowane. Z każdym kolejnym dniem komplikacji w nim wciąż przybywa. Nie zdążyła zagłębić się w rozmyślania, ponieważ już mogła zabrać się za owsiankę. Spróbowała jej z pewną nieśmiałością, po czym nie mogła uwierzyć, jak to możliwe, że oślizgłe wspomnienie z dzieciństwa może smakować aż tak dobrze. Ale to prawda, ciotka miała rację, borówki amerykańskie w znacznej mierze podnosiły walory smakowe śniadania.

– Pyszne! – szepnęła zgodnie z prawdą.

– Naprawdę? – zdziwiła się ciotka.

– Tak.

Ciotka rzuciła w jej stronę spojrzenie pełne niedowierzania.

– Naprawdę! – uśmiechnęła się szczerze, potwierdzając, a raczej uwiarygodniając swój wcześniejszy werdykt w kwestii smaku.

– Ale chyba czas śniadania nie powinien nam minąć na omawianiu smaku owsianki z borówkami – ciotka uśmiechnęła się znacząco.

– Raczej nie – przybrała dość wesoły wyraz twarzy, chociaż rozmowa, której konieczność delikatnie sugerowała ciotka, nie miała należeć do beztroskich.

– Najpierw, Juleczko, powiedz mi wprost: co czujesz? Ponieważ ja tylko widzę to, co widoczne na pierwszy rzut oka, a to, co widać, to zwykle zaledwie wierzchołek góry lodowej… Albo nawet mniej…

– Zakochałam się, ciociu – przyznała się od razu.

Poinformowała ciotkę o swym uczuciu bez radości, która w normalnych warunkach powinna przecież towarzyszyć zakochaniu.

– A to od razu zauważyłam, i to wtedy, kiedy się zakochałaś.

Wolała się nie odzywać. Nie wiedziała dlaczego. Skoro ciotka wszystko widziała, to co jeszcze mogłaby dodać do jej spostrzeżeń. Nic. Mogła tylko obdarzyć ciotkę spojrzeniem pełnym niedowierzania.

– Dziecko, w życiu są dwie rzeczy, których jeszcze nigdy nie udało mi się przeoczyć. Pierwsza to ogień, druga to miłość – ciotka natychmiast ustosunkowała się do jej spojrzenia.

– Obie niebezpieczne – spuentowała bez namysłu.

Przy ciotce Mariannie, Neli i Łukaszu nie musiała zanadto kontrolować swych wypowiedzi. To dlatego myśli same przeradzały się w słowa.

– A co też ty, Juleczko, opowiadasz? – ciotka ofuknęła ją nieznacznie, za to bardzo sympatycznie. – Przecież ogień miłości to dopiero przyjemność – ciotka się chyba rozmarzyła. – Zresztą na pewno nie muszę opowiadać ci o rzeczach, o których wiesz więcej niż ja – mówiąc to, uśmiechnęła się wymownie i bardzo dwuznacznie.

– Tylko mi nie mów, ciociu, że w życiu się nie zakochałaś – palnęła, nie myśląc.

Na szczęście ciotka nie poczuła się dotknięta.

– Nawet jeśli, to stało się to tak dawno, że już nie pamiętam.

Jedno spojrzenie ciotki Marianny wystarczyło, by zrozumiała, że ciotka nie chciała wracać do przeszłości.

Oj, ciociu, ciociu, obie wiemy, że o miłości nie da się zapomnieć, ale skoro mamy o twojej nie mówić, to mówić nie będziemy, wedle życzenia.

Szczerym spojrzeniem wprost w oczy ciotki Marianny przypieczętowała swe myśli, bo jej wolę szanowała zawsze. Było to bardzo łatwe, ponieważ zwykle się z nią zgadzała.

Jadły owsiankę. Chciała mówić. Chciała wyrzucić z siebie buzujące w niej słowa, utrudniające życie. Od uczuć uwolnić się nie potrafiła, ale od słów owszem. Zwłaszcza w tym towarzystwie.

– Dały ci wczoraj popalić... – rozpoczęła temat ciotka.

Chciała od razu ucałować ją za to, jak zaczęła rozmowę. Jednoznacznie określiła swój pogląd na sprawę i od razu obrała stronę, po której się opowiadała.

Popalić? Znokautowały mnie. Leżałam rozłożona na łopatki – pomyślała, gorzko się uśmiechając.

– Delikatnie rzecz ujmując – spojrzeniem zasugerowała ciotce, że się z nią zgadza, i kontynuowała. – Nie mogę zrozumieć, dlaczego mama tak mnie traktuje. Kiedy mowa o obowiązkach, to zawsze jestem dla niej dorosła. A kiedy przychodzi do praw, wtedy moja pełnoletność idzie w kąt i od razu staję się małoletnią kretynką, która nie wie, co jest dla niej dobre.

– A ciotka Klara?

Usłyszała normalny ton i normalnie zadane pytanie, ale do końca nie wiedziała, czy może bez ogródek powiedzieć to, co myśli.

– Przecież wiesz, ciociu, jaka ona jest... – zastanowiła się przez chwilę – ... specyficzna – powiedziała i chyba wybrała dobre słowo.

Żeby nie powiedzieć walnięta, wredna i apodyktyczna – przemilczała swe myśli, ponieważ ciotka Klara była jedną z sióstr, które towarzyszyły życiu ciotki Marianny od dnia narodzin.

– Wiem, wiem... – ciotka Marianna zgadzała się w tej chwili nie tylko z jej słowami, ale także z myślami.

– Musiałabym na głowę upaść, żeby przejmować się tym, co mówi. Ale to nie zmienia faktu, że nikt inny na świecie nie denerwuje mnie tak jak ona. Taka już jest. Przez lata przyzwyczaiłam się, że jest skończoną pesymistką – dała się ponieść słowom, ponieważ widziała zrozumienie w oczach ciotki Marianny.

Do tej chwili. Do fragmentu o pesymistce.

– Ona, ciociu, zawsze szuka dziury w całym – wytłumaczyła niezwłocznie. – I szybciej umrze, niż się ugryzie w język. Potrafi dołożyć komuś tak, żeby mu w pięty poszło. Już nieraz chciałam potraktować ją tak samo, ale jakoś mi się to nie udaje. I to nie ze względu na nią, ale na mamę.

– Tak. To prawda – słowa ciotki Marianny niosły ze sobą ogromną siłę i odwagę na zgodę z rzeczywistością. – Do Klary trzeba mieć nerwy ze stali, ale chyba odeszłyśmy trochę od tematu...

Ciotka westchnęła, uśmiechnęła się i popatrzyła wyczekująco. Chyba czekała na zwierzenia.

– Zwykle ucieka się przed tym, co jest trudne – podsumowała pesymistycznie, chociaż rozmowa na dobrą sprawę jeszcze się nie zaczęła.

– Ale mam nadzieję, że akurat ty, Juleczko, wiesz, że od miłości uciec nie sposób.

– Ale ja, ciociu, wcale nie chcę od niej uciekać. Zupełnie nie – podkreśliła. – Mnie po prostu wkurza, że ktoś chce mi coś narzucać. Że mnie straszy, zamiast mnie zrozumieć, zamiast mi pomóc. Zamiast pozwolić mi żyć po swojemu. Tak jak ja tego chcę.

Czuła, że przełamuje lody, choć nie w relacji z ciotką, gdyż tutaj nigdy nie miała oporów. Przepełniało ją przeczucie, że w końcu znalazła kogoś, kto jej wysłucha i nie wystawi jej oceny ani z życia, ani z człowieczeństwa, ani z kobiecości. Ciotka patrzyła, a ona chciała mówić. Po prostu...

– Ale najgorsze w tym wszystkim jest to, że wymaga się ode mnie, bym bezkrytycznie przyjmowała każde słowo. A ja tego nie zrobię, bo nie zgadzam się na to, aby w moim życiu mieszał ktoś, komu w życiu nie wyszło. I to ktoś, kto miesza w życiu własnej siostry, czyniąc ją po prostu nieszczęśliwą. Ciociu, ja od dawna nie mogę zrozumieć, dlaczego moja mama, która umie ustawić wszystkich, jak chce, gdy dochodzi do starcia z ciotką Klarą, zawsze kapituluje i przyznaje jej rację. Poza tym mam do niej żal. Kiedy wczoraj ciotka jeździła po mnie jak po łysej kobyle, mama jej na to pozwoliła. Nie mogła chociaż raz mnie obronić? Zawsze ma tyle do powiedzenia, a wczoraj milczała. Jak to możliwe? Jak mogła nie zareagować?

Skończyła swój wywód, bo gdyby go kontynuowała, to na pewno wybuchłaby płaczem. A nie chciała teraz tego robić. To nie łzy były jej teraz potrzebne, tylko spokój i rozsądek, żeby poradzić sobie z życiem. Musiała się na tym skoncentrować. Skoro nie potrafiła jej pomóc własna matka, musiała poradzić sobie sama i podjąć ważne decyzje. Ale nie na przekór komuś i czyimś chorym wymaganiom i oczekiwaniom. Musiała się od tego wszystkiego odciąć. By uwierzyć w siebie, w swoje życie i dobre zamiary Łukasza. Była zmuszona to zrobić, choćby wszyscy wokół mieli ją za osobę niespełna rozumu.

Patrzyła na ciotkę, która wyglądała tak, jakby zastanawiała się nad czymś bardzo ważnym. Ale póki co nic nie mówiła. Jak to ona.

– Dlaczego mama zawsze trzyma stronę ciotki Klary? Nawet wtedy, gdy ta doprowadza ją do szału. Przecież to widać, że czasami ma ochotę powiedzieć jej, żeby się po prostu zamknęła, bo plecie takie bzdury, że nikt nie ma siły jej słuchać.

– Nikt oprócz niej samej – powiedziała cicho ciotka, nie podnosząc wzroku znad pustej już miski.

– No właśnie! Tego nie mogę pojąć. Dlaczego mama jest wobec ciotki zawsze taka wspaniałomyślna, a wobec mnie nigdy?

Wpatrywała się w ciotkę. Chyba się nieco zapomniała, bo jej wzrok był trochę napastliwy.

– Twoja mama – bardzo powoli zaczęła ciotka – przez całe życie zmaga się z wyrzutami sumienia.

– Wyrzutami sumienia? – powtórzyła słowa, nie pojmując ich. Ale nagle na coś wpadła. Przypomniała sobie słowa, które mama wczoraj rzuciła ciotce na odchodnym.

Tylko nic jej nie mów – odtworzyła jej wypowiedź w myśli. Chyba tak brzmiała.

– Czy te wyrzuty sumienia mają związek z tym, o co prosiła cię wczoraj mama, kiedy wychodziłyśmy?

– Tak – odpowiedziała natychmiast ciotka.

– Powiesz mi?

– Tak – pewność w głosie ciotki wpłynęła na nią uspokajająco. – Ale mam prośbę…

Zawsze jest jakieś ale… – pomyślała, dając swym spojrzeniem ciotce znak, że dziś zgodzi się na każdą jej prośbę i przyjmie wszystkie warunki.

– Chciałabym, abyś to, co teraz ci powiem, zachowała dla siebie.

– Zachowam – jasno i wyraźnie złożyła przyrzeczenie.

– To stare dzieje – uprzedziła ciotka. – Myślałam, że już nigdy w życiu nie będę do nich wracać. Ale teraz muszę to zrobić, bo jak poznasz tę historię, to całkiem inaczej spojrzysz na wszystko, co się dzieje. Inaczej będziesz postrzegać własną matkę, inaczej też ciotkę Klarę, bo to, jak wygląda ich relacja, ma mocne uzasadnienie w przeszłości. I nic w tym dziwnego, ponieważ przeszłość wpływa na człowieka, a im jest gorsza, tym niestety działa gorzej. Najczęściej tak jest… – ciotka zamyśliła się na chwilę.

Patrzyły na siebie. Wolała się nie odzywać. Nie przerywać. Nie dodawać niczego od siebie, ponieważ czuła, że za chwilę padną ważne słowa. Nie myliła się. Ciotka odsunęła od siebie pustą miseczkę. Splotła dłonie, położyła je przed sobą i spokojnym głosem, takim jak zawsze czytała jej ballady, zaczęła mówić, a raczej opowiadać.

– Klara jest z nas najstarsza. To już wiesz... A twoja mama najmłodsza, to też wiesz... O sobie nie będę mówić, nie martw się – zażartowała ciotka Marianna zupełnie tak, jakby chciała zyskać na czasie.

Patrzyła na Mariannę milcząco. Wciąż nie zamierzała się odzywać, by nie utrudniać swojej rozmówczyni zadania. Wyraz oczu ciotki pokazywał, że misja, której się w tej chwili podejmowała, jest bardzo trudna. Na szczęście była nie tylko skrytą, ale również nadzwyczaj odważną osobą.

– Wiesz, że wszystkie mamy już trochę lat. Świat bardzo się zmienił od tego czasu, kiedy byłyśmy młode tak jak ty teraz. Kiedyś to wszystko wyglądało inaczej. Dawniej, gdy panna poznała jakiegoś miłego sercu mężczyznę, to tak szybko, jak tylko czas na to pozwalał, przyprowadzała go do domu i przedstawiała rodzicom. Wtedy tak wyglądał pierwszy krok. My miałyśmy surowych rodziców. Wymagających i kontrolujących. Zwłaszcza twój dziadek był bardzo zasadniczy, a nasza mama, twoja babcia, była mu przez całe życie bardzo oddana i posłuszna. I kiedy twój dziadek wyczuł pismo nosem, kazał Klarze zaprosić do domu tego kawalera, który ją wieczorami na spacery wyciągał. Może trudno ci teraz w to uwierzyć, ale kiedyś właśnie tak było.

Nietrudno – pomyślała, ale milczała. Wciąż chciała tylko słuchać.

– Pewnie trudno ci w to uwierzyć, ale kiedyś Klara była całkiem fajną dziewczyną, bardzo urodziwą, szczupłą. Taką zwiewną... Adoratorów w związku z tym miała na pęczki, ale tylko dla jednego z nich straciła głowę. To właśnie jego przyprowadziła kiedyś do domu, bo to o nim pierwszym pomyślała poważnie.

Ciotka na moment przerwała opowieść.

– I co się stało? – zapytała, nie mogąc doczekać się prawdy.

– To był twój ojciec.

– Co?

– Tak. To był twój ojciec – powtórzyła ciotka. – Przyszedł wtedy do nas i wywrócił nasze życie do góry nogami. Po tamtej wizycie już nigdy nie wróciło do normy. Chyba nie muszę ci więcej opowiadać...

Nie! – krzyknęła w myślach, a widząc łzy płynące po policzkach starszej kobiety, odezwała się cicho i spokojnie.

– Nie, ciociu, nie musisz... Nie płacz... Proszę cię...

Chyba naprawdę nie chciała wiedzieć nic więcej. Bo na samą myśl o tym, co mogło się wtedy stać, robiło jej się słabo i niedobrze. Chciała uciec od wszystkich swoich wyobrażeń. Zrobiła to.

– A ty, ciociu?

– Ja?

Ciotka zupełnie nie zrozumiała, że ta historia może stanowić koło ratunkowe dla siostrzenicy.

– Zobaczyłam, co miłość robi z ludźmi i... Zostałam sama, jak widać... – starsza pani uśmiechnęła się gorzko, jak jeszcze nigdy dotychczas.

– Ale właśnie dlatego? – zapytała, zamiast tylko pomyśleć, chociaż nie chciała nikomu sprawiać bólu.

– Któż to może teraz wiedzieć...? – zamyśliła się ciotka.

Patrzyła w zapłakane oczy rozżalonej Marianny i mimowolnie zaczęła przypominać sobie różne sceny z życia rodzinnego. Wszystkie obrazy bez wyjątku pochodziły z innego świata niż ten, do którego przywykła. Zwykła go oceniać bardzo surowo. Często była bezwzględna wobec ciotki Klary. Zresztą wobec mamy również. Za to ich środkową siostrę zawsze podziwiała za takt.

Kiedyś na wykładach jej ulubiony profesor powiedział, że gdyby można było jakoś nazwać takt, to na pewno miałby on coś wspólnego z inteligencją serca. Zrozumiała teraz, że ciotka Marianna przez całe życie znajdowała się w niełatwej, ale dogodnej sytuacji, ponieważ zawsze mogła wobec swych sióstr zachowywać się taktownie i nie dopuszczać się wobec nich krzywdzących ocen.

Ona niestety zachowywała się inaczej. Całkiem inaczej. Była surowa w swych ocenach i – jak się właśnie okazało – bardzo niesprawiedliwa. Tak nieznośnie wkurzało ją to, że wszystko, co robi, staje się przedmiotem oceny innych, a sama przecież nie była lepsza. Od ciotki Klary różniła się tylko tym, że potrafiła zmilczeć swe wredne myśli, a było ich przecież niemało. Wobec mamy też najczęściej była surowa. W duchu nierzadko nazywała ją hipokrytką, która zmienia wyraz twarzy w zależności od tego, do kogo się zwraca.

A Łukasz...? Nie wiedziała, dlaczego akurat teraz przyszedł jej do głowy. Może dlatego, że był człowiekiem, który pokazywał jej zawsze to samo oblicze. Wtedy, kiedy ją kochał bezgranicznie, i wtedy, kiedy nie chciał osaczać jej swoją miłością, wiedząc, że to, co może jej zaoferować, jest narażone na opinie innych. Nigdy o tym nie rozmawiali w ten sposób, ale wiedziała, miała pewność, że tak właśnie myślał.

Wywnioskowała, nie wiedziała, czy słusznie, że z miłością zawsze coś musiało być nie tak. Jak w każdej innej sferze życia zawsze było jakieś paskudne ale. Jednak im więcej człowiek wie, tym jest mądrzejszy, a co za tym idzie, ostrożniejszy w swych opiniach.

Patrzyła na ciotkę Mariannę, popijającą z ładnej filiżanki. Widziała twarz starej kobiety. Spokojne oblicze, któremu sprzyjała życiowa ostrożność. To dlatego jej twarz miała życzliwy wyraz. Nie zniszczyły jej złe uczucia. Ciotka Klara wyglądała całkiem inaczej. Przy odrobinie odpowiedniej charakteryzacji mogłaby straszyć dzieci.

A mama? Jak prezentowała się mama? To dziwne, ale teraz nie mogła sobie przypomnieć jej twarzy. Jednak była pewna, że gdyby nie wyrzuty sumienia, które towarzyszyły rodzicielce przez większość życia, teraz wyglądałaby inaczej. Pewnie byłaby też kimś innym. Kimś, kto może odważyłby się poradzić jej: „Dziecko, zakochałaś się, więc idź za głosem serca. Nie patrz na innych, skup się na sobie i na tym, co czujesz". Ale mama nie chciała jej tak powiedzieć, bo wiedziała doskonale, że inni potrafią uprzykrzyć życie. Życie uprzykrzyć, a człowieka upodlić. Mama poczuła to na własnej skórze, ponieważ doświadczyła miłości trudnej. Bardzo trudnej, czyli takiej, która wymaga najtrudniejszych wyborów, opartych na odwiecznej zasadzie: „albo ja, albo…".

Nie potrzebowała wiele czasu, by zrozumieć, że mama miotała się przez całe życie pomiędzy ciotką a… Nie miała wystarczająco dużo wspomnień taty, żeby wyrobić sobie teraz na szybko jakiekolwiek zdanie na ten temat. Zresztą od dziś brzydziła się każdą swą dotychczasową opinią, która krzywdziła mamę, a także jej najstarszą siostrę.

– Spróbuj zrozumieć… – poprosiła cicho ciotka Marianna, bo chyba przeczuwała, że nie powinna teraz przerywać rozważań siostrzenicy, która, kiedy poznała prawdę i nie musiała się już dłużej opierać na domysłach i mylnych spostrzeżeniach, mogła po raz pierwszy w życiu wysnuć sensowne wnioski na ten do tej pory owiany tajemnicą temat.

– Rozumiem, ciociu… – odrzekła, gotowa okazać wspaniałomyślność.

– Juleczko, na to trzeba wiele czasu – taktownie zauważyła ciotka.

– Ale kiedyś trzeba zacząć – umiejętnie sprostowała swoją wypowiedź.

– Mam do ciebie jeszcze tylko jedną prośbę… – mówiąc to, ciotka wstała od stołu.

Swym zachowaniem dała jej do zrozumienia, że nic więcej nie powie, gdyż nie ma sensu dłużej roztrząsać tej sprawy. Po co mówić, skoro najważniejsze słowa już padły?

– Tak, ciociu? – zapytała od razu.

– Postaraj się, jeśli to tylko możliwe, nie oceniać ani mamy, ani Klary... Żyła kiedyś kobieta... – ciotka Marianna niespodziewanie pociągnęła wątek – ... przemierzała najgorsze i najstraszniejsze dzielnice Kalkuty, była chodzącą miłością. Wypowiedziała kiedyś ważne słowa: „Gdy oceniasz ludzi, nie masz czasu ich kochać"... Juleczko, ja wiem, że łatwo się mówi, ale proszę cię, postaraj się rozumieć i kochaj... Proszę cię jeszcze o jedno, nie rozmawiaj na ten temat z mamą...

– Nie będę – weszła ciotce w słowo drżącym od płaczu głosem. – Jeśli ona nie zacznie tematu, ja tego nie zrobię.

– Nie zacznie – ciotka rozprawiła się nader szybko z jej przypuszczeniami.

– Jesteś pewna? – zapytała, wiedząc, że ciotka Marianna nie zwykła rzucać słów na wiatr.

W odpowiedzi starsza kobieta uśmiechnęła się, ale to nie było wszystko.

– Znam swoje siostry. Czasami mi się nawet wydaje, że znam je lepiej niż one same.

– To masz fajnie – podsumowała, uspokoiwszy się trochę.

– Wcale nie – nie zgodziła się ciotka. – Są w życiu chwile, gdy wolałabym widzieć mniej, niż dostrzegam.

– A ja, ciociu, co ja mam zrobić? – egoistycznie skupiła jej uwagę na sobie.

– Juleczko, przecież masz swoje lata. Masz swój rozum. Posługuj się nim, choć wsłuchuj się najpierw w swoje serce, serce jest ważniejsze...

– A co jeśli serce i rozum nie zawsze mówią jednym głosem? – zapytała od razu.

Od razu też poczuła się oszustką, ponieważ w jej przypadku serce podporządkowało sobie rozum. Całkowicie.

– Nie wiem, Juleczko. Może w takim wypadku trzeba trochę poczekać, aż serce i rozum staną się jednomyślne.

– Mam marnować czas? – spytała bardzo bezpośrednio.

– Zaraz marnować... – ciotka potrafiła krytykować, nie obrażając nikogo. – Zaprzyjaźnij się z czasem. On jest dla ciebie, a nie ty dla niego. To ty masz go wykorzystać, nie on ciebie. I masz go wykorzystać dobrze.

– A jak się pomylę? – zapytała, chcąc się ubezpieczyć.

Poniekąd czuła, że robi z siebie idiotkę, która nie dopuszcza do siebie przesłania słów swojej rozmówczyni. Może dlatego, że nawiązywały do kwestii wypowiedzianej kiedyś przez mamę. W niej też pojawił się problem czasu, ale w innym znaczeniu. Czas, o którym mówiła rodzicielka, miał okazać się sędzią w sprawie miłości do Łukasza. Natomiast w mniemaniu ciotki Marianny czas był przyjacielem. Nic dziwnego więc, że wizja ciotki wydała jej się teraz dużo lepsza i natychmiast przekonała się do niej całkowicie.

– A ty, ciociu, co byś zrobiła? – zapytała, wiedząc doskonale, że zachowuje się jak dziecko.

– Nie powiem ci, co bym zrobiła, bo tego nie wiem, a kłamać nie lubię. Ale zdradzę ci, co zrobię, bo tego jestem pewna. Będę się po prostu za ciebie modlić. Pomodlę się za twoje zdrowie, zresztą akurat to robię regularnie, ale też za twoje życiowe wybory. Za to, żebyś zaprzyjaźniła się z czasem, i za to, by on był dla ciebie łaskawy... Albo dla was łaskawy...

Ostatnie stwierdzenie ciotki, przypieczętowane spojrzeniem pełnym zrozumienia, pozwoliło jej nie dodawać nic więcej. Już mogła milczeć i w ciszy dopijać pyszną kawę. Skończyła owsiankę, już bez borówek. Odłożyła łyżkę do pustej miski. Spojrzała na ciotkę życzliwym i łaskawym spojrzeniem, takie samo przygotowała dla mamy, a nawet ciotki Klary. Mogła w końcu być spokojna. To dobrze, ponieważ w spokoju na pewno łatwiej zaprzyjaźnić się z czasem. Chciała tego bardzo. Ale jeszcze bardziej pragnęła miłości Łukasza. On był dla niej najważniejszy. Był ponad czasem.

Siedziały w luksusowej kuchni swoich bogatych pracodawców i piły francuską wodę mineralną, gdyż krajowej w tym domu nigdy nie było. Na taki luksus w postaci chwili wytchnienia mogły pozwolić sobie rzadko, a mianowicie tylko wtedy, gdy ich lubiący robić wielki nieporządek chlebodawcy byli tak zaangażowani w swe zawodowe obowiązki, że nie mieli czasu na imprezowanie i codzienne brudzenie mieszkania.

– Ale dobra… – westchnęła Nela, odrywając usta od szklanki. Wytarła wierzchem dłoni kropelki potu z czoła, które prawie spływały jej na policzki, zaróżowione od szamotaniny z odkurzaczem.

– No – potwierdziła mało elokwentnie. – Mam tylko nadzieję, że się nie pochorujemy, bo ta woda strasznie zimna, a tu gorąco jak w piekle.

– Szybciej to pochorujemy się od poniedziałkowego egzaminu. Kto to widział, żeby taką kobyłę, w dodatku ustną, zostawiać na sam koniec sesji?

– To racja – przyznała przyjaciółce. – Dobry deser to lekki deser – zacytowała ciotkę Klarę.

Odkąd dowiedziała się o tym, skąd wzięło się podejście ciotki do życia i ludzi, zaczęła wyraźnie łagodniej traktować staruszkę. Starała się patrzeć na nią przychylniejszym okiem niż dotychczas. Co oczywiście nie było łatwe, ale bardzo nad sobą pracowała.

Historia życia mamy i ciotki Klary sprawiła, iż obiecała sobie, że będzie łagodna i ostrożna w ocenach ludzi, którzy ją otaczają, nawet wtedy, gdy oni nie okażą się wobec niej równie wspaniałomyślni. Obiecała sobie też, że jeśli tylko zdoła, to w ogóle powstrzyma się od oceniania innych. Dzięki ciotce Mariannie zrozumiała, że mądry człowiek, po pierwsze, nie ocenia życia innych, po drugie, nie daje się zwariować na punkcie czasu. Chciała mieć mądrość ciotki i cieszyła się, że wie, czego chce. Ostatnio bardzo dużo myślała też o mamie. Jeszcze nigdy tak dużo o niej nie rozmyślała. Od ostatniej awantury mama była bardzo milcząca. Z kolei ona też nie chciała poruszać drażliwego tematu, ponieważ po co rwać szaty, skoro i tak wszystko jest w strzępach. Poza tym jak miałaby z mamą rozmawiać? Przecież nie mogła jej teraz powiedzieć, że też nie jest pierwszą kobietą w życiu Łukasza, ani co gorsza, że ona nikomu go nie sprzątnęła sprzed nosa. Żałowała mamy i ciotki Klary, nawet ciotki Marianny, ponieważ ona też była ofiarą rodzinnej tajemnicy.

Najgorsze jednak okazywało się to, że nie mogła na ten temat z nikim porozmawiać. Obiecała to ciotce. Musiała dotrzymać słowa. Nawet Janek i Justyna mieli nie dowiedzieć się prawdy o tym, w jaki sposób poznali się ich rodzice.

Czasami lepiej nie wiedzieć... – pomyślała, mając świadomość, że w życiu różnie bywa. Musiała już przestać o tym myśleć. Tak chyba byłoby najlepiej. Żeby nie rozmyślać, musiała zająć się czymś innym. Najlepiej własnym życiem. Całe szczęście mogła liczyć na Nelę. Na nią mogła zawsze liczyć. Na jej prawdomówność oraz nawet na to, że jeżeli przyjaciółce zdarzało się być wobec niej nieszczerą, to nie potrzebowała lat, by się do tej nieszczerości przyznać.

– Telefonowałam wczoraj do domu, moja mama cię serdecznie zaprasza na wakacje, zresztą wszyscy cię serdecznie zapraszamy – Nela uśmiechnęła się z nadzieją. – Przyjedź do nas latem tak jak ostatnio...

– Rozumiem, że wikt i opierunek za pracę w obejściu i przy dzieciach jak zwykle mam zapewnione – stwierdziła, z przyjemnym rozrzewnieniem wspominając najpiękniejszą wiejską przygodę przeżytą w ubiegłym roku. To był najlepszy wyjazd ze wszystkich dotychczasowych wakacji.

– Ma się rozumieć! – uśmiech nie schodził Neli z twarzy. – Przyjedziesz? – przyjaciółka patrzyła na nią prosząco.

– Bardzo bym chciała. Ale na razie nie mam głowy do zastanawiania się nad wakacjami.

– Tylko mi nie mów, że myślisz wyłącznie o Housie.

– Nie tylko... Ale dużo... – bez obaw wyspowiadała się ze swych myśli.

– Zwróciłaś uwagę, jaki jest ostatnio strasznie zajęty? Boże, jakiś taki nieuchwytny... Nie masz takiego wrażenia? – zapytała trochę zmartwiona Nela.

– Właśnie mam i bardzo mi z tym ciężko. Chciałabym, żeby mi w końcu pokazał, że jestem dla niego ważna... – rozmarzyła się.

– A ty mu to pokazałaś? – Nela zabiła jej ćwieka tym pytaniem, ale z pewnością spytała w dobrej wierze.

– To przecież jest facet. To on powinien pierwszy...

– Gdzie o tym przeczytałaś...? – tym razem Nela zdobyła się na kpinę, chociaż takie wybiegi były zupełnie nie w jej stylu.

– Nie, nie przepadam za psychologicznymi lekturami – odpowiedziała żartobliwie.

– To jaką literaturę lubisz? – zapytała Nela, wstała od stołu i wyciągnęła rękę w jej kierunku. – Skończ pić, to umyję szklankę.

Dopiła szybko wodę i oddała szklankę przyjaciółce. Patrzyła, jak Nela zmywa.

– No to powiedz, co lubisz czytać? – Nela wciąż podejrzanie nagabywała.

– Bo ja wiem? – nie potrafiła się określić.

– Kiedyś byłaś bardziej zdecydowana. Pamiętasz? Ten nie. Ten za wysoki. Tamten fajny, ale za niski. Ten za chudy. Tamten przystojny, ale co z tego, skoro gbur, jakich mało. A nad tym mogłabym się chwilę zastanowić... – Nela doskonale streściła jej dotychczasowe podejście do płci przeciwnej. – A teraz co? – zapytała w końcu przyjaciółka.

– Teraz wszystko się zmieniło – podsumowała, broniąc się, chociaż Nela nie miała w zwyczaju atakować.

– Nie wszystko, tylko ty się zmieniłaś – podsumowała przyjaciółka.

– Pewnie tak... – zamyśliła się. – Wiesz... Nie każdy ma takie szczęście jak ty, że znajduje sobie przystojnego, inteligentnego, mądrego, bogatego, a co najważniejsze wolnego faceta, w dodatku potrafiącego zakochać się bez pamięci.

– Masz rację, nie każdy. Popatrz na przykład na... – Nela na chwilę zamilkła.

Była przekonana, że przyjaciółka szykuje się do wypowiedzenia jakiejś mądrości.

– Popatrz na takiego, żeby daleko nie szukać, Xawerego. Zwrócił na mnie uwagę, choć ani urody, ani figury, ani majątku, w dodatku rudzielec...

– Już przestań! – przystopowała Nelę.

– Mogę przestać. Ale taka jest prawda. Czasami łowię na ulicy spojrzenia ludzi, które mówią na nasz widok: „O Boże, co on w niej widzi?!", albo gorsze: „Facet, gdzie ty masz oczy?!".

– Żartujesz, prawda? – zapytała z przestrachem w głosie.

– Ani trochę – Nela była bardzo poważna. – Co prawda nigdy nie sądziłam, że komukolwiek przyznam się do takich spostrzeżeń i myśli, ale robię to specjalnie. A wiesz dlaczego?

– Dlaczego? – zapytała, nie potrafiąc otrząsnąć się z szoku.

– Żeby uzmysłowić ci, że każdy ma jakieś problemy. Zwłaszcza z miłością.

– To akurat wiem – wtrąciła pesymistycznym tonem.

– Wiem, że wiesz. Tylko że w życiu ważne jest to, jak postrzegamy te problemy.

– Nadajesz się na terapeutkę – wtrąciła.

– A to chyba nic z tego, bo coraz częściej myślę o sądówce... – słysząc słowa Neli, zrobiła wielkie oczy, jednak nie zdążyła się odezwać. – Ale nie o tym teraz. – Neli nie dało się zbić z tropu byle czym. – Im jestem starsza, tym wyraźniej widzę, że z domu wyniosłam dużo więcej niż jakiś tam majątek, a raczej jego brak. Moja mama całe dzieciństwo leczyła mnie z kompleksów. Przecież widziała, jak wyglądam.

– Proszę cię! – nie mogła tego słuchać.

– Daj mi dokończyć – Nela zachowywała się tak, jakby naprawdę chciała powiedzieć jej teraz coś ważnego, bardzo szczególnego, a przede wszystkim pomocnego.

Zamknij się już i daj się jej wygadać! – przywołała się do porządku, dziwiąc się, ponieważ gdy zaczynały rozmowę, była przekonana, że jak zwykle to ona będzie częściej zabierała głos, natomiast Nela będzie musiała wykazać się cierpliwością słuchacza doskonałego. Wbrew jej przekonaniom stało się odwrotnie. To Nela mówiła i nie należało jej przeszkadzać.

– Mama nauczyła mnie wielu rzeczy i fajnych życiowych sztuczek, do których sama nigdy bym nie doszła. Ale przede wszystkim nauczyła mnie takiej... specyficznej życiowej zaradności. Za każdym razem, kiedy przybiegałam do niej z płaczem, bo wiejskie dzieciaki nazwały mnie albo rudzielcem, albo beczką, i chowałam się w jej ramionach, to ona nie mówiła mi, że nie jestem rudzielcem i że nie jestem beczką, tylko po prostu radziła mi ich nie słuchać. Powtarzała, że problemy w życiu nie zależą od koloru włosów i od wagi, tylko od tego, jak się do nich podchodzi. Miała rację. To dzięki niej teraz jestem dość silna i wiem, że piękni i bogaci też mają problemy. Wcale nie jest powiedziane, że radzą sobie z nimi lepiej niż nieurodziwi bez grosza przy duszy.

Patrzyła na Nelę, słuchała jej uważnie, oczywiście podobało jej się to, o czym mówiła, ale na razie zupełnie nie rozumiała, dokąd zmierza ta rozmowa.

– Xawery jest facetem, o jakim nigdy nie marzyłam. Bałam się marzyć, żeby nie przeżyć bolesnego zderzenia z rzeczywistością. Ale to, że zwrócił na mnie uwagę, nie oznacza, że kiedy go poznałam, to wyzbyłam się wszystkich kompleksów i skończyły się moje problemy. Ja wciąż mam ich mnóstwo, znasz mnie przecież... – Nela spojrzała na nią z powagą. – Ale z nim jest mi łatwiej, bo dzięki niemu, dzięki jego obecności w moim życiu, zrozumiałam, na nowo pojęłam słowa mamy. Ona mnie nie oszukiwała, mówiła mi prawdę.

To znaczy... – telepatycznie wysyłała do Neli swój komunikat, że wciąż nie pojmuje istoty monologu przyjaciółki. Zadziałało natychmiast.

– Mama zawsze powtarzała mi, że moje problemy to nie mur, w który muszę walić głową, i to w dodatku na oślep. Mówiła mi, że trudności powinnam postrzegać jako tunel. Czasem ciemny, czasem straszny, ale taki, że jak już w niego wejdę, to zawsze wyjdę. Zwykle byłam strachliwa, ale teraz już nie boję się tak jak kiedyś. Żadnego tunelu się nie boję, bo mam Xawerego i wiem, że jeśli będzie trzeba, to poda mi rękę.

Gdy Nela zamilkła, zrozumiała ją natychmiast. W dodatku doskonale. Przecież sama była kiedyś w takim tunelu, a u jego wylotu stał Łukasz. Chciała się odezwać, ale nie potrafiła dodać od siebie ani jednego mądrego słowa. Na szczęście nie musiała...

– Ty masz House'a. A dla niego nie ma rzeczy niemożliwych. Jestem pewna, że on przez swoje prywatne tunele nie przechodzi, tylko przefruwa, bo musi wielu ludziom podawać pomocną dłoń. Jest przewodnikiem w tunelu. Nie musi wcale kochać, żeby pomagać. A ciebie kocha, więc możesz być spokojna...

– Nigdy mi o tym nie powiedział – przyznała z ogromnym żalem.

– Bo nie należy do gaduł. Woli działać, niż gadać. Myślisz, że gdyby cię nie kochał, zameldowałby się pod drzwiami twojego mieszkania, narażając cię na tę awanturę, o której mi opowiedziałaś? Przecież on jest poważnym facetem, a stracił dla ciebie głowę i dlatego macie teraz wspólny tunel. A skoro jest wspólny, to musicie przejść przez niego razem. To nie jest ważne, czy powiecie sobie „kocham cię" przy wejściu czy przy wyjściu. Nieważne, co się mówi, ważne, że się kocha. Ważne, żebyście szli razem. Ramię w ramię. Powiedzieć „kocham" zawsze zdążycie. Przecież to tylko jedno słowo. Żaden wysiłek. To dlatego niektórzy szastają tym „kocham" jak bogacze pieniędzmi. Na prawo i lewo.

Nela chciała jeszcze coś powiedzieć, ale zamilkła, ponieważ jej mądrości przerwał dzwonek telefonu.

– To na pewno Xawery – przyjaciółka zerwała się z krzesła. – Pewnie już czeka na mnie na dole. Muszę lecieć, szybko się wykąpać i przebrać, bo idziemy do jego rodziców na kolację.

Nela zniknęła w przedpokoju „burdelarzy", gdzie na ścianach wisiały szerokie lustra, ciągnące się od sufitu do podłogi, co robiło bardzo nowoczesne i ekstrawaganckie wrażenie.

– Tak?

Głos Neli był zdziwiony, zatem z pewnością w słuchawce nie usłyszała głosu Xawerego.

– Tak. Jest ze mną. Już daję.

Nela weszła do kuchni i podając jej swój telefon, szepnęła bezgłośnie: „Do ciebie. House".

Zrobiło jej się słabo.

Coś się stało... – pomyślała z przestrachem, odbierając telefon.

– Julka, potrzebuję twojej pomocy – Łukasz zaczął bez przywitania tak poważnym głosem, że zamarła.

Zaniemówiła na szczęście tylko na chwilę.

– Co mam zrobić? – zapytała niezwłocznie.

Wiedziała, że Łukasz był typem samowystarczalnym. Proszenie o pomoc chyba nie było w jego stylu. Naprawdę musiało się coś stać.

– Gdzie jesteś?

– Jesteśmy z Nelą w mieszkaniu, w którym sprzątamy, ale już skończyłyśmy, więc...

– Weź, proszę, taksówkę i przyjedź do mnie na oddział. Jeśli możesz... Za chwilę mąż mojej byłej żony przywiezie mi tu Antosię. Muszę się nią zająć, bo Ania jest w siódmym miesiącu ciąży i ma skurcze, więc... Przepraszam cię, ale...

– Już jadę! – natychmiast wyraziła swą gotowość do pomocy.

Jest w tunelu. Potrzebuje mojej dłoni – pomyślała i spojrzała w wystraszone oczy Neli. Od razu zapomniała o sobie, o swoich dotychczasowych przemyśleniach związanych z dziewczynką o imieniu Antosia i kobietą, którą nazywał Anią. Ale teraz to nie było ważne. Łukasz potrzebował pomocy i zwrócił się o nią do niej. Właśnie do niej. To się liczyło. Teraz to było najważniejsze.

– Dzięki. Muszę być na oddziale – wytłumaczył się konkretnie.

– Przyjadę najszybciej, jak się da – obiecała i nie wsłuchując się w jego pożegnanie, gotowa była nawet pobiec do szpitala.

Oddała Neli telefon. Szybko wzięła stówę zostawioną przez „burdelarzy".

– Dobrze! Mam kasę na taksówkę! – głośno myślała.

– Co się stało? – Nela patrzyła z przestrachem w oczach.

– Była żona Łukasza jest w siódmym miesiącu ciąży, zaczęła chyba rodzić, Łukasz ma się zająć Antosią, a nie może wyjść z oddziału. Mała jest u niego w gabinecie. Muszę wezwać taksówkę – nerwowo wyrzucała z siebie zdania.

– Zwariowałaś? Jaką taksówkę?! Zaraz zadzwonię do Xawerego. Zawieziemy cię do szpitala. Odbierzemy małą i podrzucimy was do House'a.

– Nie! – zaoponowała. – Jeszcze się spóźnicie na kolację.

– Najwyżej nie przypudruję noska – zażartowała Nela.

– Kocham cię – powiedziała w pełni świadoma tego, że nie szasta słowami na lewo i prawo.

– Wiem – odparła z uśmiechem Nela. – Jego też kochasz – stwierdziła z pewnością w głosie.

– Wiem – przyznała też z przekonaniem.

– A z małą dasz radę? – Nela zachowała się tak, jakby czytała jej w myślach, wówczas gdy zawalił jej się świat z powodu dwóch kobiet, przez które nie miała szans być tą jedyną.

– Muszę być odpowiedzialna, akurat ten tunel muszę pokonać z dzieckiem za rękę – odparła szybko i zamykała drzwi, a Nela wydzwaniała do Xawerego, co nie przeszkodziło jej zdążyć powiedzieć:

– Jestem z ciebie dumna.

– A ja ci dziękuję! – odpowiedziała, gdy zbiegały po schodach.

– Nie ma za co! – rzuciła w biegu Nela.

– Jest!

Znów to samo...

Za każdym razem, gdy wchodziła na oddział, czuła to samo. Kiedy zaczynała swe szpitalne doświadczenia, zawsze denerwowała się ze strachu, że na oddziale przeżyje coś, co sprawi, że nie odnajdzie w sobie sił, by przyjść tu kolejny raz. Później, gdy rozpoczęła się historia z ordynatorem, do wcześniejszego zdenerwowania dołączyła kolejna przyczyna – Łukasz. Zupełnie straciła spokój, ekscytując się na myśl: „Co się stanie, kiedy go zobaczę?". Wolała nie zadawać sobie gorszego pytania: „Co zrobię, jeśli go nie zobaczę?".

A dziś? Po schodach prawie biegła i usiłowała o niczym nie myśleć. Chciała po prostu nie myśleć o tym, co się miało za chwilę wydarzyć. Łukasz potrzebował pomocy. Poprosił o tę pomoc ją. I już! Obdarzył ją zaufaniem. To było coś! To jej chciał powierzyć opiekę nad córką. To teraz było ważne, a nad paniką musiała zapanować. I koniec! Jak przed trudnym egzaminem ustnym. Wierzyła, że doświadczenia z sesji studenckiej dziś jej się przydadzą. Tak jak wcześniej przekraczała próg sali egzaminacyjnej, tak teraz musiała wejść do gabinetu Łukasza. Bez śladu zdenerwowania na twarzy. Jeśli po wylosowaniu pytań okaże się, że jest kompletnie zielona, to i tak podejmie wyzwanie. Uśmiechnie się do małej dziewczynki i sprawi, by ta chciała spędzić z nią czas. Musiała, po prostu musiała zdać ten egzamin. Dla Łukasza, bo w nią wierzył. Gdyby tak nie było, nie stałaby teraz pod drzwiami jego gabinetu.

Otworzyła je, nie pukając. A może zapukała? Nie wiedziała. Była zdenerwowana.

– Dobry wieczór, już jestem... – powiedziała, zobaczywszy najpierw jego, a później dziewczynkę.

Myślała, że będzie większa, a zobaczyła kruszynkę z krótkimi lokami. Nie mogła udawać, że twarz nie wydała jej się znajoma. Antosia była bardzo podobna do Łukasza, ale oczy miała na pewno po matce. Patrzyły na nią dwa czarne węgielki. Spoglądały trochę z dystansem, a trochę z zaciekawieniem.

– Dziękuję – szepnął Łukasz.

W jego oczach zauważyła, że rozumiał wszystko, co teraz przeżywała.

– Cześć! – wyciągnęła dłoń w kierunku małej.

Antosia była bardzo ładnie ubrana. Czerwona sukienka z białym okrągłym kołnierzykiem pasowała do czerwonych sandałków na maleńkich nóżkach, ale jeszcze bardziej pasowała do brzoskwiniowej karnacji i kruczoczarnych włosów. Pewnie Łukasz też takie kiedyś miał. Dopóki jego włosów nie przyprószyła siwizna, spowodowana nie tylko wiekiem, ale też stresem.

– Ceść – szepnęła mała i podała jej swoją rączkę, co nie przeszkodziło jej schować się za nogą Łukasza.

– Mam na imię Julka, a ty? – zapytała cicho i kucnęła.

– Antosia – usłyszała zza nogawki jasnych dżinsów Łukasza.

– Antosiu, Julka jest moją ulubioną przyjaciółką – usłyszała ukochany męski głos. – Pojedzie z tobą teraz do domu, a tam czeka na ciebie niespodzianka.

– Napjawdę? – mała z ciekawością wychyliła się zza nogawki i podniosła wzrok na swego tatę.

Miała w sobie mnóstwo dziewczyńskiego wdzięku, który jeszcze bardziej potęgowało to, że nie wymawiała jeszcze „r”, zamieniając je na dość zabawnie brzmiące „j”. Szymon Justyny, który ostatnio jakby się trochę bardziej rozgadał, zamiast „r” mówił „l”. Z taką dziecięcą wymową była już trochę osłuchana.

– Naprawdę – podchwyciła temat, ponieważ mógł on stać się przyczynkiem do przełamania lodów.

– I ten prezent, który na ciebie czeka w domu, to jest tam tak naprawdę dzięki Julce, bo to ona go dla ciebie znalazła – powiedział Łukasz.

– Napjawdę? – Antosia znów zadała to samo pytanie, ale tym razem to w niej utkwiła wzrok węgielków swych oczu.

Natychmiast podchwyciła to spojrzenie.

– Tak, ale to dłuższa historia. Opowiem ci ją, jak będziemy jechały do domu. Dobrze? – Nie czekając na odpowiedź małej, dalej usiłowała zaskarbić sobie jej przychylność. – Wyobraź sobie, że przed szpitalem czeka na nas samochód i pojedziemy nim do mieszkania twojego taty. W tym aucie jest moja ulubiona przyjaciółka – tu rzuciła ukradkowe spojrzenie Łukaszowi – i to razem z nią znalazłam dla ciebie tę niespodziankę. A naszym kierowcą będzie Xawery – znów zerknęła na Łukasza, chcąc, by wiedział, że sprawa transportu jest załatwiona.

– Xawery? – zapytał szybko.

– Pamiętasz chłopaka, który tak pięknie rysował tu po ścianach?

– Okej – Łukasz natychmiast skojarzył Xawerego, którego talent zrobił na nim ogromne wrażenie.

– To ruszamy? – zapytała, starając się, by jej głos brzmiał tak, że bardziej przyjemnie już się nie dało.

Łukasz, nie czekając na odpowiedź małej, schylił się i podniósł ją z podłogi tak szybko, że czerwona sukienka powiała jak flaga na wietrze. Przytulił ją do siebie gestem przećwiczonym pewnie już mnóstwo razy. Mała wtuliła się w jego szyję.

Patrzyła na wtuloną w ojca córkę i dzięki Bogu, poczuła rozrzewnienie, a nie zazdrość. Musiałaby być kretynką, gdyby zazdrościła małemu dziecku miłości ojca i tego, że trzymając je na rękach, miał taki wzrok, jakiego jeszcze u niego nie widziała. Takiego spojrzenia jeszcze nie znała.

– Zobaczysz, przekonasz się, że Julka jest bardzo fajna. Umie tak ładnie czytać bajki, że moje chore dzieci lubią ją najbardziej ze wszystkich.

Słysząc, co mówił, chciała ucałować każdy fragment jego dłoni ściskających z czułością córkę. Odetchnęła w duchu. Potrafiła nie zazdrościć. To było ważne.

– Na początek pobawicie się trochę z niespodzianką. Później Julka zrobi ci płatki na kolację, umyjecie zęby, potem ci poczyta i spokojnie zaśniesz. Tak się umawiamy?

Antosia skinęła główką, a jej ciemne loki urokliwie zatańczyły.

– A kiedy psyjdzies? – głos Antosi niestety zabrzmiał płaczliwie.

– Jak się rano zbudzisz, to już będę. Zgoda?

– Tak.

– To buziak. Biegnijcie do Neli i Xawerego. Dobrze?

– Dobze.

Mała zgadzała się na wszystko. Jednak nic nie zapowiadało tego, że w najbliższej przyszłości zechce odkleić się od Łukasza. Patrząc, pragnęła, by jak najszybciej nadeszła chwila, kiedy będzie mogła wtulić się w zagłębienie między szyją a ramieniem Łukasza i chłonąć jego bliskość, za którą tak dotkliwie tęskniła.

Spojrzał prosząco i z wdzięcznością.

– To co? Fruniesz teraz na ręce Julki czy pójdziesz na nóżkach?

– Na nóskach... – mała odpowiedziała szybko.

Widocznie konkretność odziedziczyła po ojcu. Łukasz szybko się schylił. Postawił córkę na podłodze i z wprawą wyplątał się z objęć małej, a prostując się, poprawił sobie fryzurę odrobinę zmierzwioną jej rączkami. Ten jego gest roztkliwił ją do tego stopnia, że zapragnęła tu zostać. Z nim. Nie chciała nigdzie iść. Ale skoro zawsze musiało być jakieś ale, nie mogła zostać. Musiała zachować się tak, jak tego wymagała sytuacja. A ona do prostych nie należała. Antosia stała między nimi i wbijała wzrok w swoje czerwone sandałki na małych stópkach.

– To ruszamy, dobrze?

Loki na głowie znów zatańczyły. Tym razem niestety bardzo nieśmiało. W tej sytuacji to ona musiała wykazać się inicjatywą. Śmiało więc chwyciła nieśmiałą rączkę.

– A może wolałabyś, żebym cię wzięła na barana? – zaproponowała.

Czego się nie robi dla dobra sprawy? – pomyślała.

– Tak. Na bajana...

Usłyszała zgodę, ale bez ani krzty entuzjazmu. Wiedziała, że czeka ją trudny wieczór. Natomiast bardzo usiłowała zrozumieć dziecko, które widziało ją pierwszy raz w życiu, właśnie wspięło się na jej plecy i pozwoliło, by wzięła je na barana. Na szyi poczuła bardzo delikatny dotyk, a na plecach dziewczynkę lekką jak piórko.

– To do zobaczenia rano, tatusiu – uśmiechnęła się do Łukasza.

O dziwo nie udławiła się tymi słowami. Co więcej, wypowiedziała je z ogromną lekkością. Pewnie dlatego, że uśmiechem chciała umilić moment pożegnania małej z tatą. We wzroku Łukasza widziała zdenerwowanie. Miała też przekonanie, że wynikało ono nie z tego, że nie miał do niej zaufania, tylko z tego, że teraz musiał być całkiem gdzie indziej.

– To do zobaczenia, moje królewny – pożegnał się Łukasz.

Znała ten głos i ten ton z czasów, gdy udawało jej się sypiać w jego łóżku. Z tych czasów, kiedy naiwnie myślała, że może nie jest pierwsza, ale najważniejsza. Poczuła jego zapach, gdy zbliżył się, by pocałować w czółko najpierw Antosię, a zaraz potem ją. Dla takiego pocałunku, nie całkiem subtelnego, mogłaby codziennie rano i wieczorem nosić małą na barana.

Wyszła z gabinetu z dziewczynką na plecach. Nie patrzyła na Łukasza, ale czuła na sobie jego wzrok, którym odprowadzał ją aż do wyjścia z oddziału. Niosła na plecach małą, zupełnie nie czując żadnego ciężaru. Antosia pewnie miała teraz nietęgą minę, ale, dzięki Bogu, nie płakała.

Wiedziała, że gdy znajdą się w mieszkaniu, problem zasmuconych oczu dziewczynki się rozwiąże. Przecież w domu miały spotkać Łyżeczkę. Dzięki kotce oczy małej, będące kopią oczu matki, zapałają radością. Tego była teraz pewna. W stu procentach. Łyżeczka miała mnóstwo szczęścia w swym kocim życiu, które rozpoczęło się piesko. Ale… Przecież zawsze jest jakieś ale. Jak widać, czasami bywa takie ale, które prowadzi ku lepszym czasom…

Nie ulegało wątpliwości, że mieszkanie Łukasza było drugim domem Antosi. Czuła się tu jak u siebie. Podobnie jak Łyżeczka. Dlatego teraz, gdy patrzyła na zabawę dziewczynki z małą kotką, nic jej nie dziwiło. Nic a nic. Radość, którą obserwowała, nie przeszkadzała jej ani trochę. Gdyby Łukasz mógł widzieć teraz oczy swej córki, na pewno też by się uśmiechał. Nie potrafiła się domyślić tylko jak, ponieważ potrafił się uśmiechać na wiele różnych sposobów. Nie wiedziała, czy te uśmiechy, którymi obdarzał córkę, różniły się od tych, które posyłał jej. To teraz nie było ważne. Chyba ani teraz, ani w ogóle...

– Zobac, jak fajnie jusa łapkom!

Antosia trzymała małego białego pluszowego kotka i bujała jego długim ogonem nad Łyżeczką przebierającą w powietrzu łapkami, migającymi co chwila różowymi poduszkami, z których wyrastały bardzo delikatne kocie pazurki.

– Ale cię polubiła – stwierdziła z radością. – Na pewno już rozumie, że to ty będziesz jej panią.

Siedziała po turecku obok bawiącej się Antosi. Z uwagą obserwowała małą, starając się ze wszystkich sił dostrzegać plusy sytuacji, w której tak nagle i zupełnie nieoczekiwanie się znalazła. Przeprowadzała na sobie coś w rodzaju terapii.

Mogło być dużo gorzej... – myślała.

Przy tym, jak wygląda, mógł mieć kilka żon i gromadę dzieci, których imion nie byłabym w stanie spamiętać... – dodawała w myślach.

Patrzyła na Antosię i uśmiechała się, wiedząc, że równie dobrze córka Łukasza przecież mogła nie być słodką, małą dziewczynką, z którą dla dobra sprawy była gotowa się zaprzyjaźnić, a nawet bez żadnego wysiłku zżyć. Antosia mogła okazać się zazdrosną o ojca panną w trudnym wieku, traktującą ją jako konkurentkę do serca albo – jeszcze gorzej – kasy ojca. Poza tym była żona Łukasza mogłaby nie ułożyć sobie życia z innym mężczyzną. Mogłaby przeszkadzać swojemu byłemu mężowi tak, by nie mógł zacząć od nowa...

Przyjdzie czas, to wszystko się jakoś poukłada... – przekonywała się w duchu, starając się dostrzegać to, co dobre. Musiała przyzwyczaić się do nowej sytuacji. Wszyscy musieli do niej przywyknąć. Ale na początku sama powinna otworzyć się na zmiany. Dobrze, jeśli stworzy odpowiednie warunki dla siebie samej. Musiała wyjść z okopów, w których skrywała się jej miłość, bo w nich uczucie nie miało szans przetrwać. Potrzebowała na to czasu. I to takiego, o którym mówiła ciotka Marianna, czasu zaprzyjaźnionego. Lepiej – czasu przyjaźnie nastawionego. I tylko na życzliwych ludziach powinna się opierać. Teraz otaczały ją przecież bardzo różne osoby. Wspaniałe, ale też takie, o których ciotka Marianna mówiła często, że cudze wady widzą, swoje na plecach noszą. Była pewna, że w nosie powinna mieć tych, których życie jest bezustannym czekaniem na potknięcia innych. Uważała ich za głupców. Przecież naprawdę trzeba być idiotą, by cieszyć się z cudzych trosk i nieszczęść.

– Pac! Julka, pac! – rozanielona Antosia prosiła o uwagę.

– Widzę! Widzę! – utwierdzała ją w przekonaniu, że oprócz obserwowania zabawy nie robi nic innego.

Ale tak naprawdę patrzyła i rozmyślała. Dochodziła do pozytywnych wniosków. Tak pozytywnych, że bardziej już chyba nie można. Stwierdziła, że terapia przeprowadzona przez siebie na samej sobie nie ma sobie równych. Bo kto jest w stanie zrozumieć nas lepiej od nas samych? Chyba nie powinna studiować psychologii, skoro dochodziła do takich rewelacji. Ale co tam! Patrzyła na zabawę Antosi, która coraz częściej tarła zmęczone oczka. Spoglądanie na małą nie przeszkadzało jej w rozmyślaniach, a może nawet je wspomagało. Chichot dziewczynki wyzwalał w niej mnóstwo endorfin.

Pewnie to dlatego postrzegała wszystko w optymistycznych barwach. Dzięki temu widziała wszystko wyraźniej i dokładniej, bo z odwagą wychylała głowę z okopu, bez strachu, że ktoś jej ją utrąci. Nareszcie potrafiła odgrodzić się od wrogów, którzy bywali tacy niebezpieczni, ponieważ bez względu na wszystko jątrzyli i z niecierpliwością czekali na klęskę. Zniekształcali rzeczywistość, która bez ich sabotażowej działalności byłaby całkiem prosta i klarowna. Do znudzenia zatruwali życie, które bez ich paplaniny stałoby się całkiem normalne. Czuła, że w końcu dojrzewała do tego, by mieć w nosie tych, co jej przeszkadzają. Musiała mieć w nosie nawet wszystkie ich dobre chęci. Dobre chęci to nic innego jak czcza gadanina. A gadanie nie pcha życia do przodu. To działanie ma moc sprawczą. Dlatego zyskiwała świadomość, że w życiu trzeba robić swoje, nawet wtedy, gdy inni w to wątpią. Zawsze znajdą się tacy, którzy mnożyć będą znaki zapytania i zasypywać niekończącymi się pytaniami: „Zastanowiłaś się nad tym poważnie?", „Po co ci to?", „Nie sądzisz, że to wszystko źle się skończy i wyjdzie ci bokiem…?".

Chciała krzyczeć na tych, którzy mieli czelność wmawiać jej, że coś jest niemożliwe. Musiała zmusić ich, by jej nie przeszkadzali, a wtedy niemożliwe stanie się możliwe. Chciała być ponad to wszystko. Nie po to, by pokazać, kto tu rządzi, ale by tylko ona mogła mieć później zażalenia do własnego losu. Przecież dzieci wcale nie muszą powielać życiowych błędów rodziców. Nie muszą dreptać tylko ścieżkami wytyczonymi przez bliskich, by dotrzeć do celu. Każdy sam musi odnaleźć swoje miejsce. Znaleźć je i zaakceptować, a jeśli to się tymczasem nie udaje, to nie ustawać w poszukiwaniach.

Antosia była już bardzo zmęczona. Oczy jej się kleiły, a usta wprost przeciwnie. Ziewała tak, że mogłaby spokojnie połknąć w całości Łyżeczkę, która w przeciwieństwie do swej pani miała niespożytą energię. Kotka była w swoim żywiole. Po całym dniu spędzonym w samotności rozpierała ją niesamowita radość, że nareszcie w domu pojawiło się jakieś towarzystwo, które w dodatku nie widziało świata poza nią.

– Antosiu, zobacz, jaka Łyżeczka jest już zmęczona – przemawiała małej do wyobraźni.

Zaczęła czynić delikatne przygotowania do zakończenia zabawy.

– Nie, chyba nie jest…

Małej nie dało się tak łatwo oszukać.

– Ale ty jesteś bardzo zmęczona – zasugerowała.

– Nie jestem… – głos Antosi w mgnieniu oka stał się płaczliwy.

Trochę się zlękła, gdyż z doświadczenia nabytego w szpitalu wiedziała, że wieczorna pora z dala od rodziców to dla dziecka najbardziej drażliwy moment w ciągu całego dnia.

– Antosiu, powinnaś teraz zjeść kolację, a później umyjemy się i położymy do łóżka. Poczytam ci na dobranoc. No i pozwolimy Łyżeczce spać z tobą, jeśli będzie miała na to ochotę. Co ty na to? – zapytała, roztaczając przed Antosią atrakcyjną wizję dalszej części wieczoru.

– A kiedy psyjdzie tata? – zapytała mała głosem wciąż skorym do płaczu.

– Pewnie w nocy. Jak się jutro obudzisz, to na pewno będzie już w domu... Chodź ze mną, proszę...

Wzięła małą za rączkę i zaprowadziła do okrągłego stołu. Antosia była dość mała jak na swój wiek.

– Usiądź, a ja przygotuję ci pyszne płatki. Tato na pewno ma tu coś dobrego...

– A mama pojechała do spitala – odezwała się dziewczynka.

Na dźwięk słowa „mama" musiała się opanować, by nie wypuścić z dłoni worka z czekoladowymi płatkami.

– Wiem – odpowiedziała bardzo dzielnie. – Ale mam nadzieję, że się nie martwisz, bo na pewno wszystko będzie dobrze – zerknęła na Antosię, ciepło się do niej uśmiechając.

– Tak mi powiedziała. Ma w bzuchu mojego bjaciska. Ale jego tatą będzie Jacek, a nie mój tata.

– Wiem – znów się uśmiechnęła, tym razem przyszło jej to łatwiej niż poprzednio. – A cieszysz się, że będziesz miała braciszka? – zapytała, stawiając przed małą miskę z płatkami.

– Tak. A pokajmis? – Antosia utkwiła w niej proszący wzrok, na co była całkowicie nieprzygotowana, ale cieszyła się, że dostrzegła w tym spojrzeniu spory ładunek dziecięcego zaufania.

– Pokarmię, oczywiście, że cię pokarmię – uśmiechnęła się i zrobiła to z ochotą.

W karmieniu miała doświadczenie. Nabyła je nie tylko w szpitalu, ale i w rodzinie, ponieważ chłopcy Justyny i Krzycha pożerali wyłącznie łakocie, a gdy chodziło o tak zwaną zdrową żywność, to trzeba się było trochę nagimnastykować, żeby talerze opustoszały. Antosia jadła ładnie. Była grzeczną dziewczynką. Spokojną. Robiła wrażenie dziecka, którym ktoś się bardzo dobrze zajmuje i opiekuje.

– A bajkę mi opowies?

– Mogę ci opowiedzieć albo przeczytać. Jak będziesz wolała...

– A mozes tak i tak?

– Oczywiście – pogładziła małą po jedwabistych włosach. Uśmiechnęły się do siebie. Uśmiech małych ust, pomazanych na czekoladowo, sprawił jej radość. Cieszyła się, że łatwo nawiązywały kontakt. Podobało jej się, że mała była wobec niej ufna. Że się nie wstydziła, chociaż znały się bardzo krótko. Podobał jej się głos Antosi. Był bardzo przyjemny i roztkliwiający, zwłaszcza w momentach, kiedy niektóre zwroty dziewczynka rozpoczynała od zabawnie przedłużanej głoski „a": „a pokajmis?", „a pocytas?".

– A muse zjeść wsysko? – zapytała, gdy zobaczyła, że do dna w miseczce jeszcze jej trochę brakowało.

– Chyba nie... – odparła, bo nie chciała być zbyt restrykcyjna. – Ale jeszcze kilka, dobrze?

– A moze być za mame, za tate i za Jacka? – zaproponowała z wdziękiem mała.

– Dobrze – zgodziła się natychmiast i zaczęła odliczanie. – To może najpierw za mamę? – zaproponowała, pracując nad tym, by zapanować nad emocjami.

– A tejaz za tate – mała przy wyliczaniu jadła dużo szybciej niż wcześniej. – A tejaz za Jacka – Antosia sama wymieniła imię swojego przyszywanego taty.

Do jadalni wbiegła Łyżeczka, która do tej pory buszowała gdzieś w pokoju Antosi.

– To może jeszcze jedna łyżka za Łyżeczkę – postanowiła skorzystać z okazji, bo w szpitalu nauczyła się wykorzystywać każdą możliwość.

– Ale jus ostatnia – ubezpieczyła się szybko Antosia.

– Tak. Ostatnia – utwierdziła małą w przekonaniu, że kolacja naprawdę dobiegała końca.

Ostatnia łyżka płatków „za Łyżeczkę" została zjedzona dużo wolniej niż trzy poprzednie.

– Kąpiemy się? – zasugerowała łagodnie, nie chcąc niczego narzucać.

– A mozemy tylko buśke i jącki?

Antosia naprawdę była grzeczna. W niczym nie przypominała siostrzeńców, w ich towarzystwie wieczór wyglądał całkiem inaczej.

– Możemy. Chodźmy do łazienki.

W związku z tym, że Antosia była naprawdę zmęczona, nie zmuszała jej do samodzielności, bardzo docenianej w szpitalu, tylko wszystkie kosmetyczne zabiegi po prostu wykonała za nią. Nawet w myciu zębów jej pomogła, widząc pewną niezdarność ruchów, która wynikała albo ze zmęczenia, albo z tego, że Antosi brakowało wsparcia w osobie mamy.

– To teraz maszerujemy do pokoju.

– A Łyzecka? – mała ledwo trzymała się na nogach.

– Niczym się nie martw. Jak tylko zobaczy, że leżysz już w łóżku, to na pewno będzie chciała spędzić noc przy tobie.

– A ty?

– Ja też mam być przy tobie? – zapytała.

Antosia w odpowiedzi potaknęła. Prócz fizycznego podobieństwa między dziewczynką a Łukaszem dostrzegała też pewne podobieństwo charakterów. Mała nie narzucała swego zdania, jak zwykły czynić to dzieci. Umiała tak przymilnie zadawać pytania, że każdy i tak z pewnością robił to, co dziewczynka proponowała, wcale nie tak bezpośrednio. Łukasz też tak działał. Nie naciskał. Zostawiał wybór. Nigdy nie miała okazji przysłuchiwać się, jak rozmawiał z rodzicami dzieci, które leczył. Jednak miała pewność, że były to rozmowy pozbawione dłużyzn i zbędnych słów. Rozmowy konkretne, ale mające w sobie mnóstwo taktu i powagi.

Gdy weszły do pokoju, Antosia od razu wyciągnęła spod poduszki pidżamę.

– A jozepnies? – zapytała, odwracając się tyłem do niej i z wdziękiem schylając główkę, by bez trudu mogła odpiąć guziki sukienki.

Guziki z pewnością zapięła rano mama. Kobieta, którą kiedyś kochał Łukasz. Kobieta, z którą się kochał. Musiała skończyć z takim myśleniem, bo od razu zrobiło jej się słabo. Zobaczyła coś, co do złudzenia przypominało właśnie złudzenie optyczne. Migoczącą iluzję Grida. Czarne i białe kropki przed oczami nie wróżyły niczego dobrego. Musiała natychmiast wyzbyć się takich przemyśleń. Ale nic nie potrafiła poradzić na to, że jak na razie było to bardzo trudne.

Przecież oswajanie życiowych prawd, nad którymi nie potrafimy przejść do porządku dziennego tak z marszu, nie jest ani łatwe, ani przyjemne. Ale inaczej się po prostu nie da. Trzeba próbować znosić to, co trudne. Może z czasem te próby staną się łatwiejsze. Albo przynajmniej będzie można przyzwyczaić się do pokonywania trudności, co odrobinę zniweluje stres.

– Najpierw jedna ręka... Potem druga... – powoli pomagała Antosi wkładać pidżamę.

Miała pewność, że usypianie nie będzie trudne. Mała, zgodnie z określeniem Justyny na zmęczenie jej synów, była „ledwo ciepła". Okryła Antosię barwnym patchworkiem, pod którym dziewczynka schowała się prawie cała. Zerknęła na zamknięte już oczka małej, a zaraz potem na Łyżeczkę, obserwującą uważnie to, co działo się z jej dotychczasowym legowiskiem. Podniosła kotkę z podłogi i ułożyła ją na łóżku, na tym kwadracie, który mógł zwierzęciu przypominać futro mamy. Łyżeczka od razu zwinęła się w kulkę.

– A pocytas? – usłyszała senną prośbę.

– Oczywiście, tylko przyniosę książeczkę. A może wolisz jakąś swoją? – zapytała, zerkając na mały regał, na którym oprócz zabawek stały też książki.

– Twoją...

– To poczekaj chwilkę... Zaraz wracam z książką...

Wyszła na moment. Gdy wróciła, od razu pomyślała, że nie będzie musiała już długo czytać.

– A o cym? – tymczasem zapytała całkiem nieprzytomnie Antosia.

– A o czym wolisz: o kocie, co grał na harfie, o smoczym portrecie, o królu czy o czarowniku? – z pamięci proponowała ballady.

– O caro... – odpowiedziała Antosia, nie znajdując w sobie sił na wypowiedzenie słowa do końca.

Bez trudu znalazła właściwą stronę. Zaczęła czytać. Lektura ballady usypiała Antosię, a ją uspokajała. Cieszyła się, że sobie poradziła, ponieważ obyło się bez płaczu za mamą i tatą.

Może w patchworkowych rodzinach dzieci są bardziej otwarte na obcych... – pomyślała, a zamyśliwszy się na moment, przestała czytać.

– Koniec? – zapytała z obawą w głosie Antosia.

– Nie, jeszcze nie... – zaczęła znów czytać.

Głos małej brzmiał cicho, dlatego ona też czytała cicho, wolno, usypiająco. Patrzyła na długie rzęsy dziewczynki, przypominając sobie czasy, kiedy tę samą bajkę wiele razy czytała Michasiowi. To tę lubił najbardziej. Dostrzegła pewne podobieństwo między Antosią a Michasiem. Kiedy go poznała, też ciemny wachlarz rzęs leżał na jego policzkach. Później już nie...

Wciąż czytała, mając pewność, że Antosia zasnęła. Mała spała, a ona czytała i płakała. Postanowiła, że dokończy rozpoczętą balladę, ponieważ zapragnęła powspominać jeszcze Michasia. Z oczu popłynęły tak liczne łzy, że nie dostrzegała krótkich wersów ballady.

Mogła zamknąć książkę i opowiadać dalej. Przecież znała na pamięć wszystkie ballady. A nawet jeśli nie wszystkie, to prawie wszystkie. Patrzyła na spokojną twarz Antosi, myślała o Michasiu i opowiadała...

Na wieży
  wieko skrzyni odemknął
  i łupy złożył w niej swoje.
  Zatrzasnął!
    Nagle w skrzyni coś
    pękło
    i – się rozpadła
    na dwoje!
Od huku
  wieży runęły ściany,
  taka w nim była siła.
A szklana góra:
  – Brzdęk!
Z brzękiem szklanym
na drobny mak się
skruszyła.
Pyłu czarnego
  wzbiły się chmury,
  a gdy opadły na dół,
  nie było wieży
  nie było góry
  i czarownika ni śladu...

Chociaż wszystko w balladzie działo się bardzo głośno, nawet nie zauważyła, kiedy zamieniła cichy głos w szept. A kiedy rozdzwonił się jej telefon, wbrew chęciom musiała przerwać tę balladową szeptankę, by jak najszybciej go odebrać. Nie mógł bowiem zbudzić

Antosi. Łyżeczka już się obudziła i wyciągnąwszy łapki, zmieniła pozycję. Teraz leżała na boku.

– Halo? – zapytała cicho, wiedząc doskonale, że mama miała prawo się zdenerwować jej długą nieobecnością.

– Julka, na Boga! Ty jeszcze sprzątasz?

– Nie, mamo, zdarzyła się wyjątkowa sytuacja i muszę zaopiekować się córką Łukasza – powiedziała, ciesząc się, że ma już za sobą każde słowo, które wymówiła.

– A kiedy wrócisz?

Wiedziała doskonale, że mama musiała się teraz mocno starać, żeby jej głos brzmiał w miarę spokojnie, ale i tak było słychać, że jest bardzo niezadowolona z obrotu spraw.

– Jutro. Najprawdopodobniej rano albo w południe – odpowiedziała, zostawiając sobie pewien margines czasu.

– To najwyżej przyjedziesz prosto do Justyny. Pamiętasz, że Szymek ma jutro urodziny…?

– Pamiętam – skłamała, natychmiast łając się w duszy za to, że zapomniała o urodzinach malca, nie tylko jej siostrzeńca, ale także chrześniaka.

– Masz jakiś prezent? – zapytała zapobiegliwie mama.

– Mam – skłamała po raz kolejny, nie mając już sił na wyrzuty sumienia.

– Jesteś tam z nim? – zapytała mama, w pewnym sensie przełamując temat tabu, wiszący w powietrzu od awantury, którą obie miały z pewnością zapamiętać na długo.

– Nie – nareszcie nie musiała kłamać. – Opiekuję się córką Łukasza, bo on musi być dziś w szpitalu – wolała nie wtajemniczać mamy w całą historię.

Z rozmysłem już po raz drugi wspomniała imię Łukasza, by uzmysłowić mamie, że naprawdę jest dla niej kimś bardzo ważnym.

Kimś, dla kogo była gotowa zmienić swe życie. Mama przemilczała jej odpowiedź i odezwała się dość dyscyplinującym tonem, ale i tak słychać było, że się stara.

– W takim razie do jutra. Pamiętaj, tort urodzinowy jest o czternastej. Kup może też jakiś drobiazg dla Tymka, żeby chłopcy nie pozabijali się z zazdrości.

– Dobrze, mamo – odparła spolegliwie. – To do jutra.

– Do jutra. Pa.

Nie mogła uwierzyć w to, co się właśnie stało.

Można? Można! – takie słowo tłukło jej się teraz po głowie. Mama już widziała, że jej córka zamierzała spędzić noc w jego mieszkaniu, z jego dzieckiem, a świat się nie zawalił jak wieża złego czarownika z ballady.

Cud! – pomyślała, odkładając telefon na okrągły stół. Położyła go obok miseczki z niedojedzonymi płatkami. Po łzach nie było już ani śladu. Była z siebie naprawdę zadowolona. Miała dziś kilka sporych powodów do radości.

Jak to dobrze, że życie składa się z chwil... – uśmiechnęła się w duchu do kilku dzisiejszych ważnych chwil, na jej twarzy także zagościł prawdziwy uśmiech.

Łukasz poprosił ją o pomoc. W dodatku w nagłej, podbramkowej sytuacji. Z Antosią poradziła sobie doskonale i nawet udało jej się zaskarbić sobie sympatię i przychylność małej. Ale za najważniejszy powód do radości uznała to, że udało jej się – póki co tylko przez telefon – zasugerować mamie, że nie boi się trudnej miłości. Jest na nią gotowa.

Była świadoma, że jeśli chciała ułożyć swe życie z Łukaszem, a chciała tego bardzo, musiała stać się elementem patchworku. Innym od pozostałych, ale tak samo ważnym. Tworzącym z nimi całość, wielobarwną, różnorodną, ale jednak spójną...

Leżący na stole telefon zawibrował mimo dość późnej pory. To Nela przysłała wiadomość, tak jakby telepatycznie poznała jej aktualne przemyślenia. „Przyszywana córeczka – śliczna". Kolejny raz tego wieczoru uśmiechnęła się do siebie i zamiast zabrać się do porządków w kuchni, zapragnęła zerknąć na śpiącą Antosię. Zrobiła to, a kiedy zastała w pokoju wszystko tak samo jak wówczas, gdy z niego wychodziła, poczuła się w obowiązku poinformować o stanie rzeczy Łukasza. Nie wiedziała, czy o nich myśli. Nie była przekonana, czy ma czas, by o nich pomyśleć. Ale to się teraz nie liczyło. Teraz chciała mu uzmysłowić, że ona myśli o nim. Przecież robiła to bezustannie. Pragnęła utwierdzić go w przekonaniu, że nie pomylił się, obdarzając ją dziś zaufaniem. Marzyła, że nadejdzie kiedyś taka chwila, kiedy będzie mogła dać mu do zrozumienia, że nie pomylił się, obdarzając ją uczuciem. Potrzebowała trochę czasu. Nie na to, by też obdarzyć go miłością, ponieważ robiła to w każdej chwili. Czasu potrzebowała po to, by przyzwyczaić wszystkich do tego, że sama wybrała swą życiową drogę i zupełnie nie oczekuje, że inni tę drogę zaakceptują. Jej problemem nie była bowiem akceptacja lub jej brak. Zależało jej na tym, by jej wybory były wolne od krzywdzących ocen. Pragnęła, by rodzina potraktowała je z należytym szacunkiem, ponieważ ona chciała członków rodziny obdarzać tym samym – szacunkiem i miłością. Tego właśnie chciała. Najbardziej na świecie.

Nawet nie wiedziała, kiedy udało jej się napisać wiadomość do Łukasza. Widocznie miała dziś dobry dzień i bardzo podzielną uwagę.

Bądź spokojny. Wszystko dobrze. Antosia śpi. W Łyżeczce się zakochała. Z wzajemnością. Do zobaczenia.

Wysłała wiadomość do Łukasza, modląc się w duchu, by noc minęła jak najszybciej, gdyż chciała spotkać go czym prędzej. Była zmęczona. Chciała to wykorzystać. Musiała spać w łóżku Łukasza sama. Jak na razie musiał wystarczyć jej zapach ukochanego.

W mojej sytuacji to i tak luksus! – pomyślała całkiem radośnie i wślizgnęła się do łóżka. Nie dosyć, że pachniało w nim Łukaszem, to jeszcze pod poduszką leżała wciśnięta książka, otwarta pewnie na stronie, gdzie skończył ostatnio czytać. Wzięła książkę do ręki, po czym zaczęła udawać, a raczej wyobrażać sobie, że Łukasz śpi obok, a ona w każdej chwili może się do niego przytulić.

Nie udaję! Wyobrażam sobie! – stwierdziła w myślach, wiedząc, że udawać przed sobą nie należy. Nie ma po co!

– Przepraszam! Wiem, miałem być wcześniej!

Łukasz wpadł do domu przed południem wykończony nocą i nękany wyrzutami sumienia. Wyglądał na koszmarnie zmęczonego. Pod oczami miał ciemne sińce, a w kącikach zmarszczki, których wcześniej nigdy nie zauważyła. Nawet wyraz oczu miał zmęczony. Jednak jego spojrzenie zmieniło się od razu, gdy tylko podniósł Antosię, a ona poszybowała w górę i fruwała teraz nad głową taty, zanosząc się śmiechem.

Przyglądała się radości ojca ze spotkania z córką. Dostrzegała też widoczną na pierwszy rzut oka radość Antosi, która od rana, odkąd tylko otworzyła oczy, nie mogła doczekać się powrotu taty. Oczywiście robiła wszystko, by ten czas się małej nie dłużył. Nie było to trudne, ponieważ pokój dziewczynki był skarbnicą, w której aż roiło się od możliwości do wspaniałej zabawy. Jednak ze wszystkich rozrywek, rysowania, czytania i lepienia z plasteliny Antosia i tak preferowała zabawę w weterynarza. Weterynarzem była oczywiście ona sama. Miała małą białą walizkę, w której skrywała wszystkie atrybuty lekarza, niezbędne do leczenia – jak się łatwo domyślić – lalek. Jednak dziewczynka nie była zainteresowana zajmowaniem się zupełnie nieruchomymi lalkami. Chciała leczyć Łyżeczkę. Kotka miała więc chorą to nogę, to ucho, to zaropiałe oko, a to potrzebowała antybiotyku w zastrzyku, a później leczniczej maści. I wszystko szło jak z płatka, dopóki Łyżeczka chciała współpracować. Jednak po blisko godzinie uciskania jej to plastikowym stetoskopem, to zabawkową strzykawką, kicia zdecydowanie odmówiła współpracy i czmychnęła pod łóżko. Właśnie ta sytuacja doprowadziła Antosię do łez i trzeba było nie lada starań, by przekonać młodą panią doktor weterynarii, że zabawa pluszowymi zwierzątkami też może być ekscytująca.

Z uwagą wsłuchiwała się we wszystko, co mówiła mała. O ile pierwsza wzmianka na temat mamy spowodowała ukłucie w sercu, a dokładniej, wywołała ukłucie zazdrości, o tyle dziesiąte napomknienie o mamie przestało robić wrażenie, przestało nawet boleć. Jak na dłoni widać było, że Antosia jest bardzo zżyta z mamą. Dziewczynka często zerkała na ścianę, na której wisiało jej zdjęcie z rodzicami. Antosia, choć mała, dość dobrze umiała rozszyfrować swą obecną sytuację rodzinną. „Mieskam z mamą, a w sobotę z tatą" – objaśniała rezolutnie. Mała była gadułą. Na początku trzeba było z uwagą wsłuchiwać się w jej słowa. Rozczulała ją bardzo wymowa dziewczynki, jej pewna logopedyczna niezdarność. Ale szybko nabrała przekonania, że akurat dobrze się złożyło, iż mała nie potrafiła wymawiać jeszcze kilku głosek, ponieważ gdyby jej to wychodziło, to można by nadać jej przydomek tak zwanej starej maleńkiej. Dziewczynka omawiała z nią wszystkie swe sprawy.

Dziś była całkiem innym dzieckiem niż wczoraj. Po wieczornej nieśmiałości rano nie pozostał nawet ślad. Antosia była bardzo konkretna i wiedziała, czego chce. Polubiły się. Co więcej, odpowiadały sobie pod wieloma względami. Ona starała się być bardzo miła i nawet z radością wchodziła w rolę kogoś, kto doskonale umie bawić się z dzieckiem. W jej dzieciństwie w taką rolę najczęściej wchodził Janek. Świetnie to pamiętała... Natomiast Antosia bardzo szybko zorientowała się, że może prosić o wszystko i liczyć na zrozumienie kaprysów. Dziewczynka mogła to robić, ponieważ w sposobie, w jaki patrzyła, było coś, co do złudzenia przypominało spojrzenie Łukasza. Temu nie potrafiła się oprzeć. Teraz ledwo trzymający się na nogach Łukasz ewidentnie chciał już zakończyć podniebne akrobacje, ale mała na to nie pozwalała, piszcząc i jednocześnie powtarzając w kółko: „jesce". Patrzyła na nich i żałowała, że musi już wyjść i gonić w piętkę, by wykazać się gdzie indziej. Choć jej własna rodzina była dla niej ważna, to chętnie zajęłaby się Antosią jeszcze przez jakiś czas, by Łukasz mógł się przynajmniej trochę przespać i odpocząć po trudach nocy, widocznie rysujących się na jego twarzy. Pragnęła obserwować, jak śpi, i być w jego pobliżu, gdy się obudzi. Miała ochotę coś mu ugotować w kuchennej ciszy. Może nawet wyprać i wyprasować koszule. Po prostu chciała z nim być. Pobyć obok niego w spokoju, który z pewnością mógł jej zaoferować.

Jeszcze nie teraz... – starała się myśleć optymistycznie. W tej chwili trzeba było wyjść i go zostawić. Musiała się pożegnać z nim i z Antosią, o którą nie mogła być zazdrosna. Taka zazdrość byłaby idiotyczna. Nie powinna być wcale zazdrosna. O nikogo. Jeśli chciała budować wspólne życie z Łukaszem, to już wiedziała, że należało powiedzieć zazdrości: „stop", i dojrzeć do tego, by nie handryczyć się z czasem, którego Łukasz z racji wykonywania swych obowiązków nie miał dużo. Miała świadomość, że będzie którąś w kolejce, by zabrać mu trochę czasu. Realia nie sprzyjały. Związek w takich warunkach pewnie do łatwych nie należy. A gdy czasu jest mało, to lepiej skupiać się na jego jakości, a nie ilości, gdyż to może się skończyć źle. Powinna w myśl słów ciotki Marianny z czasu uczynić przyjaciela związku, a nie przyczynek do jego zagłady. Przecież oprócz tego pewnie pojawi się jeszcze wiele innych przeszkód, o których teraz nie miała zamiaru myśleć, by ich bezsensownie nie piętrzyć. Miała nadzieję, że uda jej się dać ze wszystkim radę. Problemami musiała się jednak zajmować powoli. Każdym oddzielnie.

Czekało ją mnóstwo nowości. Do tych nowości powinna była przygotować siebie, swych bliskich, bliskich Łukasza, a nawet samego Łukasza. Chwilami dostrzegała lęk w jego oczach. Dość słabo widoczny, ale jednak. Domyślała się, że mógł wynikać z przenoszenia na ich relację doświadczeń z poprzednich związków, zwłaszcza z nieudanego małżeństwa, ale pewności oczywiście nie miała. Nie wiedziała zbyt wiele o życiu z kimś, kto patrzy na cały świat i siebie bardzo poważnie. Łukasz był facetem, o jakim zawsze marzyła. Nie przypominał lekkoducha. Nie szukał przygód. Nawet miłosnych. Wnioskowała o tym, choćby śledząc ich historię. Przyglądała się jej z pewnego dystansu i odnosiła wrażenie, że wszystko, co się między nimi wydarzyło, już od samego początku stanowiło mieszankę przypadku i przeznaczenia, przeplatających się ze sobą, ale pozostających w harmonii. W istocie było jej wszystko jedno, co pchało ją z taką siłą w ramiona mężczyzny, na którego teraz spoglądała z wielką troską. Przypadek... Przeznaczenie... Namiętność... Szkoda czasu na roztrząsanie dylematu, który w istocie nie stanowi żadnego problemu.

W tej chwili patrzyła na Łukasza ze świadomością, że to, co mu kiedyś obiecała, to, co zapisała na recepcie: „Wrócę... Na pewno wrócę", nie było pustą obietnicą. Teraz musiała jednak czym prędzej pędzić do swojej rodziny, którą spróbuje przekonać swoim uporem i wytrwałością w miłości, że zdaje sobie sprawę, w co się pakuje. A musiała w końcu wbić sobie do głowy, że to, co wydarzyło się w życiu Łukasza wcześniej, bez jej udziału, nie będzie jedynym czynnikiem rokującym na przyszłość, w której znalazło się miejsce dla niej. Nieznane miało zależeć od nich, a nie od tych, którzy czyjegoś życia potrafią pilnować uważniej niż swojego. Musiała wyzwolić się z myślenia o innych i zrobić to, nie popadając w egoizm. Chciała skupić się na swym życiu, by nauczyć się szacunku dla własnego przeznaczenia. Miłość, którą zgotował jej los, nie była łatwa, ale za to mądra. A mądrości przecież nigdy dosyć. Zresztą miłości też. Chciała, by w niedoskonałym świecie, który ją otaczał, zdarzyło się coś doskonałego. Jednak miała świadomość, że by coś stało się doskonałe, trzeba się temu w całości poświęcić. Była na to gotowa. Teraz, gdy Łukasz spoglądał na nią wzrokiem pełnym wdzięczności, też była na to gotowa. Nawet wówczas, kiedy nie będzie go przy niej, a inni będą chcieli jej zaszkodzić, choćby nieżyczliwym wzrokiem. Musiała stać się odporna na złe spojrzenia, słowa i intencje.

– To już naprawdę koniec! – obwieścił Łukasz, fundując córce miękkie lądowanie na podłodze.

Antosia z żałosną miną i trzęsącą się bródką zerknęła na nią, jakby szukając wsparcia. Z pomocą na szczęście nadbiegła Łyżeczka.

– Zobacz, Antosiu, Łyżeczka się za tobą stęskniła – zasugerowała małej to, że właśnie ona jest dla kotki całym światem.

Sugestia odniosła skutek, ponieważ chwilę po niej Antosia zaszyła się w swoim pokoju i zachowawczo zamknęła za sobą drzwi, żeby się przypadkiem nie okazało, że puchaty rudzielec lubi też innych domowników.

Łukasz stanął w wejściu do łazienki i patrzył na nią wyczekującym wzrokiem, jakby spodziewał się, że skoro udało mu się opanować sytuację, to teraz czeka go w końcu coś miłego.

– Jak było? – zapytała z troską.

– Strasznie – westchnął ciężko, po czym dodał bardzo zmęczonym głosem: – Ale się udało.

Nie miał siły, by się cieszyć z tego ale, które – jak się znów okazywało – nie zawsze było przekleństwem.

– Jestem z ciebie dumna – zbliżyła się i pocałowała go w kłujący od zarostu policzek.

Łukasz przytrzymał ją przy sobie i przytulił, a raczej wtulił się w nią, jakby szukał wsparcia w jej objęciach. Mogła mu je dać, ale... Oczywiście nie teraz.

– Jak się czuje... mama Antosi? – zapytała, czując bliskość Łukasza całym ciałem. Miała też przeczucie, że musi dużo wody upłynąć, zanim odważy się powiedzieć o mamie Antosi po imieniu: Anna, a może nawet Ania.

– Sytuacja się unormowała. Ania będzie musiała teraz prowadzić leżący tryb życia i całkowicie zrezygnować z pracy. To nie będzie dla niej łatwe, ale to mądra kobieta, da radę.

Oczywiście na hasło „mądra kobieta" zareagowała natychmiast. Zabolało. Jednak nie dała po sobie nic poznać.

– Możesz na mnie zawsze liczyć, gdybyś kiedykolwiek...

– Wiem... – przytulił ją jeszcze mocniej i w końcu wyszeptał niewypowiedziane do tej chwili „dziękuję".

– Nie musisz mi dziękować – celowo się obruszyła. – Przyjaciele sobie pomagają – powiedziała z rozmysłem, by sprowokować go do miłosnego wyznania.

– Mam nadzieję, że to nie jest propozycja przyjaźni – stwierdził bardzo spokojnym głosem.

Ucieszyła się, że połknął haczyk.

– Przyjaźń fajna sprawa – skonstatowała, zdradzając swe prawdziwe uczucia przyspieszonym oddechem.

Był on reakcją na to, że Łukasz, nie bacząc na zmęczenie i na to, że w odległości niecałych dwóch metrów od nich znajdowała się jego córka, zaczął ją całować. Na początku robił to właśnie po przyjacielsku, ale chyba tylko po to, by już za chwilę udowodnić jej, że pocałunek przyjacielski to nuda! Jest niczym w porównaniu z tym, na który zwykli przyjaciele pozwolić sobie nie mogą.

Nagle oderwali się od siebie. Na ziemię sprowadził ich bardzo głośny śmiech Antosi, dobiegający całe szczęście zza zamkniętych drzwi. Śmiech był niezwykle miły dla ucha.

– Polubiła cię – tuż przy uchu usłyszała słowa wypowiedziane przez najbardziej zmysłowe usta na świecie.

– Z wzajemnością – podkreśliła przyjemnie zmęczonymi ustami, gotowymi mimo znużenia na godziny tortur, na które czasu oczywiście teraz nie było.

– Możesz zostać? – zapytał, nie chcąc wracać do rzeczywistości.

Jego pytanie ewidentnie miało drugie dno.

– Teraz nie – uszczegółowiła odpowiedź.

– To chociaż powiedz, kiedy wrócisz.

Miała pewność, że Łukasz nawiązał do jej obietnicy złożonej pisemnie na blankiecie z receptami.

– Wrócę niedługo – znów posłużyła się bezpiecznym wybiegiem.

– To już zaczynam czekać... – odparł smutnym głosem.

– A ja już muszę iść – też była smutna.

Była zmuszona wyjść. Niestety haczyk, który zarzuciła, zapodział się gdzieś między słowami. Nawet nie wiedziała kiedy. Już wyswobodziła się z pachnących szpitalem objęć.

– Naprawdę muszę... – usprawiedliwiła się, wsuwając bose stopy w nowiutkie baleriny. Były ładne, wesołe, białe w czarne groszki.

– Wiem... – Łukasz wykazał się zrozumieniem, wiedząc, że w życiu bez zrozumienia ani rusz.

Żyli w totalnie innych światach. Żeby je połączyć w jeden, musieli się bardzo postarać. Chyba tego chcieli... Chwyciła swoją torbę i dotknęła klamki, by wrócić do swojej rzeczywistości.

– Pa, Antosiu! – krzyknęła na pożegnanie.

Drzwi pokoju małej otworzyły się z impetem. Dziewczynka podbiegła i połasiła się do niej, zupełnie jakby była kotką.

– A psyjdzies jesce? – zapytała Antosia, skupiając się na tym, by trzymana przez nią Łyżeczka nie zwiała zmęczona nadmiarem pieszczot.

– Przyjdę – obiecała znów ogólnikowo.

– Ale kiedy?

– Niedługo – odparła, obiecując małej to samo co Łukaszowi.

– To pa! – pożegnała się Antosia i popędziła w stronę swego pokoju.

Drzwi dziecięcego pokoju znów się zamknęły. Z powrotem zostali sami.

– To pa! – powtórzyła pożegnanie Antosi, patrząc na Łukasza.

Chyba nie miał zamiaru się z nią rozstawać. Milczał i wpatrywał się w nią nieodgadnionym wzrokiem, którego jeszcze nie znała.

– To idę… – celowo przedłużała pożegnanie, dając mu szansę na…

– Kocham cię.

A ja ciebie! – pomyślała, niezdolna wykrztusić z siebie ani słowa.

Zbiegała po schodach, których ażurowa konstrukcja była dziś ładniejsza niż kiedykolwiek indziej. Spieszyła się, by wrócić nie niedługo, tylko jak najszybciej.

A haczyk? Zrobił swoje!

Impreza u Justyny trwała w najlepsze.

Kinderbal ze staruchami w roli głównej – pomyślała, mając gdzieś to, że się spóźniła. Spojrzenie mamy już od wejścia obarczyło ją winą za wszystkie rodzinne problemy. Ciotka Klara jak zwykle zajadała się w najlepsze, wsuwając tort, który zanim został pokrojony, miał kształt wozu strażackiego. Staruszka skrzętnie wyłapywała momenty, kiedy mogła komuś dogryźć, przyszyć łatkę albo przynajmniej dogadać.

Ten typ tak ma – myślała, starając się łagodniej patrzeć na kobietę, żyjącą wciąż w poczuciu odrzucenia przez ukochanego, za co winę ponosiła jej własna siostra.

Ciotka Marianna sączyła powoli herbatę, nie mając w sobie ani krzty energii z kobiety, której siłę pokazała całkiem niedawno. Jadła tort, elegancko, dystyngowanie, wytwornie trzymając widelczyk. Z miłością wpatrywała się w swych ciotecznych wnuków, którzy na podłodze salonu opływali w nowe zabawki.

– A gdzie jest nasz szanowny jubilat? – zapytała, czując na sobie wzrok wszystkich uczestników balu.

Nie musiała instalować podsłuchu, by wiedzieć, że zanim się tu pojawiła, sprawa jej związku z Łukaszem została szeroko omówiona w rodzinnych kuluarach. Całe szczęście Krzychu wyglądał teraz na kogoś, kto słabo albo nawet wcale nie odnajdował się w takiej sytuacji, ponieważ rozstawiał właśnie na podłodze tory kolejki, którą z pewnością sam sprezentował synowi, by zrealizować niespełnione marzenie z własnego dzieciństwa.

Szymona zawstydziło jej pytanie i od razu poszukał bezpiecznego schronienia przy nodze swej bardzo ładnie wyglądającej dziś mamy.

– Widzisz, ciociu, tak rzadko do nas ostatnio przychodzisz, że cię twój własny chrześniak nie poznaje – palnęła Justyna.

Zrobiła to oczywiście żartem, do którego od razu mordercze spojrzenie dołożyła mama.

Ale dziś nic nie było w stanie zburzyć jej radości i wewnętrznego spokoju. Już nie pamiętała, kiedy ostatnio było jej ze sobą tak dobrze. Skoro Łukasz ją kochał, to wszystko inne się nie liczyło. Musiało się jakoś poukładać. I koniec! Z błogosławieństwem tu zebranych bądź bez. Co prawda to błogosławieństwo ułatwiłoby wszystko, ale...

– Szymku, ciocia cię przeprasza, ale ma teraz sesję, egzaminy... – tłumaczyła się przed malcem coraz śmielej wyzierającym zza nóg mamy i wpatrującym się zaciekawionym wzrokiem w wielką, kolorową torbę, w której schowany był kolejny urodzinowy skarb.

Ekscytacja wyznaniem Łukasza sprawiła, że wydała mnóstwo kasy na prezenty dla chłopców. Zresztą pewnie nawet bez miłosnej deklaracji skończyłoby się tak samo. Przez zakupy była teraz goła jak święty turecki, ale wiedziała, że zaraz siostrzeńcom zaświecą się oczy, i to jest bezcenne.

Wiedziała też co innego. Domyślała się, że wszystkie zebrane tu kobiety patrzyły na nią, a wyobraźnia podpowiadała im różne obrazki z jej romansu z dużo starszym od siebie mężczyzną, którego z całego towarzystwa znał tylko Krzychu, ale on akurat był niczego nieświadomy. Albo dobrze udawał kogoś, kto niczego nie widzi i niczego nie słyszy, stosując swą opanowaną do perfekcji metodę, którą w tajemnicy przed własną teściową nazywał „metodą na gamonia".

– Proszę, Szymku, to dla ciebie, życzę ci sto lat w zdrowiu i radości – pocałowała chłopca w miękki i pachnący policzek i podała mu torbę ze skarbami.

– Co się mówi? – Justyna bezsensownie musztrowała synka, ale musiała się przecież odpowiednio zachowywać, ponieważ konserwatywne spojrzenia rodzinnego jury były głodne dobrych manier i stosownego zachowania.

Szymon szepnął coś pod nosem i to jej w zupełności wystarczyło.

– Daj dziecku spokój… – szepnęła do siostry, dając sygnał wzrokiem, by za nic miała konwenanse.

– Ktoś tu chyba marzy o spokoju – odgryzła się ta natychmiast, i to wcale nie tak cicho.

Justyna zachowywała się tak celowo. Dawała wszystkim do zrozumienia, że nie zamierza ukrywać, iż dopóki czarna owca rodziny nie pojawiła się na miejscu, to rozmowy zebranych przy stole ekspertek dotyczyły nie tylko pogody.

– Właśnie wyobraź sobie, że od dzisiaj będę już miała spokój – pochwaliła się, nie myśląc wiele.

Gdyby pomyślała, to z pewnością ugryzłaby się w język. Ale miała już dosyć trzymania języka za zębami.

– Czego się napijesz? – zapytała Justyna, zupełnie nieprzygotowana na to, że młodsza siostra bez obaw odpowie na jej prowokację.

– Może kawy… – odpowiedziała niezdecydowanym głosem.

– I co tam, Juleczko, u ciebie słychać? – zapytała ciotka Marianna przy wtórze zachwytów chłopców nad czołgami, i to na piloty, do których Krzychu musiał włożyć baterie.

– Wszystko dobrze, ciociu, dziękuję… – uśmiechnęła się w odpowiedzi.

– O, proszę! Ciocia Julka pomyślała nawet o bateriach – Krzysiek spojrzał na nią i uśmiechnął się jakoś tak znacząco.

Uśmiech szwagra dał jej wiele do myślenia. Zaczęła zastanawiać się, czy to możliwe, że Krzychu już wiedział, iż facetem, dla którego straciła głowę i na którym z pewnością wieszano psy za „zawracanie głowy młodej i pięknej panience z dobrego domu", był Łukasz Kochanowski.

Ten sam, z którym spotkała się w tym mieszkaniu za sprawą Krzyśka. Ten sam, na którego dłonie wtedy patrzyła, gdy badał Tymka, a ten widok zapierał jej dech w piersiach. Ten sam, który jakiś czas później sprawił, że dech zaparło jej jeszcze nieraz.

Teraz też marzyła o tym, by taki stan przydarzył jej się dość szybko. By nie musiała na niego długo czekać. Z jednej strony doskonale pamiętała intymne chwile, które przeżyła z Łukaszem, a z drugiej wydawało jej się, że już od tak dawna nie byli ze sobą, że wszystko, o czym teraz myślała, było nierzeczywiste.

– Ciociu, czy będziesz tak miła i pomożesz mi rozkręcić te piloty, żeby można było włożyć do nich baterie? – zapytał Krzychu.

Od razu zrozumiała, że coś jest na rzeczy.

– Pewnie, że pomogę – z powodzeniem udała entuzjazm.

– Zostawimy panie na chwilę – Krzychu rzucił jedno krótkie spojrzenie na kobiety raczące się tortem.

Zagarnął ją do przedpokoju kumplowskim ramieniem, wręczając jej przedtem dwa piloty w kolorze zgniłej zieleni ze śmiesznie odstającymi plastikowymi antenkami. Tam otworzył szafę na buty, ale zamiast butów wyjął z niej małe, szare, prostokątne i dość brudne pudełko, które okazało się skrzynką na narzędzia, to znaczy małą skrzynką na mało narzędzi.

– Proszę, odkręcaj – Krzysiek wręczył jej cienki śrubokręt z przezroczystym uchwytem.

– A ty co będziesz robił? – wbiła zdziwiony wzrok w szwagra.

– Twoja siostra prosiła mnie, żebym ci o czymś powiedział.

– O czym? – zamarła, nie mając ochoty na zabawę ze śrubokrętem.

Wystraszyła się, że jeden wredny tekst może jej zepsuć bardzo dobry dzień. Miała już tyle lat i takie doświadczenia, że wiedziała, iż piękną chwilę potrafi zepsuć nawet jedno paskudne słowo.

– Jak cię tu nie było, to...

– Domyślam się, co się tu działo! – warknęła na Bogu ducha winnego Krzycha, ale natychmiast się zreflektowała: – Oj, przepraszam... Przepraszam...

– Wcale nie było tak źle – uspokoił ją niezwłocznie Krzychu.

– No coś ty?! – zdziwiła się szczerze.

Przecież znała możliwości mamy i ciotki, i to zarówno te reprezentowane przez nie w pojedynkę, jak i ze zdwojoną siłą, czyli w duecie.

– No! Zaraz się zdziwisz! Ciotka Klara była nawet małomówna. Za to ciotka Marianna powiedziała tyle, że pewnie ostatnio tyle mówiła, jak jeszcze pracowała na uniwerku.

– Co wy tam tak długo robicie? – z salonu dobiegł ich głos mamy z pewnością czującej pismo nosem.

– Jeszcze tylko chwila! – odkrzyknął bardzo grzecznym tonem Krzychu.

– To mów szybko, o co chodzi, bo zaraz musimy tam wracać.

Szwagier natychmiast spełnił jej prośbę.

– Mama chce cię wysłać do Rzymu.

– Co? – zatkało ją. – Na leżenie krzyżem? – z nerwów zakpiła.

– Nie denerwuj się. Chce cię wysłać do Janka, żeby...

– Żeby mi przemówił do rozumu! – wyprzedziła słowa szwagra, aby kolejny raz dać upust swemu zdenerwowaniu.

– Nikt tak tego nie ujął – sprostował szybko Krzychu.

– Jak chciałam do niego pojechać, kiedy jeszcze studiował, to nikt mi nie pozwolił ani kasy na podróż nie zaoferował, a teraz proszę... – nie wiedziała, czy śmiać się, czy płakać.

A teraz proszę! – powtórzyła w myślach. – *Miłość i Rzym! Dwa dobrodziejstwa jednego dnia!*

– I żadna, naprawdę żadna, nawet ciotka Klara, nie powiedziała, że trzeba mi tu w Polsce wybić Łukasza z głowy?

– Łukasza... – powtórzył po niej Krzychu.

– To Łukasz Kochanowski – powiedziała szybko.

W oczach Krzycha dostrzegła szok i niedowierzanie. Zaniemówił z wrażenia.

– I co? Ty też uważasz, że upadłam na głowę? – zapytała, wiedząc, że szwagier wie o Łukaszu więcej niż ktokolwiek inny z jej otoczenia.

Krzychu nie odpowiadał, tylko się na nią gapił. Ona też myślała intensywnie.

Ciekawe, czy myślisz, że to mnie coś stało się w głowę, czy że Łukaszowi brak piątej klepki? – rozważała w duchu.

– Czemu nic nie mówisz? – zapytała ponaglająco.

– Jestem w szoku – wydukał powoli Krzysiek. – To przeze mnie się spotkaliście? – zapytał, podejrzewając, że był współwinny jej przewiny.

– Możesz być spokojny – rozgrzeszyła go natychmiast. – Znamy się dłużej. Jestem wolontariuszką na jego oddziale. Tak jakoś wyszło... – wytłumaczyła, a myślami wróciła do wieczora, gdy nazwała Łukasza cyborgiem.

– To superfacet! – Krzychu w końcu odzyskał mowę. Do tego mówił całkiem normalnym tonem i właśnie za ten ton miała ochotę szczerze go wyściskać.

Krzychu był racjonalny. Wiedziała o tym. I właśnie dlatego nie pomyślał teraz ani o jej PESEL-u, ani o PESEL-u Łukasza. Krzysiek pomyślał o człowieku. Pewnie na myśl przyszedł mu facet, który z babskich opowieści jawił się mu jako typ spod ciemnej gwiazdy, chcący wykorzystać jego szwagierkę, jeszcze głupiutką studentkę. A tu takie zaskoczenie...

– Wiem o tym, ale nie zamierzam tego nikomu udowadniać. Postanowiłam, że nie pozwolę nikomu mieszać się do mojego życia.

– A jednak masz coś ze swojej siostry – podsumował ją Krzychu z radosnym uśmiechem.

– A wątpiłeś w to? – zapytała bezczelnie.

– Nieraz.

Odpowiedź Krzyśka miała w sobie również lekki posmak bezczelności, ale przede wszystkim szczerości.

– Chodźcie tu! – tym razem wrzasnęła na nich Justyna.

– Już! – znów udowodniła szwagrowi, że więzy krwi to nie byle co.

– Będę trzymał za was kciuki – obiecał Krzychu z poważnym wyrazem twarzy.

– Nie dziękuję, bo nie powiem, może się to przydać – znacząco zerknęła w stronę salonu. – Widziałeś tamte miny? – zasugerowała, że czekają ją jeszcze trudne chwile.

– Miny to ja dopiero zobaczę, jak tam wrócę – powiedział szybko Krzychu i zostawił ją samą, ponieważ z salonu dał się słyszeć rozdzierający krzyk Tymka.

Żałowała, że nie mogła porozmawiać dłużej z kimś, kto znał Łukasza tak jak ona, czyli od dobrej strony. Z kimś, kto nie dawał się ponieść domysłom ani nie kwitował całej historii słowami: „Zawrócił dziewczynie w głowie i tyle...".

Sobie też zawrócił – pomyślała z satysfakcją.

– A może ty, Justynko, powinnaś go położyć? – ciotka Klara z ustami pełnymi tym razem kokosanek dawała rady Justynie, która usiłowała podnieść z podłogi rozhisteryzowanego syna wygiętego w łuk.

– Co tu się dzieje?! – wrzasnął bardzo radośnie Krzysiek.

Justyna była wściekła. Chciała na pewno jakoś odgryźć się ciotce Klarze, ale mama już spieszyła z odsieczą wciąż drącemu się Tymkowi.

– Oj, Klara... Dzisiaj jest taka pogoda, że nawet dorośli są rozdrażnieni.

– Po prostu zanosi się na burzę – skonstatowała ciotka Marianna, również wykorzystując wymówkę z zakresu meteorologii, by usprawiedliwić ogólnorodzinne podenerwowanie.

– Ciśnienie tak skacze, że aż coś w sercu kłuje – ciotka Klara oczywiście zmuszała wszystkich do tego, by nie przejmowali się głupotami, tylko skupili na sprawie najwyższej wagi, czyli na jej zdrowiu.

Gdyby ciotka Marianna nie wtajemniczyła jej w powody egoistycznego zachowania ciotki Klary, z pewnością już w tej chwili myślałaby o seniorce rodu bardzo niepochlebnie. Ale było inaczej. Teraz już wszystko miało być inaczej. Zerknęła zatem na ciotkę Klarę i obiecała sobie, że nie będzie o niej źle myśleć. Robiła to wystarczająco długo. Postępowała tak, jak nie tolerowała tego u innych. Dopuszczała się niesprawiedliwej oceny nie tylko różnych sytuacji, ale przede wszystkim człowieka. W tym konkretnym przypadku ciotki. Dziś zrozumiała, że – jak mówił Gandhi – sama musi stać się zmianą, do której dążyła w świecie.

Zwłaszcza w swoim świecie – pomyślała wyrozumiale, zamiast skwitować zachowanie ciotki wredną myślą. Popatrzyła najpierw na mamę, później na ciotkę Mariannę, potem Klarę i nie zastanawiając się nad Rzymem, o którym oficjalnie jeszcze nic nie wiedziała, odezwała się miłym głosem.

– Słuchajcie, a może zanim się rozpada na dobre, przejdziemy się? Chłopcy po spacerze będą lepiej spać, a nam wszystkim też to na pewno dobrze zrobi.

Ciotka Klara spojrzała na nią podejrzliwie. Mama nie była gorsza. Ciotka Marianna uśmiechała się jak zwykle. Justynie było już wszystko jedno, a Krzychu, radząc sobie z chłopakami doskonale, budował tor przeszkód dla czołgów, które były już gotowe do wojennego starcia.

– Może w końcu napijesz się kawy? – zaproponowała mama.

– A gdzie jest? – zapytała, nie dostrzegając na stole dodatkowej filiżanki.

Zauważała tylko bardzo ciekawskie spojrzenia mamy, które gdyby mogły, to prześwietliłyby ją i wycisnęły z niej wszystkie informacje na temat tego, dlaczego spóźniła się na urodziny własnego chrześniaka. Nawet się cieszyła, że mamie wyobraźnia pracowała. Chciała, żeby przypomniała sobie, jak to cudownie być młodym i przeżywać miłość. Nawet taką pełną wyrzeczeń. Mama znała taką miłość. Jej uczucie natrafiło na przeszkody, które ciągnęły się za nią całe lata. Pragnęła, by w przypadku jej i Łukasza było łatwiej. Musiała więc inaczej podejść do trudności. Nie mogła ich mnożyć w nieskończoność. Chciała poczuć się wolna i bez przeszkód wejść w życie z Łukaszem. Podejście do problemów jest w życiu bardzo ważne, wiedziała o tym, dlatego już teraz starała się wspierać pozytywnymi myślami.

Czy mała dziewczynka, w dodatku sympatyczna, może być przeszkodą?

Czy to, że Łukasz o byłej żonie wypowiadał się z szacunkiem, może być przeszkodą?

Nie zdążyła ustosunkować się do stawianych w duchu pytań, bo siostra zagrzmiała w jej kierunku.

– Ej, ty! Ciocia! W tym lokalu ci, co się spóźniają, sami sobie kawę nalewają! Zapraszam do kuchni. Wystarczy tylko nacisnąć guzik w ekspresie. Ale zrób sobie małą, bo zobacz!

Nie mogła w to uwierzyć, ale towarzystwo jednak wzięło sobie do serca jej propozycję, co prawda z ociąganiem, ale zaczęło odchodzić od stołu „w tym lokalu", by zdążyć skorzystać jeszcze z ciszy przed burzą. Niebo na razie wyglądało dość przyjaźnie.

– No, Julka! – szepnęła jej do ucha Justyna.

– Co? – spojrzała na siostrę, nie rozumiejąc podniecenia goszczącego w jej oczach.

– Nie dosyć, że jako jedyna z rodziny pofruniesz do Rzymu, bo mama postanowiła złapać się ostatniej deski ratunku, to jeszcze przed chwilą dowiedziałam się, że ten gad, co chce ci życie zmarnować, to Łukasz Kochanowski.

Świat jest mały – pomyślała i zapytała natychmiast:

– Znasz go?

– Tylko z widzenia, ale jeśli wnętrze ma chociaż trochę tak interesujące jak warunki zewnętrzne, to też brałabym bez zastanowienia.

Słowa Justyny połechtały jej kobiecą próżność. Nigdy się o to nie podejrzewała, a tu proszę! To dlatego poczuła tęsknotę. Już w tej chwili chciała znaleźć się w ramionach Łukasza.

– A nie przyszło ci do głowy, że to on wziął mnie – stwierdziła, nie wiedząc do końca, jak to w ich przypadku wyglądało.

– To tylko pozazdrościć...

– Wkładać chłopcom czapki? – zapytał podniesionym głosem Krzychu, by przekrzyczeć opowieść ciotki Klary o rwie kulszowej.

– Nie ma już słońca, więc chyba nie! – odkrzyknęła Justyna i znów to na niej skupiła swoją uwagę.

– Rozumiem, że nie będziesz się opierać i pojedziesz do Janka.

– Pojechać zawsze mogę! – odparła ze złością.

– I po co się tak od razu pieklisz? – obruszyła się Justyna.

– Bo w tej rodzinie panuje irytujący zwyczaj mówienia, co kto ma robić. Tutaj nikt nikomu niczego nie radzi, tylko dyktuje. Jak mnie to wkurza!

– Powkurzasz się i ci przejdzie.

– Chodźcie! – tym razem popędzał je Krzysiek.

– No już! – podniosła głos Justyna, by za moment znów go ściszyć. – Widzisz? Nie tylko tobie dyktują, co masz robić – podsumowała Justyna.

– Ale ty sobie z tym lepiej radzisz – odparła szybko.

– A skąd ty to możesz wiedzieć…?

To ni pytanie, ni stwierdzenie siostry sprawiło, że gdyby mogła, sama dałaby sobie po uszach. Zamiast tego przywołała się do porządku. Tylko w myślach.

Nie oceniaj! Do diabła rogatego! Nie oceniaj!

– Sama widzisz, że to nie ściema. Wszystkie drogi prowadzą do Rzymu – powiedziała z przekąsem, widząc, jak Xawery znika za zakrętem, nieopodal blaszaka, który cieszył się powodzeniem u studentów niezależnie od pogody.

Jednak latem blaszak stawał się miejscem kultowym. Dziś fakt ten widać było na pierwszy rzut oka. Studencka brać obległa niezbyt duży budynek dookoła. Jak zwykle znaleźli się tu tacy, którzy jeszcze się uczyli, i tacy, którzy mieli już w nosie książki, notatki, kserówki. Całą paskudną sesję pozostawili już za sobą.

Obie z Nelą należały już, chwała Panu, do tej wyluzowanej grupy. Właśnie przed godziną zakończyły sesyjną mordęgę i mogły nazywać się już studentkami czwartego roku psychologii. Oczywiście Nela skończyła te zmagania z najwyższą średnią na roku i na wydziale. Miała najwyższe stypendium naukowe, ale jak to określił Xawery, należało się jej to jak psu buda.

– Nie mogę w to uwierzyć – odezwała się Nela, gdy przystojna sylwetka Xawerego zniknęła im z oczu.

– Ja też – z miejsca podchwyciła uwagę przyjaciółki, której wzrok stał się jakby nieobecny, tak bardzo wypełniała go miłość. – Nieraz chciałam tam pojechać. I zawsze było mnóstwo ale. A to „Janek nie ma czasu" albo „Dziecko, skąd na to wszystko brać?", czy też „Ciotka Klara ostatnio nie domaga, wybierzemy lepszy moment na tę podróż". A tu zobacz. Okazało się, że w mniemaniu swoich bliskich robisz coś nieodpowiedniego, więc proszę, chciałaś Rzymu? Masz Rzym. Widocznie złe zachowanie w moim przypadku popłaca – zażartowała.

– Chyba trzeba cię oddać w ręce jakichś dobrych terapeutów, żeby cię choć trochę wyprostowali – zażartowała również Nela, po czym od razu zmieniła temat. – Zresztą ta moja niewiara nie dotyczyła twojego Rzymu, tylko mojego Xawerego.

– Co? – popatrzyła w zielone oczy przyjaciółki. – Niewiara? Xawerego? – powtarzała słowa Neli, a w myślach pytała się:

Czy to możliwe, żeby Xawery wyciął Neli jakiś numer?

– Gdybyś mi pierwszego października ubiegłego roku, kiedy zaczynałyśmy kolejny semestr, powiedziała, że tyle się przez ten czas zmieni w moim życiu, to nie uwierzyłabym…

– Uff – głośno odetchnęła z ulgą, bo kamień spadł jej z serca. – Boże, już się bałam, że ci ten twój królewicz z pałacu wyciął jakiś numer. A tu nic – stwierdziła z ulgą. – Jest królewicz, jest królewna – uśmiechała się do Neli.

Słońce, które wędrowało za plecami Neli, rozświetlało ogniste włosy przyjaciółki i pewnie dlatego naprawdę wyglądała teraz jak prawdziwa księżniczka.

– Kpij dalej, pozwalam – obruszyła się Nela, i to chyba na poważnie.

– Zwariowałaś?! – wystartowała od razu z reprymendą. – Przecież ja naprawdę uważam, że dobraliście się z Xawerym tak, że już lepiej nie można.

– I właśnie w to ciężko mi uwierzyć…

– A tu proszę… Niebo na ziemi. Widzisz, najlepsza studentko na wydziale, czasami dzieją się takie cuda, że nawet na ziemi może przydarzyć się niebo.

– Właśnie dlatego proszę Boga, by tak już zostało. Żadnych zmian, żadnych…

– Nie… No nie możesz się tak ograniczać. Zmiany muszą być, byle na lepsze!

– Byle… – powtórzyła po niej Nela, szkoda tylko, że nieprzekonanym tonem.

– Bądź spokojna. Xawery to typowy chłop. Zdobywca. Już należysz do jego majątków, więc będzie cię pilnował do końca życia. Co więcej, będzie powiększał te majątki. Przecież jak mu się dzieciarnia rozpełznie jak okiem sięgnąć, to…

– Ale ty jesteś odważna w planach, kiedy nie dotyczą ciebie – odgryzła się Nela, ale zrobiła to z ogromnym wdziękiem.

– Nie odważna, tylko prorodzinna. W dzisiejszej dobie nikłego przyrostu naturalnego na takich związkach jak wasz spoczywa brzemię ogromnej odpowiedzialności za naród – budziła w Neli uczucia patriotyczne, a raczej nowoczesne spojrzenie na zagadnienie tegoż patriotyzmu.

– Nie tylko my z Xawerym usiłujemy stworzyć związek – celnie zauważyła Nela, sprytnie omijając zagadnienia populacji i narodu.

– I wracamy do punktu wyjścia – odezwała się zgorzkniałym tonem. – Chyba nie myślisz, że rodzina funduje mi lot do Rzymu w nagrodę za dobre wyniki w nauce. Janek, najmądrzejszy w rodzinie, ma mi wybić z głowy związek z rozwodnikiem – bez obaw nazwała rzecz po imieniu.

– Już widzę, jak Janek biega po rzymskich sklepach z narzędziami w poszukiwaniu młotka – zażartowała Nela.

– A kto go tam wie! – odgryzła się, wiedząc, że jej brat z pewnością poznał już katastrofalną sytuację, w którą bez sensu wplątała się jego młodsza siostra.

– Masz swój rozum? – zapytała poważnie Nela.

– Mam – odparła natychmiast.

Pewności co do tego, co może ją spotkać ze strony brata, jednak nie miała. Wiedziała, że jej położenie nie należało do łatwych. Ale swój rozum miała na pewno. Rozum ten podpowiadał jej, że nareszcie zdarzyła się w jej życiu sytuacja, która zależy od jej pragnień i samodzielnych wyborów.

– Możesz więc jechać tam spokojnie, bez nerwów, bo Janek też ma swój rozum i jeśli nawet ktoś daje mu wytyczne, jak ma z tobą rozmawiać, to i tak myślę, że wiele przemawia za tym, iż będzie próbował cię zrozumieć. Przecież to ksiądz, spowiednik. Na pewno niejedno już widział i niejedno słyszał...

– Ale to mój brat.

– Przecież to też działa na twoją korzyść. Zna towarzyszące ci realia, więc na pewno już wie, że lekko nie masz. Zna waszą rodzinę. Pewnie nawet lepiej od ciebie, bo przecież dłużej. Chociaż nie wiem, czy dłużej znaczy lepiej... Nie mam pojęcia...

– Nie wiem, co to będzie... – podzieliła się z przyjaciółką niepewnością przed czekającym ją już za dwa dni spotkaniem z bratem.

– To dobrze, że nie wiemy, co będzie, bo gdybyśmy wiedzieli, to na pewno byśmy zwariowali – Nela starała się nadać lekki ton ich coraz poważniejszej rozmowie.

– Z niepewności też można zwariować – odparła w kontrze do rozważań przyjaciółki.

– Myślałam, że twoja niepewność ostatnio diametralnie się zmniejszyła – Nela subtelnie nawiązywała do tego, iż wiedziała o wyznaniu Łukasza.

– Tak – przyznała, czując, że musi przyjaciółce coś wytłumaczyć. – Ale dla mnie to, co powiedział mi Łukasz, też jest wyzwaniem. Pamiętam jak przez mgłę to, co zdarzyło się tuż po naszej pierwszej nocy. Byłam w szoku. Ale nad ranem, kiedy jeszcze nie widniało, powiedział mi, że to ode mnie będzie zależało, co się między nami wydarzy. Albo jakoś tak... – zamyśliła się. – Teraz nie potrafię sobie dokładnie przypomnieć jego słów, ale na pewno chodziło o to, że to ja decyduję o tym, co się między nami dzieje...

– To dobrze. Dużo zależy od ciebie. On nie chce przysparzać ci problemów. A nas już przecież nauczyli, że problem wynika z różnicy między tym, czego chcemy, a tym, co otrzymujemy. Czyli... – Nela na moment zawiesiła głos.

– Czyli? – czekała z niecierpliwością.

– House jest gotowy dać ci wszystko, czego będziesz chciała, jeśli tak ci powiedział.

– Ale czy ty rozumiesz, że ja do końca nie wiem, co mam zrobić z tą wolnością? Czy mam się nią zachłysnąć, czy ją oszczędnie dawkować jak ciotka Klara dobre słowa?

Od razu zganiła się w myślach za poruszenie tematu ciotki Klary. Przecież miała już dać jej spokój, ale czasami siła przyzwyczajeń jest większa niż dobre postanowienia.

– Moja mama mi zawsze powtarza, że ludzie są najważniejsi. Nie zagłębia się w psychologię, za to tłumaczy mi to obrazowo. Mówi: „Pamiętaj, dziecko, góra prania nie potrafi się obrazić i jeszcze nikt nie widział, żeby brudne okna zapłakały nad swym losem, więc nie maż się, bądź jak słońce, które co rano pomału musi odważnie przebijać się przez mrok".

– Fajne – zamyśliła się. – Chyba powinnam to sobie gdzieś zapisać. A jeśli Janek mimo wszystko powie mi coś, czego nie chcę usłyszeć? To co?

– To już dziś nastaw się dobrze na wypadek złych słów, w które oczywiście wątpię.

– Wiesz, wolę być przygotowana na wszystko.

– Wiem, wiem... Dobre nastawienie do złych okoliczności to podstawa – Nela z wyjątkowym spokojem spoglądała w jej stronę.

– Czyli jednak podejrzewasz, że czekają mnie jakieś nieprzyjemności – straciła pewność siebie, dlatego utkwiła podejrzliwy wzrok w uśmiechniętej twarzy Neli.

– Chyba nie znasz nikogo, kogo spotykają tylko same dobre rzeczy – Nela miała talent do trafnych uwag.

– Nie znam... – musiała przyznać przyjaciółce rację, jak zwykle zresztą.

– Nie martw się, złe okoliczności zawsze przemijają – Nela była optymistyczną realistką.

– Niestety dobre też – podkreśliła kierunek, w którym zmierzał jej nastrój.

– I najlepiej nic sobie z tego nie robić. Poza tym ciesz się, dziewczyno, zobaczysz Rzym, samolotem polecisz, do nieba się zbliżysz, słońcu w twarz spojrzysz, zasmakujesz wielkiego świata. Chyba uzmysłowiłam ci, że marudzenie w twojej sytuacji jest nie na miejscu.

– Ale przez ten Rzym nie zobaczę go w poniedziałek – głośno zatęskniła.

– To jutro odpuszczę ci sprzątanie – Nela od razu pospieszyła z pomocą.

– Nie – zaoponowała. – Nie mam sumienia.

– Ty i brak sumienia – Nela całkowicie przeinaczyła sens zdania, które właśnie usłyszała. – Ludzie bez sumienia zachowują się zupełnie inaczej niż ty.

– Czyli jak? – ciągnęła jednak wątek, który już na początku chciała uciąć.

Nie zrobiła tego. Zaintrygowało ją, do czego zmierzała przyjaciółka. Poza tym chciała trochę z nią pobyć, porozmawiać, ale nie o niczym, bo z Nelą tak się nie dało. Nawet rozmowy o niczym okazywały się bardzo treściwe. Czuła już, że zbliża się czas rozłąki. Nie lubiła rozstawać się z Nelą. Nie wiedziała, jak ułożą się wakacje. Niby już była pewna, jak ułoży się życie, a tu znowu coś. Rzymskie wakacje. Teraz Nela – co było widoczne gołym okiem – też przeżywała udrękę rozstania nie tylko z osobami ulubionymi, ale też ukochanymi.

– Robią, co chcą. To proste. Nie zastanawiają się, co kto poczuje, co kto pomyśli. Są nastawieni na cel. Jest plan, jest realizacja. Proste.

– To trochę rys psychopatyczny – celnie zauważyła i zaczęła porównywać, jak wypada na tym tle. – Ale ja też niektóre rzeczy planuję, i to nawet z dokładnym wyprzedzeniem.

– To nie o to chodzi. Przecież wciąż buzują w tobie emocje.

– Ale mnie się wydaje, że ja właśnie przestaję tak żyć. To nie jest takie proste, bo tak zostałam wychowana, ale walczę akurat z tymi przyzwyczajeniami, które siedzą we mnie głęboko. Zresztą po co ja ci o tym mówię, przecież ty to wiesz…

– Oczywiście – uśmiechnęła się Nela. – Widzę, pewnie, że widzę, dlatego jestem o ciebie bardzo spokojna. O ciebie i o to, co cię czeka w Rzymie. Dziewczyno, ty masz w sobie mnóstwo siły i jeszcze więcej dobrego serca. Ze wszystkim dasz radę.

Tego mi było trzeba! – pomyślała, mając ochotę wyściskać Nelę, i to wcale nie za słowa otuchy, tylko za wiarę. Za to, że tak bardzo w nią wierzyła.

– Pamiętasz moje początki z Xawerym? Przecież mi się w głowie nie mieściło, że taki facet może się mną zainteresować. Akurat mną. I tak naprawdę to dzięki tobie w to uwierzyłam. Jak patrzę na to, co się ostatnio dzieje, to jestem przekonana, że to ja muszę więcej pracować, by zmieniać w sobie i swym podejściu do życia to, co tej zmiany wciąż wymaga…

– Więcej pracować niż, przepraszam, kto? – wypaliła, nie mogąc uwierzyć w taką samokrytykę przyjaciółki.

– Dobrze myślisz... – Nela znów uśmiechnęła się kojąco. – Niż ty – skończyła, a uśmiech trwał i nie zamierzał zniknąć.

– A skąd ty to możesz wiedzieć? – zapytała.

Natychmiast bowiem przypomniała jej się rozmowa, którą odbyła naprędce z Justyną przed wyjściem na spacer zakończony dużo szybciej, niż to było w planie, gdyż upalne urodzinowe popołudnie zakończyła krótka, ale bardzo gwałtowna i silna burza.

– A tego akurat nie wiem – Nela obroniła się błyskawicznie. – Mam po prostu o tobie bardzo dobre zdanie. Dużo lepsze niż o sobie.

– Ty mnie lepiej nie bierz pod włos – zagrała krótką scenę z groźbą w tle.

– Nie robię tego, ale wiem, że zebranie w sobie odwagi na konieczne zmiany w życiu może być niezwykle satysfakcjonujące. A jeśli jeszcze wprowadzasz je dlatego, że dyktuje ci to serce, to już w ogóle...

Nie dała Neli skończyć. Gubiła się w domysłach. Miała wrażenie, że nie do końca panuje nad tokiem rozmowy. Nie wiedziała, o co tak naprawdę w niej chodzi. A Nela wiedziała na pewno. Nie miała co do tego najmniejszych wątpliwości.

– Jeśli dobrze rozumiem, to jak zwykle zrobiłaś coś mądrego, jeszcze zanim ja zdążyłam o tym pomyśleć. Jak zwykle byłaś pierwsza – syknęła, udając zawiść.

– Nie – Nela przerwała jej występ niepozbawiony aktorskich umiejętności. – To nie tak. W tym wszystkim, co się nam przydarzyło, i tobie, i mnie, zupełnie nie chodziło o to, kto pierwszy. Liczy się tylko i wyłącznie miłość, bo ona ma taką siłę, by przerosnąć ludzki strach przed życiową zmianą. Tylko ona. Nic innego. Kiedyś, gdy słyszałam, że „jeśli kochasz, możesz wszystko", to byłam przekonana, że to jakieś puste frazesy, ale teraz...

W końcu pojęła, do czego wciąż zmierzała Nela.

– Nela, ale ja też to wszystko wiem! A ty przecież masz świadomość, jaka jest moja rodzina. To znaczy mama i ciotka – uściśliła, by nie krzywdzić niewinnych.

– Tak – odparła z ogromnym zrozumieniem Nela. – Ale wiem też, że jeśli odważysz się na życie z House'em, da ci to tyle dobrego i taką siłę, że od razu zapomnisz o tym, z jaką radością czasami zamykałaś za sobą drzwi swojego rodzinnego domu. I dzięki temu, co się pewnie z Łukaszem czeka, przyjdzie też taka chwila, że będziesz te drzwi otwierała z wielką radością.

– No nie wiem...

Sytuacja, którą sprawnie nakreślała jej przyjaciółka, była dla niej jednak pewną abstrakcją.

– A ja jestem pewna, że już niedługo będziesz to wiedziała.

– A skąd czerpiesz tę pewność? Jeśli oczywiście można zapytać – popatrzyła na Nelę bardzo poważnym wzrokiem.

– Pytać zawsze można – odparła spokojnie Nela.

– Zatem... – zmuszała przyjaciółkę do konkretów.

– Miałaś już w życiu kilka trudnych momentów – Nela popatrzyła na nią tak, że od razu wiedziała, do jakiego okresu nawiązywała. – Obserwuję cię i wiem, że były one dla ciebie nie karą, tylko nauką. Wcale nie pogrążyłaś się w nieszczęściu, tylko zmądrzałaś.

To wszystko? – zdziwiła się w myślach. Była przekonana, że Nela będzie miała więcej do powiedzenia, ale i tak uśmiechnęła się do przyjaciółki, mając pewność, że więcej nie zawsze znaczy lepiej.

– Co ci przywieźć z Rzymu? – zapytała, bo i tak czuła, że żadna rozmowa nie jest w stanie jej teraz pomóc.

Po prostu musiała pojechać do Rzymu i porozmawiać z Jankiem. Miała nadzieję utwierdzić się w przekonaniu, że może zrobić to, co podpowiada jej serce.

– Co chcesz… – Nela zostawiała jej pełne pole do popisu.

– Jeszcze jakieś życzenia? – zapytała, żałując, że nie może pojechać do Janka z Nelą.

– Tak.

Tego się nie spodziewała.

– Jakie? – zapytała od razu.

– Zastanów się w Wiecznym Mieście, dokąd zmierzasz…

Czuła się tak, jakby jej życie zrobiło fikołka i po obrocie znalazło się w zupełnie innym miejscu. To, co się działo ostatnio w jej życiu, zmieniło nie tylko jego koloryt, ale i tempo. Zmianie uległo chyba wszystko. Dlatego zauważyła, że zmieniła się też sama. Potrzebowała trochę czasu na to, by dostrzec w końcu, że wszystko wokół było inne, ponieważ największa zmiana zaszła w niej.

Na lotnisku, które kiedyś wydawało jej się miejscem dla wybrańców losu, zobaczyła, że – jak mówiła ciotka Marianna – wszystko jest dla ludzi. Przyznała też rację Neli, która z uwagi na brak doświadczeń w lataniu przyrównała samolot do mechanicznego ptaka. Poleciała więc na jego skrzydłach do nieba. Widziała promienie słońca, które nie miały szansy dotrzeć na ziemię, gdyż drogę odcinała im gruba warstwa chmur. Życie dostarczało jej ostatnio takich wrażeń, o jakich nigdy nie śniła. Zwykle miała przyjemne sny, krótkie filmy na nieistotne tematy. Jej sny dotyczyły zwykle ludzi. Może dlatego, że to ludzie byli dla niej zawsze bardzo ważni. Lubiła ich obserwować.

Ostatnimi czasy bardzo intensywnie obserwowała mamę. Pewnie dlatego, że bardzo się zmieniła. Była podejrzanie spokojna, zupełnie jakby ich mieszkanie przemianowano na bibliotekę. Za to ciotka Klara nie zmieniła się wcale. Widocznie niektórych nie jest w stanie zmienić nic. Ich siła tkwi w tym, że pozostają niezmienni. Ale niektórym zmiany wychodzą na dobre. Ciotka Klara, gdyby tylko chciała, mogłaby tego posłuchać. Ale i tak wszystko, co padało z ust zrzędliwej staruszki, postrzegała przez pryzmat jej nieszczęśliwej miłości. Poza tym zauważyła też, że ostatnio w relacjach z rodzinną babą-jagą pomagała jej rada mamy, która kiedyś poradziła jej, że czasami na pewne sprawy warto spojrzeć okiem przeciwnika. Dlatego tak właśnie patrzyła na ciotkę Klarę. To naprawdę pomagało. Zwłaszcza że chwilami ciotka zachowywała się tak, jakby sama była swoim przeciwnikiem.

Teraz starała się patrzeć na świat łagodniej. Nie miała w sobie chęci, by się buntować, ani odwagi, aby uciekać od problemów. Już wiedziała, że odwaga potrzebna była nawet po to, by uciekać. Ale ona nie chciała uciekać. Ani od ludzi, ani od trudności. Miała tyle oleju w głowie, że wiedziała już, iż od siebie nie da się uciec. Wedle jej ostatnich życiowych przemyśleń człowiek mógł być albo buntownikiem, albo uciekinierem, albo poszukiwaczem, który też potrzebuje odwagi, by pokonać strach przed tym, co nieznane. Człowiek zawsze potrzebuje odwagi. Każdy przecież się czegoś boi. Zatem musiała walczyć nie o to, by się nie bać, tylko o to, aby codziennie stawiać czoła przeciwnościom losu.

W głowie miała teraz całkiem niezły bałagan. Ale nie zamierzała się tym jakoś szczególnie przejmować. Otrząsnęła się z zamyślenia i wbiła wzrok w małą podróżną torbę, w której miała zaledwie trzy sukienki, kilka podróżnych drobiazgów i nic ponadto. Na hotelowym łóżku, dużo szerszym od tego, na którym spała w domu, leżał kapelusz. Bardzo ładny. Czarny, niby słomkowy. Pierwszy raz taki miała.

– Julka! Zobacz, jakie cudo! Będziesz w nim wyglądać jak rodowita rzymianka.

Przypomniała sobie ekscytację Justyny, gdy ta wróciła z zakupów i oprócz sprawunków z supermarketu przyniosła ten piękny i niezwykły kapelusz. Kupiła go dla niej.

– Boże! Przecież musiał kosztować majątek...

Siostra nie pozwoliła jej się długo martwić.

– Co się przejmujesz? Przecież to nie twój majątek, tylko mój. A jak się leci do Rzymu samolotem, to trzeba mieć coś odlotowego. Poza tym tato zawsze mówił, że prawdziwa dama latem na głowie musi mieć kapelusz z szerokim rondem, żeby jej lico zanadto nie ogorzało.

Janek i Justyna byli w lepszej sytuacji niż ona. Znali tatę dłużej. Zatem zapamiętali go lepiej. Nosili pewnie w sobie więcej jego słów. Ona nie zapamiętała ich zbyt wiele. Dokładniej pamiętała obrazy. Zostały jej tylko pojedyncze kadry dzieciństwa spędzonego w pełnej rodzinie.

Do małego pokoju, w którym wczoraj prawie w środku nocy zostawił ją Janek, dochodziły pierwsze odgłosy rzymskiego poranka, stłumione w znacznym stopniu przez ciemnobrązową okiennicę, która wpuszczała do środka tylko pojedyncze promienie słońca. Hotelik, w którym się zatrzymała, mieścił się tuż przy bazylice Santa Maria Maggiore. Niecałe dwie godziny, które dotychczas spędziła z Jankiem, sprawiły, że myślała teraz o swym bracie z wielkim podziwem. Janek miał w sobie mnóstwo swobody. Zachowywał się jak rodowity rzymianin. Po włosku mówił z taką łatwością, że gdy wczoraj słyszała go na lotnisku, w taksówce i w hotelu, to po prostu była w szoku. Na lotnisku przeżyła jeszcze jeden szok, kiedy zobaczyła swego brata. W końcu musiała przyznać rację ciotce Klarze. Widocznie wszystko w życiu jest możliwe. Janek prezentował się dostojnie. Klasa! Po prostu klasa!

Dzień się dopiero zaczynał, a już była tak podekscytowana, że nie mogła się doczekać, co się wydarzy. Odliczała czas nawet do spotkania z Jankiem. Tego, którego przebiegu nie mogła nijak przewidzieć. Nie bała się rozmowy, chociaż nie wiedziała, jak brat był do niej ustosunkowany. Wciąż jej się wydawało, choć przecież tego nie usłyszała wprost ani nie podsłuchała, ale jakoś podskórnie wyczuwała, że rodzina poinformowała Janka o tym, że jego młodsza siostra planuje żyć w grzechu. Tak naprawdę nie interesowało jej zbytnio, jak mówiono o szaleństwie miłosnym, które jej się przydarzyło. Nie chciała zatruwać sobie życia domysłami, bo nie miało to najmniejszego sensu. Nie chciała się sama dołować ani gnębić. Przecież pierwszy raz w życiu była za granicą. Po raz pierwszy miała zobaczyć, jak wygląda świat inny od tego, do którego dotychczas przywykła i który znała.

Tęskniła za Łukaszem. Nie mogła się z nim pożegnać przed wyjazdem do Rzymu. Zadzwoniła do niego. Mogli jedynie porozmawiać przez telefon, ponieważ on musiał wyjechać na trzydniowe sympozjum do innego miasta. Nawet nie wiedziała dokąd. Nie powiedział jej o tym, ale to nie było ważne. Gdy ma się niezbyt wiele czasu na rozmowę, to liczą się tylko słowa istotne. Właśnie tylko takie padły podczas ich rozmowy. I pomimo tego, że Łukasz wypowiedział je głosem zniekształcanym przez telefon, tonem, za którym nie przepadała, to dzięki nim miała w sobie teraz spokój niezbędny do tego, aby wsłuchać się w siebie i w każde słowo, które miała dziś usłyszeć od brata. Pragnęła tego spokoju, by odnaleźć w sobie argumenty za tym, na co chciała się zdecydować. Chciała żyć z Łukaszem.

Potrzebowała wewnętrznego spokoju też dlatego, że przypuszczała, iż ważne życiowe sprawy mówią do człowieka szeptem i żeby je usłyszeć, trzeba się wyciszyć. Wierzyła, że w ciszy tkwi siła. Ale nie w takiej ciszy, której ludzie szukają w lesie albo w kościele. Najlepsza i najbardziej pomocna cisza to ta odnaleziona w sobie. Miała pewność, że tylko taka cisza pozwala na życiową uważność, dzięki której maleje ryzyko popełniania błędów. Póki co udawało jej się usłyszeć w sobie miłość, ponieważ ona szeptała do niej nieustannie. A skoro to właśnie ją słyszała, to na pewno ona była najważniejsza i to w nią musiała się wsłuchiwać. Zresztą wcale się nie zmuszała, sama chciała jej posłuchać.

Teraz jednak musiała wstać z łóżka, ponieważ ciszy w pokoju było coraz mniej. Czuła się w nim dobrze, bo rozmiarem tylko trochę przewyższał ten, który zajmowała w domu. Przeniosła się myślami do swego domu, w którym, w przeciwieństwie do hotelu, prawie nigdy nie było ładu. Próżno też było szukać eleganckich dekoracji czy wykwintnych złoceń. Zamknęła oczy. Na chwilę. I zdziwiła się bardzo, ponieważ wcale nie ujrzała nieporządku na biurku i stosów książek, których nie zdążyła jeszcze uprzątnąć po zmaganiach z sesją. Nie widziała też nieba za szybą upstrzoną wzorami, wymalowanymi przez ostatnią burzę na tafli kurzu.

Zobaczyła lwa. Dumny król zwierząt zawdzięczał swe życie Michasiowi. Lew był. Michasia nie było. To znaczy nie było go tu. Ale na pewno przebywał gdzie indziej. Ilekroć o nim myślała, zawsze wydawało jej się, że za każdym razem jest blisko niej. Teraz w Rzymie Michaś też był blisko. Cieszyła się z tej bliskości. Michaś miał spędzić kilka dni w tym mieście. Tak jak ona. Chciała, by zobaczył to co ona. Było tego trochę. Dlatego już musiała wstać. Rzym obudził ją całkowicie. Otwarła oczy, a tutejsze kościoły, których było mnóstwo, otworzyły przed wiernymi i zwiedzającymi swe drzwi. Koloseum i Forum Romanum widziały już niejedno. Usta Prawdy nieznoszące kłamców. Wzgórze Watykańskie, które czuwa nad Rzymem niczym papież, następca świętego Piotra. Chciała być wszędzie. Zobaczyć wszystko. Pokazać wszystko Michasiowi. Mogła to zrobić, bo w swej duszy nosiła tego chłopca i obietnicę, którą złożył jej przez telefon Łukasz. „Pojedziemy tam kiedyś razem". Tak powiedział. Już dziś czekała na to, aż to nastąpi.

Już dziś czekała na to, aż będą razem. Ale nigdy nie lubiła czekać bezczynnie.

Wstała. Zrobiła mały krok przed siebie i otworzyła okiennice. Pomimo dość wczesnej pory uderzył w nią strumień bardzo ciepłego powietrza, niesiony przez przyjemny wiatr. Piętro niżej po ruchliwej ulicy śmigały samochody. W większości małe i białe. Po chodnikach zalanych już słońcem spacerowali przechodnie. Nie spieszyli się tak bardzo jak ci, do których widoku była przyzwyczajona. Może rzymianie mieli więcej czasu, a może mieli go w nosie. Albo traktowali go jak partnera, a nie tyrana. Dlatego nie omieszkali przystanąć, porozmawiać, pośmiać się, poczytać prasę przy porannym espresso sączonym niespiesznie z kubeczków niewiele większych od naparstka. Byli też tacy, którzy pomimo panującego wokół rozgardiaszu i wesołych pokrzykiwań spali w najlepsze, i to w niezbyt wygodnych łóżkach z kartonów, przytuleni do północnych ścian bazyliki Santa Maria Maggiore.

Była z siebie bardzo zadowolona. Ani razu się jeszcze nie zgubiła. To pewnie dzięki przewodnikowi, który pożyczył jej Xawery. Nawet w metrze poradziła sobie śpiewająco i teraz przemierzała Via del Corso w swoich białych balerinach w czarne groszki, w czarnej cieniutkiej sukience z bufkami i oczywiście w czarnym kapeluszu od Justyny, który sprawiał, że czuła się tak elegancko jak jeszcze nigdy w życiu. Spacerowała, próbując nie zwariować, gdy oglądała witryny sklepowe, gdzie stroje autorstwa słynnych na cały świat projektantów mody puszyły się dumnie niczym paw. Czytając przewodnik opisujący to miejsce, dowiedziała się, że pod numerem osiemnastym mieszkał przy tej ulicy Goethe.

Rzym do tej pory wydawał jej się szary, a przynajmniej tak go sobie wyobrażała. Wcześniej znała to miejsce z czarno-białego filmu *Rzymskie wakacje*. Teraz miasto nabrało dla niej kolorów. W końcu to tutaj pewna księżniczka urywa się od swoich nudnych obowiązków, spędza u przypadkowo spotkanego reportera noc, a później, również w jego towarzystwie, przeżywa wspaniały dzień. To w zupełności wystarcza, by ten dzień zmienił na zawsze życie ich obojga. Widocznie czasami zmianę w życiu potrafi wywołać jeden dzień, jeden pocałunek, jedna chwila. Księżniczka jest oczywiście śliczna, a dziennikarz przystojny. Pocieszała się, że skoro księżniczce wystarczył jeden dzień, by zobaczyć w Rzymie wszystko, co najpiękniejsze, to jej trzy dni też muszą wystarczyć, by poznać smaki tego miasta. I zobaczyć stolicę Włoch w kolorze.

Janek umówił się z nią dziś na Schodach Hiszpańskich prowadzących do kościoła Świętej Trójcy. Do spotkania zostało jeszcze dwadzieścia minut. Zatem kupiła sobie lody o smaku mango, których gałka miała rozmiar trzech polskich, a smakowała tak, że już żałowała, iż zafundowała sobie tylko jedną.

Wyglądała dobrze i tak też się czuła. Tuż przed wyjazdem dopadł ją stres przed podróżą i rozmową z Jankiem, która miała się odbyć już niebawem. Jednak kiedy na lotnisku tuż po przylocie zobaczyła swego brata, nerwy się skończyły, ponieważ Janek przywitał ją jak zwykle spokojnym uśmiechem.

Racząc się słodyczą mango, usiadła na schodach, gdzieś w połowie, i przyglądając się przechodniom, rzymskim spacerowiczom, którzy podobnie jak ona przycupnęli w tym pięknym miejscu, rozmyślała. O Łukaszu. O Michasiu. O tym, jak teraz wyglądałoby życie jej rodziny, gdyby to mama poznała tatę jako pierwsza. Jak ułożyłaby się wtedy przyszłość ciotki Klary? Wiedziała na pewno, że ich los byłby inny, ale skoro wszystko potoczyło się właśnie w ten sposób, to musiała zachować się tak, by miłość, którą odczuwała, nie okazała się przekleństwem. Ani dla niej, ani dla żadnego z jej bliskich, ani w ogóle dla nikogo. Chciała, by miłość łączyła...

Przecież to nic nadzwyczajnego... – pomyślała i spoglądając na swoje nogi, zdziwiła się, bo już były trochę opalone. Poczuła smak wakacji. Pierwszy raz, odkąd stała się studentką czwartego roku. Rzym wydał jej się takim miejscem na ziemi, gdzie wakacje chyba nigdy się nie kończą. Może to przez to zdecydowane słońce, które na szczęście nijak nie mogło dobrać się do jej lica. A może to przez panujący tu wesoły nastrój i ludzi wokół, którzy radośnie i szczerze uśmiechali się do siebie nawzajem, zarażając ją swą beztroską.

Jak dobrze, że ta radość wystrzeliła ze skrzyni czarownika jak raca! Prawda, Michasiu...? – pomyślała i poczuła się zupełnie tak, jakby Michaś siedział tuż obok niej...

Rzym był niesamowity. To pewnie dlatego Nela zasugerowała jej, by to w tym mieście zastanowiła się, dokąd zmierza... To było dobre miejsce na to, by zadawać sobie mądre pytania. Zresztą na to każdy czas i każde miejsce są dobre...

Znów rozejrzała się wokół siebie. Pomimo już trochę opalonych nóg nadal czuła się tu trochę jak córka młynarza. Otaczający ją ludzie w większości mieli piękną oliwkową cerę i bardzo ciemne włosy, połyskujące w słońcu. Kolor jej włosów nawet spełniał włoskie standardy, ale przy jej karnacji nawet lodowy wafelek wydawał się aż nadto spalony słońcem. Ale był pyszny. Uśmiechnęła się do słodkości rozpływającej się w ustach i gdyby nie to, że już widziała Janka niosącego w dłoniach dwa lody, to jeszcze raz odwiedziłaby pobliską lodziarnię, gdzie zamrażarka wyglądała jak kolorowa paleta malarska odważnego impresjonisty.

– *Buongiorno* – usłyszała głos brata.

– Szczęść Boże! – odpowiedziała, widząc już obok siebie czerń, na której tle bardzo wyraźnie odcinała się biel koloratki.

– Proszę bardzo – Janek podsunął jej pod nos kolejną ogromną gałkę w kolorze dojrzałej cytryny.

Sam zajęty był wylizywaniem z wafelka pewnie wyśmienitych w smaku czekoladowych lodów.

– Dziękuję bardzo – uśmiechnęła się do brata i mogła teraz kontynuować błogie wczesne popołudnie, zauważywszy od razu, że kwaskowatość cytryny doskonale przełamywała słodycz mango.

– Wziąłem ci sorbet, ale ze smakiem chyba nie trafiłem – zauważył Janek i usiadł obok.

– Trafiłeś doskonale. Słodycz już była, to teraz trochę cierpkości się przyda – palnęła, modląc się w duchu, by Janek nie pomyślał sobie, że już czyniła wstęp do czekającej ich rozmowy.

– Musimy fajnie wyglądać na tych schodach – Janek zmierzył ją od stóp do głów.

Zdejmowanie miary skończył, zatrzymując wzrok na kapeluszu.

– Ładny – dotknął szerokiego ronda.

– Dostałam od Justyny – pochwaliła się od razu. – Pewnie, żebym tak bardzo nie odróżniała się od rzymianek.

Janek roześmiał się na włoską modłę, czyli głośno i szczerze.

– Jak chcesz, to zrobimy sobie *selfie* – zaproponowała żartobliwie.

– Tylko mi nie mów, że kupiłaś sztuczne ramię – uśmiechnął się Janek.

Dokładnie wiedziała, że mówiąc o sztucznym ramieniu, miał na myśli uchwyty do telefonów ułatwiające robienie zdjęć, które handlarze nagminnie wciskali przechodniom na rzymskich ulicach.

– Mam swoje – wyciągnęła przed siebie ramię, prezentując w dłoni zamiast telefonu nadgryziony wafelek.

– Zawsze byłaś oszczędna – trafnie zauważył Janek.

– A widziałeś kiedyś rozrzutnego ciułacza? – zapytała ze śmiechem, kpiąc sobie w Wiecznym Mieście ze swojego odwiecznie opłakanego stanu finansów. – Ale dobry – zachwyciła się orzeźwiającym smakiem cytrynowego sorbetu.

– Wszystko, co boskie, jest dobre – zauważył Janek i wyciągnął ramię, by ją przytulić i pocałować w policzek w ramach trochę spóźnionego powitania.

Od razu zauważyła spojrzenia kilku dziewcząt, które stały przed schodami. Z pewnością zastanawiały się teraz, czy odpoczywać tu, w pełnym słońcu, czy lepiej poszukać jakiegoś zacienionego miejsca pod szeroką markizą w paski w knajpce nieopodal.

– Zwariowałeś? – obruszyła się. – Nie całuj mnie przy ludziach. Jak to wygląda? Ksiądz i kobieta! Chcesz, żebym smażyła się w piekle?!

Janek parsknął śmiechem. Śmiał się tak głośno, że przyglądały im się już nie tylko niezdecydowane turystki, sądząc po urodzie, pochodzące gdzieś z fiordów północnej Europy, ale dołączyli do nich też inni gapie.

– To ty chyba zwariowałaś – Janek zachowywał się tak, jakby nie dostrzegał ciekawskich spojrzeń, a nawet jeśli je widział, to nie robiły na nim wrażenia. – Myślę, że na piekło trzeba sobie bardziej zasłużyć – stwierdził, a dobry humor go nie opuszczał.

– Na niebo też – zauważyła natychmiast.

– Chwała Panu! – podsumował od razu brat, używając swego ulubionego stwierdzenia. – Widzę, że rozmowa zaczyna zmierzać w dobrym kierunku.

– Chyba cię to nie dziwi. Przecież tylko dlatego mogę podziwiać Rzym. Wiesz, że zostałam tu przysłana po to, byś wybił mi z głowy to i owo – powiedziała bez ogródek, a Janek znów parsknął śmiechem. Na szczęście trochę cichszym niż poprzednio.

– To i owo, mówisz?

Miała przed sobą wciąż uśmiechnięte oczy brata.

– Możesz przestać udawać – stwierdziła bezpośrednio. – Na pewno mama cię poinstruowała i dała ci mnóstwo wskazówek, jak masz ze mną rozmawiać. Jak znam życie, to ciotka Klara też dorzuciła swoje trzy grosze. Pewnie tylko Marianna nie zajęła w tej sprawie żadnego stanowiska – wyjawiła bratu nie tylko swe podejrzenia, ale też przemyślenia, które w porównaniu ze smakiem lodów były bardzo gorzkie.

– Nie zapominaj o Justynie – Janek od razu uzupełnił ten rodzinny przegląd osób życzliwie zaangażowanych w ocenę jej życiowych wyborów.

– O, proszę! Tego się nie spodziewałam! Ona też?! – zapytała, dziwiąc się zaangażowaniu siostry.

– Też – przyznał niezwłocznie Janek i skończył czekoladową ucztę.

– To co masz mi powiedzieć? – zapytała, tracąc pewność w głosie, a zyskując zdenerwowanie.

– Jeśli myślisz, że powiem ci, co masz robić, to muszę cię rozczarować.

– To po co ja tu przyjechałam? – zapytała od razu. – To znaczy, po co zostałam tu przysłana? – sprostowała szybko.

– Naiwnie myślałem, że się stęskniłaś – zażartował Janek.

– Naiwność to według ciotki Klary moje drugie imię – rzuciła bez namysłu.

Szkoda, że nie mam na drugie Nadzieja – pomyślała z żalem.

– Rozumiem, że nie zgadzasz się z jej zdaniem – Janek nie wsłuchiwał się w jej słowa, ale wczuwał się raczej w jej nastrój.

– Nie zgadzam się ani z jej opinią, ani z żadną inną – uściśliła z przekonaniem.

– A dlaczego się nie zgadzasz? – Janek utkwił w niej wzrok.

Popatrzyła na jego spokojną twarz i zauważyła, że chyba byli do siebie trochę podobni.

– Bo mam swój rozum – odparła prostolinijnie.

– Wyobraź sobie, że gdy myślałem o tej rozmowie, to właśnie takie słowa chciałem od ciebie usłyszeć.

– I wierzysz w to? – zapytała, nie mogąc zrozumieć źródła entuzjazmu, którym tryskał głos brata.

– Chyba nie mam powodów, by ci nie wierzyć...

Janek zawiesił głos, a ona wpatrywała się w jego oczy, zdając sobie sprawę, że rozmowa przechodzi do meritum.

– Ktoś, kto ma swój rozum, chyba nie potrafiłby wpakować się w tak zwany związek bez przyszłości... Jak ja – uściśliła po chwili.

– Nikt nie wie, co nas czeka w przyszłości – powiedział bez zastanowienia Janek. – Są tacy, którzy zachowują się tak, jakby śmierć miała nigdy nie nadejść. I co z tego? Przecież nikt nie zna dnia ani godziny.

Zaczyna się... – pomyślała, szczerze obawiając się, że ich rozmowa obierze kierunek filozoficzny, a nie życiowy. Zwłaszcza że potrzebowała życiowych konkretów, a nie trudnych w praktycznym zastosowaniu mądrości.

– To wyobraźmy sobie taką sytuację, że do konfesjonału, w którym siedzisz, przychodzi dziewczyna. Młoda, z konserwatywnej rodziny. Trochę boi się odejść od rodzinnych wzorców. Zakochała się bez pamięci, ale mądrze, w dobrym człowieku, bez którego życia sobie nie wyobraża. Ten dobry człowiek ma dziecko i byłą żonę, o której wyraża się z szacunkiem – bardzo konkretnie opisała sytuację, w której się znalazła, choć udawała, że chodzi o kogoś innego. – Co powiesz takiej dziewczynie?

– Nie mogę ci powiedzieć – obruszył się natychmiast Janek. – Przecież obowiązuje mnie tajemnica spowiedzi – uśmiechnął się tak, że od razu puściła w niepamięć jego obruszenie się.

Czekaj, czekaj! – pomyślała, nie dając się zbyć.

– To wyobraź sobie, że nie siedzisz za kratkami konfesjonału, tylko na Schodach Hiszpańskich. A ta dziewczyna, o której ci opowiadam, to twoja siostra, która nie jest jakąś napaloną nastolatką, tylko ma swój rozum i pyta cię, co ma zrobić. Co jej powiesz? – bezlitośnie przyparła Janka do muru.

– Że nie podejmuję decyzji za kogoś, nawet jeśli ten ktoś jest moją siostrą.

Janek patrzył na nią tak, że od razu pojęła, iż nie powinna mu teraz przeszkadzać, tylko słuchać. Miała to przećwiczone z Nelą. Teraz po prostu musiała słuchać. Zatem gdy Janek wpatrywał się w nią, ona milczała, oddając mu pierwszeństwo w tej rozmowie. Zrozumiał jej niewypowiedzianą prośbę. Pojął ją w lot.

– Jak sama zauważyłaś, masz swój rozum – zaczął.

Podobało jej się to, jak się do niej zwracał. Janek zawsze mówił normalnie. Nawet wtedy, gdy stał za ołtarzem. Dzięki Bogu, nawet w kościele przemawiał bez księżego zaśpiewu, który działał na nią jak płachta na byka.

– Ten „swój rozum", jak go nazywasz, to nic innego jak wolna wola. Otrzymałaś ją od Boga. Każdy ją ma. Dostałaś ją nie bez przyczyny. Masz ją po to, by w swym życiu używać sumienia. A ten, kto chce korzystać z niego mądrze, musi być odpowiedzialny. Odpowiedzialność to według mnie w takich przypadkach jak twój... jak wasz... – poprawił się po chwili Janek, tak jakby włączył do tej rozmowy także Łukasza. – Najważniejsze jest to, by wziąć na siebie odpowiedzialność za miłość, która wam się przydarzyła, i przyjąć odpowiedzialność za tę drugą osobę... Mam nadzieję, że jesteś całkowicie świadoma sytuacji, w którą wchodzisz, którą już pewnie wzięłaś na swoje barki. Chrystus mówi wyraźnie: Nie cudzołóż...

Słuchała uważnie. Skupiała się, by nie uronić ani jednego słowa brata. Nie potrafiła stwierdzić, czy była spokojna, czy zdenerwowana. Ale marzyła teraz o jednym. Wcale nie o rozwiązanych problemach. Marzyły jej się swoboda i wolność w podejmowaniu decyzji. Nawet takich, które kosztowałyby ją wszystko. Nawet wtedy, gdy nie wiadomo, jakie byłyby konsekwencje.

– Powinnaś wiedzieć... Nie tylko powinnaś, ale wręcz musisz... – podkreślił Janek – ... musisz wiedzieć, że decydując się na życie z mężczyzną, który przed Bogiem przysięgał miłość innej kobiecie, wybierasz dla siebie kogoś, kto już jest czyjś. Kogoś, kto już do kogoś należy. Ale skoro tak robisz, to ja nic nie mówię, tylko odsyłam cię do twojego sumienia i serca. „Nie sądźcie, a nie będziecie sądzeni". Ale nie mogę milczeć. Muszę ci powiedzieć, że związek małżeński ma być trwały. To jest ideał. A życie często przynosi co innego. Bywa, że dzieje się inaczej. I co wtedy? Czy jeśli bierzesz sobie kogoś, kto nie należy do ciebie, masz szansę na niebo? Tego nie wiem. Są takie pytania, na które odpowiedzi nie zna nikt, nikt na tej ziemi. A ja nie mogę żadnym słowem ani nawet spojrzeniem pogwałcić twojej wolności. Ludzie nie szanują nawzajem swojej wolność, najczęściej ranią się kłamstwami, a kłamstwa to wymysł diabła. Powinniśmy w życiu korzystać z pomysłów Pana Boga, a wymysły diabła omijać szerokim łukiem. Ale czasami zachowujemy się tak, jakbyśmy byli mądrzejsi od Boga, a sprytniejsi od diabła. W takich ludziach nie ma miłości, a ona na ziemi jest najważniejsza. Gdyby nie miłość, nie byłoby nas tutaj. Gdyby nie miłość, nie byłoby też pewnie całego świata...

Na moment oderwała wzrok od bardzo spokojnych oczu brata i jego cicho szepczących ust. Zauważyła, że przebiegający obok niej chłopiec stracił równowagę. Zdążyła go złapać i zapobiec upadkowi. Zerknął na nią z przerażeniem. Był trochę podobny do Michasia...

– *Grazie mille!* – usłyszała od pędzącej za malcem zdyszanej mamy, która od razu wzięła go na ręce, by uchronić go przed kolejną niebezpieczną sytuacją.

– Zobacz. Matka i dziecko... – Janek podążał wzrokiem za piękną rzymianką z szamoczącym się na jej rękach chłopcem, który z pewnością wolałby dalej swobodnie zbiegać ze schodów. – Miłość matczyna to najczystsze uczucie na ziemi. Jest tak prawdziwe, bo dotyka sedna miłości. Jest obumieraniem dla drugiej osoby. To matka nie dosypia, martwi się, troszczy. Czasami nawet niknie w oczach, by dziecko w jej łonie mogło wzrastać i rozwijać się.

Janek posłużył się obrazowym przykładem obumierania matki dla dziecka, przytaczając skrajną sytuację patologii ciąży. Ona znała inne przypadki. W szpitalu na oddziale spotykała przecież matki, które gotowe były oddać całe swe życie za godzinę zdrowia ich dzieci. Szpitalne mamy nie wahały się obumierać dla swych dzieci. Robiły to. Z uśmiechem na ustach.

– Taka powinna być każda miłość – kontynuował Janek. – Taka jest ekonomia miłości. Dawać więcej, niż brać. Dawać nawet więcej, niż się ma. Poza tym uczucie musi dawać wolność. Serce powinno być wolne. Ma być twym niebem. Tu na ziemi masz szukać w nim nieba i uważać, by ludzie nie zrobili z niego piekła. A inni są zdolni do wszystkiego. Do największego dobra, ale niestety też do najgorszego zła. Jeżeli oczekujesz od kogoś dobra, ty pierwsza stań się dawcą. Najpierw ty okaż miłość. Nie czekaj. Chociaż już na pewno wiesz, że na wszystko potrzebny jest czas. Jeżeli już musisz poczekać, to czekaj mądrze. A oczekiwać mądrze to znaczy z modlitwą na ustach i pokorą w sercu, bo modlitwa czyni cuda, a pokora... – Janek zamyślił się na chwilę – pokora jest jak wielbłąd, dzięki któremu można przebyć pustynię, choć wydaje się, że nie widać kresu. Człowiek często sądzi, że znalazł się w sytuacji bez wyjścia. Jeżeli myślisz, że nie sposób wyjść z tarapatów, w które się wpakowałaś, to pomyśl, że dla Boga nie ma nic niemożliwego. Przykładem doskonale obrazującym to, o czym teraz mówię, jest historia dobrego łotra. Rozumiesz, o czym mówię? – spytał, a ona skinęła głową. – Święty Dyzma – kontynuował Janek – to pierwszy święty chrześcijański. Był złoczyńcą, który umierał na krzyżu po prawej stronie Chrystusa, żałował za wszystkie swe grzechy i prosił Go o ich odpuszczenie. To właśnie dobry łotr jest symbolem miłosierdzia Bożego. Nieprzypadkowo został patronem więźniów, umierających, pokutujących i nawróconych grzeszników. Od świętego Dyzmy można uczyć się żalu za grzechy. Hmm, co jeszcze...?

Janek zachowywał się tak, jakby mówił kazanie, ale skierowane tylko do niej. Nie odzywała się. W kościele też nie dyskutowała z księżmi, bo choć często miała ogromną ochotę wtrącić swoje trzy gorsze, to polemizowała tylko w myślach. Teraz nie miała siły nawet myśleć. Chciała tylko słuchać.

– Albo Judasz – po chwili ciszy dodał Janek. – Przecież w moralnym wymiarze on też nie jest stracony. Ale patrząc na niego, powinnaś ze wszystkich sił chronić się przed nonszalancją. Przed życiem bez Boga. Bez modlitwy, bez wytrzymałości. Nie przepraszaj, że żyjesz, ale żyj. Najlepiej, gdy twoje życie jest modlitwą. Twoje życie ma być modlitwą! Przecież jesteś na tym świecie, możesz pracować na zbawienie. Pan Bóg jest delikatny, widzi wszystko, nawet twoje najmniejsze dobre uczynki, takie, których nikt inny nie jest w stanie dostrzec. Ale jest jeszcze jedno! Żyjąc w grzechu, nie można udawać, że tego grzechu nie ma. Nie wolno ci się do niego przyzwyczajać i dawać sobie rozgrzeszenia, mówiąc: „Przecież nie jestem taka zła...". Powinnaś wciąż pamiętać o odpowiedzialności, o której już wspomniałem...

Janek mówił, patrząc jej prosto w oczy. Bardzo jej się to podobało. W końcu ktoś nie oceniał tego, co stało się w jej życiu, tylko udzielał rad po to, by jej pomóc. Robił to, bo czuł się za nią odpowiedzialny. Tak naprawdę, a nie na niby. Tak jak ona chciała żyć z Łukaszem. Naprawdę, a nie na niby.

– Nie możesz zagłuszać sumienia. Niczym. Powinnaś czuć, że robisz coś źle. Musisz przeżywać swój akt żalu. Mów Bogu o tym, że żałujesz. Rozmawiaj z Nim. Kończ każdy swój dzień prośbą o zmiłowanie. Kiedy tylko ci się przypomni, to też proś: „Boże, zmiłuj się nade mną, proszę...". Bóg jest uważny, słuchający i zawsze gotowy, by ci przebaczyć. Stwórca nie ma wyznaczonych godzin pracy. Jego serce jest dla ciebie zawsze otwarte. Uwierz w to.

Wykazuj się na co dzień tym, że twoje wybory są wiążące. Pokaż, że nonszalancja, którą można streścić słowami: „nie ten, to następny", ciebie nie dotyczy. Dla Boga najważniejsze są czyny, akty miłosierdzia. Jak głosi Kazanie na Górze: „błogosławieni miłosierni, albowiem oni miłosierdzia dostąpią". Chociaż grzeszysz, to podążaj za ideałem chrześcijaństwa. Tym ideałem jest trwanie. A trwanie to nieskończona miłość i odpowiedzialność.

Zrozumiała. Rozumiała wszystko, co mówił Janek. Dostrzegała drogę, którą przed nią odkrywał. Była wzruszona. Tak bardzo wzruszona, że bolało ją wszystko. Serce, dusza i ciało...

– I chociaż nieraz zdarzy się tak, że będziesz słaba, u kresu wytrzymałości, to trwaj i kochaj. Rób to dla Boga, gdyż On jest wszędzie. Choćby wszystko, co zobaczysz, stało się zaprzeczeniem Jego obecności. Niedawno przeczytałem historię spisaną przez naocznego świadka tragedii obozu koncentracyjnego. Wyobraź sobie Auschwitz...

Posłuchała brata. Już tam była. Miała otwarte oczy, ale widziała nie kolorową Via del Corso, tylko brunatne baraki odcinające się wyraźnie na tle szarego mroźnego powietrza. Właśnie tak to sobie wyobrażała, chociaż teraz świeciło na nią słońce. Ona oczami wyobraźni widziała powietrze przecinane mrozem i przerdzewiałym kolczastym drutem. Janek mówił.

– Człowiek bez serca w szarym budzącym trwogę i strach mundurze. I dziecko. Nagie. Zabrane matce. Powieszone, by udowodnić wychudzonym, patrzącym na tę scenę nieszczęśnikom, że Boga nie ma. „I gdzie jest wasz Bóg?!", takie pytanie pada z ust oprawcy, który może myśli, że jest Bogiem, skoro odbiera życie.

Nie wytrzymała. Rozpłakała się nie ukradkiem, ale na całego. Wstrząsał nią szloch, chociaż starała się go tłumić. Janek też był wzruszony. Mówienie zaczęło sprawiać mu trudność.

– I wyobraź sobie, że złoczyńca otrzymuje odpowiedź, mimo że zebranych sparaliżował strach. Odzywa się bohater z tłumu, przemawia głosem tego tłumu: „Wisi w tym dziecku!". Tak brzmi odpowiedź, bo Bóg jest wszędzie i codziennie trzeba uczyć się Go zauważać. Każdego dnia należy mówić Mu, że się kocha, wierzy, ufa i żałuje za złości. Trzeba kierować ku Niemu swój wzrok. Powtarzać: „O Jezu, wybacz!". Trzeba żyć na Jego chwałę. Żyć i słuchać słów świętego Pawła: „wszystko na chwałę Bożą czynicie". Pamiętaj, najważniejsza jest miłość. Szczera, prawdziwa, odpowiedzialna i trwała. W takim związku, na który chcesz się zdecydować, też można robić wiele na chwałę Bożą. Jeśli się decydujesz na taką miłość, to nie na chwilę, tylko na życie. Odpowiedzialnie, ponieważ to zobowiązanie musi trwać do śmierci. A na śmierć musisz być gotowa zawsze. Nawet we śnie.

Już wszystko wiedziała. Przynajmniej tak jej się teraz wydawało. Miała pewność. Na teraz. Na tę chwilę, tętniącą rzymską radością, która ani trochę nie przeszkadzała jej w ronieniu łez.

– Już, bądź spokojna... – Janek znów objął ją ramieniem. – Nie płacz. Ludzie na nas patrzą... – Janek powiedział to takim tonem, że od razu wiedziała, do czego pił.

– To niech patrzą. Niech myślą, co chcą. Co im się tylko żywnie podoba. Musisz już iść? – zapytała, zdając sobie sprawę, że straciła rachubę czasu.

– Nie. Zarezerwowałem dla ciebie całe popołudnie.

– Dziękuję...

– Za co? – Janek udał zdziwionego.

– Za to, co mi powiedziałeś, i za to, że już zawsze będę z rozrzewnieniem wspominać chwile spędzone z tobą na tych schodach... – najszczerzej jak potrafiła nazwała swe uczucia.

– To chyba prawda, co powtarza ciotka Marianna – zaczął Janek, by po chwili zastanowienia skończyć myśl. – Mówi, że cenne chwile są niedrogie.

– Prawda – przytaknęła Jankowi i nieobecnej tu ciotce Mariannie. – Ostatnio, kiedy u niej byłam i zdradziłam jej, co mnie trapi w życiu, to przytoczyła takie powiedzenie, chyba ludowe: „Łączy Bóg cierń i głóg".

– A to mądre... – zamyślił się Janek, choć jako duchowny mógł ostrożnie podchodzić do ludowych mądrości.

– Boję się, że to ja okażę się tym cierniem... – bez obaw podzieliła się z Jankiem swymi przemyśleniami na temat słów ciotki Marianny.

– Nie martw się na zapas – poprosił Janek. – Każdy z nas ma takie dni, kiedy jest cierniem, a po nich przychodzą takie, że głogiem się staje. Pamiętaj, niezależnie od tego, czy trwasz przy cierniu, czy przy głogu, trwaj odpowiedzialnie. Po prostu trwaj.

Popatrzyła Jankowi w oczy. Pewnie mogłaby powiedzieć dużo, ale postanowiła nie nadużywać słów. Postanowiła nie strzępić języka po próżnicy, gdyż czasem jedno słowo znaczy więcej niż tysiąc innych.

– Dziękuję...

To jest to słowo...

Nie wyobrażała sobie, by pożegnać się z tym miastem w innym miejscu. Schody, na których przysiadła, na zawsze miały stać się dla niej symbolem nadziei, którą ku swej radości mogła wywieźć z tego miasta, pięknego, choć niezbyt czystego. Gdy przez ostatnie dwa dni przemierzała jego ulice, nie opuszczało jej przeświadczenie, że gdyby jej rodacy zostali obdarzeni takim klimatem, to ulice tonęłyby w bardziej zadbanej zieleni. Ciotka Marianna zaś byłaby przeszczęśliwa, gdyż na jej balkonie kwiaty kwitłyby przez cały sezon. W Rzymie rośliny były ładne, ale nie zachwycały pięknem, a to tylko dlatego, że musiały dbać o siebie same. Pomyślała, że powinna być właśnie jak taka rzymska roślina. Powinna dbać o siebie sama. Nie czekać, aż ktoś zadba o nią. A jeśli się o nią zatroszczy, to ona będzie się cieszyć, a nie przyjmować to jak coś, co jej się należy.

Pewnie to wczesna pora sprawiła, że Schody Hiszpańskie świeciły jeszcze pustkami. Włosi uwielbiali jeszcze długo po wschodzie słońca odsypiać ożywione życie towarzyskie, ciągnące się poprzedniej nocy do późna. Nie trzeba było poświęcić temu wiele lat obserwacji, by to zauważyć. Jej wystarczyło kilka dni. Wczoraj, gdy wieczorem wróciła do hotelu, z nogami obolałymi od długich spacerów i ciałem umęczonym upałem, jak zwykle przez małą szczelinę w niedomkniętych okiennicach przyglądała się bezdomnemu towarzystwu.

Tę kartonową wspólnotę mieszkaniową tworzyło pięciu normalnie wyglądających mężczyzn. Nic dziwnego, że gdy pierwszy raz ich zobaczyła, pomyślała, że są grupą wyluzowanych turystów, bowiem swój dobytek trzymali w walizkach na kółkach, które były w całkiem dobrym stanie. Co rano ukrywali w nich swą pościel, czyli jaskrawoczerwone narzuty, i z chodnika pod ścianą kościoła, ich sypialni, przenosili się na dzień do swego salonu. Przed świątynią znajdował się nieduży skwer z kilkunastoma małymi drzewkami, oferującymi trochę cienia podczas upału. To w tym cieniu bezdomni spędzali całe dnie. Obserwowała ich w przerwach między swymi wycieczkami. Rzymscy królowie życia spędzali dni na relaksie, bez pośpiechu. Pili kawę, palili papierosy, czytali gazety, zaczepiali przechodniów i wciąż się uśmiechali.

Patrzyła na nich z zaciekawieniem. Z jednej strony nie mogła ich zrozumieć, nawet się ich trochę bała. Z żadnym z nich nie chciałaby stanąć twarzą w twarz. Z drugiej zaś miała w sobie trochę podziwu dla tej prężnej grupki, dość dobrze zaznajomionej z kelnerami, a może nawet właścicielami okolicznych knajpek. Podziwiała bezdomnych za to, że potrafią tak żyć, pewnie za nic mając to, jak czasami spoglądają na nich mijający ich przechodnie, a zwłaszcza turyści. Ci drudzy chyba nie do końca zdawali sobie sprawę z tego, że patrzą na bezdomnych. Sama przecież na początku uległa złudzeniu, że to uśmiechnięte i wyluzowane towarzystwo po prostu w nietypowy sposób rozpoczyna wakacje. Ale nie dziwiła się sobie. Nie znała świata. Przecież to była jej pierwsza zagraniczna podróż, która rozbudziła w niej ogromną ciekawość świata. Do tej pory obce kraje znała tylko z telewizji. Nawet trochę zaczęła zazdrościć „burdelarzom" tego, że bardzo dużo podróżowali.

Siedziała zatem na Schodach Hiszpańskich, marząc o tym, by kiedyś zobaczyć też roztańczonych Kubańczyków na placach

Hawany. Pragnęła ujrzeć norweskie fiordy i przejechać na grzbiecie wielbłąda choć kawałek. Chciała każde nowo poznane miejsce móc porównać z ojczyzną, którą znała jak własną kieszeń. Była już prawie wszędzie. Góry, jeziora, morze, lasy. Polska miała wszystko, co potrafiło zachwycać. I chociaż rodzime zakątki całkiem różniły się od miejsc, które zobaczyła tu, w Rzymie, to w jej odczuciu zachwyt był wszędzie taki sam. W jej przypadku rzecz miała się podobnie z miłością. Tak samo mocno biło jej serce, kiedy widziała Łukasza, i teraz, gdy o nim tylko pomyślała i za nim zatęskniła. Chciała tu jeszcze zostać, by nasycić się hormonami szczęścia, krążącymi w rzymskim powietrzu, ale chciała też wrócić do siebie, aby podzielić się z innymi radością, którą zamierzała stąd wywieźć, i to w sporym nadbagażu. Pragnęła opowiedzieć mamie o tym wszystkim, co usłyszała od Janka. Miała zamiar ją przekonać, nie do Łukasza, ponieważ wiedziała, że jest duża szansa, iż z czasem mama poradzi sobie z tym bez niczyjej pomocy. Chciała nakłonić mamę do tego, żeby dała jej przyzwolenie na wybór własnej życiowej drogi. Na własne życie i własne błędy. Na własną odpowiedzialność.

Gdy myślała teraz o mamie i o jej historii z dystansu, rozświetlonego włoskim słońcem, nawet ją rozumiała. Musiało być jej przez całe życie bardzo ciężko. Może dlatego zamiast żyć własnym życiem, miast troszczyć się o siebie i swoje potrzeby, miała niezdrową ambicję, by żyć za innych. Pewnie działo się tak przez ciotkę Klarę, przez jej toksyczność wyrosłą z jej nieszczęścia. Miała ochotę pomóc mamie w tej trudnej rodzinnej sprawie. Zresztą ciotce Klarze też. Ta pomoc wymagała od niej nie tylko czasu, ale i dojrzałości. Czas miała, a przynajmniej starała się go mieć, bo już wiedziała, że również o to musi się modlić. O dojrzałość musiała jeszcze trochę powalczyć. Rozmowa z Jankiem otworzyła jej oczy na to, że o dojrzałość nie musi walczyć z kimś, tylko sama ze sobą. Nie może oceniać innych ludzi, tylko siebie. Powinna podejmować decyzje tylko i wyłącznie za siebie. Wiedziała, że jeśli będzie tak robić, to nie obarczy innych swoim życiem. Musi zająć się tym sama. Każdy powinien żyć własnym życiem, a do życia innych zaglądać jedynie na ich prośbę. Tak jak nie należy wpraszać się do kogoś w gości, tak nie należy wchodzić z butami do czyjegoś życia. Nie można się wtrącać i wywierać presji, bo przecież nie o to w tym wszystkim chodzi...

Chciała być z Łukaszem. Była gotowa wziąć odpowiedzialność za związek z nim, chociaż – jak określił to Janek – Łukasz należał do kogoś innego. Chciała jednak stworzyć tej „nie swojej" miłości takie warunki, by uczucie to nikomu nie sprawiało bólu. Potrzebowała do tego wielu rzeczy, ale – i tu musiała przyznać mamie rację – najważniejszy był czas. Bez niego mogło się nie udać. Jednak ufała, że dostanie od losu tyle czasu, ile będzie potrzebowała, by udowodnić sobie, że jest odpowiedzialna. Oczekiwała od czasu łaskawości i tu, w rzymskim słońcu przygrzewającym coraz odważniej, wierzyła w tę łaskawość. Wierzyła też w to – i tu z kolei musiała przyznać rację Neli – że gdy wróci do domu i chwyci za klamkę drzwi do rodzinnego domu, to poczuje radość. Wiedziała już bowiem, jak rozmawiać z mamą i co powiedzieć Łukaszowi. A wiedza to dobry początek praktyki. Była gotowa podzielić się z mamą swymi przemyśleniami, popartymi siłą autorytetu Janka. Brat, podobnie jak ona, musiał się wysilić, wypracowując swą autonomię, i – jak się przekonała – wyszło mu to doskonale. Przykład Janka dawał jej nadzieję na to, że to prawda, iż droga do doskonałości wymaga poświęceń. Przygotowała się na wyrzeczenia, ponieważ kojarzyły jej się dziś z zyskiem, a nie utratą. Chciała trwać i przy Łukaszu, i przy swojej rodzinie. Chciała trwać w miłości. Chciała swym życiem udowodnić, że miłość nie patrzy na wiek, za nic ma daty urodzenia, bo dla niej nie istnieją żadne przeszkody. To nie miłość je tworzy. Piętrzą je ludzie, często jej nieżyczliwi, a nie ci, którzy są nią żywo zainteresowani. Żyła nadzieją, że doczeka chwili, kiedy będzie mogła zobaczyć Łukasza w małej kuchni swej mamy. Wiedziała, że ciotka Marianna szybko znajdzie z nim wspólny język, choćby mieli po prostu wspólnie pomilczeć. Oprócz babskiego towarzystwa był jeszcze Krzychu, dzięki Bogu, pewnie najodpowiedniejszy partner do rozmów przy rodzinnym stole.

A ciotka Klara? – w myślach nasuwały jej się trudne pytania, na które nie chciało jej się teraz odpowiadać. Natchnięta włoskim luzem, podbudowana sympatycznymi i wesołymi spojrzeniami, postanowiła podejść do zgorzkniałej staruszki jak do... pewnego folkloru, który pewnie występuje w każdej rodzinie. Tyrady ciotki zamierzała potraktować jak występy, które bez względu na to, czy się komuś podobają bardzo, czy trochę mniej, czy może w ogóle, to i tak mądrość nakazuje, by w odpowiednim momencie im przyklasnąć dla świętego spokoju, który – jak wszystko co święte – jest na wagę złota.

– Co to za durne miasto?! – usłyszała nad sobą zdenerwowany głos jakiegoś nastoletniego rodaka.

Nie musiała podnosić wzroku, by go zobaczyć, gdyż dokładnie w tym momencie chłopak wraz z grupką rówieśników minął ją i o mało nie wdeptał w schody, na których lodami zajadała się sama Audrey. Grupka chłopców, na oko już pełnoletnich, pomstowała, nie mogąc znaleźć McDonalda, do którego wiodło mnóstwo strzałek, sama zdążyła już to zauważyć. Chłopcy stanęli na schodach niedaleko niej i debatowali, zupełnie nie patrząc na urzeczone nimi Włoszki. Młodzieńcy musieli być członkami jakiejś drużyny, bo oprócz tego, że byli bardzo przystojni, to jeszcze ubrani w takie same białe krótkie spodenki i białe sportowe bluzy. Obserwowała rzymianki mijające rozentuzjazmowaną grupę dyskusyjną. Nie było takiej, która nie zwróciłaby uwagi na młodych przystojniaków.

– Z byka spadłeś?!

Dotarł do niej krzyk, po którym usłyszała inny.

– Julka!

Zerwała się na równe nogi. Walizka stojąca obok niej zakołysała się niebezpiecznie. Zdążyła ją chwycić, zanim swym rozleniwionym wzrokiem wyłowiła sylwetkę brata. Czerń jego sutanny odcinała się nie tylko od bieli taksówki, którą przyjechał, ale w ogóle od całego otoczenia. Wydał jej się najprzystojniejszy, a konkurencja była niemała. Ale zupełnie nie dlatego poczuła dumę ze swego brata, do którego przybliżał ją teraz każdy krok. Pękała z dumy, ponieważ zawsze mogła na niego liczyć. Na jego mądrość. Bardzo jej pomógł, i to nie dlatego, że była jego siostrą. Pomógłby jej nawet wtedy, gdyby nią nie była. Rozumiał, że ludzi należy wspierać, a nie piętnować. Doskonale rozeznał powołanie. To dlatego była z niego taka dumna. Doskonale też odnalazł swoją drogę w życiu. Podziwiała go za to. Chciała brać z niego przykład i od jutra pokonywać swą drogę najlepiej, jak potrafiła. Nie od jutra. Od dziś.

– Gotowa? – zapytał Janek głosem tak pełnym nadziei, że starczyłoby jej dla wszystkich podupadających na duchu.

Gotowa! – zakrzyknęła w myślach i uśmiechnęła się tylko, bo czasami uśmiech potrafi wyrazić więcej niż niejedno słowo.

– I co teraz? – zapytała Nela, zwykle nieskora do zadawania pytań.

Leżały w parku na trawie i gapiły się w niebo, po którym leniwie płynęły chmury. Były to ogromne kłęby, śnieżnobiałe, lipcowe, zupełnie nie zapowiadające deszczu.

– Poczekam do poniedziałku – odpowiedziała spokojnie, nie widząc sensu, by przyspieszać bieg wydarzeń.

Znała rozkład zajęć Łukasza. Nie chciała mu się narzucać, wiedząc, że i tak mógłby nie znaleźć dla niej chwili. Wystarczyła jej wiadomość, którą nagrał jej na pocztę głosową w telefonie, kiedy samolot, którym wracała do Polski, wzbił się nad Rzym i mogła jeszcze raz zobaczyć to miasto, tym razem z lotu ptaka. Wciąż powtarzała w myślach jego słowa.

Już nie mogę się doczekać, kiedy wrócisz. Tęsknię. Bardzo...

– Poczekasz...

Oczywiście Nela nie pytała, tylko pozwalała jej się wygadać. Zapewniała, że może słuchać. Nawet była zadowolona z postawy Neli, bo chciała jakoś wypróbować swą odwagę.

– Poczekam i po „czytankach" po prostu do niego pójdę. Chcę, by stało się między nami to, co kiedyś...

Wróciła myślami do najważniejszej ulewy w swoim życiu. Nie bała się tego wspominać w obecności Neli, która patrzyła w niebo i wzdychała wyczekująco.

– Padał deszcz. „Padał" to chyba źle powiedziane. Lało jak z cebra – zaczęła opowiadać. – Chciał mnie zaprosić do Kalorii, ale wyglądałam jak zmokła kura. Wstydziłam się tak wystąpić, więc pojechaliśmy do niego. W samochodzie jeszcze wciąż mówiliśmy sobie *per* pan i *per* pani, ale to w niczym nie przeszkadzało... W jego mieszkaniu o okna w dachu walił deszcz. Tak minęła cała noc, po której nie mogłam znaleźć swojej bielizny. Rano forma „pan" i „pani" przestała być aktualna. To było niesamowite... Muszę z nim być, choćby świat miał się zawalić.

– Mamie świat się zawali... – Nela nie pytała, a raczej stwierdzała.

– Niekoniecznie – powiedziała zdecydowanie.

Przyjaciółka oderwała wzrok od chmur wędrujących po niebie z dużym rozleniwieniem. Wymieniły spojrzenia. Wzrok Neli wyrażał zaciekawienie.

– Żebyś wiedziała. Też nie mogę w to uwierzyć. Chyba ktoś odwalił za mnie czarną robotę. Może Janek, to chyba najbardziej prawdopodobne. Ale nie wykluczam też ciotki Marianny albo Justyny. W sumie to teraz nieważne, kto mi pomógł. Najważniejsze jest to, że mama się uspokoiła i nie komentuje, nie wtrąca się. Powiem więcej, odkąd wróciłam z Rzymu, nasze stosunki stały się bardzo poprawne. Oczywiście wczoraj coś tam ciotka Klara rzuciła między wierszami, ale obiecałam sobie nie przejmować się tą jej liryką. Przyrzekłam też sobie, że gdy zdobędę uprawnienia do wykonywania zawodu, to pierwszą moją pacjentką zostanie właśnie ciotka Klara. W dodatku nie będzie o tym wiedziała. Mam taki ambitny plan. A jeśli chodzi o mnie, to myślę, że w końcu mogę zrobić to, co chcę.

– Chyba zawsze mogłaś...

– Z tym to różnie bywało! – zdecydowanie podsumowała swe życiowe niezdecydowanie, które wynikało nie ze słabości charakteru, tylko chyba z genetycznego obarczenia obawą przed tym, „co ludzie powiedzą…". Jednak, całe szczęście, w jej przypadku doszło do przemiany i zaczęła rozumieć swych bliskich, a przede wszystkim mamę.

– Coś na ten temat wiem… – Nela właśnie przyznawała się do podobnej postawy życiowej, którą dotychczas mocno skrywała.

– Dawno nie rozmawiałyśmy na takim luzie – zauważyła, odczuwając wielką przyjemność z rozmowy i gapiąc się w chmurę do złudzenia przypominającą Łyżeczkę, śpiącą na patchworkowym kocu przykrywającym łóżko Antosi.

– W przyjaźni to nie częstość rozmów jest najważniejsza… – podsumowała rozleniwionym głosem Nela.

Zdała sobie sprawę, że przeszły z Nelą ciężką próbę. Ich przyjaźń ją przeżyła. Miały za sobą też etap powierzchownej relacji, gdyż nie sprzyjała im huśtawka, na którą wskoczyła w momencie nazwania Łukasza cyborgiem. Co prawda nadal tkwiła na tej huśtawce, ponieważ jej emocje były wciąż w ruchu, ale mogła to porównać do relaksacyjnego bujania, zupełnie niegroźnego.

– Jest tak dobrze, że nawet gadać się nie chce… – obserwowała, jak zwinięta w kłębek Łyżeczka odpływa w dal.

– Mhm…

Neli też było dobrze. Oczywiście czekały na Xawerego. Miał do nich dołączyć po pracy. Zarabiał ostatnio, zdobiąc ściany w jakimś prywatnym przedszkolu, szykowanym do otwarcia z nastaniem jesieni. Cieszyła się z bliskości Neli. Nakryła swe wystające spod krótkich spodni nogi gęsto obszytą bawełnianymi koronkami, długą kremową spódnicą przyjaciółki. Miała już dosyć opalania, a kilka dni rzymskiego słońca wystarczyło, by jej skóra nabrała koloru, jakiego nigdy dotąd nie miała. Zwykle unikała promieni słonecznych, w przeciwieństwie do Justyny, która potrafiła wykorzystać każdy promień słońca, nawet zimowego.

– Kiedy będzie Xawery? – zapytała od niechcenia i urwała źdźbło trawy, które od dłuższej chwili łaskotało ją za uchem.

– Za pół godziny... Może...

Tak bardzo cieszyła się, że rozmowa z Nelą znów się kleiła. Nie była jakaś taka naciągana. Wróciły do siebie. Wszystko było jak dawniej, chociaż Nela miała Xawerego, a ona Łukasza. Pewnie dlatego się teraz uśmiechały. Nawet nie do siebie, tylko do nieba.

Dziękuję Ci, Panie Boże... – pomyślała, czując, że Bóg na pewno wiedział, za co Mu teraz dziękowała.

– A gdzie później idziecie?

– Nie wiem... Od kilku dni straszy mnie jakąś niespodzianką.

– Chyba obiecuje, a nie straszy – stwierdziła i leniwym ruchem odwróciła się.

Teraz leżała na brzuchu, mogąc oprócz nieba obserwować jeszcze świat.

– Z nim to nigdy nic nie wiadomo – podsumowała Nela rzeczywiście dość artystyczną duszę Xawerego.

– To nawet się dobrze składa, skoro ty jesteś raczej przewidywalna – teraz to ona dokonała szybkiego podsumowania.

– Raczej... – Nela uśmiechnęła się tak, że nie mogła ukryć zgody na taką charakterystykę własnej osoby.

– Ale byłyby jaja, gdyby się okazało, że Xawery chce poprosić cię o rękę – zgadywała zamiary chłopaka Neli, zaczynając tonem luzaka, a kończąc głosem nadętej panienki.

– Raczej... – powtórzyła swą poprzednią kwestię Nela. – Zwłaszcza że większą część mojego życia myślałam, że ja to na pewno zostanę starą panną.

Nela, idąc za jej przykładem, również obróciła się na brzuch i wlepiła wzrok w parę zalecającą się do siebie, a oddaloną od nich o kilkanaście metrów.

– Ale się małolaty zaczepiają, co? – uśmiechnęła się, widząc coś w rodzaju gry wstępnej przed grą wstępną.

– Lepiej zerknij, jakie ta małolata ma nogi – słusznie zauważyła Nela, bo nawet stąd, gdzie leżały, widać było, że dziewczyna ma nogi do nieba.

– Naszym przecież też nic nie brakuje.

Odwróciła się, by zerknąć na swe nogi, zgięte i zadarte ku niebu. Machała nimi naprzemiennie to w przód, to w tył, chociaż pod kolanami wciąż czuła lekkie pieczenie skóry spalonej włoskim słońcem.

– Ja tam wolę chować nogi pod spódnicą.

Wiedziała, że kompleksy Neli w tym względzie są na wyrost.

– Lepiej zacznij majtać nogami, bo już idzie Xawery – pierwsza zauważyła przystojniaka uśmiechającego się z daleka, na pewno tylko do Neli.

– Może pójdziesz gdzieś z nami... – zaproponowała Nela.

W głosie przyjaciółki słychać było już tęsknotę za chwilą, która miała zaraz odejść, choć nie w zapomnienie, bo o takich chwilach się nie zapomina.

– Chyba nie potrzebujesz przyzwoitki. Zresztą co ze mnie za przyzwoitka?

Zadała pytanie, gdy Xawery stanął przed nimi.

Jak ma się takie długie nogi, to ma się też niezłe tempo życia – pomyślała, słysząc miły męski głos.

– Witam, szanowne frytki! Dlaczego nie schowacie się do cienia, tylko się smażycie na tym słońcu? – zapytał od razu Xawery.

– Od czasu do czasu zasłaniają je chmury – trafnie zauważyła.

– Miałem was zabrać na lody, ale nie wiem, czy nie lepiej będzie kupić kefir i was nim potraktować. Wyglądacie jak piwonie z ogrodu moich rodziców.

– A co u nich? – spytała niezwłocznie.

Widziała, jak Nela wgapia się w ukochanego, zastanawiając się, co też może mieć w zanadrzu. Oczywiście oprócz lodów albo chłodnego kefiru.

– Właśnie się pakują. Ojciec dostał propozycję wykładów w Mediolanie. Takie medyczne *last minute*. Postanowił pojechać. Mama się wściekła, strasznie psioczy, ale jak zwykle zawiesi na dwa tygodnie swoją praktykę i pojedzie z ojcem. Będziemy mieli chatę wolną – ostatnie zdanie Xawery skierował już tylko do Neli.

– Chyba wolny pałac – parsknęła śmiechem.

Kiedyś w telefonie Xawerego zobaczyła przez przypadek tapetę, na której widniało zdjęcie jego rodziców przed domem. Nela nie przesadzała. Xawery mieszkał w pałacu i co ważne, nic sobie z tego nie robił. A znała takich, którzy nawet gdyby mieli dużo gorsze lokum, to... Jak mawiała ciotka Klara: „Uważali się za nie wiadomo jakie bógwico".

– Ej, ty! Rzymianka! Ty się lepiej nie śmiej! Bo żarcie mamy dziś jak w kurnej chacie. Mama zrobiła młode ziemniaki, polane przysmażonym boczkiem z cebulką, posypane koperkiem, a na popitkę kefir albo – jak kto woli – maślanka! Macie zaproszenie! Naprawdę! I co piwonie na to?

– Ja się nie oprę – Nela natychmiast przyznała się do swych kulinarnych zamiłowań.

– A piwonia numer dwa? – Xawery utkwił w niej pytające spojrzenie.

Był dobrze wychowany. Chociaż na pewno chciał spędzić wieczór sam na sam z Nelą, to ją również szczerze zapraszał do pałacu na chłopskie jadło. Ona natomiast, choć już widziała i ziemniaki, i boczek, i popitkę, musiała odmówić. Wiedziała, że dobrze wychowana dama potrafi odmówić nawet wtedy, gdy miałaby ochotę skorzystać z zaproszenia.

– Ja odpadam! – zerwała się na równe nogi. – Za dwie godziny zaczynam dyżur przy siostrzeńcach, bo ich spragnieni własnego towarzystwa rodzice postanowili iść na początek do kina, a później jeszcze na jakąś kolacyjkę. Więc muszę niańczyć hałastrę, i to za całkowitą darmochę.

Xawery od razu zajął jej miejsce na trawniku i popatrzył Neli w oczy w taki sposób, że przed następstwem tego spojrzenia mogło uratować Nelę tylko to, że znajdowali się w miejscu publicznym.

– To widzimy się w poniedziałek – rzuciła w ramach pożegnania.

– Tak jest! – odpowiedziała z uśmiechem Nela.

Swym uśmiechem sugerowała, że też nie może doczekać się poniedziałku. Zupełnie jakby to ona miała spotkać się ze swym ukochanym dopiero w poniedziałek. Ale taka była przecież niepisana zasada prawdziwej przyjaźni, w której radość się mnoży, a smutki dzieli.

– To pa! – pożegnała się pospiesznie.

Oddalała się od zakochanych, mając pewność, że im ona była od nich dalej, tym oni mieli do siebie bliżej. Szła i cieszyła się, że od poniedziałku tak naprawdę dzieli ją już tylko krótka chwila.

Niedziela dobiegała końca. Wieczór piękności też. Przeżyła kolejny zjazd rodzinny. Naskrobała się młodych ziemniaków aż do bólu w nadgarstkach. Dobrze, że mama pomyślała zawczasu o jej rękach i w komplecie z ogromną siatą, pełną ziemniaków wielkości śliwek węgierek, wręczyła jej parę gumowych żółtych rękawiczek. Obiad był pyszny. Co więcej, spędzony w miłej atmosferze. Chwilami nawet odnosiła wrażenie, że owa atmosfera była jej przychylna, ale biorąc pod uwagę swe ostatnio optymistyczne podejście do życia, tę przychylność mogła sobie po prostu dośpiewać. Wciąż jednak czuła jedno. Jakaś mądra głowa pomogła jej w życiu do tego stopnia, że pouczyła nawet ciotkę Klarę, by nie komentowała obcesowo tematów, które jej bezpośrednio nie dotyczą. Ciotka wyborów serca swej młodszej siostrzenicy co prawda nie skomentowała ani słówkiem, ale poza tym nie złagodniała specjalnie. Nie podobało jej się przykładowo to, że Tymek przy konsumpcji drugiego dania sprawniej posługiwał się ręką niż plastikowym widelczykiem, który pewnie trudno byłoby wbić w gałkę lodów, a co dopiero w goniący po talerzu mały ziemniaczek. Ale dla niej i tak najważniejsze pozostawało to, że nie usłyszała żadnego złośliwego pytania w rodzaju: „I co tam słychać? Nasza Julia nadal tkwi w postanowieniu, że wybiera się do piekła?".

Ciotka Klara potrafiła dowalić, choć obiady zwykle jadała bez bokserskich rękawic na rękach. A dziś ograniczyła swoje docinki.

Myśląc o ciotce, naprawdę mogła teraz postawić odważną tezę, co do której była przekonana – że stał się cud. Polegał on bowiem na tym, że staruszka w końcu kogoś posłuchała. A tego nie robiła do tej pory nigdy, ponieważ uważała, że powinno się słuchać mądrzejszych od siebie...

Ciotka Marianna, jak się łatwo domyślić, była dziś taka jak zwykle. Jadła tyle co wróbelek, uśmiechała się bez przerwy, a na odchodnym szepnęła jej prosto do ucha, że cieszy ją względny spokój, który zapanował w domu, ale najbardziej raduje ją „ten, który, Juleczko, masz w oczach". Ciotka była biologiem, ale w psychologii też by się odnalazła. Jak zwykle miała rację.

Na Schodach Hiszpańskich przy wtórze słów Janka odnalazła swój spokój. W dodatku nie taki chwilowy, tylko taki zapowiadający się na dłuższą wizytę. Zresztą wiedziała, jak go zachęcić do tego, by nie opuszczał jej zbyt szybko. Wystarczyło, że zamykała oczy i udawała się z szybką wizytą do Rzymu. Siadała na skąpanych w słońcu schodach i wsłuchiwała się w oddech Janka. Nawet nie musiała słyszeć jego słów. Potrzebowała tylko poczuć obecność kogoś, kto był jej przychylny i ponad wszystko starał się ją zrozumieć. Pomyślała, że każdy człowiek w swoim życiu powinien odnaleźć własne Schody Hiszpańskie, swą ucieczkę od niezrozumienia i własnej niepewności. W takim miejscu życie wydaje się bardziej znośne, a chwilami bardzo przyjemne.

Zrozumienie, które otrzymała od Janka, było tak ważne, ponieważ brat zrobił wszystko, by zrozumieć nie tyle ją, ile jej miłość. Była pewna, że przeniknięcie cudzej miłości to wielka rzecz. Ogromna sprawa. W istocie pewnie zupełnie niemożliwa, bo to uczucie wymyka się zrozumieniu. Bywa zbiorem emocji niezrozumiałych nawet dla stron bezpośrednio w nie zaangażowanych. Dlatego wiedziała, że nie należy wypowiadać się na temat cudzej miłości, ponieważ nawet własna potrafi zaskoczyć. Dziękowała Bogu za to, że miała obok siebie kogoś takiego jak Janek. Żywiła też przekonanie, że na świecie ludzi mu podobnych było wielu. Wiedziała, że jej brat zachował się wobec niej, a raczej wobec miłości, która jej się przydarzyła, z takim wyczuciem wcale nie dlatego, że był księdzem. Janek rozumiał ją, a może tylko usiłował zrozumieć, ponieważ jemu też przydarzyło się uczucie, któremu ślubował. Miłość, która okazała się powołaniem. Chyba każda miłość jest powołaniem do bycia dobrym. Ta Janka, jak każda inna, też pewnie nie była łatwa. I on również potrzebował czasu, by się z nią najpierw oswoić, a później zaprzyjaźnić. Uśmiechała się na myśl o tym, że przyjaźń z miłością swego życia na pewno jest nieodzowna i bardzo pomaga, gdy świat staje na drodze temu uczuciu. Dzieje się to niestety często, bo świat gna do przodu. I gubi wiele po drodze. Co gorsza, nie ogląda się za siebie. Nie ogląda się nawet za ludźmi, którzy przez jego zabójcze tempo się gubią.

Rozmyślając o świecie, o Janku, o sobie, stwierdziła, że – paradoksalnie – mogła pogratulować sobie swego pogubienia.

Jak to dobrze, że się pogubiłam...

Rzadko radosne myśli zostawiała tylko dla siebie, ponieważ zwykle dzieliła się nimi z otoczeniem. Tylko dla siebie zostawiała przemyślenia trudne, zatruwające ją od środka. Teraz już wiedziała, że pogubienie się ją ocaliło. Dzięki życiowej zawierusze, w której znalazła się nieświadomie, przyhamowała swój dostosowany do wymagań stada owczy pęd. Stało się to dzięki temu, że znalazła się na krętej ścieżce, której kierunek nie był do końca znany. Zrozumiała, że pragnienia innych, które zawsze uważała za ważne, są ważne, ale nie najważniejsze. Najistotniejsze dla człowieka powinny być jego własne pragnienia i nie powinien ich przed sobą ukrywać. Teraz najważniejsza dla niej była miłość. Ale nie taka, która zapiera dech w piersiach, zatrzymuje czas albo przyspiesza jego bieg. Liczyła się dla niej przede wszystkim miłość odpowiedzialna. To o niej tyle opowiadał jej Janek. To takie uczucie chciał przed nią odkryć, pragnął, by tego się nauczyła. Brat umiał uczyć doskonale. Zresztą pewnie nie ona pierwsza czegoś się od niego dowiedziała.

Teraz, malując paznokcie prawie bezbarwnym lakierem, myślała o tym, że wiadomości z lekcji przeprowadzonej przez Janka będzie musiała utrwalać przez całe życie. W każdy czas. Nie tylko wtedy, gdy będzie źle. Takie nauki powinno się powtarzać, nawet gdy jest dobrze, by mieć świadomość tego, że żadne dobro, które otrzymujemy, nie trwa wiecznie.

Włosy miała wciąż mokre, odżywka, którą w nie wtarła, pachniała jak lody mango. Bajecznie. Zerknęła na półkę, na której panoszył się lew od Michasia. Przeniosła wzrok na letni koszyk przygotowany na jutrzejsze wyjście. Najważniejsze rzeczy już do niego przepakowała ze studenckiej torby, która wisiała na krześle i czekała na październik. Z koszyka zerkały na nią *Ballady*. Cieszyła się na odwiedziny u dzieci, które już znała, ale też na spotkanie z tymi, które miała dopiero poznać. Była dumna z Łukasza. Z tego, że pomagał im bez słów. Głęboko wierzyła, że ta duma pozwoli jej przeżywać ciężkie chwile, które z pewnością ją czekały, jeśli marzyła o tym, by Łukasz należał tylko do niej. Ale to marzenie mogła realizować w swym życiu tylko częściowo.

Chociaż tak... Przynajmniej tak... – uśmiechnęła się do swej myśli, która podniosła ją na duchu. Spełnienie marzeń, choćby po części, też powinno cieszyć, ponieważ z pewnością jest wrogiem zachłanności. A ta niestety ma to do siebie, że ludzie w ogóle przestają się cieszyć. Nie potrafią radować się nawet z realizacji marzeń w całości, bo bez względu na to, co osiągną, to i tak będzie mało. Za mało. Wciąż i wciąż za mało.

Nie chciała tak żyć. Wolała cieszyć się z radosnych chwil życia. Uczyła się tego wytrwale. Już czuła, że taka radosna chwila spotka ją jutro. Długa chwila. Oczy Łukasza. Usta w półuśmiechu, dla którego potrafiła stracić głowę. Czekały na nią roześmiane dzieci i zabawa z nimi w sali, której ściany pokryły kolorowe malunki Xawerego i Neli. Gdy oni pracowali, ona leżała przez jakiś czas jak kłoda, nie wierząc w to, że spotka ją w życiu jeszcze coś dobrego. Stało się inaczej. Radość zawsze kiedyś wychodziła z ukrycia. Robiła to wtedy, gdy tego chciała albo gdy serce smucącego się było znów gotowe na jej przyjęcie.

– Julka!

Z tego swobodnego i nieco chaotycznego zamyślenia wyrwał ją głos mamy. W dużym stopniu zniecierpliwiony.

– Ile razy można cię wołać?! – mama wpadła do jej pokoju. – Na Boga, Julka! Otwórz okno! Nasmrodziłaś tym lakierem w całym domu!

O to na takim metrażu akurat nietrudno – zażartowała w myślach. Ale wolała nie drażnić lwa, skrywającego się teraz w mamie, i dlatego żart zostawiła dla siebie.

– Musisz iść do sklepu po mąkę – rozkazała mama.

– Co?

Chciała się bronić, bo na poduszce już leżała książka przygotowana do czytania. Wakacje, przynamniej do czasu, gdy jeszcze nie poszukały sobie z Nelą żadnej pracy, były bowiem okazją do nadrabiania zaległości w czytaniu, których miała co niemiara.

– Obiecałam ciotce Klarze, że upiekę dla niej jabłecznik, bo jutro ma jakąś fetę w klubie emerytów.

– Co?

Nie dowierzała, że ciasto, że feta, że ktoś był w stanie przyjąć ciotkę do jakiejkolwiek wspólnoty. Ale ucięła swe wredne myśli, jeszcze zanim przypomniała sobie krótki komunikat: „nie oceniaj!".

– Nie udawaj mi tu, że masz kłopoty ze słuchem. Idź do sklepu, bo potrzebuję mąki – powtórzyła mama tonem wciąż wskazującym na to, że lepiej nie drażnić lwa.

O nie! – zawyła syrena alarmowa w jej głowie.

Błagam! – myśli upadły na kolana.

– Mam mokrą głowę – powiedziała płaczliwym tonem, wiedząc, że i tak na nic się to nie zda.

– To jeszcze lepiej, wyschnie ci na powietrzu. I nie ociągaj się tak, bo jeszcze chwila i osiedlowy ci zamkną, wtedy będziesz musiała podbiec do samu trzy ulice dalej, więc dobrze ci radzę, nie uprawiaj mi tu cierpiętnictwa, tylko ruchy, ruchy! No, skocz! Matka cię prosi!

– Dobrze – skapitulowała i otworzyła szafę, by naprędce chwycić coś do ubrania, ponieważ stary podkoszulek Janka do osiedlowych spacerów nie nadawał się ani trochę.

Mama wyszła z pokoju, z pewnością z miną zwycięzcy. Na odchodnym rzuciła przez ramię, że zabiera się do obierania jabłek.

Tymczasem ona ubrała się szybko w niebieską sukienkę na ramiączkach, według ciotki Klary pewnie trochę przykrótką, a wedle ciotki Marianny na pewno akuratną. Była jak znalazł zwłaszcza na gorący wieczór, kiedy słońce wciąż grzało, a temperatura nie miała zamiaru spuścić z tonu. Wychodząc z domu, usłyszała jeszcze kilka słów na pożegnanie.

– Cynamon jeszcze kup, bo mam mało!

– Dobrze – odparła szybko.

Zamknęła za sobą drzwi, nie ciesząc się, że musi wyjść z domu.

To jutro, to dopiero jutro miał nastać ten dzień, którym mogła się cieszyć już od chwili otwarcia oczu z samego rana. Poniedziałkowy wieczór miał okazać się idealną porą do tego, by powiedzieć Łukaszowi o tym, że właśnie wróciła. Obiecała mu to, miał to na piśmie. Chciała do niego wrócić, choć tak naprawdę nigdy nie odeszła. Widocznie w życiu takie powroty też są możliwe…

Dwór przywitał ją falą gorąca. Mimo tego, że nastała pora dobranocki, przed blokiem na obdrapanym placu zabaw, którego niektóre metalowe sprzęty pamiętała jeszcze z czasów swego dzieciństwa, bawiła się spora grupa dzieci, na których upał nie robił żadnego wrażenia. Huśtały się ile sił w nogach, jeszcze szybciej kręciły się na małej karuzeli, a ze zjeżdżalni pomykały na wyścigi. Nie mogła stwierdzić, czy większą frajdę miały ze zjeżdżania, czy z przepychania się w kolejce do schodków. Szybko minęła ten harmider ze śmiechu, pokrzykiwania i zaczepek. Przyspieszyła kroku. Już z daleka wiedziała, że krakanie mamy odniosło sukces. Chociaż do dwudziestej zostało jeszcze dziesięć minut, to właściciel osiedlowego sklepiku spożywczego pokazał, kto tu rządzi. Cóż miała robić? Minęła zamknięty na cztery spusty sklep, starając się nie myśleć źle o jego szefie. Jeszcze bardziej przyspieszyła kroku, by jakiś niefart nie zdarzył jej się po drodze do samu, bo w obecnej sytuacji tylko kilogram mąki i torebka cynamonu w proszku otworzyłyby drzwi do jej rodzinnego domu, bowiem bez nich mogła się tam nie pokazywać.

Ulice miasta były prawie puste. Wszyscy przy zdrowych zmysłach kończyli tropikalną niedzielę, wylegując się w domach, i to z pozasłanianymi oknami. Inaczej się dziś nie dało. Szła bardzo szybko. Białe baleriny w czarne kropki, w których obeszła mnóstwo rzymskich uliczek, migały jej teraz przed oczami w szybkim tempie, odcinając się od opalonych nóg, połyskujących od dopiero co wtartego w nie balsamu. Tym razem mogła odetchnąć z ulgą. Sklep był wciąż otwarty. Gdy do niego weszła, włosy miała już prawie suche. I dobrze, bo klimatyzacja w pomieszczeniu, w którym się właśnie znalazła, działała bez zarzutu i natychmiast poczuła wielki chłód, grożący odmrożeniem co poniektórych części ciała. Nie wzięła koszyka. Doskonale znała rozkład sklepowych półek, zatem po kilku minutach stanęła w krótkiej kolejce do kasy. W jednej ręce trzymała kilogram mąki tortowej, takiej, jakiej zazwyczaj używała mama, w drugiej maleńki portfelik i dwie torebki cynamonu. Każde opakowanie przyprawy było innej firmy, by zmniejszyć ryzyko matczynego niezadowolenia.

Stojąca przed nią kobieta ubrana była w czarną sukienkę. Długą do ziemi, zupełnie nie pasującą do pogody. Patrzyła na tę czerń, ale tym razem w myślach powstrzymała się od oceny. Przecież obiecała sobie, że nie będzie wtykać nosa w nie swoje sprawy i oceniać nikogo, nawet w kwestii takiej bzdury jak ciuchy.

Pasuje? Nie pasuje? Kogo to, do licha, powinno obchodzić! – pomyślała tylko.

– Wszystkie jogurty takie same?! – nieuprzejmym głosem zapytała kasjerka.

– Tak – cicho odpowiedziała kobieta w czerni.

To jedno słowo wystarczyło, by poczuła w sercu dziwny niepokój. Znała ten głos. Podniosła wzrok znad taśmy, na której wyłożyła mąkę i dwie torebki cynamonu. Napotkała znajome spojrzenie.

– Dzień dobry! – przywitała się kobieta.

Do przywitania dołączyła uśmiech. Już wiedziała, kim była kobieta w czarnej sukni, która zapłaciła za sprawunki i pakowała je właśnie do papierowej ekologicznej torby.

– Dzień dobry – odpowiedziała też z uśmiechem.

Sprawunków miała mało, dlatego od kasy odeszły w tym samym momencie. Też równocześnie uderzył w nie upał, chociaż wzrokiem zaprosiła kobietę, by do wyjścia ruszyła przodem. Przed sklepem kobieta zatrzymała się. Zrobiła więc to samo, choć rozmowy z nią bała się trochę.

– Co u pani słychać, pani Julio? – zapytała kobieta bardzo spokojnym głosem.

– Dobrze – odpowiedziała, uśmiechając się.

Wiedziała, że nie powinna rewanżować się kobiecie podobnym pytaniem, więc postanowiła dodać coś jeszcze do swej wcześniejszej odpowiedzi.

– Sesję w tym roku przeszłam dość bezboleśnie, więc od października zaczynam czwarty rok. Nela też.

Kobieta znała Nelę chyba nawet lepiej niż ją.

– Proszę zatem pogratulować przyjaciółce. Pani oczywiście też gratuluję – twarz kobiety rozpromienił uśmiech.

Dopiero teraz przypomniała sobie, że zapamiętała ją właśnie taką. Z uśmiechem, z którym było jej bardzo do twarzy, ponieważ dopiero wtedy widać było jej urodę w pełnej krasie. Zresztą to chyba żadna nowość, że uśmiechnięte buzie są ładniejsze od smutnych.

– Jest pani pięknie opalona – zauważyła kobieta. – To dobrze, że korzysta pani z uroków wakacji – jej głos był bardzo sympatyczny.

– Byłam kilka dni w Rzymie, a mam taką jasną karnację, że pomimo tego, iż chodziłam w kapeluszu, to i tak po pierwszym dniu wyglądałam jak piwonia – powiedziała, przypominając sobie porównanie Xawerego. – Dopiero teraz zaczynam wyglądać normalnie.

Kobieta uśmiechała się do niej tak szczerze, że poczuła, iż może powiedzieć to, co chodziło jej po głowie, to, na co miała ochotę.

Odważ się! – w myślach dodawała sobie odwagi.

– Kiedy byłam w Rzymie, wspominałam Michasia. Często o nim myślę – przyznała, modląc się o to, by nie sprawić kobiecie bólu swymi słowami.

– Przy mnie też jest cały czas, bo bez niego nie potrafiłabym żyć – odparła mama Michasia i uśmiechnęła się.

Zobaczyła pogodzony z losem uśmiech. Chciała coś powiedzieć. Najlepiej coś mądrego. Ale jak na złość miała pustkę w głowie, a w sercu nadmiar uczuć. Na szczęście nagle usłyszała z oddali krzyk.

– Julkaaa! Julkaaa!

– O, pan doktor!

Mama Michasia zobaczyła ich pierwsza. Po drugiej stronie ulicy stał Łukasz, który trzymał za rękę podskakującą z podekscytowania Antosię.

– Julka! Julka! – mała wciąż krzyczała i machała rączką.

Pewnie Łukasz udaremnił jej w tej chwili pomysł przebiegnięcia przez ulicę, co prawda niezbyt ruchliwą, ale jednak co chwilę przejeżdżały tamtędy samochody to w jedną, to w drugą stronę.

Nie wiedziała, na kogo patrzeć. Serce biło jej jeszcze mocniej i szybciej, choć wydawało się, że to już niemożliwe. Wpatrywała się w Łukasza, bo wyglądał tak, że z trudem oderwała od niego wzrok. Powinna przecież patrzeć na mamę Michasia. Ona za chwilę zniknie z jej życia, a Łukasz miał w nim pozostać. Chciała, by na długo. Na bardzo długo.

– Jaki ten świat mały... – skomentowała sytuację kobieta i uśmiechnęła się najpierw do niej, a później do Łukasza i Antosi przebiegających przez ulicę, niestety w miejscu niedozwolonym.

– Dzień dobry – poważnemu głosowi Łukasza zawtórował wciąż podekscytowany głos Antosi.

Dziewczynka natychmiast wpakowała dłoń w jej rękę i nie przeszkodziły jej w tym torebki z cynamonem.

– Ale spotkanie... – mama Michasia nie mogła wciąż uwierzyć w zbieg okoliczności, który im się przydarzył. – Pan mieszka gdzieś w okolicy, panie doktorze? – zapytała z wciąż takim samym łagodnym uśmiechem na ustach.

– Nie – odparł Łukasz i odwzajemnił uśmiech.

Cieszyła się, że ludzie, na których patrzyła teraz z ogromnym wzruszeniem i w wielkim skupieniu, ze sobą rozmawiali. I to zupełnie nie dlatego, że przez to wzruszenie nie musiała nic mówić.

– Wracamy z Antosią z urodzin jej koleżanki. Impreza była tu niedaleko, w tak zwanej Wieży Czarownika.

– A, wiem, gdzie to jest…

Kobieta musiała mieszkać gdzieś w pobliżu.

– Przepraszam państwa, ale muszę już iść. Wyszłam z domu tylko na moment i nie chcę, by mąż się niepokoił.

Patrzyła na mamę Michasia i modliła się w duchu o to, by powód, dla którego kobieta chciała skończyć spotkanie, był prawdziwy.

– Oczywiście – Łukasz uśmiechnął się kącikiem ust. – Do widzenia pani. Wszystkiego dobrego.

– Do widzenia – odparła kobieta. – Również życzę państwu wszystkiego dobrego – objęła ich spojrzeniem, ale tylko ich dwoje, a nie Antosię…

Patrzyła, jak postać w czerni oddala się w kierunku przejścia dla pieszych. Gdy tylko oderwała wzrok od sukienki, poruszającej się w rytm kroków mamy Michasia, napotkała wzrok Łukasza, i to taki, że gdyby nie obecność Antosi, mogłaby postradać dla niego zmysły.

– Ale spotkanie – odezwała się spokojnie, udając, że nie dzieje się nic szczególnego i nie dostrzega żadnego niebezpieczeństwa w płonących pożądaniem oczach pożerającego ją wzrokiem mężczyzny.

– Julka, Julka! Chodź z nami! Pocytas mi na dobjanoc, bo jade dopiejo jutjo. Pjose!

Patrzyła na wciąż podskakującą dziewczynkę. Miała tak bardzo proszący głos. Spojrzała na Łukasza, którego wzrok też był prosiący, ale jego prośbę chciała usłyszeć. W innym przypadku nie zamierzała zareagować.

– Ja też proszę... Bardzo... Jeśli oczywiście możesz...

Udało się. Nie mogła uwierzyć w to, że czas stał się dla niej tak łaskawy i jutro, na które tak bardzo czekała, miało wydarzyć się już dziś.

– Pjosę! Pjosę! – podgrzewała atmosferę Antosia.

Ta sama dziewczynka, przez którą jakiś czas temu świat legł w gruzach, teraz ten świat szybko i umiejętnie odbudowywała. W dodatku robiła to z ogromnym zaangażowaniem, wielką sympatią i mnóstwem uroku.

– Tylko muszę zanieść to do domu – powiedziała w końcu.

Ucieszył ją własny ton. Zwłaszcza jego zdecydowanie. Miała przekonanie, że z łaskawości czasu należało w życiu korzystać. Raz wykazując się większą, a raz mniejszą odwagą. Dziś, czując przychylność nieba i wpatrzonych w nią teraz osób, miała odwagę zanieść mamie to, co kupiła, i poinformować ją, że zmieniła plany i nie spędzi wieczoru w domu.

– Samochód mamy całkiem niedaleko – Łukasz zapraszał ją do wspólnej podróży.

– Nie... Przebiegnę się do domu...

– To poczekamy na ciebie przed twoim blokiem, dobrze? – zaproponował jej ukochany, oczekując tylko twierdzącej odpowiedzi.

– Dobrze – zgodziła się natychmiast.

Skoro tego chcesz... – dodała w myślach.

– Supej! – znów wrzasnęła Antosia, w tak głośny sposób wyrażając radość nie tylko swoją.

– To do zobaczenia – powiedziała radośnie.

– Pięknie wyglądasz – usłyszała tuż przy uchu.

Nie odpowiedziała. Ruszyła przed siebie, ponieważ chciała jak najszybciej pozałatwiać sprawy, by niezwłocznie znów znaleźć się w zasięgu ramion Łukasza. Miała nadzieję, że były chociaż w małym stopniu wygłodzone tak jak każdy milimetr jej ciała. Już biegła. Choć w kierunku przeciwnym do Łukasza, to już biegła do niego.

Odziwo, mama nie robiła żadnych problemów. Zajęta smażeniem jabłek, nie dopytywała o nic i ze zrozumieniem przyjęła wieść córki o tym, że zmieniła swe plany i nie zamierza spędzać wieczoru z nosem w książce, co więcej, najprawdopodobniej nie zamierza też nocować w domu.

Gorzej wyglądała sprawa z Antosią. Była tak podekscytowana, nawet bardziej imprezą, z której wróciła, niż spotkaniem z nią, że za żadne skarby nie chciała dać się zagonić najpierw do kolacji, później do kąpieli, a na koniec do łóżka. Gdy ostatecznie szczęśliwie się w nim położyła, zapadła już ciemna noc. Ale i to nie było gwarantem szybkiego zaśnięcia. Czytała małej kolejne ballady, a ta wciąż zadawała pytania i zamiast zasypiać, interesowała się ich treścią. Ciekawiło ją to, co oznacza sformułowanie: „deszcz spływa po gontach" albo co to znaczy: wstać z łóżka lewą nogą, lub kim są paziowie. Zastanawiała się też głośno nad tym, kiedy pojedzie nad morze tak jak królewicz zwany Baryłką.

Z ogromną cierpliwością odpowiadała na wszystkie pytania dziewczynki, które przerywały jej czytanie ballad. Słyszała, jak Łukasz sprzątał po kolacji, którą zjedli razem. Wciąż miała przed oczami jego wzrok, a na przedramionach czuła jego niby przypadkowy dotyk. Łukasz zostawił uchylone drzwi do pokoju Antosi po tym, jak pożegnał córkę całusem na dobranoc. Słyszała, jak włączył laptop. Wiedziała, że musiał pracować. Był przecież niedzielny wieczór. Zwykle spędzał go w szpitalu. Nie dopytywała, dlaczego ten dzień wyglądał inaczej. To nie było ważne.

Czytała i czytała... Starała się, by jej głos brzmiał cicho, kojąco i – co najważniejsze – usypiająco. By stał się najlepszym z możliwych zaproszeń do krainy dziecięcych snów. W końcu po prawie godzinie goszczenia na kartach ballad była na dobrej drodze, by Antosia dołączyła do tejże krainy. Pytania dziewczynki ustały, a ich miejsce zajęły ziewnięcia. I dobrze, ponieważ balladowa lektura dobiegała końca. Łyżeczka wtulona w kąt łóżka i w pluszowego różowego misia posapywała, zwinięta w kulkę dużo większą niż ostatnio. Czytała już ostatnią balladę, tę ulubioną Michasia. Antosia już prawie spała, dlatego, nie chcąc jej rozbudzić, ściszała głos do szeptu...

Radość,
  co w wielkiej skrzyni leżała,
strzeliła w niebo
  jak raca!
Po całym świecie się rozsypała
i...
  znów do ludzi powraca.
Małą czy wielką
srebrną iskierką
wciąż błyska w życiu człowieka.
Do wszystkich dzieci
  błyśnie – przyleci...
Na ciebie pewnie też czeka.
Może ją znajdziesz
  w zapachu róży?
Może w piosence słowiczej?
Żeby została z wami najdłużej.
Tego każdemu z was życzę.

Skończyła. Zamknęła książkę. Siedziała na małym plastikowym okrągłym stołeczku stojącym na trzech nóżkach i patrzyła na twarz Antosi, oświetloną lampką w kształcie księżyca. Dziewczynka spała wymęczona przeżyciami dnia, który przeszedł już w noc. Za dachowymi oknami, ku którym uniosła wzrok, połyskiwały gwiazdy, wróżące nadejście pogodnego i upalnego poniedziałku. Wyciągnęła dłoń i zgasiła księżyc. W pokoju od razu zapadł półmrok. Uśmiechnęła się, wierząc, że jeśli w jej życiu będzie Łukasz, to wszystko jej się uda, nawet pomysły na miarę zgaszenia księżyca. Od czasu do czasu oczywiście.

Wstała, a gdy odwróciła się od łóżka Antosi, zobaczyła sylwetkę Łukasza w drzwiach do pokoju małej. Nie wiedziała, jak długo stał w tym miejscu. Od jak dawna wsłuchiwał się w czytane przez nią ballady? Stanęła naprzeciwko niego. Na pewno mógł widzieć jej twarz wyraźniej niż ona jego. Światło wpadające z salonu trochę raziło ją w oczy. Ale mrok nie był w stanie przygasić blasku, który dostrzegała w spojrzeniu Łukasza. Dokładnie widziała jego błyszczące oczy, patrzące na nią pożądliwie. Podobały jej się i oczy, i wzrok, którym ją obdarzał. Dzięki niemu kolejny raz mogła uwierzyć w to, że jedno dobre spojrzenie może odmienić zły dzień. Patrząc Łukaszowi w oczy, wierzyła, że jedno spojrzenie jest w stanie odmienić całe życie.

– I co teraz? – szepnął takim tonem, że zadrżała.

– Co teraz, to wiadomo...

Zbliżyła się do niego i dotknęła najpierw jego policzka, a zaraz potem ust. Powiodła po nich palcem, jakby przygotowując je do pocałunku, na który nie musiał czekać długo, a który był bardzo krótki.

– Zostaniesz? – zapytał konkretnie.

– Nie mam nawet bielizny na zmianę – zażartowała.

– Masz – popatrzył tak, że nie mogła nie przypomnieć sobie ich pierwszej nocy.

Tym razem to on ją pocałował. Gdy przerwał pocałunek, chciała coś powiedzieć, ale musiała poczekać. Mówił Łukasz. To znaczy szeptał, i to nie dlatego, żeby nie obudzić Antosi. Oparł się rękoma o framugę drzwi i przechylił się do przodu. Zbliżył do niej swe ciało.

– Musisz wiedzieć, że był taki czas w moim życiu, kiedy zostałem sam... – zaczął mówić. – Nauczyłem się wmawiać sobie, że mam wszystko, czego potrzebuję. I tak było mi dobrze. Dopóki cię nie zobaczyłem. Teraz wszystko wygląda inaczej. Kiedy nie ma cię w pobliżu, czuję się tak, jakbym nic nie miał. Dlatego nie obraź się, ale nie interesuje mnie, co będzie teraz...

Znów obdarzył ją pocałunkiem. Namiętnym do granic wytrzymałości, ale bardzo krótkim.

– Teraz interesuje mnie tylko to, co będzie później – stwierdził wprost.

Widziała, jak ze sobą walczył. Jak zaciskał dłonie na futrynie, o którą się opierał. Dostrzegała, jak bardzo chciał, by zaczęło się to obiecane przez nią „teraz". Dlatego też powinna była opowiedzieć mu o swej miłości, gotowej na odpowiedzialność trwającą całe życie. Nawet na czasy, kiedy Antosia stanie się dorosłą kobietą. Na te czasy, kiedy będą mieli jeszcze kogoś do kochania i może jeszcze kogoś, i jeszcze...

Ale teraz nie czuła się na siłach, by go o tym wszystkim poinformować. Teraz chciała, by byli ze sobą. Po prostu. Zresztą miała jeszcze przecież dużo czasu, by mu o wszystkim powiedzieć. O życiu, które chciała z nim spędzić. O dzieciach, które chciała mu urodzić. Teraz chciała obiecać mu siebie i wszystko to, czego tylko zapragnął. Wierzyła już, że czas jest ich przyjacielem. A czas miłości to taki, w którym nie ma chwil zmarnowanych. Dlatego podeszła do niego całkiem blisko. Zaplotła dłonie na jego szyi. Wsłuchała się we wciąż przyspieszający oddech. Pocałowała kłujący od zarostu policzek. Przespacerowała się tym pocałunkiem do ucha, by coś mu szepnąć. Z wielkim przekonaniem.

– Kocham cię...

Popatrzył na nią nieprzytomnym wzrokiem.

– Co później? – zapytał jednak całkiem przytomnie.

Był nieugięty. Musiał wiedzieć, co będzie później, by w końcu oderwać dłonie od futryny. Zatem powinna się wykazać. Przecież mijał czas. Poczuła jego zapach, zapach czasu. Ten czas pachniał miłością. A może to czas był miłością?

– Powiedz, proszę...

Nie mogła dłużej się nad nim znęcać, nad sobą też nie.

– Zostanę z tobą... Nie tylko dziś. Zostanę na długo. Wszystko będzie dobrze, zobaczysz... Czas pokaże...

ANNA FICNER-OGONOWSKA

Alibi

NA SZCZĘŚCIE

Daj się porwać tej pięknej historii o miłości, przed którą nie da się uciec. Przestań się spieszyć i pomyśl o tym, co w życiu najważniejsze.

Hania straciła wszystko. Jej życie zatrzymało się pewnego sierpniowego dnia. Przestała marzyć, a jedyne plany to te, które układa dla swoich uczniów. Kiedy na jej drodze staje Mikołaj, Hania boi się zaangażować, ale on walczy o miłość za nich dwoje. Pomaga mu w tym jej przyjaciółka Dominika, której energia i poczucie humoru rozsadziły niejedno męskie serce. Jest też pani Irenka: prawdziwa skarbnica ciepła i mądrości – po prostu anioł stróż. To w jej nadmorskim domu, gdzie na parapecie dojrzewają pomidory, a kuchnia pachnie szarlotką i sokiem malinowym, Hania odnajduje utracony spokój, odzyskuje wiarę w miłość i daje sobie wreszcie prawo do bycia szczęśliwą.

To pełna ciepła i nadziei opowieść o tym, że nic nie zamyka nam drogi do szczęścia. Bo szansa na nowe życie jest zawsze i tylko od nas zależy, czy zechcemy ją wykorzystać.

Opowieść o tym, z jaką determinacją mężczyzna jest w stanie walczyć o miłość kobiety. Chwilami pogodna, chwilami wzruszająca historia rodzącego się uczucia. Love story, *którą czyta się jak kryminał.*

Artur Żmijewski

Anna Ficner-Ogonowska
Czas pokaże
Anna Ficner-Ogonowska
Czas pokaże